Anton Čechov

Briefe

1897–1901

Herausgegeben und übersetzt von Peter Urban

Diogenes

Umschlagfoto: Anton Čechov, Moskau, 1904

10/98/4/1
ISBN 3 257 06194 3

Inhalt

BRIEFE

ANHANG

Briefe
September 1897 bis Oktober 1901

»Drei Schwestern«
»Die Dame mit dem Hündchen«

1897

624) AN M.P. ČECHOVA PARIS, 5. 9. 1897

5. Sept. Paris.

Nimm bitte aus meinem Bücherschrank die »Erzählungen« (mit der »Steppe«, »Im Sumpf«, dem »Kuß« u. a.) und schick sie an die Adresse: Italien. Italia. Roma, s-re Ferraris, direttore della »Nuova Antologia«. Schreib hinein: »vom Autor«.

Ebd., d. h. aus meinem Bücherschrank, nimm die »Erzählungen« mit den »Bauern« und »Mein Leben«, die mit dem gelben Einband (von dem Stapel rechts), und schick sie: Frankreich. France. Paris, à m-r Jacques Merpert. 188, rue de la Pompe.

Auf jedes Streifband klebst du Marken für 17 Kop. und schreibst darauf »eingeschrieben – recommandée«. Schick sie von Lopasnja. Wie man ein Buch verpackt, weißt du ja.

Bis Berlin bin ich sehr angenehm gereist, in Gesellschaft sehr netter Leute. Von Berlin bis Köln hätten mich die Deutschen beinahe zum Ersticken gebracht mit ihren Zigarren, von Köln bis Paris habe ich geschlafen. Die ganze Reise über habe ich wunderbares Bier getrunken. Das ist kein Bier, sondern die Seligkeit. In Paris bin ich gestern angekommen. Pavlovskij hat mich abgeholt. Suvorins sind hier. Sie haben mich bis Montag mit Beschlag belegt, folglich werde ich erst nach dem 8. September nach Biarritz fahren.

Gestern bin ich den ganzen Tag in Paris herumgelaufen. Ich war mit Nastja im magasin du Louvre, habe mir ein Kamisol gekauft, einen Stock, 2 Krawatten, ein Hemd. Am Abend war ich im Moulin rouge, habe den berühmten danse du ventre gesehen. In einem riesigen Elefanten mit roten Augen ein kleiner Zuschauersaal, in den man über eine Wendeltreppe gelangt – hier wird denn auch diese danse du ventre vorgeführt bei Trommelklang und Klavier, an dem eine Negerin sitzt.

Das Wetter ist trüb, aber es ist lustig. Die Stadt ist interessant und sympathisch. Grüß alle Unsrigen, auch Lika und A.A. Chotjaincëva. Ich hoffe, zu Hause ist alles wohlauf und gesund. Ich habe dir vergessen zu sagen, wenn einer der Bauern einen Beschützer oder Vermittler braucht in seinen Angelegenheiten, dann wende dich an Michail Michajlovič Bagrinovskij, Ecke Chlebnyj und Merzljakovskij per., Haus Šagan. Das ist ein Staatsanwalt, der dieser Tage in den Ruhestand getreten ist, ein guter Bekannter von mir. Er möchte eine Anwaltskanzlei eröffnen und braucht Klienten, er hat gebeten, daß man sich an ihn wende.

Ich fühle mich gesund. Heute gehe ich mir einen pantalon kaufen, weil meine nicht nur am Arbat blitzen, sondern an allen Enden.

Alsdann, bleib gesund. Ich grüße und küsse dich.

Dein A. Čechov.

625) AN A.I. SUVORINA BIARRITZ, 9. 9. 1897

Es gießt. Es ist kalt. Ich bin im Victoria abgestiegen, in der zweiten Etage. Das Zimmer ist nicht übel (14 fr. mit Pension), das Bett breit, weiß, aber der Nachbar ist derselbe wie im Hôtel Vendôme: Tag und Nacht Lärm und Tanz, wie wenn die Kaufmannsfrau ein Bad nimmt. Trotz schlechtem Wetter brodelt an der plage das Leben. Spazierfahrten, Rufe, Gelächter, Hupsignale.

Ich grüße Sie und sende Ihnen tausend gute Wünsche. Einen Gruß an Al. Serg., Borja und Kontorja. Ich warte auf den versprochenen Brief, auf den ich detailliert und ausführlich antworten werde. *Ihr Antoine.*

9. Sept.

626) AN A.S. SUVORIN BIARRITZ, 11. 9. 1897

11. September (Donnerstag).

Hier die Einzelheiten meines Lebens. In Bordeaux begegnete mir ein warmer, klarer Morgen, aber je näher ich Biarritz kam, desto schlechter und schlechter wurde das Wetter. Sobolevskij und die Morozova holten mich ab. Als wir vom Bahnhof losfuhren, regnete es, es wehte ein herbstlicher Wind. Die Morozova bot mir an, ein Zimmer bei ihr zu mieten, aber ich lehnte dieses liebenswürdige Angebot ab und zog ins »Victoria«. Das Wetter ist meistens schlecht, besonders morgens, aber es braucht nur die Sonne hervorzuschauen, schon wird es heiß und sehr lustig. Interessant ist der Plage; schön die Menge, wenn sie im Sand müßiggeht. Ich gehe spazieren, höre den blinden Musikanten zu; gestern bin ich nach Bayonne gefahren, war im Casino auf La belle Hélène. Interessant ist die Stadt mit ihrem Markt, wo es viele Köchinnen mit spanischen Gesichtern gibt. Das Leben hier ist billig. Für 14 Franken gibt man mir ein Zimmer in der zweiten Etage, service und alles inbegriffen. Die Küche ist sehr gut, erlesen, nur eins ist nicht gut – man muß so viel essen. Zu den Mahlzeiten mittags und abends, alles für denselben Preis, wird Wein serviert, rouge et blanc; es gibt ein gutes Bier, guten Marsala – mit einem Wort, schwer bist du, Krone Monomachs! Sehr viele Frauen.

Das Wetter bessert sich anscheinend nicht. Ich werde diese freundliche Stätte bald verlassen müssen und irgendwohin in den Süden fahren, über Paris natürlich. Ich werde an die Riviera fahren, dann wahrscheinlich nach Algier. Nach Hause mag ich nicht.

Poljakov und Familie sind hier. Hilfe! Russen gibt es hier sehr, sehr viele. Die Frauen gehen noch irgendwie, aber die alten wie die jungen Russen haben kleine Gesichter wie Iltisse, und alle sind überdurchschnittlich klein. [...]

Ich schreibe diese Zeilen um 8 Uhr morgens.

Es ist trüb. Schreiben Sie, wie Sie angekommen sind und was es Neues gibt.

An Anna Ivanovna, Nastja und Borja viele Grüße.
Bleiben Sie gesund. *Ihr A. Čechov.*

627) AN A. A. CHOTJAINCËVA BIARRITZ, 17. 9. 1897

Sie fragen, sehr verehrte Malerin, ob es hier warm sei. Die ersten Tage, als ich hier ankam, war es kalt und feucht, jetzt dagegen ist es heiß wie bei mir zu Hause im Kamin. Besonders heiß ist es immer nach dem Essen, das aus sechs fetten Gerichten und einer ganzen Flasche Weißwein besteht. Das Interessanteste hier ist der Ozean: er rauscht selbst bei sehr ruhigem Wetter. Von morgens bis abends sitze ich an der grande plage, verschlinge die Zeitungen, und an mir vorbei flanieren in bunter Menge Minister, reiche [...], Adelaiden, Spanier, Pudel; Kleider, bunte Schirme, helle Sonne – all das zusammengenommen entrückt mich Melichovo auf über hunderttausend Verst.

Wann kommen Sie nach Paris? Dort ist es jetzt sehr schön.

Vor einigen Tagen gab es in Bayonne einen Kampf der Kühe. Die Picadores, Spanier, lieferten sich eine Schlacht mit Kühen. Die Kühe, gereizt und wendig, hetzten die Picadores durch die Arena. Das Publikum tobte.

Hier ist K. Makovskij. Er malt Damen.

Bleiben Sie gesund. Grüßen Sie Ihre Mutter und Ihren Bruder und schließen Sie mich in Ihre heiligen Gebete ein. Danke für den Brief. *Ihr A. Čechov.*

17. Sept.

628) AN L. S. MIZINOVA BIARRITZ, 18. 9. 1897

18. Sept.

Liebe Lika, Ihren Brief habe ich gestern bekommen und mich natürlich sehr gefreut. Sie fragen, ob es hier warm sei, ob ich es lustig habe. Bis jetzt geht es mir gut. Ich sitze tagelang in der Sonne, denke an Sie und überlege mir, warum Sie so gern von Menschen mit schiefen Hüften sprechen und schreiben; nach einigem Überlegen komme ich zu der Überzeugung, daß Sie das aller Wahrscheinlichkeit nach deshalb tun, weil Ihre eigenen Hüften nicht in Ordnung sind, Sie dies zu verstehen geben und gefallen wollen.

Hier ist es sehr warm, sogar heiß, aber das wird nicht mehr lange dauern, und heute oder morgen schon werde ich mich fühlen wie in Melichovo, d. h. nicht wissen, wohin ich fahren soll. Mit ganzer Seele strebe ich nach Paris, aber dort beginnt bald der feuchte Herbst, man wird mich von dort verjagen, und wahrscheinlich werde ich nach Nizza oder nach Beaulieu fahren müssen, das in der Nähe von Nizza liegt. Wenn ich Geld habe, fahre ich von Nizza über Marseille nach Algier und Ägypten, wo ich noch nicht gewesen bin. Und wann kommen Sie nach Paris? Wann immer Sie kommen, geben Sie mir auf jeden Fall Nachricht, ich komme an den Bahnhof, um Sie abzuholen. Ich werde Sie sehr liebenswürdig empfangen und mir Mühe geben, Ihre schiefen Hüften nicht zu bemerken und, um Ihnen ein besonderes Vergnügen zu bereiten, nur über Käsezubereitung mit Ihnen sprechen.

Zur Übung im Französischen habe ich mir hier eine kleine Französin zugelegt, 19 Jahre alt. Sie heißt Margot. Sie werden mich deswegen entschuldigen, bitte.

Sie haben recht, Briefe bedeuten hier keine geringe Freude – und darum bitte ich Sie, schreiben Sie mir öfter. Die Portokosten werde ich Ihnen zurückerstatten, wenn Sie dies wünschen. Glauben Sie mir, ich schätze an Frauen nicht allein die Reinheit, sondern auch die Güte. Bisher waren Sie, soviel ich weiß, sehr gütig: Sie haben meinen Freunden zärtliche, lange Briefe geschrieben; dehnen Sie diese Güte auch auf mich aus. Bei meinen Freunden stellte sich, nach Lektüre eines Briefes von Ihnen, gewöhnlich der unwiderstehliche Wunsch ein, über Käsezubereitung zu schreiben und ihre Kinder in einer Zinkbadewanne zu baden; ich weiß nicht, womit ich das erklären soll! Was mich betrifft, so hat Ihr letzter Brief auf die veredelndste Weise auf mich gewirkt: ich fühlte mich rein.

Schreiben Sie. Was gibt es Neues? Was macht Sašečka File? Was Volodja mit dem Backenbart (mit dem Sch... bart) und seiner winselnd-kichernden Gattin? Verkehren Sie bei Ihrer Freundin, die so gern junge Maler frißt? Es ist erstaunlich, welche Wirkung vom ständigen Wohnen in der Nachbarschaft einer Feuerwarte ausgeht! Offensichtlich erhitzt die Nähe der Feuerwehr das Blut, und vor der Leidenschaft schützen nicht einmal graue Haare. Lika, hüten Sie sich vor Feuerwarten! O.P. Kundasova könnte Ihnen in diesem Punkt so manches erzählen; sie hat von Dr. Florinskij so manches gehört.

Gestatten Sie mir also, auf einen langen, langen Brief von Ihnen zu warten. Grüßen Sie Maša, V.A.

Ich drücke Ihnen die Hand und bleibe Ihr beständiger Verehrer und Bewunderer. *A. Čechov.*

629) AN A.S. SUVORIN BIARRITZ, 21. 9. 1897

21. Sept.

Die Winde wehen, es regnet unaufhörlich. Und dieses Wetter hat sich hier offenbar auf lange eingerichtet. Wie dem auch sei, morgen am Montag fahre ich nach Nizza, unter Umgehung von Paris. Früher hatte ich gedacht, den ganzen Oktober in Paris zu verbringen, aber bei mir ist siebenmal in der Woche Freitag, und ich habe beschlossen, ein solches Vergnügen wie einen Aufenthalt in Paris auf den Dezember zu verschieben, wenn sozusagen die Wintersaison auf dem Siedepunkt ist. Also, schreiben Sie mir nach Nice.

Meine Gesundheit ist leidlich. Es wird mir ein bißchen langweilig – das kommt vom Nichtstun. Das Geld in der Tasche schmilzt wie Halbgefrorenes. Briefe bekomme ich keine: niemand schickt mir welche.

Anna Ivanovna, Nastja und Borja grüße ich herzlichst und wünsche ihnen alle Güter des Himmels und der Erden. Ihnen desgleichen. Vergessen Sie mich bitte nicht in Ihren Gebeten.

Das Telegramm zum »Ivanov« habe ich bekommen und war

gerührt von Ihrer Aufmerksamkeit. Jetzt warte ich auf einen Brief. Bleiben Sie gesund!! *Ihr A. Čechov.*

630) AN L. S. MIZINOVA BIARRITZ, 22. 9. 1897

Liebe Lika, ich fahre nach Nizza. Meine Adresse lautet jetzt: Nice, Pension Russe. Seien Sie so gut, schreiben Sie diese meine Adresse auf einen Zettel und schicken Sie sie Dr. P. I. Kurkin, der ebenfalls im Helsingfors wohnt.

Schreiben Sie, was es Neues gibt. Wenn es Ihnen einfallen sollte, nach Paris zu fahren, dann geben Sie mir bitte Nachricht. Meine Sache steht nicht gerade gut – in dem Sinne, daß ich anscheinend beginne, Sehnsucht nach der Heimat zu haben.

Ich warte auf Briefe von Ihnen. *Ihr A. Čechov.*

22. Sept.

631) AN A. S. SUVORIN NIZZA, 1. 10. 1897

1. Okt.

Was Gorev betrifft, haben Sie nicht ganz recht. Von fünf Malen spielt er einmal sehr gut, sogar bemerkenswert. Er hat eine unschöne Art, die Schultern hochzuziehen und die Sätze hervorzustoßen, aber er hat eine Fähigkeit – er kann sich manchmal, in bestimmten Stücken zu solchen Höhen aufschwingen wie kein einziger russischer Schauspieler; er ist meistens gut, besonders in einem guten Ensemble, wenn neben ihm auch die anderen gut spielen.

In Nizza wohne ich in der russischen Pension. Das Zimmer, ziemlich geräumig, hat Fenster nach Süden, einen Teppich über den ganzen Fußboden, eine Loge wie bei Kleopatra, eine Garderobe; ausgiebige Mahlzeiten, zubereitet von einer russischen Köchin (Šči und Piroggen), ebenso ausgiebig wie im Hôtel Vendôme und ebenso schmackhaft. Ich zahle 11 fr. pro Tag. Es ist warm hier; nicht einmal abends ist es herbstlich. Das Meer ist freundlich, ergreifend. Die Promenade des Anglais ist über und über grün und glänzt in der Sonne; ich sitze morgens im Schatten und lese Zeitung. Gehe viel spazieren. Ich habe Maksim Kovalevskij kennengelernt, den ehemaligen Mosk. Professor, entlassen nach Paragraph 3. Er ist ein hochgewachsener, dicker, lebhafter, sehr gutmütiger Mensch. Er ißt viel, scherzt viel und arbeitet sehr viel – mit ihm ist es heiter und lustig. Er hat ein schallendes, ansteckendes Lachen. Lebt in Beaulieu in seiner eigenen schönen Villa. Hier ist auch der Maler Jakobi, der Grigorovič einen Schuft und Gauner nennt, Ajvazovskij einen Hundesohn, Stasov einen Idioten usw. Vorgestern haben ich, Kovalevskij und Jakobi zusammen gegessen und das ganze Essen über so gelacht, daß uns die Bäuche wehtaten – zum großen Erstaunen der Dienstboten. Wir essen oft Austern.

Die Morozova schreibt, in Biarritz sei es kalt, es habe sogar Frost gegeben. In Paris ist herrliches Wetter – laut »Figaro«. Wenn Sie nach Paris fahren, komme ich auch dorthin. Nur sollten Sie meiner Meinung nach vorher nach Nizza kommen, um sich aufzuwärmen, danach könnten wir zusammen nach Paris fahren. In Nizza ist es, ich wiederhole, warm und sehr schön. Am Quai zu sitzen, sich zu sonnen und aufs Meer zu schauen – das ist so ein Genuß.

Viele Grüße von ganzem Herzen an Anna Ivanovna, Nastja und Borja. Alles Gute! Auf das merkwürdige Gefühl in den Beinen achten Sie gar nicht. Sie haben einen sehr gesunden Organismus.

Nice, Pension Russe. *Ihr A. Čechov.*

Es ist langweilig ohne Zeitungen und Briefe aus Rußland.

632) AN M.P. ČECHOVA NIZZA, 6. 10. 1897

Eben habe ich deinen Brief mit der Liste der Ausgaben bekommen. Aus Angst, daß du am Ende ohne Geld dastehen könntest, schicke ich Aleksandr eine Vollmacht, damit er das Geld für den »Ivanov« abholen und dir schicken kann. Zunächst wird er, wahrscheinlich, 300–400 R. schicken, und diese Summe kannst du dir vorläufig *leihen*, meinetwegen bei der »Russk. mysl«. Hast du vom »Nov. vr.« das Geld für Oktober bekommen? Im November (am 2. oder 3.) bekommst du wieder 200 R. Aleksandr wird dir das Geld an die Moskauer Adresse schicken; da zum Empfang von Geld beim Postamt jetzt die Vorlage des Passes ausreicht, denke ich, daß dir die Entgegennahme des Geldes keine großen Umstände machen wird. Wenn doch, ertrag es – was soll ich tun? Für deine Mühen werde ich dir Belohnungen schicken. Wir haben jetzt Herbst, die Tage sind kurz, für die Pflüger reichen 80 K. pro Tag. Egoryšev zahl aus, aber sag ihm, daß er laut Vertrag verpflichtet gewesen wäre, die Scheune für die 500 R. zu bauen, die er für die Schule bekommen hat. Ich bin gesund. Es ist warm. Grüße. *Dein A. Čechov.*

Die Vollmacht für Aleksandr schicke ich morgen, spätestens übermorgen ab. Geld habe ich vorläufig, es mangelt mir an nichts, und ich schäme mich, daß ich euch zu wenig dagelassen habe.

633) AN L. A. AVILOVA NIZZA, 6. 10. 1897

6. Okt.

Ihr Brief ging von Lopasnja nach Biarritz, von dort hat man ihn mir nach Nizza nachgeschickt. Hier meine Adresse: France, Nice, Pension Russe. Mein Name wird so geschrieben: Antoine Tchekhoff. Bitte schreiben Sie mir noch irgendetwas; und wenn Sie etwas Eigenes veröffentlicht haben, schicken Sie es. Schreiben Sie mir, à propos, Ihre Adresse. Diesen Brief schicke ich über Potapenko.

Sie beklagen, daß meine Helden düster seien. Oh weh, das ist nicht meine Schuld! Das geschieht unwillkürlich, und wenn ich schreibe, habe ich nicht den Eindruck, als schriebe ich düster; auf jeden Fall habe ich beim Arbeiten immer gute Laune. Man hat bemerkt, daß düstere Menschen, Melancholiker immer lustige

Dinge schreiben, während einen die Lebensfrohen mit ihren Schreibereien in Trübsinn stürzen. Und ich bin ein lebensfroher Mensch; zumindest habe ich die ersten 30 Jahre meines Lebens, wie man so sagt, zu meinem Vergnügen gelebt.

Meine Gesundheit ist morgens leidlich und abends großartig. Ich tue nichts, schreibe nichts und habe auch keine Lust zu schreiben. Ich bin schrecklich faulgeworden.

Bleiben Sie gesund und glücklich. Ich drücke Ihnen die Hand.

Ihr A. Čechov.

Ich werde wahrscheinlich den ganzen Winter im Ausland verbringen.

634) AN V. M. SOBOLEVSKIJ NIZZA, 17. 10. 1897

17. Okt.

Lieber Vasilij Michajlovič, ich schicke Ihnen eine Erzählung, Frucht meiner müßigen Muse. Das hiesige Papier (papier écolier) hat ein so appetitliches Aussehen, und es ist hier so angenehm, Federn zu kaufen, daß man sich des Schreibens nur mit Mühe enthalten kann.

Wenn die Erzählung taugen sollte, dann veröffentlichen Sie sie. Wenn sie Ihnen zu lang erscheint und im Feuilleton keinen Platz hat, dann geben Sie sie Golcev, und ich schicke Ihnen eine andere, die ich morgen anfangen werde zu schreiben.

Das Wetter ist herrlich; nur morgens, gegen 8 Uhr, ist es manchmal frisch, aber nur selten. In Monte Carlo war ich lange nicht mehr und weiß nicht, wie oft dort jetzt das erste Dutzend ausgespielt wird.

Ich wohne immer noch in derselben Pension Russe, es ist immer noch so still und ruhig wie zu Ihrer Zeit. Übrigens, es hat auch eine Revolution stattgefunden. Mir ist zu Ohren gekommen, daß der in derselben Pension wohnende Spitzel (der junge Mann aus Warschau hat sich schließlich und endlich als solcher erwiesen) und der Zemstvovorsitzende an Vera Dm. 9 Franken pro Tag zahlen; ich dagegen zahle 11. Mich hat das ein bißchen gewurmt, ich habe aufbegehrt, und man hat mir einen franc nachgelassen. Ich zahle jetzt 10.

Morgen, am Samstag, gibt es in der Pens. Russe ein Abschiedsessen für Maksim Maksimovič. 8 Russen werden essen. Jurasov will Wein mitbringen, den er von irgendeinem Fürsten geerbt hat.

Ich spiele mit Jakobi und mit Kovalevskij Pikee. Jakobi sagt, Vas. Nemirovič-Dančenko sei ein Militärschreiber, ein Schuft und unbegabt. Sie sind anscheinend der einzige Mensch, über den er sich positiv äußert.

Wann sind Sie zurückgekommen? Wie geht es Ihnen?

Ich gehe zur Post. Einen Gruß an Varvara Alekseevna und die Kinder.

Bleiben Sie gesund und wohlauf, ich drücke Ihnen fest die Hand. *Ihr A. Čechov.*

Wollen Sie mir nicht die Korrektur schicken? Ich würde an der Erzählung noch feilen. Die Zeit ist geduldig, es besteht kein Grund zur Eile.

635) AN V.M. SOBOLEVSKIJ NIZZA, 24. 10. 1897

24. Okt.

Lieber Vasilij Michajlovič, seien Sie gegrüßt. Alles steht zum besten und Neuigkeiten gibt es keine, außer vielleicht, daß in der Pension Russe ein Wirkl. Staatsrat eingezogen ist, der Chef des Eichamts ist (wie Kuzma Prutkov) und daß heute V.I. Nemirovič-Dančenko zu uns zieht, der Monte Carlo endgültig verlassen will. Offenbar hat er tüchtig verloren. Die Zahl 13, auf die er so sehr gesetzt hatte, hat ihn im Stich gelassen.

Wie Sie sehen, schicke ich noch eine Erzählung.

Kovalevskij fährt um den 26. nach Paris. Jakobi ist fast jeden Tag in der P.R. Gestern hat er uns allen versichert, Grigorovič sei – ein Spitzel.

Von Ihnen kein Sterbenswörtchen. Schreiben Sie mir 2, 3 Zeilen. Wenn Sie in der Vozdviženka sind, übermitteln Sie Varvara Alekseevna und den Kindern meinen herzlichsten Gruß.

Das Wetter ist warm. Gestern war es trüb.

Ich drücke Ihnen die Hand. *Ihr A. Čechov.*

636) AN M.P. ČECHOVA NIZZA, 27. 10. 1897

27. Okt.

Liebe Maša, ich schrieb dir bereits, daß du mir die »Mirovye otgoloski« nicht zu schicken brauchst, denn man bekommt sie hier. Geschickt werden mir »Russkie vedomosti« und »Russkoe slovo«.

Wenn A.A. Chotjaincëva nach Paris fährt, gebt mir drei Tage vorher Nachricht; ich muß Vorkehrungen treffen, daß sie in Paris abgeholt wird. Suvorin ist in Paris, nach Nizza wird er aber nicht kommen; er schreibt, er müsse eilig zurück nach Petersburg.

Das Wetter ist herrlich; so hell und warm, daß es geradezu unglaublich ist. Sommer, richtiger Sommer.

Und hier zum Nachtisch eine Lektion Französisch. Auf Briefe schreibt man üblicherweise »Monsieur Antoine Tchekhoff«, nicht »à M-r Ant. Tchekhoff«. Man schreibt »recommandée«, nicht »recommendée«. Die französische Sprache ist eine sehr höfliche und feine Sprache, kein einziger Satz, nicht einmal im Gespräch mit Dienstboten, mit Polizisten oder mit Droschkenkutschern, der ohne monsieur, madame abginge, und ohne »ich bitte Sie« und »seien Sie so gut«. Es ist unmöglich zu sagen »geben Sie mir Wasser«, sondern »seien Sie so gut, mir Wasser zu geben«, oder »geben Sie mir Wasser, ich bitte Sie«. Aber dieser Satz, d. h. das »ich bitte Sie«, darf nicht heißen »je vous en prie« (že vu zan pri), wie man in Rußland zu sagen pflegt, sondern unbedingt »s'il vous plaît« (wenn es Ihnen gefällt) oder, zur Abwechslung, »ayez la bonté de donner...« (haben Sie die Güte zu geben), »veuillez donner« (vëije) – würden Sie mir geben wollen. Wenn im Geschäft jemand sagt »je vous en prie«, so kann man sicher sein, es ist ein Russe. Die Russen sprechen das Wort »les gens« im Sinne von »Dienstboten« wie »žans« aus, aber das ist falsch, es muß heißen »žan«... Das Wort »oui« – ja darf man nicht »vuj« aussprechen wie bei uns, sondern »uij«, so, daß man das i hört. Wenn sie gute Reise wünschen, sagen die Russen: »bon voyage – bon vuajaš«, man hört stark das š, die richtige Aussprache ist aber – Voajažž... Voisinage... vuazinažžž... nicht vuazinaš... Desgleichen »treize« (13) und »quatorze« (14), das darf man nicht três und nicht kators aussprechen wie Adelaida, sondern trèzzz... katorzzz... daß am Ende des Wortes das z klingt.. Das Wort »sens« – Sinn, Gefühl, wird sans gesprochen, das Wort »soit« im Sinne von »möge« – suatt. Das Wort »ailleurs« – anderswo – und »d'ailleurs« – im übrigen – wird gesprochen wie aljor und daljor, wobei das o sich dem ë nähert.

Nun denn, das ist genug fürs erste. Neuigkeiten gibt es keine, meine Gesundheit ist nicht übel. Was macht Lika? Sie will nach Milano? Bleib gesund. An alle meinen ergebensten Gruß.

Ja, noch eine Beobachtung: die Russen erkennt man hier daran, daß sie oft die Wörter »donc« und »déjà« gebrauchen. Das klingt unschön, trivial. Sie sagen auch immer »ce n'est pas vrai« – »das ist nicht wahr«. Aber für einen Franzosen ist ein solcher Ausdruck zu grob, das ist kein Ausdruck des Zweifels oder Mißtrauens, wie bei uns, sondern des Schimpfens. Wenn du Zweifel oder Mißtrauen äußern willst, mußt du sagen: »c'est impossible, monsieur.«

Ich schreibe ein bißchen.

Hat Mamaša die Karte bekommen? Wenn du willst, daß ich dir Kosmetika oder Malzubehör mitbringe oder bei Gelegenheit schicke, dann schreib, was du brauchst. Ich kann dir einen ganzen Farbkasten mitbringen, zollfrei, – hier ist das alles großartig und nicht teuer.

Agréez l'assurance de ma parfaite considération.

Antoine Tchekhoff.

Die Marken gib Marija Timofeevna.

637) AN A. S. SUVORIN NIZZA, 1. 11. 1897

Samstag.

Ihr Brief hat mich unangenehm überrascht. Ich habe Sie mit solcher Ungeduld erwartet, wollte Sie sehen, mit Ihnen sprechen, und ich brauche Sie im Grunde so sehr! Für die Gespräche hatte ich einen großen Korb vorbereitet, ich hatte herrliches, ganz warmes Wetter für Sie vorbereitet – und auf einmal dieser Brief. Es ist furchtbar ärgerlich!

In der Pension Russe wohnt eine Etage tiefer Nemirovič, der Sie ebenfalls erwartet hatte.

Sie haben Ihr Theater, und ich habe meine eigenen Sorgen. Die Zeitschrift »Chirurgija« bläst wieder in die hohle Hand, und retten muß sie wieder ich, denn ich bin unter den Ärzten der einzige, der Bekannte und Verbindungen zur Welt der Literatur und der Presse hat. Die Zeitschrift ist in wissenschaftlicher Hinsicht vorzüglich, absolut europäisches Niveau. Geben Sie mir einen Rat: wie kann ich Subsidien in Höhe von 3–4 Tausend pro Jahr lockermachen? Wenn man sich dazu Herausgeber nennen muß, so würde ich mich so nennen und eine Woche lang barfuß, unbedeckten Hauptes und mit einer Kerze in der Hand mich vor Vittes Haus stellen. Geben Sie mir nur einen Rat, das Gesuch werde ich oder wird der Redakteur einreichen.

Ich hatte wieder Bluthusten, 3–4 Tage lang, jetzt ist nichts mehr, ich hüpfe und springe und fühle mich sehr wohl. Ich habe 2 Erzählungen geschrieben und bereits abgeschickt.

Wenn Sie es sich noch anders überlegen und nach Nizza kommen, telegraphieren Sie, ich komme Sie abholen. Telegraphieren Sie auf jeden Fall am Tag Ihrer Abreise, damit ich weiß, wohin ich Ihnen zu schreiben habe und in welcher Stimmung Sie sind. Ich möchte, daß Sie nicht traurig sind.

Bleiben Sie gesund. Viele Grüße an Michail Alekseevič und Pavlovskij. Heute ist es den ganzen Tag hell, heiß und still. Das ist ein Land! *Ihr A. Čechov.*

Ich werde den ganzen Winter in Nizza bleiben.

638) AN L. A. AVRILOVA NIZZA, 3. 11. 1897

3. November, Pension Russe, Nice.

Ach, Lidija Alekseevna, mit welchem Vergnügen habe ich Ihre »Vergessenen Briefe« gelesen. Das ist eine schöne, kluge, elegante Sache. Eine kleine, kurze Sache, aber mit einer großen Menge Kunst und Talent geschrieben, und ich verstehe nicht, warum Sie nicht in genau dieser Art fortfahren. Briefe sind eine unglückliche, langweilige Form, und zudem eine leichte, aber ich meine den Ton, das aufrichtige, beinahe leidenschaftliche Gefühl, den eleganten Satzbau... Golcev hatte recht, als er sagte, Sie hätten ein sympathisches Talent, und wenn Sie bis heute nicht daran glauben, dann nur aus eigener Schuld. Sie arbeiten sehr wenig, faul. Ich bin selber ein fauler Kleinrusse, aber im Vergleich zu Ihnen habe ich ganze Berge geschrieben! Mit Ausnahme der »Vergessenen Briefe« strotzt es in Ihren Erzählungen zwischen den Zeilen nur so von Unerfahrenheit, Unsicherheit, Faulheit. Sie haben die Sache, wie man so sagt, noch immer nicht im Griff und arbeiten wie eine Anfängerin, wie ein Fräulein, das Porzellan bemalt. Sie haben ein Gefühl für Landschaft, Ihre Landschaften sind gut, aber Sie verstehen es nicht, ökonomisch damit umzugehen, dauernd drängt sie sich (die Landsch.) vor, wo sie gar nicht hingehört, und die eine Erzählung verschwindet sogar ganz unter der Masse der Landschaftsausschnitte, die Sie zu Haufen türmen im gesamten Verlauf vom Anfang bis (beinahe) zur Mitte der Erzählung. Dann, Sie arbeiten nicht an Ihrem Satz; er muß gemacht werden – darin besteht die Kunst. Man muß das Überflüssige rauswerfen, muß den Satz reinigen von »nach Maßgabe dessen«, »unter Zuhilfenahme«, man muß sich sorgen um seine Musikalität und darf nicht zulassen, daß in einem Satz beinahe nebeneinander »stand« und »überstand« vorkommen. Liebste, Wörter wie »die Untadelige«, »Auf der Bruchstelle«, »im Labyrinth« sind doch eine einzige Beleidigung. Er »spürte« und er »berührte« nebeneinander will ich noch gelten lassen, aber die »Untadelige« – das ist holprig, klobig und taugt nur in der gesprochenen Sprache, und die Holprigkeit müssen Sie spüren, denn Sie sind musikalisch und feinfühlig, was die »Vergessenen Briefe« bezeugen. Die Zeitungen mit Ihren Erzählungen hebe ich auf und schicke sie Ihnen bei Gelegenheit, und Sie sollten, ungeachtet meiner Kritik, noch etwas zusammenstellen und mir schicken.

Bis jetzt war das Wetter schön, alles war in Ordnung; jetzt dagegen, wo es regnet und die Luft rauher geworden ist, kratzt es wieder, und wieder hat sich Blut gezeigt, so eine Gemeinheit.

Ich schreibe, aber nur Kleinigkeiten. An die »Russkie vedomosti« habe ich schon zwei Erzählungen geschickt.

Bleiben Sie gesund. Ich drücke Ihnen fest die Hand.

Ihr A. Čechov.

639) AN M. G. VEČESLOV NIZZA, 7. 11. 1897

7. November.

Gnädiger Herr!

Als die Novelle »Mein Leben« in den »Beilagen zur ›Niva‹« erschien, hatte die Zensur sie an einigen Stellen beschnitten; im Buch (»Erzählungen: 1) ›Die Bauern‹, 2) ›Mein Leben‹ «) ist sie ganz abgedruckt. Verständlicherweise macht die Novelle, selbst wenn sie in toto veröffentlicht wird, einen beschnittenen Eindruck, denn ich habe, als ich an ihr schrieb, keinen Augenblick lang vergessen, daß ich für eine Zeitschrift schreibe, die der Zensur unterliegt.

Das Manuskript ist vernichtet.

Meine Novelle gebe ich zur Übersetzung frei und tue dies natürlich mit großem Vergnügen; was die Bedingungen betrifft – Sie schreiben davon, – so weiß ich wirklich nicht, was ich Ihnen sagen soll. Wir haben die Konvention nicht, und die Bedingungen werden nicht von den Autoren bestimmt, sondern von den Übersetzern. Für den Fall, daß mir Ihr Bekannter seine gedruckte Übersetzung zur Erinnerung schicken möchte, übermitteln Sie ihm meine Adresse: Lopasnja, Gouv. Mosk., A.P. Čechov. In Nizza bleibe ich bis Januar. Entschuldigen Sie, daß ich auf einer Postkarte schreibe, ich habe keine Briefmarken, und welche zu holen ist es zu spät: es ist Sonntag, Abend, die Post hat zu.

Ich wünsche Ihnen alles Gute. *A. Čechov.*

640) AN A. I. SUVORINA NIZZA, 10. 11. 1897

10. November, Pension Russe, Nice.

Liebe Anna Ivanovna, vielen Dank für Ihren Brief. Ich habe ihn gelesen und setze mich sofort hin, um zu antworten. Sie fragen nach meiner Gesundheit. Mein Befinden ist großartig, äußerlich bin ich (wie mir scheint) völlig gesund, aber das Schlimme ist – mein Bluthusten. Blut kommt wenig, aber lange, und der letzte Blutfluß, der auch heute noch anhält, hat vor drei Wochen eingesetzt. Seinetwegen muß ich mir verschiedene Einschränkungen auferlegen; ich verlasse nach 3 Uhr nachmittags das Haus nicht mehr, trinke so gut wie nichts, esse nichts Heißes, gehe nicht schnell, halte mich nirgends außer auf der Straße auf, mit einem Wort – ich lebe nicht, ich vegetiere. Und das macht mich gereizt, ich bin schlechter Laune und habe dauernd den Eindruck, als redeten die Russen bei Tisch dummes und banales Zeug, und es kostet mich Überwindung, ihnen keine Grobheiten zu sagen.

Nur, sprechen Sie um Himmels willen mit niemandem über meinen Bluthusten, das bleibt unter uns. Nach Hause schreibe ich, ich sei völlig gesund, und etwas anderes zu schreiben, hätte auch keinen Sinn, denn ich fühle mich sehr gut – und wenn man zu Hause erführe, daß ich immer noch Blut huste, würde man dort in Wehklagen ausbrechen.

Jetzt zu der kleinen Intrige, nach der Sie fragen. In Biarritz hatte ich mir für mein Französisch Margot zugelegt, ein Mädchen von 19 Jahren; als wir uns verabschiedeten, sagte sie, sie käme bestimmt nach Nizza. Wahrscheinlich ist sie auch hier, aber ich kann sie einfach nirgends finden und... und spreche nicht französisch.

Das Wetter hier ist paradiesisch. Es ist heiß, still, freundlich. Die Musikwettbewerbe haben begonnen. Orchester ziehen durch die Straßen, mit Lärm, Tanz, Gelächter. Ich sehe das alles und denke dabei: wie dumm, daß ich früher nicht länger im Ausland gelebt habe. Jetzt werde ich, glaube ich, nicht mehr in Moskau überwintern, für keine Pfefferkuchen der Welt. Sowie es Oktober wird, fort aus Rußland. Die hiesige Natur berührt mich nicht, sie ist mir fremd, aber ich liebe leidenschaftlich die Wärme, liebe die Kultur... Und die Kultur schaut einem hier aus jedem Ladenfenster entgegen, aus jedem Spankorb; jeder Hund riecht hier nach Zivilisation.

Was macht Nastja? Was Borja? Einen herzlichen Gruß und meine besten Wünsche für sie. Seien Sie nicht so stolz und erhaben, schreiben Sie mir öfter. Ich brauche Briefe. Ich küsse Ihnen 100 x 100 mal die Hand und wünsche Ihnen Glück, und danke Ihnen nochmals.

Von ganzem Herzen und ganzer Seele *Ihr A. Čechov.*

Grüßen Sie Konst. Sem.

641) AN M.P. ČECHOVA NIZZA, 12. 11. 1897

Liebe Maša, den Scheck über 400 R. habe ich bekommen. Mille remerciements. Auf die Briefe von Lika und Levitan habe ich geantwortet, von Olga Petrovna dagegen habe ich nichts bekommen; sag ihr das ruhig so. Ladyženskij kann man natürlich nicht bezahlen, aber man muß ihm schreiben; er ist, glaube ich, zur Zeit in Petersburg. Erkundige dich nach den Wahlen und schreib. Wer ist Vorsitzender geworden? Für den »Ivanov« bekommst du noch einmal Geld.

Jetzt zur Gesundheit. Es steht alles zum besten. Je suis bien portant. Gesund heißt auf französisch – sain, aber das bezieht sich nur auf das Essen, das Wasser, das Klima, Menschen sagen von sich – bien portant von »se porter bien« – sich gut tragen, gesund sein. Wenn du jemanden begrüßt, sagst du: »Je suis charmé de vous voir bien portant« – ich freue mich, Sie bei guter Gesundheit zu sehen. Nach charmé und überhaupt nach Wörtern, die eine seelische Tätigkeit und eine Tätigkeit unserer fünf Sinne, des Gedächtnisses bezeichnen, folgt in der Regel der Infinitiv ergänzt durch die Präposition de. Zum Beisp.: j'oublie de vous donner de l'argent – ich vergesse, Ihnen Geld zu geben. Bien bedeutet gut und wird auch im Sinne von sehr verwendet. Vous êtes bien bon – Sie sind sehr gut. Ça me semble bien cher – das scheint mir sehr teuer zu sein. Je vous remercie bien. In unserem Alter Französisch zu lernen ist schwer, sehr sogar, aber ein bißchen was erreichen kann man schon. Nimm nicht bei O. P. Unterricht, sondern lies irgend etwas mit Wörterbuch, 5–10 Zeilen pro Tag, und lern pro Tag einen einzigen Ausdruck richtig. Zum Beispiel heute lernst du die Bedeutung von la pièce (Sache, Stück). Man fragt dich: wieviel Bücher, Münzen, Zimmer brauchen Sie? Du antwortest: trois pièces, sept pièces. Und morgen lernst du das Wort monter oder descendre. Lern nach dem Makarovschen Wörterbuch. Und so lernst du im Monat 30 Wörter in ihrer französischen, oft gebrauchten Bedeutung. Ich spreche schlecht, lese aber schon gut und kann auf französisch Briefe schreiben. Bleib gesund. Du hast das Seitengebäude so anregend beschrieben, daß ich auf einmal Lust hatte, nach Hause zu kommen.

12. November. *Dein A. Čechov.*

642) AN V. M. SOBOLEVSKIJ NIZZA, 20. 11. 1897

20. November.

Lieber Vasilij Michajlovič, Sie haben Moskau mit seinem Wetter, seinen Jubiläen und Beerdigungen in so düsteren Farben geschildert; ich kann Ihnen nicht in denselben antworten, denn bei uns in Nizza gibt es keine Jubiläen, niemand liest Zlatovratskij, alle sind am Leben, und das Wetter ist paradiesisch, wunderbar. Nemirovič hat die Koffer gepackt und wird wahrscheinlich heute abreisen, Jakobi kommt jeden Tag zum Essen und schimpft auf

Stasov, manchmal kommt Jurasov, ein guter, sanfter kleiner Mann; Kovalevskij hält Vorlesungen in Paris und hat Erfolg.

Ich wohne nicht mehr in dem alten Zimmer, sondern eine Etage tiefer. Ich bin umgezogen, als ich Bluthusten hatte, der wieder vorbei ist.

Korrektur lese ich, nicht um das Äußere einer Erzählung zu korrigieren; gewöhnlich schließe ich die Erzählung in den Korrekturabzügen ab und korrigiere sie sozusagen von ihrer musikalischen Seite. Aber wenn es Ihnen tatsächlich Umstände macht, mir die Fahnen zu schicken, dann geschehe Ihr Wille! Was tun! Nur, bitte, nehmen Sie jedesmal, wenn Sie eine Erzählung von mir bekommen haben, eine Postkarte und schreiben Sie mir nur zwei Worte: »Erzählung bekommen.« Die zweite Erzählung habe ich 8 Tage nach der ersten geschickt, und Sie haben sie früher bekommen! Bitte lassen Sie mich nicht im Ungewissen.

Von Varvara Alekseevna habe ich Ende Oktober einen Brief bekommen und ihr geantwortet. Ich werde ihr bald mehr schreiben, aber grüßen Sie sie einstweilen und sagen Sie ihr, daß ich ihr von Herzen meine besten Wünsche sende – Gesundheit, Glück. Auch an die Kinder einen Gruß und Dank dafür, daß sie an mich denken.

Die »Russkie vedomosti« bekomme ich.

Seit Ihrer Abreise ist es, als hätte ich ein Gelübde abgelegt: ich esse nur noch zu Hause und trinke *nichts*.

Bleiben Sie gesund!! Vergessen Sie mich nicht.

Ihr A. Čechov.

643) AN A. S. SUVORIN NIZZA, 24. 11. 1897

Ich bin völlig gesund, und meine privilegierte Stellung als müßiger und zufriedener Mensch beginnt mich hin und wieder zu langweilen, und in manchen Augenblicken – habe ich Lust auf Schnee. Arbeiten kann man hier, aber irgend etwas fehlt, und während der Arbeit hat man ein unbequemes Gefühl, als sei man an einem Bein aufgehängt.

Kovalevskij hat einen guten, gesunden Eindruck auf Sie gemacht? Das hatte ich erwartet. Er überragt unsere fortschrittliche hauptstädtische Intelligenz, die sich täglich Jubiläen gibt, um fünf Haupteslängen. Zur Zeit ist er in Paris, im Januar fahren wir gemeinsam nach Afrika.

Ich lese Charles Baïhaut, den ehemaligen Panama-Minister, »Impressions cellulaires«. Wenn Sie das jemanden übersetzen ließen und verlegen oder in Auszügen veröffentlichen würden, wie Sie es früher einmal mit Romanen gemacht haben. Wie viele Tränen, wie viele Schrecken, traurige Episodenfiguren (die Ehefrau), und gleichzeitig wie viel Eitelkeit, unpassendes Pathos und Kleinbürgertum! Der Mann philosophiert, bringt ein großes Opfer, und gleichzeitig erniedrigt er sich zu den kleinbürgerlichsten Vorwürfen; dauernd macht er seinen ehemaligen Freunden das Stückchen Brot zum Vorwurf: ihr habt so oft bei mir gegessen und mich dann, im Unglück, verlassen. Im ganzen ist der Eindruck der: wie sehr dieses Volk doch leidet, wie schwer es für alles sühnt, ein Volk, das allen voranschreitet und in der europäischen Kultur den Ton angibt. Ein Volk, das seine Fehler zu nutzen versteht und dem kein Fehler umsonst unterläuft. Lesen Sie die neue Zeitung »L'Aurore«? Eine interessante Zeitung. Rochefort geht mir furchtbar auf die Nerven; 2–3mal ist er angenehm zu lesen, danach schmeckt er wie Roquefort. Desgleichen »La libre parole«.

Nemirovič ist abgereist, ich bin jetzt allein unter den Kirgisen und Samojeden, die die Pension Russe bevölkern. Einer der Samojeden, der Wirkl. Staatsrat, ist vor einigen Tagen nach Petersburg abgereist, ich habe ihm ein Buch für Sie mitgegeben, das ich Sie bitte, meinem Bruder Aleksandr zukommen zu lassen.

Im Herbst hatte ich Kondratjev geschrieben, daß ich mein Vaudeville »Tragöde wider Willen« für ein ganzes Jahr an Ihr Theater vergeben habe. Wenn Michajlov nicht mehr bei Ihnen ist, kann das Vaudeville niemand spielen; man sollte ihn, d. h. den »Tragöden«, in Freiheit setzen und es Kondratjev mitteilen.

Aber bevor ich ihm schreibe, sagen Sie mir 2–3 Worte; vielleicht kommt Michajlov ja auch zurück.

An Anna Ivanovna, Nastja und Borja meinen herzlichen Gruß. Alles Gute. *Ihr A. Čechov.*

24. November.

644) AN A. A. CHOTJAINCËVA NIZZA, 26. 11. 1897

Blumen! Aber ich denke, Nemirovič hat Ihnen schon längst so den Kopf verdreht, daß Sie nicht mehr imstande sind, diese meine galante Geste zu schätzen.

Ich bin gesund und, tatsächlich, faul. Ich bin auf geniale Weise faul. Aber das ist gut. Ich habe bemerkt, je mehr ich schreibe, desto weniger Geld habe ich. Ich habe auch noch ein anderes Naturgesetz entdeckt: je lustiger mein Leben ist, desto düsterer werden meine Erzählungen.

Gestern und heute war es warm. Sagen Sie Vas. Iv., daß bei uns in der Pension Russe eine junge Baronesse eingezogen ist, die singt und spielt.

Neuigkeiten gibt es keine. Bleiben Sie gesund und vergessen Sie nicht den Ihnen ergebenen Niçois. *A. Čechov.*

Mittwoch.

Wirklich, es wäre nicht schlecht, wenn Sie nach Nizza kämen, einen Blick aufs Meer zu werfen. Maša schreibt: Braz habe einen Brief geschickt, er bitte, daß ich nach Petersburg käme, um mich noch einmal malen zu lassen.

Sammeln Sie die ausländischen Briefmarken, bitte. Ich brauche sie.

645) AN V. M. SOBOLEVSKIJ NIZZA, 4. 12. 1897

4. Dez.

Lieber Vasilij Michajlovič, ich beantworte Ihren Brief nach Punkten. Ich bin eine Etage tiefer gezogen, weil ich ohnehin dauernd hinuntergehe und mir das Treppensteigen schwerfällt. Ich hatte Bluthusten (nicht schwer, aber drei Wochen anhaltend), und da haben wir, die Äskulape, in gemeinsamer Beratung festgestellt, daß das viele Treppensteigen in meiner Situation eher schädlich als nützlich sei – so bin ich umgezogen. Sonne habe ich ab 7½ Uhr morgens bis zum Sonnenuntergang, ich zahle genauso viel (10 fr.) wie oben, dabei ist die Einrichtung in der mittleren Etage reicher als in der oberen. Für ein anderes Hotel wäre es wohl schon zu spät gewesen; im Januar wollen wir doch nach Algier fahren, und der Januar steht vor der Tür. Und ich bin an die Pension Russe auch gewöhnt. Da ist es still, das Essen ist gut, die Dienstboten sind gut und ehrlich, und die Mücken sind bereits nach Ägypten weitergezogen.

Ich schreibe hier weit weniger, als ich mir vorgenommen hatte. Im Hotelzimmer zu schreiben, an einem fremden Tisch, nach dem Frühstück oder Mittagessen (mir scheint, ich esse den ganzen Tag ununterbrochen), und bei schönem Wetter, wenn man raus möchte aus dem Zimmer, – das ist schwer, sehr schwer. Hier sollte man lesen, nicht schreiben. Aber wie dem auch sei, ich schreibe dennoch.

Frau Šanjavskaja war bei mir. Heute werde ich zu ihr gehen.

Ich lese den ganzen Tag Zeitungen, studiere die Affäre Dreyfus. Meiner Meinung nach ist Dreyfus unschuldig.

Ich schrieb Ihnen wegen eines Korrespondentenausweises. Während des Karnevals und in Algier könnte er mir von Nutzen sein.

Heute ist hl. Varvara. Ich gratuliere Ihrer Frau zum Namenstag. Wenn auch Varja Namenstag hat, gratuliere ich doppelt.

Das Wetter ist immer noch herrlich, besser braucht es gar nicht zu sein. Wollen Sie nicht kommen? Wir würden zusammen nach Monte Carlo fahren, nach Korsika, nach Algier. Überlegen Sie es sich!

Also, bleiben Sie gesund und wohlauf. Vergessen Sie mich nicht. Ich drücke Ihnen fest die Hand. *Ihr A. Čechov.*

646) AN A. S. SUVORIN NIZZA, 14. 12. 1897

14/XII.

Heute reist der Maler Jakobi nach Petersburg ab. Ich habe ihm eine Sendung mitgegeben, er wird sie Ihnen zukommen lassen, und Sie geben sie bitte meinem Bruder Aleksandr. Ich kaufe dauernd französische Almanache und Kalender. Sie sind so schön! Für einen Franken bekommt man ein ganzes kleines Buch, mit vielen Karikaturen und allen möglichen nützlichen Informationen und Anekdoten. Sie sind billig und werden wie wild verlegt.

Neuigkeiten gibt es keine. Ich weiß nicht, ob ich Ihnen von der Krankheit Doktor Ljubimovs geschrieben habe, den Sie kennen. Er hat beiderseitige Pleuritis und Herzentzündung. Seine Lage ist ernst. Was meine eigene Gesundheit betrifft, so verläuft meine Krankheit crescendo und ist offenbar bereits unheilbar: ich meine die Faulheit. Eine unglaubliche Faulheit. In allem Sonstigen bin ich gesund wie ein Stier. Es hat sich viel Arbeit angesammelt, die Sujets verwirren sich im Gehirn, aber bei schönem Wetter arbeiten, am fremden Tisch, mit vollem Magen – das ist nicht Arbeit, sondern Katorga, und ich suche ihr auf alle erdenkliche Weise aus dem Weg zu gehen.

Ich bekomme das »Novoe vremja«, von ganzem Herzen Dank. Nur – wozu, wozu schreibt Jean Ščeglov diese Feuilletons? Er ist versackt, vollkommen versackt.

Ob es nicht allmählich Zeit sei, nach Hause zu kommen? Ich warte die ganze Zeit auf Kovalevskij, wir wollen zusammen nach Afrika. Ich will mir Mühe geben, so weit wie möglich zu reisen und diese Reise wenigstens ein bißchen nach Arbeit aussehen zu lassen, sonst wäre es mir wirklich schon peinlich. Ich betrachte die russischen Damen, die in der Pension Russe wohnen – Fratzen, langweilig, müßig, selbstgefällig müßig, und ich fürchte, ihnen ähnlich zu sehen, und habe dauernd den Eindruck, Kurbehandlung, so wie wir hier behandelt werden (d. h. ich und diese Damen), – das sei der widerwärtigste Egoismus.

Was zum Tode Daudets geschrieben und gesagt worden ist,

war klug und elegant. Sogar Rochefort hat etwas Gutes geschrieben. Ja, wir sind große Talente, sind Übermenschen, es sprudelt nur so aus uns hervor, aber es soll nur mal ein Lev Tolstoj sterben, dann ist niemand da, der einen Artikel schreiben könnte. Schreiben werden die Publizisten, aber die Belletristen mit Grigorovič und Boborykin an der Spitze, die würden sich nur am Kopf kratzen.

An Anna Ivanovna, Nastja und Borja einen herzlichen Gruß. Bleiben Sie gesund und wohlauf. *Ihr A. Čechov.*

647) AN AL. P. ČECHOV NIZZA, 17. 12. 1897

Mein Herr Shakespeare! Da du »Platon Andreič« verfaßt hast und offensichtlich gewillt bist, die ganze Süße des Gefühls auszukosten, die man als Autor verspürt, halte ich es nicht für verfehlt, dir, bevor dir das Publikum das Deine gibt, nachstehende Lehren zu erteilen:

1) Es ist dringend notwendig, daß du so bald wie möglich Mitglied der Gesellschaft dramat. Schriftsteller wirst, und dazu ist es nötig, daß du dich entweder an den Petersburger Agenten wendest oder, noch besser, an den Sekretär der Gesellschaft, Moskau, Seine Exzellenz Ivan Maksimovič Kondratjev, Kanzlei des Gen.-Gouverneurs, dem Brief beizulegen sind 25 Rub. und der Personenzettel sowie eine Liste der von dir geschriebenen Stücke; ferner teile mit, daß du nicht nur den Namen deines Vaters trägst, sondern daß du auch noch A. Sedoj bist. Agenten müssen über die Pseudonyme Bescheid wissen.

2) Bemühe dich, in dieser Saison keine Stücke mehr zu schreiben, sonst bekommst du nur noch mehr graue Haare, und vor allem – du verlierst die Unschuld, und Kapital wirst du auch keins erwerben.

3) Ein Exemplar deines Stückes schick mir, damit ich hämisch darüber lächeln kann.

4) Stücke druckt (gratis) Rassochin in Moskau. Einzelheiten erfährst du von V. Tichonov.

Der Autor klassischer Stücke, dein Bruder und Wohltäter, Doktor der Medizin *A. Čechov.*
97 17/XII.

648) AN I. N. POTAPENKO NIZZA, 18. 12. 1897

Ich schreibe dir nach Lektüre deines letzten Feuilletons. Wie mir dieser T. erst auf die Nerven gefallen ist, wenn du das wüßtest! Das ist ein stumpfsinniger, dickköpfiger, beschränkter Kleinrusse mit einem gewaltigen Selbstbewußtsein. Mit seiner Erzählung von dem Lehrer schlägt er sich schon seit langem herum. Einmal kam er zu mir in die Bolš. Mosk. Gostinica und weckte mich, um mir seine Erzählung vorzulesen. Ich habe ihm verärgert erklärt, daß ich meinen Beruf als Schriftsteller an den Nagel hänge, und das hat mich gerettet, er machte seine Drohung nicht wahr, sondern hielt mir nur einen Vortrag darüber, daß ich keine Ideen hätte und die Herzen der Menschen mit meinem Wort nicht entfachte. L. N. verachtet seine Erzählungen, lobt sie aber, um die Schriftsteller zu ärgern, und er lobt sie offensichtlich nur, wenn er sehr schlechte Laune hat.

Möge dieser Brief wie eine Visitenkarte aussehen. Bleib gesund und munter. 18. Dez. *Dein A. Čechov.*

Pension Russe, Nice.

Schreibt mir einen Brief. Es ist langweilig.

649) AN M. P. ČECHOVA NIZZA, 23. 12. 1897

Ich schreibe so wenig, denn es gibt nämlich »pas de nouvelles – bonnes nouvelles«. Ich wünsche allen schöne Feiertage.

Jetzt ist der 23. Dezember, ein stiller, sonniger Morgen. Ich fahre nach Villefranche (das ist in der Nähe von Nizza), wo ich 1) einen Kranken besuchen muß, den Antokolskij hierhergeschickt hat, 2) die russische zoologische Station besuchen muß, auf der unsere russischen Zoologen arbeiten, und 3) einen Besuch bei dem Charkover Augenspezialisten Giršman machen muß, der mit seinem kranken Sohn hierhergekommen ist. Gegen zwei Uhr werde ich aus Villefranche zurückkommen und mich hinsetzen, um für »Cosmopolis« zu schreiben, die mir Geld geschickt hat (400 R. für den Druckbogen).

Ich grüße alle. *Dein Antoine.*

23/XII.

650) AN L. S. MIZINOVA NIZZA, 27. 12. 1897

27. Dez.

Liebe Lika, Ihre Idee – ein Modeatelier zu eröffnen, kann ich nur begrüßen, und zwar nicht nur, weil ich, wenn ich zu Ihnen zum Essen komme und Sie, wie gewöhnlich, nicht antreffe, dann den hübschen Modistinnen den Hof machen werde, sondern vor allem, weil die Idee überhaupt gut ist. Ich will Ihnen keine Moralpredigt halten, ich will nur sagen, daß Arbeit, so bescheiden sie einem Außenstehenden auch erscheinen mag – sei es ein Atelier oder ein Geschäft, Ihnen eine unabhängige Stellung, Beruhigung und Sicherheit für den morgigen Tag geben wird. Ich würde selbst mit Vergnügen irgend etwas eröffnen, um tagein, tagaus ums Dasein zu kämpfen wie alle anderen. Die privilegierte Stellung eines müßigen Menschen macht am Ende nur müde und ist verteufelt langweilig.

Ich bin immer noch in Nizza. Ende Januar oder Anfang Februar fahre ich nach Algier, Tunis, vorläufig gehe ich spazieren, atme die reine Luft und wehre die Mücken ab, die hier schmerzhaft stechen. Die Regen haben eingesetzt. Es gibt hier viele Russen, aber die, entschuldigen Sie, sind langweilig.

Alles ist in bester Ordnung. Die Apfelsinen werden reif; Stachelbeeren gibt es hier keine.

In Moskau ist jetzt Neujahr. Ich gratuliere Ihnen, wünsche Ihnen das Allerbeste, Gesundheit, Geld, einen Bräutigam mit Schnurrbart und gute Laune. Bei Ihrem schlechten Charakter ist

Letzteres so unentbehrlich wie die Luft zum Atmen, sonst werden in Ihrer Werkstätte nur die Fetzen fliegen.

Wo ist Varja? Wie führt sie sich ohne Ehemann? Ihren Brief habe ich so verstanden, daß sie nicht mehr in den Diensten des hochverehrten Savva Ivanovič steht. Warum nicht? Schreiben Sie mir ausführlich.

Mit der Pavlovskaja war ich früher bekannt, habe bei ihr verkehrt, so daß Sie sie, wenn Sie möchten, grüßen können. Seinerzeit hat sie schön gesungen und schön gespielt. Wenn sie in ihrer Jugend zum Theater gegangen wäre, wäre eine ausgezeichnete Schauspielerin aus ihr geworden.

Ihrem Cousin, der eine andere geheiratet hat, ohne sich scheiden zu lassen, gratuliere ich. Wenn er nur nicht Sie geheiratet hat. Seine alte Ehefrau zu verlassen, ist jedenfalls so angenehm, wie aus einem tiefen Brunnen aufzusteigen.

Schreiben Sie mir, liebe Lika, zieren Sie sich nicht und rechnen Sie nicht mit Besuchen. Ich frage mich täglich immer wieder, warum von Ihnen keine Briefe kommen. Schreiben Sie länger. Bleiben Sie gesund und blasen Sie keine Trübsal. Seien Sie nicht sauer wie eine Moosbeere. Seien Sie Rachat-Lukum.

Ihr A. Čechov.

651) AN AL.P. ČECHOV NIZZA, 28. 12. 1897

28. Dez.

Neider und Intrigant!

Mein »Bär« ist besser als dein »Spiridon Matveič«, und wenn dein Stück aufgeführt worden ist, so nicht, weil es (angeblich) Qualitäten hätte, sondern wahrscheinlich, weil du dich mit irgend einer Schauspielerin von Suvorins Theater eingelassen hast.

Du hättest längst schon ein Paket von Dr. Valter bekommen haben müssen, ein Paket von Nemirovič und den Baedeker. Warum hast du das bis heute noch nicht an Maša geschickt? Welches Recht hast du, so ungehorsam zu sein?

Den Ärztekalender habe ich bekommen.

Suvorin schreibt: »Das kleine Stück von Aleksandr Pavl. ist eine sehr nette Sache.« Weiter schreibt der Alte, daß er im Februar nach Nizza komme und daß man seinem Theater genehmigt habe, in den Großen Fasten und an Samstagen zu spielen.

Übermittle deiner Familie, daß ich ihr ein gutes Neues Jahr wünsche; bei uns im Ausland ist Neujahr längst vorbei, ihr seid rückständig. Ich schäme mich für euch.

Ende Januar oder, genauer, Anfang Februar fahre ich nach Algier und Tunis.

A rivederč!

Dein Bruder und Wohltäter, der bekannte Dramatiker

A. Čechov.

1898

652) AN A. S. SUVORIN NIZZA, 4. 1. 1898

4. Jan.

Hier mein Programm: Ende Januar dieses Jahres (a. St.) oder, genauer, Anfang Februar fahre ich nach Algier, nach Tunis et c-ra, danach komme ich nach Nizza zurück, wo ich Sie erwarten werde (Sie schrieben, Sie wollten nach Nizza kommen), sodann, nach einer Zeit hier, fahren wir zusammen nach Paris, sofern Sie das möchten, und dann im Zug »Der Blitz« nach Rußland, um Ostern zu feiern. Ihr letzter Brief kam entsiegelt hier an.

In Monte Carlo bin ich sehr selten, nur einmal in 3–4 Wochen. In der ersten Zeit, solange Sobolevskij und Nemirovič hier waren, habe ich manchmal gespielt, aber maßvoll, mit kleinen Gewinnchancen (rouge et noir), und mal 50, mal 100 Franken nach Hause getragen, dann habe ich das Spielen aber sein lassen müssen, weil es mich ermüdete – physisch.

Die Affäre Dreyfus ist wieder aufgenommen und in vollem Gange, aber sie ist noch lange nicht wieder in Ordnung gebracht. Zola hat ein edles Herz und ich (der ich zu dem Syndikat gehöre und von den Juden bereits 100 Franken bekommen habe) bin begeistert von seinem Auftreten. Frankreich ist ein wunderbares Land, und es hat wunderbare Schriftsteller.

Zu Neujahr habe ich Ihnen ein Glückwunschtelegramm geschickt. Ich glaube, es ist nicht rechtzeitig angekommen, denn auf der Post war großer Andrang in Telegrammen, – ich glaube es jedenfalls und wünsche Ihnen deshalb noch einmal brieflich Glück.

Schreiben Sie, ob ich Sie in Nizza erwarten soll. Ich hoffe, Sie haben es sich nicht anders überlegt.

Hier ist der Augenarzt Giršman aus Charkov, ein bekannter Philanthrop, Freund von Koni, ein heiliger Mensch, der seinen tuberkulosekranken Sohn besucht. Ich sehe ihn oft, wir unterhalten uns, aber mich stört seine Frau, eine eitle, beschränkte Frau, langweilig wie einhunderttausend Ehefrauen. Hier ist eine russische Malerin, die 10–15mal am Tag Karikaturen von mir zeichnet.

Dem Auszug im »Nov. vr.« nach zu urteilen, ist L.N.s Aufsatz über die Kunst anscheinend uninteressant. Das ist alles alt. Über die Kunst zu sagen, sie sei altersschwach geworden, in eine Sackgasse geraten, sei nicht, was sie sein sollte usw. usf., das ist dasselbe, wie wenn man sagen wollte, der Wunsch zu essen und zu trinken sei veraltet, habe sich überlebt und sei nicht das, was not tue. Natürlich ist der Hunger eine alte Geschichte, natürlich sind wir mit dem Wunsch zu essen in eine Sackgasse geraten, aber trotzdem müssen wir essen, und wir werden weiter essen, gleichgültig, welche Philosophen und bösen Greise uns aufs Glatteis zu führen versuchen.

Bleiben Sie gesund. *Ihr A. Čechov.*

653) AN AL.P. ČECHOV NIZZA, 4. 1. 1897

In Nizza bleibe ich den ganzen Januar, darüber, wann ich nach Afrika fahre, gebe ich dir noch Nachricht. Dein Vaudeville wird aus demselben Grunde nicht gespielt, aus dem man Lejkin noch immer nicht zum Bürgermeister gemacht hat: Intrigen. A propos, wieviel hat dir das Kl. Theater für das Vaudeville gezahlt?

Schreiben Sie, Čechov, genieren Sie sich nicht (wie P. I. Vukov zu sagen pflegte). *Anton.*

98 4/1.

654) AN M.P. ČECHOVA NIZZA, 9. 1. 1898

9. Jan.

Liebe Maša, gestern habe ich von Kovalevskij aus Paris einen Brief bekommen; er schreibt, er sei sehr krankgeworden und könne nicht mit mir nach Algier fahren. Meine Reise ist also geplatzt. Und ich weiß jetzt nicht, was ich mit mir anfangen soll.

Von Adelaida habe ich ein Glückwunschtelegramm bekommen.

Wenn auf einem Paket, das du bekommst, ein solches Etikett[1]) oder mehrere sind, so bedeutet das, daß du es auf meinen Schreibtisch legen sollst, ohne es aufzumachen.

Hast du von der Žitkova die Handschuhe bekommen?

Die Erzählungen von Tichonov schick als eingeschriebenes Streifband an die Adresse: »Taganrog, Städtische Bibliothek Taganrog.« Schreib dir den Titel in dein Notizbuch und sag ihn mir dann, wenn ich komme.

Wenn in meiner Abwesenheit irgendwelche Bücher oder Broschüren angekommen sind, schreib mir, welche es genau sind.

A. A. Chotjaincëva ist immer noch hier, sie will nach Paris. Immer noch in demselben Kleid.

Was macht Lika, und wie geht es ihrem Atelier? Sie wird ihre Modistinnen anfauchen, sie hat doch einen schrecklichen Charakter. Und außerdem hat sie eine große Vorliebe für grüne und gelbe Bänder und riesige Hüte, und mit solchen weißen Flecken im Geschmack kann man unmöglich Gesetzgeberin in Sachen Mode und Geschmack* sein.

Bleib gesund. Grüß zu Hause. *Dein A. Čechov.*

* Aber ich habe nichts dagegen, daß sie ein Atelier aufmacht. Das ist immerhin eine Arbeit, wie dem auch sei.

655) AN V. M. SOBOLEVSKIJ NIZZA, 19. 1. 1898

Lieber Vasilij Michajlovič, seien Sie gegrüßt! Ich habe Ihnen lange nicht mehr geschrieben, denn »in Trägheit schleppt ich meine Tage«. Es steht alles zum besten, das Wetter ist

1) Hier ein Etikett aufgeklebt.

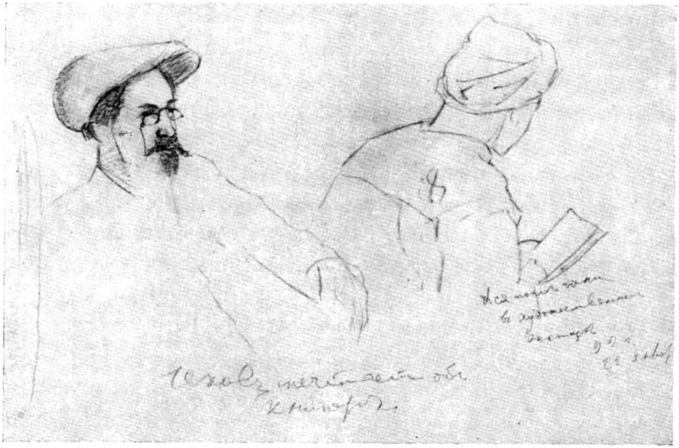

A. A. Chotjainceva, Zeichnung.
Titel links unten: »Čechov träumt von der Knipper«.
Titel rechts unten: »Asja nach dem Bade in künstlerischer Ekstase. 1899, 22. Januar«.

herrlich, die Tage werden länger; Neuigkeiten gibt es keine, außer, daß wir vor einigen Tagen Dr. Ljubimov beerdigt haben, den, den Sie und ich in Biarritz mehrmals gesehen haben. Er ist offenbar an Neubildungen (Krebs) in den Lungen gestorben. Er wollte so gar nicht sterben.

Jurasov war krank und ist wieder gesund. Vorgestern, als mein Namenstag war, brachte er mir eine Pirogge und einen Blumenstrauß. Überhaupt leben wir in Frieden und Eintracht.

Ich erwarte I. N. Potapenko in Nizza. Angeblich kommt auch P. D. Boborykin hierher.

Die Pension Russe ist voll. M. M. ist in Paris; wenn er wiederhergestellt ist, kommt er nach Beaulieu.

Nun denn, bleiben Sie gesund und glücklich. Grüßen Sie Varvara Alekseevna und sagen Sie ihr, daß ich sie erwarte. Ich drücke Ihnen fest die Hand. *Ihr A. Čechov.*

98 19/1.

656) AN E. Z. KONOVICER NIZZA, 19. 1. 1898

Lieber Efim Zinovjevič, am 23. wird bei Korš als Benefiz von Čarskij das Stück meines Bruders Al. Čechov (A. Sedoj) »Platon Andreevič« gespielt. Seien Sie ein väterlicher Wohltäter, sorgen Sie dafür, daß über dieses Stück 2–3 Worte im »Kurjer« und in den »Novosti dnja« gesagt werden. Mein Bruder debütiert mit diesem Stück.

Ich bin, wie Sie sehen, immer noch in Nizza. Lese den »Kurjer«. Ich schreibe nichts, sondern will immer nur schreiben. Wo werden Sie den Sommer verbringen? Wie ist Ihr Befinden? Schreiben Sie.

Viele Grüße an Evdokija Isaakovna und die Kinder.

Ihr A. Čechov.

19. Jan.

Nach Algier werde ich nicht fahren.

657) AN F.D. BATJUŠKOV NIZZA, 23. 1. 1898

23. Jan.

Sehr geehrter Fëdor Dmitrievič, ich schicke Ihnen hier die Korrekturen zurück. Die Druckerei hat keinen Rand freigelassen, so daß ich mir mit aufgeklebten Zetteln helfen mußte.

Die Sonderdrucke Ihres Aufsatzes, von dem Sie mir schrieben, schicken Sie mir bitte hierher nach Nizza. Ich werde hier wahrscheinlich bis April bleiben, werde mich langweilen, und Ihr Aufsatz wird mir einen doppelten Dienst erweisen.

Bei uns gibt es nur ein Gesprächsthema, und zwar Zola und Dreyfus. Die überwältigende Mehrheit der Intelligenz ist aufseiten Zolas und glaubt an die Unschuld von Dreyfus. Zola ist um ganze drei Aršin gewachsen; von seinen Protestbriefen ist gleichsam ein frischer Wind ausgegangen, und jeder Franzose hat gespürt, daß es Gott sei Dank noch Gerechtigkeit gibt auf der Welt und daß es, wenn jemand unschuldig verurteilt wird, Menschen gibt, die für ihn eintreten. Die französischen Zeitungen sind außerordentlich interessant, die russischen – zum Wegwerfen. Das »Novoe vremja« ist einfach widerwärtig.

Die Sonderdrucke meiner Erzählung schicken Sie bitte meiner Schwester an die Adresse: Lopasnja, Gouv. Moskau, an Marija Pavlovna Čechova.

Das Wetter hier ist wunderbar, sommerlich. Den ganzen Winter über habe ich kein einziges Mal Galoschen und Übergangsmantel angezogen und bin die ganze Zeit nur zweimal mit Schirm ausgegangen.

Gestatten Sie, daß ich Ihnen alles Gute wünsche und für die Aufmerksamkeit danke, die ich sehr zu schätzen weiß.

Ich drücke Ihnen fest die Hand und bleibe in Erwartung Ihres Aufsatzes

Ihr aufrichtig ergebener *A. Čechov.*

658) AN A. S. SUVORIN NIZZA, 27. 1. 1898

27. Jan.

Wir haben in Venedig nicht Dunja, sondern Sonja gesehen. Eine bezaubernde Sonja.

Ich schrieb Ihnen bereits, daß ich wohl kaum nach Algier fahren werde, da mein Reisebegleiter Kovalevskij an Rheumatismus und Podagra erkrankt ist. Ich werde mich wahrscheinlich auf eine Reise nach Korsika beschränken müssen, und das ist von hier ein Katzensprung. Ich werde die ganze Zeit in Südfrankreich bleiben, zuerst Potapenko erwarten, dann Sie, gemäß Ihrem Schreiben, – wie die Beamten sagen. Sie schrieben, daß Sie nach Nizza kommen wollten, um sich zu erholen. Im März fahre ich von hier nach Paris, dort wird mich der Maler porträtieren, den Tretjakov extra nach Paris schickt. Das Porträt, das er im Sommer von mir gemalt hatte, ist für mißlungen befunden worden, und jetzt werde ich wieder dasitzen und schwitzen müssen zum Ruhme der Kunst. Von Paris im Zug-Blitz nach Petersburg, und von dort auf Flügeln nach Hause.

Neuigkeiten gibt es keine, oder, übrigens, doch eine Neuigkeit, die Sie bereits wissen: Dr. Ljubimov ist gestorben. Er wollte so gar nicht sterben. Die Todesursache war, glaube ich, Gewebebildung in den Lungen (Krebs oder Sarkom), eine dunkle Geschichte. Er hat 250 Tsd. Rubel hinterlassen. Ich war auf der Beerdigung. Der hiesige Friedhof ist sehr schön. Gemütlich, grün, das Meer ist zu sehen; es riecht wunderbar.

Ich tue nichts, ich schlafe, esse und opfere der Göttin der Liebe. [...] aber all das ist mir schon ein bißchen langweilig, ich möchte nach Hause.

Schreiben Sie, wann ich Sie hier erwarten darf. In den letzten Tagen hat hier der Mistral geweht, abends ist es kalt, aber insgesamt ist das Wetter sehr schön, sommerlich.

An Anna Ivanovna, Nastja, Borja und Emily viele herzliche Grüße von ganzem Herzen.

Ich wünsche Ihnen Glück. *Ihr A. Čechov.*

659) AN A. A. CHOTJAINCËVA NIZZA, 2. 2. 1898

Montag.

Im Nachbarzimmer hat sich eine 46jährige Dame eingemietet, die nicht zum Essen kommt, weil sie sich bis drei Uhr schminkt. Sicher eine Malerin.

Bei der lieben Puppe bin ich jeden Abend und trinke bei ihr Tee. Die Murzaki hat verloren. Die Baronessen schwelgen in Seligkeit.

Sie fragen mich, ob ich immer noch glaubte, daß Zola recht hätte. Ich frage Sie: haben Sie von mir etwa eine so schlechte Meinung, daß Sie auch nur einen Augenblick lang daran zweifeln können, daß ich aufseiten Zolas stehe? Für einen Fingernagel von ihm gebe ich alle diejenigen her, die jetzt in den Geschworenengerichten über ihn zu Gericht sitzen, all diese Generäle und vornehmen Zeugen. Ich lese den stenographischen Bericht und finde nicht, daß Zola unrecht hat, und ich sehe nicht, welcher Beweise es dazu noch bedürfte.

Le rire habe ich bekommen. Merci!!

Hier ist Karneval. Es geht lustig zu. Heute esse ich in Beaulieu bei Kovalevskij.

Wie ist Ihr Befinden? Was gibt es Neuestes?

Der Esel schreit, aber nicht zur rechten Zeit.

Das Wetter ist bezaubernd.

Bleiben Sie glücklich. *Ihr A. Čechov.*

660) AN A. S. SUVORIN NIZZA, 6. 2. 1898

6. Febr.

Vor einigen Tagen las ich auf der ersten Seite des »N. v.« eine auffällige Anzeige zum Erscheinen von »Cosmopolis« mit meiner Erzählung »Zu Gast«. Erstens heißt sie nicht »Zu Gast«, sondern »Bei Bekannten«. Zweitens berührt mich solche Reklame peinlich; außerdem ist die Erzählung alles andere als aufsehenerregend, sie ist von der Art, wie man eine pro Tag schreibt.

Sie schreiben, Sie ärgerten sich über Zola, hier dagegen haben alle das Gefühl, als sei ein neuer, besserer Zola geboren worden. In diesem seinem Prozeß hat er sich, wie mit Terpentin, von sämtlichen Fettflecken der Verleumdung gereinigt, und nun erstrahlt er vor den Franzosen in seinem wahren Glanz. Das ist eine Reinheit und sittliche Größe, die man nicht vermutet hatte. Sie verfolgen den ganzen Skandal von Anfang an. Die Degradation Dreyfus', sei sie nun gerechtfertigt gewesen oder nicht, hat auf alle (darunter, wie ich mich entsinne, auch auf Sie) einen bedrückenden, trostlosen Eindruck gemacht. Es ist festgestellt worden, daß sich Dreyfus während der Exekution wie ein anständiger, disziplinierter Offizier verhalten habe, während die der Exekution Beiwohnenden, zum Beispiel die Journalisten, ihm zugerufen haben: »Schweig, Judas!«, d. h. sich schlecht, unanständig verhalten haben. Alle sind von der Exekution unbefriedigt, mit aufgewühltem Gewissen zurückgekehrt. Besonders unbefriedigt war Dreyfus' Verteidiger, Démange, ein ehrlicher Mensch, der schon während der Untersuchung der Affäre gespürt hatte, daß hinter den Kulissen etwas geschah, das nicht in Ordnung war, sodann die Sachverständigen, die, um sich selbst davon zu überzeugen, daß sie keinen Irrtum begangen hätten, nur über Dreyfus sprachen, darüber, daß er schuldig sei, und alle schlichen und schlichen in Paris herum... Von den Sachverständigen hat sich einer als wahnsinnig erwiesen, als Autor einer ungeheuerlich absurden Skizze, zwei als verschrobene Käuze. Zwangsläufig kam die Rede auf das Informationsbüro des Kriegsministeriums, dieses Militärkonsistorium, das sich damit befaßte, Spione zu jagen und fremde Briefe zu lesen, es mußte die Rede darauf kommen, denn der Chef dieses Büros, Sandher, litt, wie sich herausstellte, an progressiver Paralyse, Paty de Clam entpuppte sich als etwas wie der Berliner Tausch, Picquart quittierte plötzlich den Dienst, unter geheimnisvollen, skandalösen Umständen. Ausgerechnet jetzt wurde eine ganze Reihe grober Verfahrensfehler aufgedeckt. Man gelangte mehr und mehr zu der Überzeugung, daß Dreyfus aufgrund eines Geheimdokuments verurteilt worden sei, das man weder dem Angeklagten noch dessen Verteidiger vorgelegt hatte – und Menschen, die auf Ordnung halten, sahen darin eine fundamentale Rechtsverletzung: und wenn diesen Brief nicht Wilhelm, sondern die Sonne persönlich geschrieben hätte, man hätte ihn Demange vorlegen müssen. Man begann, alle möglichen Mutmaßungen über den Inhalt dieses Briefs anzustellen. Die phantastischsten Dinge wurden laut. Dreyfus ist Offizier, das rief die Militärs auf den Plan; Dreyfus ist Jude, das rief die Juden auf den Plan ... Es kam die Rede auf den Militarismus, auf die Juden. Solche zutiefst verachteten Leute wie Drumont trugen auf einmal den Kopf hoch erhoben; und nach und nach wurde auf der Grundlage des Antisemitismus eine Suppe eingebrockt, einer Grundlage, die nach Blutbad riecht. Wenn in uns irgend etwas nicht in Ordnung ist, so suchen wir die Ursachen dafür außerhalb unserer selbst und finden sie schnell: »dahinter steckt der Franzose, dahinter die Juden, dahinter Wilhelm« ... Das Kapital, Pech und Schwefel, die Freimaurer, das Syndikat, die Jesuiten – das sind Gespenster, aber wie sehr sie unsere Unruhe doch besänftigen! Sie sind natürlich ein schlechtes Symptom. Wenn die Franzosen erst einmal angefangen haben, über die Juden, über das Syndikat zu reden, so bedeutet das, daß sie fühlen, daß etwas nicht Ordnung ist, daß sich ein Wurm eingenistet hat, daß sie dieser Gespenster bedürfen, um ihr aufgewühltes Gewissen zu beruhigen. Dann dieser Esterhazy, ein Duellant im Stil des Turgenevschen, ein dreister Kerl, ein längst suspekter, von seinen Kollegen verachteter Mensch, die verblüffende Ähnlichkeit seiner Handschrift mit der auf der Quittung, die Briefe des Ulanen, seine Drohungen, die er aus irgendeinem Grunde nicht wahrmacht, schließlich und endlich das Gericht, das absolut geheimnisvolle, das merkwürdigerweise entschied, die Quittung sei in der Handschrift Esterhazys abgefaßt, aber nicht von seiner Hand ... Und das Gas verdichtete sich immer mehr, man spürte eine starke Spannung, eine bedrükkende Schwüle. Die Schlägerei vor der Kammer ist eine nervöse Erscheinung, eine hysterische Folge eben jener Spannung. Und sowohl der Brief Zolas als auch sein Prozeß sind Erscheinungen derselben Ordnung. Was wollen Sie? Als erste Alarm schlagen müssen die Besten, die der Nation voranschreiten – und das ist auch geschehen. Als erster zu sprechen begonnen hat Scheurer-Kestner, von dem Franzosen, die ihm nahestehen (nach Kovalevskijs Worten), sagen, er sei die »Klinge eines Dolches« – so integer und klar. Der zweite war Zola. Und jetzt macht man ihm den Prozeß.

Ja, Zola ist kein Voltaire, wir alle sind keine Voltaires, aber es gibt im Leben manchmal ein Zusammentreffen von Umständen, wo der Vorwurf, kein Voltaire zu sein, am allerwenigsten trifft. Denken Sie an Korolenko, der die Heiden von Multan verteidigt und vor der Katorga bewahrt hat. Auch Doktor Haas ist kein Voltaire, und trotzdem ist sein Leben glücklich verlaufen und hat ein gutes Ende genommen.

Ich kenne die Affäre aufgrund des stenograph. Protokolls, und das ist etwas ganz anderes als das, was in den Zeitungen steht, für mich ist Zola danach klar. Vor allem ist er aufrichtig, d. h. er gründet sein Urteil nur auf dem, was er sieht, und nicht, wie die anderen, auf Gespenstern. Auch aufrichtige Menschen können irren, das steht außer Zweifel, aber solche Irrtümer richten weniger Übel an als vorausberechnete Unaufrichtigkeit, Vorurteile oder politisches Kalkül. Mag Dreyfus schuldig sein, – und Zola hat trotzdem recht, denn Sache der Schriftsteller ist es nicht, Schuldige anzuklagen und zu verfolgen, sondern für sie einzutreten, selbst dann, wenn sie bereits verurteilt sind und ihre Strafe verbüßen. Man wird sagen: und die Politik? die Interessen des Staates? Aber große Schriftsteller und Künstler sollen sich mit der Politik nur insoweit befassen, als es nötig ist, sich ihrer zu erwehren. Ankläger, Staatsanwälte und Gendarmen gibt es ohnehin schon viele, und in jedem Fall steht ihnen die Rolle des Paulus besser als die des Saulus. Und wie immer das Urteil ausfallen mag, Zola wird nach dem Prozeß trotz allem lebhafte Freude empfinden, sein Alter wird ein schönes Alter sein, und er wird ruhigen oder zumindest erleichterten Gewissens sterben. Die Franzosen sind verletzt, sie greifen jedes Wort des Trostes und jeden gesunden Vorwurf, der von außen kommt, dankbar auf, das ist der Grund, weshalb der Brief Bjoernstjernes hier solch großen Erfolg hatte wie auch der Aufsatz unseres Zakrevskij (den man hier in den »Novosti« las), und weshalb das Schimpfen auf Zola so widerwärtig ist, d.h. das, was ihnen Tag für Tag von der kleinen Presse entgegengebracht wird, die sie so verachten. So nervös Zola immer sein mag, trotz allem vertritt er vor Gericht den gesunden Menschenverstand Frankreichs, und die Franzosen lieben ihn dafür und sind stolz auf ihn, auch wenn sie den Generälen applaudieren, die ihnen in ihrer Herzenseinfalt Schrecken einjagen, mal mit der Ehre der Armee, mal mit Krieg.

Sehen Sie, was für ein langer Brief das ist. Bei uns ist Frühling, eine Stimmung wie in Kleinrußland zu Ostern: es ist warm, sonnig, die Glocken läuten, man denkt an die Vergangenheit. Kommen Sie! Hier wird die Duse spielen – das nebenbei.

Sie schreiben, meine Briefe kämen nicht an? Ja nun? Dann werde ich sie per Einschreiben schicken.

Ich wünsche Ihnen Gesundheit und alles Gute. An Anna Ivanovna, Nastja und Borja viele herzliche Grüße.

Dieses Papier ist aus der Redaktion des »Petit Niçois«.

Ihr A. Čechov.

661) AN AL. P. ČECHOV — NIZZA, 23. 2. 1898

23. Febr.

Bruder!!

Die Regierung hat, wie um zu beweisen, daß sie nichts dagegen hat, daß du die Jungfrau Theater hofierst, für den 13. Februar meinen »Ivanov« angesetzt. Und weiter hat Choléva, nach Beratung mit der Domaševa, um dir ein Vergnügen zu bereiten, deinen »Platon Andreič« vom Spielplan absetzen lassen und dafür meinen »Heiratsantrag« eingesetzt. Wie du siehst, es ist alles Butter.

Meine Gesundheit ist ebenfalls in einem Zustand, daß ihr, meine Erben, euch nur freuen könnt. Der Dentist hat mir einen

Zahn abgebrochen, dann dreimal gezogen – und im Endeffekt bekam ich eine infektiöse Periostitis am Oberkiefer. Die Schmerzen waren höllisch, und infolge des Fiebers hatte ich einen Zustand durchzumachen, den ich so kunstvoll in meinem »Typhus« dargestellt habe und der der Intelligenz widerfuhr, als sie deinen »Platon Andreič« sah. Ein Völlegefühl und Alptraum. Vorgestern ist ein Schnitt gemacht worden, und heute sitze ich wieder am Tisch und schreibe. Ein Erbteil bekommst du also nicht.

Ich komme im April nach Hause, so gegen den zehnten. Bis dahin bleibt meine Adresse unverändert.

Aus Jaroslavl erreichte mich die Nachricht, daß Miša eine Tochter bekommen habe. Der frischgebackene Vater sei im siebten Himmel.

In der Affäre Zola hat sich das »Novoe vremja« einfach widerwärtig benommen. Aus diesem Anlaß habe ich mit dem Alten Briefe gewechselt (übrigens in sehr gemäßigtem Ton), und nun sind wir beide verstummt. Ich will nicht schreiben und will auch keine Briefe von ihm, in denen er die Taktlosigkeit seiner Zeitung damit rechtfertigt, daß er die Militärs liebe, – ich will nicht, weil mir das alles längst auf die Nerven geht. Auch ich liebe die Militärs, aber wenn ich eine Zeitung hätte, ich hätte es den Kaktussen nicht gestattet, in der Beilage *honorarfrei* einen Roman von Zola abzudrucken und innerhalb der Zeitung über eben diesem Zola Spülwasser auszuschütten – und wofür? für etwas, das keiner dieser Kaktusse je gekannt hat, nämlich einen edlen Zornesausbruch und seelische Reinheit. Und wie dem auch sei, Zola zu beschimpfen, während er vor Gericht steht, – das gehört sich nicht in der Literatur.

Dein Porträt habe ich bekommen und es bereits einer kleinen Französin geschenkt mit der Aufschrift: [...]. Sie wird meinen, es handle sich um irgendeinen deiner Aufsätze zur Frauenfrage.

Schreib, genier dich nicht. Einen Gruß an N. A. und die Kinder.

L'homme des lettres
A. Tchekhoff.

662) AN P.F. IORDANOV NIZZA, 9. 3. 1898

9. März 9, rue Gounod, Nice.

Sehr geehrter Pavel Fëdorovič, um in der Bibiothek einen Grundstock für eine ausländische Abteilung zu legen, habe ich sämtliche französische Klassiker gekauft und sie dieser Tage nach Taganrog geschickt. Insgesamt 70 Autoren, oder 319 Bände. Ich habe sie als Frachtgut geschickt und, versuchsweise, auf dem Seeweg. Wenn der Versuch gelingt, werden wir auf diese Weise fortfahren. Da die Bücher auf den Namen einer offiziellen Person oder Institution geschickt werden mußten und da es in der franz. Sprache keine Bezeichnung für »Stadtverwaltung« oder »Mitglied der Verwaltung« gibt, habe ich sie auf den Namen des Maire der Stadt Taganrog geschickt (des Bürgermeisters), M-r le Maire de la ville de Taganrog. Geld für den Transport hat man von mir nicht genommen; man sagte mir, es sei erst nach Empfang der Ware zu zahlen, und darum zahlen bitte Sie, was zu bezahlen ist; im April oder im Mai, wenn ich nach Hause komme, werden wir es verrechnen.

Die Bücher werden zur Zensur gehen, die sie aufhalten und, vielleicht, einige davon konfiszieren wird. Wenn Sie wollen, dann schicken Sie versuchsweise, im Hinblick auf die Zukunft, ein Gesuch an die Hauptverwaltung für Pressewesen, im eigenen Namen (Mitglied der Verwaltung, Dir. der Städt. Bibliothek), auf einem Bogen mit Briefkopf der Bibliothek. Schreiben Sie, daß an dem und dem Tag aus Nizza via Odessa, von dem und dem gestiftet, die Werke der und der klassischen französischen Schriftsteller geschickt worden seien. (Legen Sie eine Kopie der beiliegenden Liste dazu.) Und daß Sie, falls sich unter den aufgeführten Autoren welche befänden, die die Zensur verboten habe, darum bäten, sie frei passieren zu lassen, und versprechen Sie, diese schädlichen Autoren nicht an die Klienten der Bibliothek auszuleihen und in einem gesonderten Schrank unter Verschluß zu halten. Schreiben Sie, denn es wäre ärgerlich, wenn ein Teil Hugo oder Balzac konfisziert würde. (Nebenbei, V. Hugo und Balzac habe ich in ziemlich teuren Ausgaben geschickt.)

Nicht in der Kiste finden Sie Molière, Prévost und Pascal. Diese Autoren hatte ich Ihnen früher per Post geschickt. Desgleichen werden Sie Voltaire nicht finden, den ich einstweilen hier behalten habe und gerade lese.

Zu den Klassikern habe ich die Bände II, III und IV von M. Kovalevskijs »Ursprung der modernen Demokratie« in die Kiste gelegt (Band I gibt es nicht, er ist vergriffen und nicht mehr im Handel; ich werde ihn später schicken), Gippius' »Spiegel« und »Russie« – eine teure illustrierte Ausgabe von Larousse. Per Post habe ich Ihnen außerdem Sudermann, Loti und Zolas letzten Roman, »Paris«, geschickt. Aber »Paris« werden Sie wohl kaum bekommen; es heißt, das sei in Rußland verboten.

Der dritte Band von »Alexander dem Ersten« ist mir irrtümlicherweise nach Lopasnja geschickt worden. Sie bekommen ihn zusammen mit dem vierten.

Ich bin in Eile und habe, glaube ich, vieles vergessen zu schreiben. Wenn es mir wieder einfällt, schreibe ich mehr, und bis dahin auf Wiedersehen. Potapenko und Sumbatov (Južin) sind hier; wir müssen nach Monte Carlo – sie, um Roulette zu spielen, und ich als Führer.

Neuigkeiten gibt es keine, alles steht zum besten. Hier ist Sommer. Bleiben Sie gesund. Ich drücke Ihnen die Hand und wünsche Ihnen alles Gute. *Ihr A. Čechov.*

Ab 10. April schreiben Sie mir nach Lopasnja.

663) AN M. P. ČECHOVA NIZZA, 22. 3. 1898

22. März.

Liebe Maša, schreib so bald wie möglich an Barskov, daß ich es für einen persönlichen Gefallen hielte, wenn er die Absicht fallenließe, mein Porträt in seiner Zeitschrift zu veröffentlichen. Ich mag meine Porträts nicht – das zum ersten; zweitens will ich keinerlei Gefälligkeiten vonseiten einer Zeitschrift, die von Komissarov herausgegeben wird. Bitte, bemüh dich, verhindere irgendwie, daß im »D. o.« mein Porträt erscheint. Ich bitte dich unter Tränen.

Braz arbeitet. Ich sitze wieder in einem Sessel mit Samtlehne; schwarzes Jackett, weiße Krawatte, schwarze Hosen. Man sagt, es sei sehr ähnlich. Außer mir malt Braz noch eine Dame mit dunklen Augen, Gouverneursfrau aus Poltava (für 400 R. – das habe ich arrangiert) und Maksim Kovalevskij, dessen Porträt sehr schön wird.

Auch ich würde mir nicht zutrauen, ein Pferd zu kaufen. Hauptsache, das Pferd hat keine Angst vor der Eisenbahn.

Potapenko hat verloren. Južin hat ebenfalls verloren (15 Tausend) und ist, wie ich dir bereits schrieb, mit seiner Mašečka nach Paris abgereist.

Boborykin ist hier.

Im März habe ich kein Blut gehustet. Ich bin gesund. Tag und Stunde meiner Ankunft in Moskau werde ich Vanja und nach Lopasnja telegraphieren.

Wo ist Levitan? Was macht er, wie geht es ihm?

Bleib gesund. Ich eile nach Monte Carlo zu Potapenko.

Dein A. Čechov.

664) AN A. A. CHOTJAINCËVA NIZZA, 3. 4. 1898

Ihren unfrankierten Brief habe ich bekommen und 30 Centimes Strafe zahlen müssen. Sie schicken Briefe unfrankiert und trinken, wie man sich erzählt, den Tee schon ohne Zucker. Weit ist es mit Ihnen gekommen!!

Was Potapenko angeht, so hat er das durcheinandergebracht. Ich hatte ihm gesagt: »Wenn dir das Hotel gefällt, in dem du in Paris absteigst, dann schreib mir: ich werde dann auch dort absteigen.« Aufträge habe ich ihm keine gegeben, sondern ihm nur empfohlen, Sie kennenzulernen.

Wahrscheinlich werde ich kommende Woche abreisen. Tag und Stunde meiner Ankunft in Paris werde ich Ihnen telegraphieren. Ich würde mich sehr, sehr freuen, wenn Sie mich vom Bahnhof abholten; mögen die Jungfrauen in weißen Kleidern kommen, wie Sie es versprechen, – nur können sie nicht auch noch ein paar nackige Säuglinge mit Flügeln mitbringen? Wenn Sie zum Bahnhof kommen, lassen Sie Ihren Regenschirm zu Hause; der sieht so aus, als hätten Sie damit lange auf jemanden eingedroschen, vor ihm habe ich, offen gestanden, Angst.

Braz ist mit dem Porträt noch nicht fertig. Wie gefällt Ihnen das?

Also, auf Wiedersehen! Ich wünsche Ihnen frohe Feiertage und alles, alles Gute, das Beste!! *Ihr A. Čechov.*

Freitag.

665) AN A. S. SUVORIN NIZZA, 6. 4. 1898

6. Apr.

Ich habe Ihren Brief bekommen und antworte sofort. Ich fahre noch in dieser Woche von Nizza nach Paris, aller Wahrscheinlichkeit nach am Samstag. Wenn Sie tatsächlich beschlossen haben, über Paris zu fahren, dann, bitte, beeilen Sie sich, denn ich werde dort höchstens zehn Tage bleiben. Tag und Stunde Ihrer Ankunft telegraphieren Sie (an Pavlovskij, für mich), und ich werde kommen und Sie vom Bahnhof abholen. Wir haben ja einiges zu reden, es hat sich alles Mögliche angestaut – Gefühle und Gedanken.

Ich fühle mich leidlich; offenbar steht alles zum besten. Ostern habe ich langweilig verbracht, denn es regnet nun schon den dritten Tag. Es ist feucht. Ich möchte nach Rußland.

Anna Ivanovna, Nastja und Borja wünsche ich frohe Ostern und alles Gute.

Diesen Brief bekommen Sie am Freitag oder Samstag; wenn Sie mir sofort nach Lektüre ein Telegramm schicken, wird mich das Telegramm noch hier erreichen. Wenn Sie telegraphieren, daß Sie bestimmt nach Paris kommen, werde ich im H. Vendôme absteigen.

Ich wünsche Ihnen alles Gute. Bleiben Sie gesund.

Ihr A. Čechov.

Von Paris fahren wir zusammen nach Rußland zurück.

666) AN M.P. ČECHOVA PARIS, 15. 4. 1898

15. April. Paris.

Liebe Maša, du willst nicht, daß ich nach Hause komme. Ja nun? Paris ist eine sehr schöne Stadt, und ich habe nichts dagegen, beliebig lange hier zu bleiben. Ich habe beschlossen: ich werde hier sitzenbleiben und warten, bis ihr schreibt, daß in Melichovo schönes Wetter ist. Meine Adresse: Monsieur A. Tchekhoff, Hôtel Dijon, rue Canmartin, Paris. Schönes Wetter nenne ich, wenn im Garten kein Schnee mehr liegt und man von der Bahnstation nach Melichovo fahren kann. Um keine Zeit zu verlieren, telegraphiert am besten, wenn ihr es für nötig befindet, daß ich komme. Das Telegramm faßt so ab: Paris, Hôtel Dijon, Tchekhoff. Attendons, d. h. wir warten. So kostet das Telegramm 95 Kop., schickt es aus Moskau oder aus Serpuchov.

Hier ist sehr schönes Wetter, die Bäume haben ausgeschlagen. Neuigkeiten gibt es keine. In Nizza, vor meiner Abreise, habe ich deine Freundin Junoševa gesehen. Das ist eine füllige, vernünftige, ruhige Dame. Sie läßt dich grüßen. In Paris bin ich gestern angekommen. Ich war bei der Malerin. Sie wohnt sehr weit außerhalb, ähnlich weit wie Vagankovo; Perepletčikov war bei ihr, der anfing zu streiten und auf Tolstoj zu schimpfen, das erinnerte mich an Moskau und die Moskauer Langeweile, – da bin ich gegangen.

Deinen Auftrag erledige ich gern. Sag Papaša, den Brief, den er am Ostertag geschickt hat, habe ich noch in Nizza bekommen.

Also, bleib gesund. Einen Gruß an alle. Auf Wiedersehen!!

Dein A. Čechov.

Hôtel Dijon, rue Canmartin.

667) AN M.P. ČECHOVA PARIS, 15. 4. 1898

Liebe Maša, schick als eingeschriebenes Streifband meine »Stükke« an die Adresse: Monsieur I. Pavlovski, 7 rue Gounod, Paris.

15. April, 9 Uhr abends. Eben ist über Paris ein wunderbares Gewitter niedergegangen.

Bleib gesund. *Dein A. Čechov.*

Paris, Hôtel Dijon.

668) AN P.F. IORDANOV PARIS, 21. 4. 1898

3. Mai.

Sehr geehrter Pavel Fëdorovič, außer Antokolskij lebt in Paris noch ein anderer, sehr berühmter russischer Bildhauer, dessen Arbeiten in den Ausstellungen und Museen einen hervorragenden Platz einnehmen. Das ist Bernštam (69, rue Donnay, Paris). Er hat sich ebenfalls viel mit Peter beschäftigt, hat viel Interessantes gemacht und ist zur Zeit unter anderem damit beschäftigt, die Begegnung zwischen »Peter und Louis XV.« darzustellen – wahrscheinlich für das Museum Alexander III. in Petersburg. Ich habe Ihnen drei Photographien geschickt, auf deren einer Peter einen Knaben, Louis XV., küßt.

Bernštam würde sich mit Freude an das Standbild für Taganrog machen. Er sagt, daß 20 Tausend völlig ausreichen würden, daß das viel Geld wäre; für die Arbeit würde er nichts nehmen, sondern sich mit der Ehre zufriedengeben. Seiner Meinung nach sollte Peter jung sein, so wie er war, als er Taganrog gründete, und er sollte bis zu 5–6 Aršin groß sein.

Morgen gehe ich zu Antokolskij und hole mir von ihm die versprochene Photographie.

Den vollständigen Bericht über die Affäre Dreyfus habe ich gekauft und schicke ihn Ihnen. Gestern habe ich Bernard Lazare getroffen, den Autor der Broschüre, die den Krieg ausgelöst hat, und ich habe mir von ihm alles geholt, was für den Dreyfusschen

Part von Interesse ist – das schicke ich ebenfalls. Die Affäre Dreyfus ist, wie nach und nach aufgedeckt wird, ein Gaunerstück im großen Stil. Der wahre Verräter ist Esterhazy, die Dokumente sind in Brüssel fabriziert worden; der Regierung war das bekannt, darunter auch Cazimir Perrier, der von Anfang an nicht an die Schuld von Dreyfus geglaubt hatte und auch jetzt nicht an sie glaubt – und darum auch zurückgetreten ist, weil er nicht an sie geglaubt hat.

Bleiben Sie gesund. Ich wünsche Ihnen alles Gute.

Ihr A. Čechov.

Hôtel de Dijon, aber schreiben Sie besser an 7 rue Gounod, Monsieur Pavlovsky, für mich.

669) AN AL. P. ČECHOV PARIS, 28. 4. 1898

Armer Verwandter! Am Samstag, dem 2. Mai, reise ich aus Paris mit dem Blitz-Zug (Nordexpress) ab, in Petersburg komme ich am Montag an, – nachmittags, glaube ich. Putz die Stiefel, zieh dich anständig an und komm mich abholen. Das verlangt die Etikette, und ich habe darauf, wie ich meine, ein Recht, denn ich bin der reiche Verwandte. Sag niemandem etwas von meiner Ankunft. Ich schreibe nur dir und Potapenko.

Am Montag noch fahre ich weiter nach Moskau, 1. Klasse.

Dein Wohltäter *A. Čechov.*

Ich komme ohne S.

Ich gehe in Zylinder.

670) AN A. I. SUMBATOV-JUŽIN MELICHOVO, 6. 5. 1898

Assurance Tchekhov. 6. Mai.

Lieber Aleksandr Ivanovič, von langer Wanderfahrt zurück, habe ich auf meinem Tisch einen Brief von Vl. Iv. Nemirovič-Dančenko gefunden. Sei so gut, schreib mir möglichst bald seine

Adresse. Ich weiß, daß sein Gut im Kreis Mariupol liegt, aber seine Postadresse – wehe! ich habe vergessen.

Ich bin aus Paris angekommen, wo ich drei Wochen verbracht habe. Was für eine Stadt! Ach, was für eine Stadt!

Schreib mir wenigstens zwei Zeilen, wie es dir geht und was es Neues gibt. Ich hoffe, es steht alles zum besten.

Viele ergebene Grüße an Marija Nikolaevna. Bleib gesund, der Himmel beschütze dich. *Dein A. Čechov.*

Meine Postadresse: Lopasnja, Gouv. Mosk.
Für Telegramme: Lopasnja Čechov.

671) AN V.I. NEMIROVIČ-DANČENKO MELICHOVO, 16. 5. 1898

16. Mai.

Lieber Vladimir Ivanovič, ich nehme dich beim Wort. Du schreibst: »vor den Proben komme ich zu dir, um alles mit dir durchzusprechen.« Also, bitte komm! Komm, tu mir den Gefallen! Ich möchte dich so gern sehen, daß du es dir nicht vorstellen kannst, und für das Vergnügen, dich zu sehen und mit dir zu reden, bin ich bereit, dir meine sämtlichen Stücke zu geben.

Also, komm. Ich habe drei Wochen in Paris verbracht, habe so manches gesehen und kann dir so manches erzählen, so daß ich nicht glaube, daß du dich bei mir sehr langweilst. Außerdem ist das Wetter großartig. Es wird langweilig, aber nicht sehr.

Ich warte voll Ungeduld.

An Ekaterina Nikolaevna viele Grüße. Meine Schwester läßt grüßen. Bleib gesund und wohlauf. *Dein A. Čechov.*

Meine Pferde fohlen dauernd, es steht nicht in meiner Macht. Du mußt dir einen Kutscher nehmen für einen Rubel, und dann, nach der Fahrt im Tarantas über unsere Straßen, mußt du dir drei Tage lang den Rücken massieren. A propos, wir bekommen bald eine Chaussee. Sie ist von der Zemstvoverwaltung bereits bestätigt mit Brief und Siegel.

672) AN E. M. ŠAVROVA MELICHOVO, 16. 5. 1898

16. Mai.

In Ihrem Brief, sehr verehrte collega, rufen Sie aus: »Ist es uns etwa nicht beschieden, uns zu sehen?« Woher dieser Pessimismus? Ich werde bald in Moskau sein. Bald, aber wann genau, weiß ich nicht, denn ich habe bis zum 24. Mai mit Examina und allen möglichen Bauern- und Zemstvoangelegenheiten zu tun. Im Hochsommer werde ich wahrscheinlich in den Kaukasus fahren.

Was haben Sie geschrieben? Überhaupt, wie gehen die Geschäfte? Wo ist Ihre Schwester?

Ich bin neulich aus Paris zurückgekommen, wo ich drei Wochen zu meinem bloßen Vergnügen gelebt habe. Bleiben Sie gesund. *Ihr A. Čechov.*

673) AN V. A. GOLCEV MELICHOVO, 6. 6. 1898

Lieber Viktor Aleksandrovič, den ganzen Juni über werde ich zu Hause sitzen und auf dich warten, nach Moskau werde ich wohl nicht so bald kommen. Ich möchte dich sehr, sehr gern sehen. Die Erzählung gib mir zurück, für die »Russkaja mysl« eignet sie sich nicht. Wenn sie schon gesetzt worden ist, schick sie mir im Satz – ich wäre dir sehr verbunden. Für die Russkaja mysl bereite ich eine andere Erzählung vor, eine längere. Meine Maschine hat bereits die Arbeit aufgenommen.

Bleib gesund, ich drücke dir fest die Hand.

Dein A. Čechov.

98 6/VI.

674) AN A. S. SUVORIN MELICHOVO, 12. 6. 1898

12. Juni.

Ich habe die Bücher bekommen. Sie sind also wieder zurück? Oder hat jemand anderer die Bücher mitgebracht? Oh weh! ich habe nicht alle Bücher bekommen. Die Hauptsache fehlt, und zwar »Le Rire«, die Zeitschrift, die ich mit solcher Ungeduld erwartete. Und es fehlt das Buch von Art Roë (Patrice Mahon, der mit uns gegessen hatte), mit Widmung. Seien Sie so gut, schicken Sie sie mir. Schicken Sie vor allem »Le Rire«, sonst bin ich sehr enttäuscht.

Wie geht es Ihnen? Waren Sie lange in Paris und wo waren Sie noch? Seit wir uns das letzte Mal sahen, habe ich mich zu Hause wieder eingewöhnt und eingelebt, so daß ich mich jetzt fühle, als sei ich gar nicht weggewesen. Das Wetter war die ganze Zeit sehr schön, und ich habe die ganze Zeit »Temps« gelesen, die ich pünktlich bekomme, ich lese voller Schadenfreude, weil es dort jeden Tag heißt: averse, pluie, ondée, couvert. Hier ist es beau, auch meine Gesundheit ist offenbar beau. Ich arbeite ein bißchen. Habe schon eine Novelle und eine Erzählung geschrieben. An Paris denke ich mit großem Vergnügen. Was ist das für eine herrliche Stadt!

Verzeihen Sie, ich schicke Ihnen die Erzählung eines jungen Mannes, eines gewissen Anatolij Jakovlev, eines Schülers von mir, der bereits bei Ihnen veröffentlicht hat. Lesen Sie sie bitte und veröffentlichen Sie sie, wenn möglich. Die Erzählung ist nicht schlecht. Diesen Jakovlev (Sohn des Kammerherrn S.P. Jakovlev) habe ich seinerzeit aufs Gymnasium vorbereitet, und er hat mich, mit einem naiven Blick, gefragt: – »Ist Ihr Papa Kammerherr?«

Inzwischen ist er schon verheiratet und arbeitet als Beamter mit besonderen Aufgaben beim Gouverneur von Samara. Es eilt, es eilt die Zeit!

Bei mir in Melichovo war der Redakteur der »Russkie vedomosti«, Sobolevskij. Er hat viel Interessantes erzählt – die allgemeine Lage der Dinge ist bedrückend.

Wann fahren Sie aufs Land? Und wann sehen wir uns wieder?

Ich sammle meinen humoristischen Kleinkram, ich will ein dickes Buch mit dem Titel »Kleinkram« herausbringen.

Vlad. Nemirovič-Dančenko und Stanislavskij haben in Moskau ein Theater aufgemacht, im Juli beginnen die Proben.

Bleiben Sie gesund! Einen herzlichen Gruß an Anna Ivanovna, Nastja und Borja. *Ihr A. Čechov.*

675) AN A.I. SUMBATOV-JUŽIN MELICHOVO, 6. 7. 1898

6. Juli.

Assurance Tchekhof.

Lieber Aleksandr Ivanovič, vielen, vielen Dank für den Brief und für die Einladung. Den Brief habe ich mit großer Freude gelesen, die Einladung dagegen hat mich herzlich bekümmert, weil ich ihr einfach nicht nachkommen kann. Ich gebe dir meine wahrhaftige assurance: ich schreibe, beeile mich, das wettzumachen, was ich im Winter an Schulden auf mich geladen habe, und das bis Mitte August, und dann in den Süden, wahrscheinlich in den Kaukasus. Wann soll ich da noch nach Trebuny? Wenn ich, ohne zwei, drei Novellen geschrieben zu haben, irgendwohin verreise, um es mir wohl sein zu lassen, beginnt mich das Gewissen zu plagen. Du hast viel gearbeitet, du darfst ausruhen, aber ich habe doch weiß der Teufel wie lange gefaulenzt und habe vom langen Ausruhen sogar schon Ohrensausen. Eine Erzählung habe ich für die »Niva« geschrieben, eine zweite für die »Russkaja mysl«, jetzt schreibe ich an einer dritten...

Mit Nemirovič habe ich mich bereits verabredet. Aller Wahrscheinlichkeit nach wird er bald in Moskau sein und von dort zu mir kommen, – das hat er zumindest versprochen. A propos Moskau. In der Literatur ist es still, alles Geistige ist langweilig und wird auf alte Weise wiedergekäut. Dafür gibt es in der Eremitage einen sehr guten körnigen Kaviar, und nicht übel ist es auch im Aquarium bei Omon. Ich habe Šechtel getroffen, wir sprachen über den künftigen Klub. Es war ein langes Gespräch im Beisein Suvorins und seines Moskauer Feuilletonisten, und ich habe gesagt und darauf bestanden, daß man, wenn man schon einen Literaturklub eröffne, dies en grand tun müsse. Wenn es am Anfang einer Novelle kleinlich und stickig zugeht, bricht das Ganze schon am Anfang in sich zusammen.

Bei mir zu Gast sind T. Ščepkina-Kupernik und der Pariser I. Pavlovskij (I. Jakovlev), mein Landsmann.

Du hast mich wahrscheinlich mit einem anderen Arzt verwechselt. Ich habe dir keineswegs Marienbad verschrieben und auch keine Lichtbäder. Im Gegenteil, ich habe gesagt, für Marienbad sei es für dich noch zu früh. Viel zu laufen, habe ich dir auch nicht geraten. Ich sagte, du solltest nicht so viel sitzen.

Bleib gesund und wohlauf und hab keine Angst vor Neuritis, die du nicht hast und auch nicht bekommen wirst. Du wirst in 67 Jahren sterben, und nicht an Neuritis; dich wird in Monte Carlo der Schlag treffen.

Wenn es dich nicht langweilt, schreib mir bis zum 15. August noch einmal. An Marija Nikolaevna viele Grüße.

Dein A. Čechov.

676) AN L. A. AVILOVA MELICHOVO, 10. 7. 1898

10. Juli.

Sie wollen nur drei Worte, aber ich will ihrer zwanzig schreiben.

Im Kreis Skopin bin ich nicht gewesen und werde wohl auch kaum dort hinfahren. Ich lebe zu Hause, schreibe das eine und andere, – bin also beschäftigt. Und ich habe viele Gäste, die mich nicht fortlassen.

Meine Gesundheit ist nicht schlecht. Ins Ausland fahren werde ich wohl kaum, weil ich kein Geld habe und nicht weiß, wo ich mir welches leihen könnte.

Nun zu Ihnen. Was machen Sie? Was schreiben Sie? Ich höre oft viel Gutes über Sie, und es bekümmert mich, daß ich in einem meiner Briefe Ihre Erzählungen (»Auf der Bruchstelle«) kritisiert und Sie mit dieser unnötigen Schärfe betrübt habe. Wir beide sind alte Freunde; ich zumindest möchte, daß es so sei. Ich möchte, daß Sie nicht übertrieben streng sind demgegenüber, was ich Ihnen manchmal schreibe. Ich bin ein unernster Mensch; wie Sie wissen, hätte man mich beinahe sogar im »Schriftstellerverband« nicht gewählt (und Sie selbst hatten mir eine schwarze

Kugel zugedacht). Wenn meine Briefe manchmal hart sind oder kalt, dann, weil ich nicht ernst genug bin, weil ich keine Briefe schreiben kann; ich bitte Sie um Nachsicht und bitte Sie, mir zu glauben, daß der Satz, mit dem Sie Ihren Brief beenden: »wenn es Ihnen gut geht, so werden Sie auch zu mir gütiger sein«, – dieser Satz ist unverdient streng. Also, ich möchte, daß Sie mir irgend etwas von sich schicken – einen Sonderdruck oder einfach ein Manuskript. Ihre Erzählungen lese ich immer mit großem Vergnügen. Ich werde darauf warten.

Mehr ist nicht zu schreiben, aber da Sie um jeden Preis meine Unterschrift mit dem langen Schwanz nach unten sehen wollen, wie bei einer aufgehängten Ratte, und da auf der anderen Seite für einen Schwanz kein Platz mehr ist, muß ich auf diese Seite ausweichen. Bleiben Sie gesund. Ich drücke Ihnen fest die Hand und danke Ihnen von ganzem Herzen für den Brief.

Ihr A. Čechov.

677) AN L. A. AVILOVA MELICHOVO, 23./27. 7. 1898

Ich habe so viele Gäste, daß ich mich absolut nicht aufraffen kann, auf Ihren letzten Brief zu antworten. Ich möchte Ihnen länger schreiben, aber die Hand versagt mir den Dienst beim Gedanken, es könnte jeden Augenblick jemand hereinkommen und mich stören. Und tatsächlich, während ich das Wort »stören« schreibe, ist ein Mädchen hereingekommen und meldet, draußen sei ein Patient.

Die finanzielle Frage ist bereits zufriedenstellend gelöst. Ich habe aus den »Oskolki« meine kleinen Erzählungen herausgerissen und sie auf zehn Jahre an Sytin verkauft. Sodann kann ich mir, wie ich erfuhr, eintausend Rubel von der »Russkaja mysl« leihen, wo man mir, nebenbei, eine Honorarerhöhung gewährt hat. Man zahlte mir 250, jetzt 300.

Das Schreiben ist mir zuwidergeworden, und ich weiß nicht, was ich tun soll. Ich würde gern eine Arztpraxis betreiben, irgendeine Stelle annehmen, aber es mangelt mir bereits an physischer Flexibilität. Wenn ich zur Zeit schreibe oder daran denke, daß ich schreiben muß, empfinde ich Widerwillen, als äße ich Šči, aus denen man eben eine Küchenschabe gefischt hat, – verzeihen Sie diesen Vergleich. Widerwärtig ist mir nicht das Schreiben an sich, sondern die ganze literarische entourage, vor der man sich nirgends verstecken kann und die man überall mit sich herumträgt wie die Erde die Atmosphäre.

Das Wetter bei uns ist wunderbar, ich möchte gar nicht verreisen. Ich muß für das Augustheft der »Russkaja mysl« schreiben; ich habe auch schon geschrieben, ich muß es abschließen. Bleiben Sie gesund und wohlauf. Für einen Rattenschwanz ist kein Platz, also muß die Unterschrift kurzschwänzig werden.

Ihr A. Čechov.

678) AN V. A. GOLCEV MELICHOVO, 28. 7. 1898

28. Juli.

Lieber Freund Viktor Aleksandrovič, ich schicke dir per eingeschriebenem Streifband zwei Erzählungen für das Augustheft. Ich hatte noch eine dritte schreiben wollen, eine sehr kurze, aber die Gäste haben mich gestört. Wenn du die Erzählungen für geeignet hältst, dann gib sie rasch in Satz, damit ich mir auf der Durchreise nach Tver am 1.–2. August die Korrektur mitnehmen kann. Ich werde die Korrekturfahnen lesen und dann vielleicht noch eine dritte Erzählung hinzufügen.

Also, am 1.–2. August sehen wir uns in der Redaktion, wenn du in Moskau bist.

Für den letzten Brief (die 300) merci!! merci beaucoup!

Dein A. Čechov.

679) AN JACQUES MERPERT MELICHOVO, 29. 7. 1898

29/VII. Lopasnja, Gouv. Moskau

Sehr geehrter Jakov Semënovič, den Atlas habe ich bekommen und danke Ihnen von ganzem Herzen. Ich schicke Ihnen meine

»Stücke«, damit Sie sich davon überzeugen können, daß ich, außer dem »Bären«, nichts Geeignetes habe. Ich habe übrigens noch den »Tragöden wider Willen«, aber der hat nur eine einzige Rolle.

Ich empfehle Ihnen die »Brennenden Briefe« von Gnedič. Das ist eine elegante kleine Sache. Ich werde an den einen oder anderen meiner Kollegen schreiben, und sie werden Ihnen ihre Stücke schicken, die am besten geeigneten. Auch an Gnedič kann ich schreiben, aber er kehrt frühestens Ende August nach Petersburg zurück. Auf jeden Fall werden Sie bald einen Brief von mir bekommen.

Hochachtungsvoll
A. Čechov.

680) AN AL. P. ČECHOV MELICHOVO, 30. 7. 1898

30 Julius.

Hochverehrter Herr Bruder! Ich habe so lange nicht geschrieben, weil die Gäste mich dabei störten, und vor allem – es gab nichts zu schreiben. Neuigkeiten gibt es keine, außer vielleicht der, daß wir das herrlichste Wetter haben. Allen geht es gut, Vater führt Untersuchungen durch, Mutter ist in Taganrog, ich sitze zu Hause und arbeite, Ivan ist irgendwo auf Reisen. Maša kümmert sich um den Haushalt, Miša um den Kameralhof, genießt das Familienglück und verwandelt sich allmählich in den Gogolschen Mižuev.

Pavlovskij-Jakovlev war hier. Von hier ist er nach Taganrog gefahren, wo es ihm sehr gefallen hat. Wir bauen in Melichovo eine Zemstvoschule. Wir sammeln Spenden. Verkaufen Äpfel. Was die Literatur betrifft, so herrscht an dieser Börse eine Baisse. Ich habe keine Lust zu schreiben, schreibe, als äße ich Fastenspeise in der sechsten Fastenwoche.

Ich führe das Leben eines Junggesellen, ab Herbst werde ich wieder auf Wanderschaft gehen. So ist nun mal mein Judol. Das Verhalten des »Novoe vremja« in der Affäre Dreyfus-Zola ist einfach widerwärtig und abscheulich. Es ist ekelhaft zu lesen.

Wenn die Insel in Finnland eröffnet wird, schicke mir eine Einladung.

Bleib gesund und wohlmeinend, und sanft wie dein Erzeuger, der unter den Bäumen die Äpfel aufliest, damit sie nicht gestohlen werden. *Dein Junggesellenbruder Antonij.*

Gruß an die Familie.

681) AN V. I. NEMIROVIČ-DANČENKO MELICHOVO, 30. 7. 1898

Lieber Vladimir Ivanovič, dem Gerücht zufolge bist du bereits in Moskau. Ich gebe dir hiermit Nachricht, daß ich am 1. August morgens wegfahre; den ganzen Samstag werde ich in Moskau sein (Slav. Bazar – »Russkaja mysl« – Eremitage – Omon), am Sonntag mittag fahre ich ins Gouv. Tver, komme am 5.–6. wieder nach Moskau und fahre dann nach Hause – je nachdem. Ich schreibe dir dies alles, weil wir verabredet hatten, daß ich dir jedesmal Nachricht gebe, bevor ich Lopasnja verlasse. Wann kommst du nun zu mir?

Ich grüße dich und drücke dir die Hand.

30. Juli. *Dein A. Čechov.*

682) AN R. I. SEMENTKOVSKIJ MELICHOVO, 10. 8. 1898

Lopasnja, G. Moskau, 10. Aug.

Sehr geehrter Rostislav Ivanovič!

Aus Moskau zurückgekehrt, fand ich auf meinem Tisch einen Brief, die »Ionyč«-Korrekturen betreffend. Die Korrekturen habe ich am 29. abgeschickt, als eingeschriebenes Streifband; die Postquittung habe ich aufgehoben.

A. F. Marks danke ich für den Gruß. Sie schreiben, er möchte sich mit mir treffen. Aber wie soll das geschehen? Den ganzen Winter über werde ich im Süden leben, nach Petersburg werde ich, meinen Berechnungen zufolge, frühestens in einem oder in zwei Jahren kommen. Wenn A. F. geschäftlich mit mir sprechen möchte, so könnte ich jetzt nach Petersburg kommen, bis September, bevor es kalt wird.

Gestatten Sie mir, Ihnen alles Gute zu wünschen.

Ihr aufrichtig ergebener *A. Čechov.*

683) AN P. A. SERGEENKO MELICHOVO, 23. 8. 1898

Lieber Pëtr Alekseevič, am 28. August werde ich nicht mit dir fahren, da mir das Fahren abends und nachts verboten ist. Außerdem hat auch bereits das feuchte Herbstwetter eingesetzt.

Grigorovič lebt irgendwo in der Nähe von Wien auf dem Gut seiner Frau. Die genaue Adresse ist mir nicht bekannt.

Bleib gesund und wohlauf. *Dein A. Čechov.*

23. Aug.

684) AN A. S. SUVORIN MELICHOVO, 24. 8. 1898

24. Aug.

Sytin hat mir meine humorist. Erzählungen nicht für drei-, sondern für fünftausend abkaufen wollen. Die Versuchung war groß, aber ich habe mich doch nicht entschließen können zu verkaufen; mir steht nicht der Sinn nach einem neuen Buch mit einem neuen Titel. Jedes Jahr Bücher unter immer neuen Titeln herauszugeben – das fällt mir so auf die Nerven und ist so unseriös. Was F. I. Kolesov auch sagen mag, früher oder später wird man die Erzählungen in Einzelbänden herausgeben und sie einfach so nennen müssen: erster, zweiter, dritter... d. h. mit anderen Worten, Gesammelte Werke herausgeben. Das würde mich aller Schwierigkeiten entheben, das rät mir Tolstoj. Die humorist. Erzählungen, die ich jetzt zusammengestellt habe, würden den ersten Band bilden. Und wenn Sie nichts dagegen haben, würde ich mich im Spätherbst und Winter, wenn ich nichts zu tun habe, an die Redaktion der weiteren Bände begeben. Für diese meine Absicht spricht auch die Überlegung, daß die Redaktion und Edition besser ich übernehme, nicht meine

Erben. Die neuen Bändchen würden die unverkauften alten nicht beeinträchtigen, denn letztere könnte man nach und nach auf den Bahnhöfen ausverkaufen, wo man sich, übrigens, aus irgendeinem Grunde hartnäckig weigert, meine Bücher anzubieten. Als ich das letzte Mal mit der Nikolaj-Eisenbahn fuhr, habe ich an keinem Kiosk meine Bücher gesehen.

Ich baue eine weitere neue Schule, der Zahl nach die dritte. Meine Schulen gelten als musterhaft – ich sage das, damit Sie nicht denken, ich hätte Ihre 200 R. für irgendeinen Unfug ausgegeben. Am 28. Aug. werde ich nicht zu Tolstoj fahren, erstens, weil es zu kalt und zu naß ist zu fahren, zweitens – weshalb sollte ich fahren? Tolstojs Leben ist ein einziges Jubiläum, und es besteht kein Grund, irgendeinen einzelnen Tag besonders hervorzuheben; drittens war Menšikov bei mir, er kam direkt aus Jasnaja Poljana und sagte, L. N. runzle die Stirn und ächze bereits bei dem Gedanken an die Gratulanten, die ihn am 28. Aug. besuchen kommen könnten; und viertens fahre ich nicht nach Ja. P., weil Sergeenko dort ist. Mit Serg. war ich zusammen auf dem Gymnasium; er war ein Komiker, ein fröhlicher Kerl und ein Witzbold, aber seit er sich als großer Schriftsteller und als Freund von Tolstoj fühlt (den er, nebenbei bemerkt, furchtbar anödet), ist er zum stumpfsinnigsten Menschen auf Erden geworden. Ich habe Angst vor ihm, er ist ein Leichenwagen auf zwei Beinen.

Menšikov sagte, Tolstoj und dessen Familie hätten mich nachdrücklich nach Ja. P. eingeladen und wären beleidigt, wenn ich nicht käme (»Nur bitte nicht am 28.«, fügte Menšikov hinzu). Aber ich wiederhole, es ist naß und sehr kalt geworden, und ich habe wieder angefangen zu husten. Man sagt, ich hätte mich sehr gut erholt, und gleichzeitig verjagt man mich wieder von zu Hause. Ich werde wieder in den Süden fahren müssen; ich muß mich beeilen, ich tue so manches, will vor der Abreise noch so manches erledigen – und da bleibt keine Zeit, an Jasnaja Poljana zu denken, obwohl ich für ein, zwei Tage hinfahren sollte. Und ich würde auch gern fahren.

Meine Reiseroute: zuerst die Krim und Soči, dann, wenn es in

Rußland kalt wird, fahre ich ins Ausland. Ich möchte nur nach Paris, die warmen Gegenden locken mich nicht. Vor dieser Reise habe ich Angst wie vor der Verbannung.

Aus Moskau habe ich einen Brief von Vl. Nemirovič-Dančenko bekommen. Bei ihm läuft die Arbeit auf Hochtouren. Es haben schon fast einhundert Proben stattgefunden, und den Schauspielern werden Vorträge gehalten.

Wenn wir uns zu der Edition der Erzählungsbände entschließen, so müssen wir uns vor meiner Abreise noch sehen und sprechen, und à propos im Kontor Geld locker machen.

Wo ist zur Zeit A. P. Kolomnin? Wenn er in Petersburg ist, dann seien Sie so gut, sagen Sie ihm, er möge mir so bald wie möglich die versprochenen Photographien schicken.

Bleiben Sie gesund und wohlauf, ich wünsche Ihnen alles Gute. *Ihr A. Čechov.*

Telegraphieren Sie mir irgend etwas. Ich bekomme so gern Telegramme.

685) AN V. S. MIROLJUBOV MELICHOVO, 2. 9. 1898

Lieber Viktor Sergeevič, eben (am 2. September, frühmorgens) habe ich Ihr Telegramm bekommen. Da mein Arbeiter zur Post fährt, beeile ich mich, Ihnen diese Postkarte zu schreiben. Von zu Hause werde ich nicht vor dem 12. September wegfahren, seien Sie so gut, mir bis dahin zu schreiben, ob ich Sie in Jalta antreffen werde, in welcher Straße das Haus von Jarcev ist, ob es weit zum Meer ist usw. usw., und vor allem, wie zur Zeit in Jalta das Wetter ist. Ich würde mich sehr freuen, Sie zu sehen und mit Ihnen zu reden. Meine Gesundheit war den ganzen Sommer über vortrefflich; ich hoffe, auch Sie sind gesund. Wenn die Bazillen nicht wären, würde ich zum Überwintern in Moskau bleiben, wo eine sehr interessante Saison bevorsteht; aber die Bazillen vertreiben mich, und ich werde wieder den ganzen Winter herumzigeunern müssen und nichts tun können. Ich bin ganz und gar faulgeworden und aus dem Geleise geraten. Wer von den Literaten ist in Jalta? Sergej Filippov? Oh, Cherubime des Himmels, rettet uns!

Also schreiben Sie bitte. Einen Gruß an Leonid Valentinovič und Familie. Ich drücke Ihnen die Hand. *Ihr A. Čechov.*

Den Tag meiner Abreise teile ich Ihnen telegraphisch mit.

686) AN V.I. NEMIROVIČ-DANČENKO MELICHOVO, 8. 9. 1898

8. Sept.

Lieber Vladimir Ivanovič, ich komme am *Mittwoch* gegen Mittag. Essen werde ich im »Slavjanskij bazar« (gegen zwei Uhr), und um 3–4 Uhr werde ich versuchen, im Hause Batjuškovs zu sein. Ich fahre dann weiter auf die Krim.

Bleib gesund. Gruß an Ekaterina Nikolaevna.

Dein A. Čechov.

Ich hatte einen Brief an eine Gnädige Frau begonnen und durchgestrichen. Entschuldige.

687) AN L.S. MIZINOVA JALTA, 21. 9. 1898

21. Sept.

Liebe Lika, wenn man von Ihnen spricht... Hier konzertieren Šaljapin und S. Rožanskij, wir haben gestern zusammen zu Abend gegessen und von Ihnen gesprochen. Wenn Sie wüßten, wie ich mich über Ihren Brief gefreut habe! Sie sind hartherzig, Sie sind dick, Sie können diese meine Freude nicht verstehen. Ja, ich bin in Jalta und werde hier bleiben, bis es anfängt zu schneien. Ich habe Moskau nicht verlassen wollen, ich habe es ganz und gar nicht gewollt, aber ich mußte, denn ich habe immer noch ein illegitimes Verhältnis mit den Bazillen – und die Erzählungen, wonach ich fülliger oder sogar dickgeworden sei, sind ein reines Märchen. Und daß ich heiraten wolle, ist ebenfalls ein Märchen, von Ihnen in die Welt gesetzt. Sie wissen, daß ich nie ohne Ihre Erlaubnis heiraten werde. Sie wissen das sehr genau, und dennoch setzen Sie die verschiedensten Gerüchte in Umlauf – wahrscheinlich nach der Logik des alten Jägers, der selbst mit seinem Gewehr nicht mehr schießen kann und der darum auch andere nicht läßt, sondern nur noch ächzend und brummelnd auf dem Ofen liegt. Nein, liebe Lika, nein! Ohne Ihre Erlaubnis werde ich nicht heiraten, und bevor ich heirate, werde ich Ihnen noch zeigen, was eine Harke ist, entschuldigen Sie den Ausdruck. Also, kommen Sie nach Jalta.

Voll Ungeduld werde ich auf Briefe von Ihnen und auf das Photo warten, auf dem Sie, wie Sie schreiben, aussehen wie eine alte Hexe. Schicken Sie es mir, liebe Lika, geben Sie mir die Möglichkeit, Sie wenigstens auf einem Photo zu sehen. Weh mir, ich gehöre nicht zum Kreise »meiner Freunde«, und alle meine an Sie gerichteten Bitten sind stets unerfüllt geblieben. Eine Photographie von mir kann ich Ihnen nicht schicken, weil ich keine habe und so bald auch keine haben werde. Ich lasse mich nicht photographieren.

Trotz strengem Verbot werde ich wahrscheinlich im Januar für drei Tage nach Moskau ausreißen, sonst würde ich mich vor Trübsinn aufhängen. Dann sehen wir uns also? Dann bringen Sie mir 2–3 Krawatten mit, ich bezahle sie Ihnen.

Von Moskau fahre ich weiter nach Frankreich oder nach Italien.

Nemirovič und Stanislavskij haben ein sehr interessantes Theater. Sehr, sehr hübsche kleine Schauspielerinnen. Wenn ich noch etwas länger geblieben wäre, hätte ich den Kopf verloren. Je älter ich werde, desto häufiger und heftiger schlägt in mir der Puls des Lebens. Schreiben Sie sich das hinter die Ohren. Aber haben Sie keine Angst. Ich werde »meine Freunde« nicht kränken, ich werde nicht wagen, mir das herauszunehmen, was sie sich mit solchem Erfolg herausgenommen haben.

Ich wiederhole noch einmal: Ihr Brief hat mich sehr, sehr gefreut, und ich habe Angst, Sie könnten mir das nicht glauben und mir jetzt lange nicht antworten. Ich schwöre Ihnen, Lika, ich langweile mich ohne Sie.

Bleiben Sie glücklich, gesund, und machen Sie wirklich Fortschritte. Gestern beim Abendessen hat man Sie als Sängerin sehr gelobt, und ich habe mich gefreut. Gott beschütze Sie.

Ihr A. Čechov.

Adresse: Hs. Bušev.

688) AN M. P. ČECHOVA JALTA, 27. 9. 1898

27. Sept.

Liebe Maša, ich habe von der Post die Benachrichtigung bekommen, daß das Paket angekommen sei. Die Mütze brauche ich noch nicht so bald, denn das Wetter ist nach wie vor sommerlich. Kühl wird es nur gegen Abend, aber es reicht der Sommer- oder der Übergangsmantel.

Gestern bin ich zu Sinani gefahren, um ein zum Verkauf anstehendes Gut zu besichtigen. Es liegt 27 Verst von Jalta entfernt, an der Straße nach Sevastopol, nahe der Station Kekeneis, zwischen Alupka und Foros. Die Fahrt dorthin fand ich sehr interessant und lustig; wenn du einmal von Bajdar aus gekommen bist, kennst du sie. Hinter Kekeneis muß man sich links halten und zum Meer hinunterfahren; die Straße ist hier in technischer Hinsicht nicht schlecht, aber die Abfahrt war sehr steil, ich hatte solche Angst, da hinunterzufahren, daß ich noch die ganze Nacht davon geträumt habe. Abstürzen kann man nicht, aber Angst hat man trotzdem. Außer dieser Straße gibt es noch einen Weg, der von der Chaussee zu dem Gut führt – hier ist die Fahrt sogar angenehm; es heißt, es gäbe noch eine Seitenstraße nach Alupka, und bald, in 1½–2 Jahren, werde direkt an dem Gut vorbei die Eisenbahn entlangführen, zwischen dem Gut und dem Meer. So schrecklich die Fahrt bergab ist, so angenehm, ruhig und lustig ist sie bergauf. Stell dir vor: 1) ein Häuschen mit rotem Dach, zwei Etagen; oben zwei Zimmer, unten ebenfalls zwei. 2) Ein Seitenflügel mit zwei Zimmern, das ist eigentlich kein Haus mehr, sondern eine Saklja im tatarischen Stil, sauber. 3) Eine Küche mit russischem Ofen und mit Herd; hier riecht es nach Kleinrußland. 4) Ein Viehstall; 5) ein neuer Tabakspeicher mit mehreren Abteilen. Lauter alte Bäume. Pappeln, Zypressen, ein Granatapfelbaum, Feigen, Oliven, Nußbäume; ein Walnußbaum mit weit ausladender Krone, der 1½–2 mal so hoch ist wie der höchste Apfelbaum bei uns. Drei Desjatinen Land. Darauf ein Weinberg, eine Tabakpflanzung, riesige Felsbrocken von der Größe meines Seitenflügels. In der Nähe des Hauses entspringt aus den Felsen ein Bach, der im Bogen um das Haus fließt. Das Wasser kalt. Im Haus ist es gemütlich, vom Balkon aus ein wunderbarer Blick aufs Meer. Nebenan ein kleines Tatarendorf mit primitiven Straßen. Gestohlen wird nicht. Man wird mit Weintrauben und Äpfeln bewirtet. Viel Lauchgewächs, ähnlich dem spanischen. Zum Meer sind es 15–20 Minuten: man kann zum Baden auf einem Esel reiten; ein Esel kostet 10 Rub., man braucht ihn nicht zu füttern, denn er weidet das ganze Jahr hindurch auf dem Hof, frißt die Disteln. Man kann 2–3 Esel halten. Von Jalta kostet die Fahrt mit Postpferden oder der Reisediligence 2 R. Die Poststation ist 3 Verst entfernt, dort gibt es auch einen Telegraphen. Ein Junge geht täglich zur Post für 1 R. im Monat. Eine Köchin ist leicht zu finden. Alles ist rührend, gemütlich, ursprünglich, malerisch; ein wunderbarer, dichter Zypressengeruch, nur ... die schreckliche Straße!! Bergauf war die Fahrt nicht mehr so schrecklich, sogar lustig. Wenn ich sicher wäre, daß du keine Angst hättest, würde ich das Gut sofort kaufen; à propos, es kostet 2 Tsd. Rubel. Das ist barbarisch billig. Die Fahrt ist schrecklich, aber malerisch, vielleicht bist du als Malerin zu verlocken. Überleg es dir und schreib mir. Auf der Rückseite füge ich einen Plan bei: das Gelände im Querschnitt. Das Haus ist neu, Wasser sehr viel vorhanden. Die Luft ist rein wie im Himmel. Reparaturen nicht für eine Kopeke notwendig. In dem Haus ein Buffet, eine Garderobe, ein Tisch und Wiener Stühle. Alles neu. Also, überlegs dir.

Grüße an alle. *Dein A. Čechov.*

689) AN A. S. SUVORIN JALTA, 8. 10. 1898

8. Okt.

Sie schreiben, man solle das Publikum nicht verwöhnen; meinetwegen, aber es sollte auch nicht so sein, daß ich teurer verkauft werde als Potapenko und Korolenko. Hier in Jalta gehen meine Bücher gut, und in den Buchhandlungen sagte man mir, das Publikum äußere oft sein Mißfallen. Ich habe Angst, daß mich die Damen auf der Straße mit dem Schirm erschlagen.

Das Wetter hier ist warm, vollkommen sommerlich; heute weht Wind, aber gestern und vorgestern war es so schön, daß ich mich nicht beherrschen konnte und ein Telegramm ans »Novoe vremja« geschickt habe. Wir gehen ohne Mantel, und trotzdem ist uns heiß. Die Krimküste ist schön, gemütlich, und gefällt mir besser als die Riviera; nur eines ist schlimm – es gibt keine Kultur. In Jalta ist man in kultureller Hinsicht sogar weiter als in Nizza, es gibt hier eine sehr gute Kanalisation, aber die Umgebung ist das reine Asien.

Im »Nov. vremja« las ich eine Notiz über das Theater von Nemirovič und Stanislavskij und über den »Fëdor Ioannovič« und habe ihre Psychologie nicht verstanden. Es hatte Ihnen dort so gut gefallen, und man hat Sie so herzlich empfangen, daß der Anlaß für eine derartige Notiz nur irgendein großes Mißverständnis sein kann, von dem ich nichts weiß. Was ist geschehen?

Vor meiner Abreise war ich, nebenbei bemerkt, auf einer Probe zum »Fëd. Ioan.« Die Intelligenz des Tones hat mich angenehm berührt, und von der Bühne herab wehte die wahre Kunst, obwohl es keine großen Talente waren, die spielten. Irina ist, meiner Meinung nach, großartig. Ihre Stimme, Erhabenheit, Herzlichkeit – das war so gut, daß es einem sogar im Hals kratzte. Fëdor erschien mir ein bißchen schwach; Godunov und Šujskij gut und der Alte (Sekira) wundervoll. Aber am besten von allen – Irina. Wenn ich in Moskau geblieben wäre, hätte ich mich in diese Irina verliebt.

Hier sind V. und N. Kolomnin. Sie waren in Jalta und sind

dann nach Alupka gefahren. Es war mir angenehm, mit ihnen zusammenzutreffen.

Karazin gefällt mir nicht als Maler. Seine Monotonie fällt einem furchtbar auf die Nerven.

Sie hatten versprochen, Anzeigen der in Ihren Buchhandlungen angebotenen Theaterstücke zu veröffentlichen und an die Theater zu schicken. Das wäre nicht schlecht.

Bleiben Sie gesund, ich wünsche Ihnen alles Gute und grüße Sie sehr. Ich gehe ins Bad. *Ihr A. Čechov.*

Meine Adresse ist einfach: Jalta. Aus Hs. Bušev ziehe ich bald aus.

690) AN M.P. ČECHOVA JALTA, 14. 10. 1898

14. Okt.

Liebe Maša, dein Telegramm hat Sinani gestern, am 13. Okt., um 2 Uhr nachmittags bekommen. Das Telegramm ist nicht klar: »Wie hat Anton Pavl. Čechov Nachricht vom Tod seines Vaters aufgenommen.« Sinani war ganz verwirrt und dachte, er müsse es vor mir geheimhalten. Ganz Jalta hat von Vaters Tod gewußt, nur ich habe keinerlei Nachrichten bekommen, und Sinani hat mir das Telegramm erst am Abend gezeigt; danach bin ich auf die Post gegangen und habe dort den eben eingetroffenen Brief von Ivan gelesen, der mich über die Operation benachrichtigte. Ich schreibe dies am 14. abends und habe bis heute keinerlei Nachrichten, nichts.

Wie dem auch sei, diese traurige, völlig unerwartete Neuigkeit hat mich zutiefst bekümmert und erschüttert. Vater tut mir leid, ihr alle tut mir leid; das Bewußtsein, daß ihr alle in Moskau solche Scherereien erleben müßt und daß ich zur gleichen Zeit in aller Ruhe in Jalta lebe, – dieses Bewußtsein läßt mich nicht los und bedrückt mich die ganze Zeit. Wie geht es Mutter? Wo ist sie? Wenn sie nicht nach Melichovo zurück will (es wäre schwer für sie dort, allein), wo willst du sie dann unterbringen? Es gibt überhaupt viele Fragen, die gelöst werden müßten. Deinem Telegramm an Sinani nach zu urteilen, habt ihr Zweifel an meiner Gesundheit. Wenn ihr, du und Mutter, euch Sorgen macht, soll ich dann nicht für kurz nach Moskau kommen? Oder möchte Mamaša nicht zu mir nach Jalta kommen und sich hier erholen? Sie könnte sich bei der Gelegenheit hier umsehen, und wenn es ihr gefällt, könnten wir uns für immer hier niederlassen. Hier ist immer warmes Wetter, wir gehen ohne Mantel, und das Überwintern ist hier offenbar sehr angenehm. Wir würden den Winter in Jalta verbringen, und den Sommer in Melichovo oder in Kučukoj bei Jalta.

Wenn Mamaša zu mir kommen will, soll sie telegraphieren; ich käme ihr nach Sevastopol entgegen und würde sie im Wagen direkt nach Jalta bringen.

Mit dem Schnellzug ist die Reise bequem. Hier würde Mamaša freundlich aufgenommen und gut untergebracht. Und wenn du dir Urlaub nehmen und wenigstens für eine Woche kommen könntest, so wäre das für mich eine große Freude. Wir könnten bei der Gelegenheit besprechen, was nun werden soll. Ich glaube, nach Vaters Tod wird es in Melichovo das alte Leben nicht mehr geben, so als habe mit seinem Tagebuch auch das Leben in Melichovo aufgehört.

Ich wiederhole, ich bin völlig gesund. Schreib mir bitte, laßt mich nicht im Ungewissen. Das Paket habe ich bekommen.

Ich schreibe morgen mehr. Bleib gesund. Grüß Mamaša, Vanja und Sonja. *Dein Antoine.*

691) AN A. S. SUVORIN JALTA, 17. 10. 1898

17. Okt.

Mein Vater ist nach qualvoller Krankheit und einer langwierigen Operation gestorben; und dies wäre nicht geschehen, wenn ich zu Hause gewesen wäre. Ich hätte es nicht zum Tode kommen lassen. Wie dem auch sei, meine Stimmung ist in den letzten Tagen alles andere als froh. Dabei ist das Wetter großartig; es sind warme, ganz sommerliche Tage, nur morgens ist es kühl. Ich habe wegen des Wetters ein Telegramm ans »Novoe vremja« geschickt, aber man hat es nicht veröffentlicht, wahrscheinlich hat man gedacht, ich übertreibe. Vera und Nadežda Alekseevna stolzieren in Sommerkleidern einher.

Ich werde wahrscheinlich über Winter in Jalta bleiben. Ins Ausland möchte ich nicht. Und es ist auch unmöglich, weite Reisen zu unternehmen, weil ich unbedingt einen Plan für meine weitere Existenz aufstellen muß. In den nächsten Tagen kommt meine Schwester nach Jalta, wir werden gemeinsam beschließen, was werden soll. Meine Mutter wird wahrscheinlich nicht mehr auf dem Lande leben wollen, allein hätte sie dort Angst. Wir werden Melichovo also wohl verkaufen und uns auf der Krim niederlassen, wo wir zusammen leben werden, bis die Bazillen mich verlassen haben; so oder anders, aber die Ärzte sind der Meinung, daß ich noch so manchen Winter auf der Krim werde verbringen müssen. Das nennt man aus der Bahn geworfen werden.

Sie haben wiederholt gesagt, ich könnte mir von der Buchhandlung 5 oder sogar 10 Tausend zu Vorzugsbedingungen leihen, d. h. die Rückzahlung der Schuld auf mehrere Jahre verteilt. Wenn Sie auch heute noch so denken, dann schicken Sie mir telegraphisch 5 Tausend und sagen Sie in der Buchhandlung Bescheid, daß man die Schuld von meinen Einkünften nach und nach abziehen solle, eintausend pro Jahr, mehr nicht, sonst würde es knapp für mich.

Aus den Zeitungen erfuhr ich vom Erfolg des »Fëdor Ioannovič« bei Ihnen und in Moskau. An die kleine Szene aus dem Volksleben werde ich denken: wahrscheinlich werde ich eine schreiben, und wenn ich wieder in normaler Stimmung bin, werde ich mich hinsetzen und ganze zehn Bogen schreiben.

Hier ist Ihre »Tatjana Repina« mit der Volgina gespielt worden.

Telegraphieren Sie. Die Muster habe ich noch nicht bekommen. Das Material für den ersten Band bringen die jungen Damen Kolomnin mit. Das sind sehr liebe Menschenkinder, es ist lustig mit ihnen, aber sie kommen nur selten von Alupka herüber. Gestern haben sie mir Weintrauben mitgebracht.

Der Mond scheint. Das Wetter ist bezaubernd. Ich gehe diesen Brief einwerfen. *Ihr A. Čechov.*

Haus Ivanov, Jalta.

692) AN V.I. NEMIROVIČ-DANČENKO JALTA, 21. 10. 1898

21. Okt.

Lieber Vladimir Ivanovič, ich bin in Jalta und werde noch lange hier bleiben. Bäume und Gras sind sommerlich grün, es ist warm, klar, still, trocken, und heute zum Beispiel ist es nicht warm, sondern geradezu heiß. Das gefällt mir sehr, ich werde wohl für ganz nach Jalta ziehen.

Dein Telegramm hat mich tief gerührt. Vielen Dank dir, wie auch Konstantin Sergeevič und den Schauspielern, die an mich gedacht haben. Überhaupt, vergiß mich bitte nicht und schreib mir, wenigstens ab und zu. Du bist jetzt ein vielbeschäftigter Mann, ein Direktor, aber schreib trotzdem manchmal einem müßigen Menschen. Schreib mir, was und wie es war, wie der Erfolg der ersten Vorstellungen auf die Schauspieler gewirkt hat, was die »Möwe« macht, welche Änderungen in der Besetzung sich ergeben haben usw. usf. Den Zeitungen zufolge war der Anfang glänzend, – und ich bin sehr, sehr froh, so froh, daß du es dir gar nicht vorstellen kannst. Dieser euer Erfolg ist ein weiterer Beweis dafür, daß sowohl das Publikum als auch die Schauspieler ein intelligentes Theater brauchen. Aber wieso schreibt man nichts über die Irina-Knipper? Ist da vielleicht irgendetwas dazwischengekommen? Fëdor hatte mir bei euch nicht gefallen, Irina dagegen fand ich ungewöhnlich gut; jetzt wird von Fëdor mehr geredet als von Irina.

Hier beginnt man bereits, mich ins gesellschaftliche Leben einzubeziehen. Man hat mich zum Kuratoriumsmitglied des

Mädchengymnasiums ernannt. Und ich schreite jetzt würdevoll über die Treppen des Gymnasiums, und die Gymnasiastinnen in ihren weißen Pelerinen erweisen mir ihre Reverenz. Was mein Gut betrifft, von dem Sinani sprach, so ist es sehr schön, poetisch, gemütlich, aber wild; das ist nicht die Krim, sondern Syrien. Es kostet 2 Tsd., aber ich werde es nicht kaufen, weil ich nicht einmal die 2 Tsd. habe. Ich werde es kaufen, wenn Melichovo verkauft ist.

Ich warte auf »Antigone«. Ich warte, weil du sie mir versprochen hattest. Ich brauche sie dringend.

Ich warte auf meine Schwester, die telegraphiert hat, sie wolle zu mir nach Jalta kommen. Wir werden gemeinsam beschließen, was nun werden soll. Nach Vaters Tod wird meine Mutter wohl kaum allein auf dem Lande leben wollen. Wir müssen uns irgend etwas Neues einfallen lassen.

Viele Grüße an Ekaterina Nikolaevna, die Roksanova, die Knipper, an Višnevskij einen ergebenen Gruß.

Ich denke mit großem Vergnügen an sie alle. Bleib gesund und wohlauf. Schreib bitte. Ich drücke dir fest die Hand.

Dein A. Čechov.

Jalta.

Gruß an Sumbatov.

693) AN L. S. MIZINOVA — JALTA, 24. 10. 1898

24. Okt.

Liebe Lika, ich habe zwei Neuigkeiten. Erstens, mein Vater ist gestorben. Er hatte eine Darmverschlingung; man hat es zu spät festgestellt, hat ihn dann auf der furchtbaren Straße zur Bahn gefahren, dann in Moskau eine Operation vorgenommen, den Bauch geöffnet. Den Briefen nach zu urteilen war das Ende seines Lebens qualvoll, Maša hat furchtbar gelitten. Und mir ist schwer ums Herz.

Zweitens werde ich mir (auf Pump) ein Grundstück in der Nähe von Jalta kaufen, um einen festen Platz zu haben, an dem ich überwintern und in meinen Mußestunden die Ihnen verhaßten Stachelbeeren züchten kann. Das Fleckchen, das ich kaufen werde, ist malerisch gelegen; Blick auf das Meer, auf die Berge. Mit eigenem Weinberg, eigenem Wasser. Es liegt 20 Minuten von Jalta entfernt. Ich habe schon einen Plan entworfen, habe auch die Gäste nicht vergessen und für sie ein Zimmerchen im Kellergeschoß abgezweigt; in diesem Zimmerchen werden, wenn keine Gäste da sind, die Puter wohnen.

Wie dem auch sei, nach Paris werde ich wohl nicht vor April kommen. Sie sehen möchte ich schrecklich gern, aber ich möchte nicht wegfahren. Ich habe kein Geld, und auf der Krim ist es schön, so schön, daß ich es gar nicht sagen kann. Es ist wunderbares Wetter, richtiger Sommer. Nein, da werden schon eher Sie nach Rußland kommen müssen, nicht ich nach Paris. Wenn Sie tatsächlich bald kommen, dann bringen Sie mir Krawatten und Taschentücher mit (mit eingesticktem A), ich bezahle sie Ihnen. Ehrenwort, ich bezahle sie! Bringen Sie mir welche für einhundert Rubel mit, ich gebe Ihnen alles wieder, und wenn Sie platzen!

Die Photographien von Ihnen sind sehr schön. Sie sind sogar hübsch, was ich durchaus nicht erwartet hätte. Ich würde Ihnen eine Photographie von mir schicken, aber ich habe keine. Mein Porträt können Sie in der Tretjakovschen Galerie sehen. Nebenbei gesagt, dieses Brazsche Porträt ist furchtbar uninteressant.

Ich erwarte Maša. Sie kommt in ein paar Tagen nach Jalta, um mich zu besuchen und mit mir zu reden. Nach Vaters Tod, nach dieser Katastrophe, die mehrere Tage gedauert und alle in Atem gehalten hat, werden Mutter und Schwester wohl kaum mehr in Melichovo leben wollen. Ich überlege bereits, ob wir nicht alle auf die Krim ziehen sollten. Hier ist es warm und angenehm zu leben.

Schreiben Sie, Lika. Meine Adresse ist einfach: Jalta. Wenn es Ihnen einfallen sollte, nach Rußland zu kommen, schreiben Sie mir eine Woche vorher.

Woher nehmen Sie, daß ich eine Glatze hätte? Was sind das für

Frechheiten?! Ich verstehe: das ist Ihre Rache dafür, daß ich Sie einmal in einem Brief in aller Freundschaft, absolut ohne Sie kränken zu wollen, auf Ihre schiefen Hüften hingewiesen habe, derentwegen Sie bis heute leider noch immer nicht verheiratet sind.

Bleiben Sie gesund und glücklich. Vergessen Sie nicht Ihren alten Verehrer *A. Čechov.*

694) AN M.P. ČECHOV JALTA, 25. 10. 1898

25. Okt.

Lieber Michel, ich habe dir und O. G. durch Peše irgendetwas von der Krim schicken wollen, aber ich habe nichts Geeignetes gefunden, es ist alles Quatsch. Peše kann bezeugen, daß ich lange gesucht habe – gib dich also damit zufrieden. Ich bin in Jalta, wohne im Haus der Ilovajskaja, esse auch hier. Ich esse zusammen mit M-me Šavrova und Aša; die Strafe für meine Sünden. Meine Adresse: Jalta. Übermorgen schließe ich den Kaufvertrag. Ich kaufe ein Grundstück in Autka, 20 Minuten zu Fuß bis zum Meer; ein herrlicher Blick in alle Richtungen, aufs Meer, auf die Berge; Garten, Weinberg, Brunnen, Wasserleitung, Kanalisation, und genügend Platz, um sich sogar einen Gemüsegarten zu halten. Ich habe es für 5 1/2 Rub. pro Sažen gekauft, und jetzt will man mir schon 8 dafür geben. Ich zahle nicht in bar, sondern mit Pfandbrief, ohne Zinsen. Der Besitzer will aus Achtung vor mir keine Zinsen. Die 5 Tsd. aus Piter sind bereits gekommen, und am Dienstag beginne ich schon mit dem Bau, danach nehme ich bei der Bank eine Hypothek auf und zahle alle meine Schulden zurück. Außer dem Grundstück in Autka kaufe ich wahrscheinlich noch ein kleines Gut in Kučukoj, wenn es Maša gefällt. Auf jeden Fall werde ich dir alle Einzelheiten mitteilen. Maša schreibt, in Melichovo sei es unerträglich trostlos. Alles neigt sich wahrscheinlich dahin, daß wir Melichovo werden verkaufen müssen. Dem »Severnyj kraj« sag, daß ich etwas schicken werde, aber später. Sie sollen mir die Zeitung schicken. Ich bin bereits

Mitglied der Kreditgenossenschaft Jalta. Ich habe das Recht, eine Uniform VI. Rangklasse zu tragen, da ich zum Kuratoriumsmitglied des Mädchengymnasiums ernannt worden bin; hast du nicht eine Uniform zu verkaufen? Hier ist wunderbares, sommerliches Wetter, die Rosen blühen. Im Wald eine Menge Reizker und Butterpilze. *Dein Antoine.*

695) AN M.P. ČECHOV JALTA, 26. 10. 1898

26. Okt.

Lieber Michel, kaum hatte ich meine Postkarte an dich abgeschickt, als deine kam. Was ihr alle während der Beerdigung von Vater durchgemacht habt, weiß ich, und mir war abscheulich zumute. Von Vaters Tod habe ich erst am 13. abends erfahren, von Sinani, an mich hatte man aus irgendeinem Grunde nicht telegraphiert, und wenn ich nicht zufällig in Sinanis Laden gegangen wäre, hätte ich mich noch lange im Ungewissen befunden.

Ich kaufe in Jalta ein Grundstück und werde bauen, um einen festen Platz für den Winter zu haben. Die Aussicht auf die ständige Wanderschaft, mit Hotelzimmern, Portiers, Zufallsküche usw. usf. schreckt meine Phantasie. Mit mir könnte auch Mutter hier überwintern. Einen Winter gibt es hier nicht; es ist Ende Oktober, und die Rosen und andere Blumen blühen um die Wette, die Bäume sind grün, es ist warm. Es gibt hier viel Wasser. Außer einem Haus braucht man nichts, keine Wirtschaftsgebäude; alles unter einem Dach. Im Kellergeschoß Kohle, Holz, die Hausmeisterwohnung, und Schluß. Die Hühner legen das ganze Jahr hindurch, und sie brauchen keinen eigenen Stall, ein Verschlag genügt. Ganz in der Nähe ein Bäcker, ein Markt. So daß Mutter es sehr warm und sehr bequem haben würde. Nebenbei bemerkt, im Forstrevier kann man den ganzen Herbst über Reizker und Butterpilze sammeln – auch das wird unsere Mutter zerstreuen. Bauen werde ich nicht selbst, das macht alles ein Architekt. Gegen April wird das Haus fertig sein. Das Stück Land ist, nach Gesichtspunkten eines Städters, groß; darauf haben ein

Obst-, ein Blumen- und ein Gemüsegarten Platz. Ab nächstem Jahr werden wir in Jalta die Eisenbahn haben.

Kučukoj taugt nicht als fester Wohnsitz. Das ist ein Sommerhaus, ein sehr liebes, und zu kaufen lohnt es sich nur, weil es hübsch und weil es billig zu haben ist.

Was die Heirat betrifft, auf der du bestehst, – was soll ich dir sagen? Heiraten ist nur interessant, wenn man es aus Liebe tut; ein Mädchen nur deshalb zu heiraten, weil es sympathisch ist, wäre dasselbe, wie wenn man sich auf dem Markt eine überflüssige Sache kauft, nur weil sie schön ist. Die wichtigste Schraube im Familienleben ist – die Liebe, die sexuelle Neigung, die Einheit des Fleisches, alles andere ist unzuverlässig und langweilig, so klug wir uns das auch immer ausrechnen mögen. Es geht also nicht um ein sympathisches Mädchen, sondern um ein geliebtes; es hängt, wie du siehst, nur an einer Kleinigkeit.

Im Kreis Serpuchov geschehen lauter traurige Dinge. Vitte hatte einen Schlaganfall, Kovrejn hatte einen Schlaganfall, Sidorov ist gestorben, Vasilij Ivanovič (der Buchhalter) hat Schwindsucht.

Morgen kommt Maša. Wir werden beratschlagen, alles erwägen, wie es sich gehört; über unseren Beschluß gebe ich dir Nachricht.

Hier ist der Rechtsanwalt Fürst Urusov. Er kann interessant erzählen. Er will ebenfalls ein Stück Land kaufen. Bald wird es in Jalta kein einziges freies Fleckchen mehr geben, alle beeilen sich zu kaufen. Bei dem Kauf hat mir meine Literatur geholfen. Nur weil ich Literat bin, hat man es mir billig und auf Kredit verkauft.

Bleib gesund und richte Olga Germanovna und Ženja einen Gruß aus. Sich vor Unterleibstyphus zu schützen, ist nicht schwer; er ist nicht ansteckend, man darf nur kein unabgekochtes Wasser trinken.

Mein »Onkel Vanja« läuft durch die ganze Provinz und ist überall ein Erfolg. Siehst du, man weiß eben nie, wo man findet und wo man verliert. Ich hatte ganz und gar nicht auf dieses Stück gesetzt. Bleib gesund, schreib. *Dein A. Čechov.*

Daß ihr Vater auf dem Novo-Devičje beerdigt habt, ist sehr schön. Ich wollte deshalb telegraphieren, dachte aber dann, es sei schon zu spät; ihr habt meinen Wunsch erraten.

Hier ist Dr. Borodulin, der dich grüßen läßt. In der Staatl. Bank hat irgendein Beamter nach dir gefragt, er läßt dich ebenfalls grüßen.

696) AN JACQUES MERPERT JALTA, 29. 10. 1898

29. Okt.

Sehr geehrter Jakov Semënovič, bis jetzt ist alles sehr gut. Nur streichen Sie das grün unterstrichene Wort. Auch ich glaube, in den biographischen Einzelheiten ist manches überflüssig. Ich würde die Brüder und Lehrer nicht aufführen – das schwemmt nur auf. In den Zeitangaben würde ich mich eines anderen Verfahrens bedienen. »Im Jahre 1839« – das sagt den Franzosen wenig, stattdessen wäre es so wohl besser: »Als Dost. 20 Jahre alt war«; und es wäre auch angebracht, einen leichten und sehr kurzen literaturhistor. Überblick über jene Zeit zu geben, als Hr. D. begann und gelebt hat, man sollte darauf hinweisen, daß er begann unter den und den Umständen, unter der Herrschaft Nikolaus I., unter der Herrschaft Belinskijs und Puškins (letzterer hatte auf ihn doch einen riesigen, erdrückenden Einfluß). Und diese Namen – Belinskij, Puškin und Nekrasov drücken, meiner Meinung nach, mehr aus als Zahlen, die die Aufmerksamkeit des Zuhörers gewöhnlich nur abstumpfen und stumm bleiben.

Der Ton Ihres Aufsatzes ist gleichmäßig, gut und überzeugend.

Ich warte auf die Fortsetzung.

Wenn Sie Ivan Jakovlevič sehen sollten, so grüßen Sie ihn.

Ihr A. Čechov.

Den Puškin habe ich Ihnen als Paket geschickt. Ich hoffe, Sie haben ihn inzwischen bekommen.

697) AN V. I. NEMIROVIČ-DANČENKO JALTA, 12. 11. 1898

12. November.

Lieber Vladimir Ivanovič, spielt Lužskij etwa nicht den Sorin? Du schreibst, er habe sich noch nicht entschieden zwischen Sorin und Dorn, mir scheint, er wäre ein guter Sorin. Den Dorn würde Višnevskij wunderbar spielen.

Maša ist schon abgereist. Wir haben Folgendes beschlossen: den Sommer werde ich in Melichovo verbringen, den Winter mit meiner Mutter in Jalta. Melichovo zu verkaufen würde uns leidtun, wir haben uns so sehr daran gewöhnt.

Ich wohne bei der Ilovajskaja; mit mir wohnt hier Darskijs Schwägerin Aša Šavrova. Gemeinsam verfolgen wir in den Zeitungen die Erfolge eures Theaters, aber in den Zeitungen ist weder etwas zu verfolgen noch irgendetwas zu verstehen. Ankömmlinge aus Moskau äußern sich sehr lobend über das Theater – und ich freue mich.

Bleib gesund. Gruß an Ekaterina Nikolaevna und, – wenn du ihn nicht auszurichten vergißt, – an Sumbatov.

Ich drücke dir die Hand.

Dein A. Čechov.

698) AN MAKSIM GORKIJ JALTA, 16. 11. 1898

Sehr geehrter Aleksej Maksimovič, Ihren Brief und die Bücher habe ich schon vor langer Zeit bekommen, seit langem will ich Ihnen schreiben, aber immer hindern mich verschiedene Dinge daran. Verzeihen Sie bitte. Sobald ich auch nur eine freie Stunde finde, werde ich mich hinsetzen und Ihnen ausführlich schreiben. Gestern nacht las ich Ihren »Jahrmarkt in Goltva« – das hat mir sehr gefallen, und ich hatte Lust, Ihnen diese Zeilen zu schreiben, damit Sie nicht böse werden und nicht schlecht von mir denken. Ich bin sehr, sehr froh über unsere Bekanntschaft und danke Ihnen und Miroljubov sehr, der mir von Ihnen geschrieben hat.

Also, bis zu einem günstigeren Zeitpunkt, wenn ich etwas

freier bin. Ich wünsche Ihnen alles Gute, drücke Ihnen in Freundschaft die Hand. *Ihr A. Čechov.*

16. November.

699) AN A.S. SUVORIN JALTA, 16. 11. 1898

16. November.

Die Muster habe ich bekommen und Konstantin Semënovič bereits geantwortet. Wir werden die neue Ausgabe nicht »Vollständige Werke« nennen, sondern einfach – Band I, Band II usw. und die früheren Titel der Bände beibehalten (zum Beispiel: Band V. »Mürrische Menschen«), wobei die Titel auf dem Umschlag stehen, und nicht auf dem Rücken, wie Sie schrieben. Wenn irgendein Band weniger als die gesetzlichen 10 Bogen enthalten sollte, werde ich noch Erzählungen einfügen. Man kann sogar ganz dünne Bände machen – das »Duell« und »Krankensaal Nr.6« in einen Band zusammen. Der Preis des Bandes bleibt der alte – 1 R. Jetzt ist wichtig, Format und Schrift auszuwählen, an der man festhalten kann, was immer auch geschehen mag; das Papier kann man variieren, je nach Umständen. Stimmen Sie darin mit mir überein? Ich warte auf Antwort von Konstantin Semënovič auf meinen letzten Brief, dann werde ich mich an das Korrekturlesen des ersten Bandes machen. Dieser erste Band ist ein ganzer Brunnen.

Da fällt mir ein, Sie hatten versprochen, einen gesonderten Katalog der Theaterstücke zu drucken, die in Ihren Buchhandlungen verkauft werden, und ihn an alle Theater zu schicken. Haben Sie es sich anders überlegt? Der Theaterbuchmarkt liegt furchtbar im argen. Hier braucht es einen Nikon, der alles neu aufarbeitet.

Puškarëv tut mir leid. Er war einmal ein ziemlich sensibler, feinsinniger Lyriker, jetzt ist er offenbar altgeworden oder hat sich verbraucht. Er sollte keine Stücke schreiben, sondern übersetzen. Als ich Ihre Rezension über ihn las (die vollkommen gerecht ist), fiel mir die Zeit ein, in der er in Moskau lebte, reich war, – und er tat mir auf einmal leid.

Stellen Sie sich vor, in Jalta herrscht richtiger Sommer. Die Tage sind heiß, die Nächte warm, der Mond scheint. Meine Schwester Maša war hier; wir haben beraten und beschlossen, daß alles bleibt, wie es war. Den Sommer über werde ich in Melichovo leben, und den Winter über – je nachdem, je nach meinem Gesundheitszustand. Es wäre schade, Melichovo zu verkaufen. Wir haben doch weiß der Teufel was für einen schönen Landsitz daraus gemacht.

Im Frühjahr fahre ich wieder nach Paris. Werden wir uns dort nicht zu einem Frühstück oder Mittagessen bei Iv. Iv. Ščukin begegnen? Ich werde jedes Frühjahr nach Paris fahren.

Ihren Gruß habe ich der Ilovajskaja ausgerichtet. Sie dankt und läßt ebenfalls grüßen. Ihre Tochter hat geheiratet.

In diesen Tagen wird mir die Buchhandlung je 10 Expl. jedes meiner Bücher schicken. Sagen Sie telephonisch, man möge mir den »Russischen Kalender« und »Ganz Rußland« dazulegen – das ist der jährliche Tribut, den ich Ihnen, in der mir eignen Grausamkeit, auferlege. Den »Russ. Kal.« haben Sie mir immer in Velin gebunden geschickt.

Ajvazovskijs Tochter ist hier; sie war bei mir, jetzt muß ich sie besuchen gehen.

Wie ist Ihr Befinden allgemein? Ich wünsche Ihnen von Herzen alles Gute. Schließen Sie mich in Ihre heiligen Gebete ein – und schreiben Sie. *Ihr A. Čechov.*

700) AN M. O. MENŠIKOV JALTA, 26. 11. 1898

Lieber Michail Osipovič, ich schicke Ihnen eine Erzählung für die »Nedelja«, weil Sie das gewollt haben. Ich schicke sie Ihnen als eingeschriebenes Streifband, und da Ihr Redakteur zur Zeit sicherlich irgendwo im Ausland ist, richte ich meine Bitte an Sie: schicken Sie mir bitte die Fahnen. Die Erzählung ist noch nicht abgeschlossen, in den Details werde ich sie in den Fahnen ausarbeiten, ich wollte jetzt nicht allzu lange an dem Manuskript sitzen, ich bin ein bißchen krank, und ich hatte es auch eilig, sie abzuschicken. Also, bitte, die Fahnen.

Gestern habe ich eine junge Dame genötigt, die »Nedelja« zu abonnieren. Ich habe die Frau eines Generals genötigt, Ihren Aufsatz zu lesen.

Das Wetter in Jalta ist sehr schön, schade nur, daß ich nicht in Stimmung bin, kein Geld habe, keine guten Bücher. Stellen Sie sich vor, ich praktiziere ein bißchen, und das zerstreut und stört mich. Wenn ich wollte, könnte ich hier eine große Praxis führen. Wie geht es Ihnen? Was gibt es Neues?

Ich drücke Ihnen fest die Hand. *Ihr A. Čechov.*

26. November, Jalta.

701) AN AL. P. ČECHOV JALTA, 28. 11. 1898

Guter Bruter, ich bin schuldlos schuldig. Ich schwieg und schwieg, weil Maša mir bis heute noch nicht geantwortet hat auf die Frage, wohin ich ihr das Geld schicken soll. Sie antwortete mir nicht, ich habe die ganze Zeit darauf gewartet und dir deshalb nicht geschrieben.

Im Haus Bušev wohne ich schon lange nicht mehr. Meine Adresse: Jalta. Hör bitte nicht auf Tyčinkin. Es ist schwer, einen zweiten derart zerstreuten Menschen unter der Sonne zu finden. Seit seinem Eintritt in die Druckerei ist die Druckerei fünfmal so zerstreut und langsam geworden.

Maša war in Jalta, aber nicht für lange.

Ich bin gesund und munter, verspüre zumindest keinerlei Schmerzen. Manchmal habe ich Bluthusten, aber er behindert mich nicht, ich habe mich an ihn gewöhnt. Ich habe ein sehr gesundes Herz, was ich mit meiner absoluten Enthaltsamkeit von Tabak und Alkohol erkläre, Letzteres überlasse ich den lasterhaften und leichtfertigen Menschen. In Jalta ist sehr schönes, warmes Wetter; in der Natur die absoluten Ehrwürden. Die Damfer komen, die Damfer faren.

Warum hört man nichts mehr über die finnischen Inseln, über die Heilstätten für Alkoholiker?

Das »Novoe vremja« tappt und tappt in der Affäre Dreyfus in Pfützen. Eine Schande! Brrr!

Deiner verehrten Familie einen ergebenen Gruß. Bleib gesund. *Dein Antonio.*

28. November.

702) AN A. S. SUVORIN JALTA, 29. 11. 1898

29. N.

Ich hatte fünf Tage lang Bluthusten, und erst heute hat er von mir gelassen. Aber das unter uns, sagen Sie es niemandem. Ich huste überhaupt nicht mehr, die Temperatur ist normal, und mein Blut erschreckt andere mehr als mich selbst – deshalb gebe ich mir Mühe, meinen Angehörigen den Bluthusten zu verheimlichen.

Koršs Schwager, Vlad. Mich. Sablin (B. Afanasjevskij per., Hs. Avtonomov, Moskau) schreibt, er habe das neue Stück von Hauptmann, »Fuhrmann Henschel«, übersetzt, und bitte mich, seine Übersetzung zu empfehlen für den Fall, daß Sie dieses Stück aufführen lassen wollen.

Das Wetter in Jalta ist nach wie vor sommerlich. Es ist warm, klar, und die fünf Tage, die man mich nicht aus dem Hause gehen ließ, kamen mir vor, als säße ich im Gefängnis, und draußen sei das Paradies.

Trotzdem habe ich Sehnsucht nach Moskau. Ich möchte mit irgendjemandem über Literatur reden, über dies und das, aber hier kann man nur über die Literaten reden, nicht aber über Literatur.

Frachtgut ist von Petersburg nach Jalta 14 Tage lang unterwegs. Das ist die Norm, wie die 15 Tage bei Unterleibstyphus. Es ist eine Schweinerei, man möchte am liebsten nach der Polizei rufen. Je südlicher, desto unkultivierter und grober, und desto mehr von diesen ärgerlichen Schweinereien, die einem das Leben sauermachen.

Bitte, wenn der »Russische Kalender« erscheint, so schicken Sie ihn mir. Dann hätte ich wenigstens den Kalender zu lesen. Hier gibt es absolut nichts zu lesen. In der Bibliothek bekommt man die Zeitschriften sofort, nicht aber die Bücher, weil die Bibliothekarin zu faul ist, sie aus den Regalen zu holen.

Ich wünsche Ihnen alles, alles Gute. Was derzeit in Frankreich geschieht, ist einer der großen Siege der Kultur zum Ende unseres Jahrhunderts. Die Leserzahl von Rochefort ist auf 60% abgesunken – à propos. Einen Gruß an Anna Ivanovna, Nastja, und Borja. *Ihr A. Čechov.*

703) AN V. A. GOLCEV JALTA, 29. 11. 1898

Lieber Viktor Aleksandrovič, ich hatte euch meine Erzählung »Ein Fall aus der Praxis« geschickt, hatte um die Fahnen gebeten, aber von euch, wie man so sagt, kein Sterbenswörtchen. Offensichtlich kann die Erzählung, wenn ihr sie nicht überhaupt verworfen habt, erst im Januarheft erscheinen. Wenn dem so ist, dann schickt mir doch schnellstens die Fahnen.

Die Bücher von der Alphabetisierungsgesellschaft habe ich noch nicht bekommen. Wie geht es dir? Was gibt es Neues? Ist es lustig oder langweilig? Laß mir die »Russkaja mysl« nach Jalta schicken. Und habt die Güte, mir auch 500 R. zu schicken, aber als einfache Anweisung (an das hiesige Rentamt), damit es nicht so viel kostet. Maša schreibt, sie habe Geld. Sie wohnt Ecke Ml. Dmitrovka und Uspenskij, Hs. Vladimirov, Wohnung 10. Ich drücke dir fest die Hand und umarme dich. Bleib gesund und munter. *Dein A. Čechov.*

29. November.

Sag per Telephon in der Buchhandlung Bescheid, man möge mir die Abrechnung für Sachalin schicken: wieviel sind noch da? usw.

704) AN MAKSIM GORKIJ JALTA, 3. 12. 1898

3. Dez.

Sehr geehrter Aleksej Maksimovič, Ihr letzter Brief hat mir großes Vergnügen bereitet. Ich danke Ihnen von ganzem Herzen. »Onkel Vanja« ist vor langer, sehr langer Zeit geschrieben worden; ich habe ihn nie auf der Bühne gesehen. In den letzten Jahren hat man angefangen, ihn häufig auf Provinzbühnen zu spielen – vielleicht, weil ich einen Band mit meinen Stücken herausgegeben habe. Meine Stücke lassen mich im allgemeinen kalt, ich habe mich seit langem vom Theater zurückgezogen und habe auch keine Lust mehr, fürs Theater zu schreiben.

Sie fragen nach meiner Meinung zu Ihren Erzählungen? Meine Meinung? Sie haben zweifellos Talent, und zwar ein großes, echtes Talent. Es äußert sich zum Beispiel in der Erzählung »In der Steppe« mit ungewöhnlicher Kraft, und mich hat sogar der Neid gepackt, daß nicht ich sie geschrieben habe. Sie sind ein Künstler, ein kluger Mensch. Sie haben ein hervorragendes Gespür. Sie sind plastisch, d. h. wenn Sie eine Sache darstellen, so sehen Sie sie und betasten Sie mit den Händen. Das ist echte Kunst. Da haben Sie meine Meinung, und ich bin sehr froh, sie Ihnen sagen zu können. Ich wiederhole, ich bin sehr froh, und wenn wir uns persönlich kennenlernen würden und ein, zwei Stunden miteinander geredet hätten, so könnten Sie sich davon überzeugen, wie hoch ich Sie schätze und welche Hoffnungen ich in Ihre Begabung setze.

Soll ich nun von den Mängeln sprechen? Aber das ist nicht so leicht. Von den Mängeln eines Talents zu sprechen, das ist dasselbe, wie von den Mängeln eines großen Baums zu sprechen, der im Garten wächst; da geht es doch in erster Linie nicht um den Baum an sich, sondern um den Geschmack derer, die den Baum betrachten. Oder nicht?

Ich will damit beginnen, daß Sie, meiner Meinung nach, keine Beherrschung haben. Sie sind wie der Zuschauer im Theater, der seine Begeisterung so unbeherrscht äußert, daß er sich und andere beim Zuhören stört. Besonders spürt man diese Unbeherrschtheit in den Naturbeschreibungen, die Sie zwischen die Dialoge setzen; wenn man sie liest, diese Beschreibungen, so wünschte man sich, sie wären kürzer, kompakter, so 2–3 Zeilen lang. Die häufigen Erwähnungen von Wonne, Flüstern, samtener Weichheit usw. verleihen diesen Beschreibungen etwas Rhetorisches, Eintöniges – und lassen einen kaltwerden, ermüden einen beinahe. Unbeherrschtheit spürt man auch in Darstellungen der Frauen (»Malva«, »Die Holzflößer«) und in den Liebesszenen. Das ist kein Schwung, kein kühner Pinselstrich, sondern eben Unbeherrschtheit. Sodann die häufige Verwendung von Wörtern, die unpassend sind in Erzählungen Ihres Typs. Akkompagnement, Diskus, Harmonie – solche Wörter stören. Sie sprechen oft von Wellen. In der Darstellung von Intellektuellen spürt man eine Spannung, eine Art Vorsicht; nicht, weil Sie Intellektuelle nicht oft genug beobachtet hätten, Sie kennen sie, aber es ist, als wüßten Sie nicht recht, von welcher Seite Sie sich ihnen nähern sollen.

Wie alt sind Sie? Ich kenne Sie nicht, ich weiß nicht, woher Sie kommen und wer Sie sind, aber mir scheint, Sie sollten, solange Sie jung sind, Nižnij verlassen und zwei, drei Jahre lang leben, sich sozusagen an Literatur und Leuten, die mit Literatur zu tun haben, die Hörner abstoßen, nicht um von unseren Hähnen zu lernen und sich noch mehr Witz anzueignen, sondern um endgültig die Nase in die Literatur zu stecken und sie liebzugewinnen; außerdem macht die Provinz früh alt. Korolenko, Potapenko, Mamin, Ėrtel – das sind hervorragende Menschen; in der ersten Zeit könnte es sein, daß Sie sich in ihrer Gegenwart langweilen, aber später, in ein, zwei Jahren würden Sie sich an ihre Vorzüge gewöhnt und sie schätzen gelernt haben, und ihre Gesellschaft würde für Sie alle Unannehmlichkeiten und Unbequemlichkeiten des Hauptstadtlebens aufwiegen, und mehr als das.

Rechte Seite: Theaterzettel zu einer Aufführung des »Onkel Vanja« im Pavlovskij Theater, 30. Juli 1898, mit handschriftlichen Bemerkungen von I. L. Leontjev-Ščeglov. Neben dem Namen des Benefizianten M. M. Dolskij (im Kasten): »Voller Erfolg!!!«

Как Вы поживаете, дорогой мой Антуанъ? Целую ... не ... вашей весточки!.. Крѣпкій привѣтъ вамъ изъ Москвы!!!

№ 60 Цѣна 10 к.

ПАВЛОВСКІЙ ТЕАТРЪ

1898 г.

Третій сезонъ

ТОВАРИЩЕСТВОМЪ РУССКИХЪ ДРАМАТИЧЕСКИХЪ АРТИСТОВЪ

Въ Четвергъ, 30 Іюля,

Полный | **БЕНЕФИСЪ АРТИСТА Мих. Мих. ДОЛЬСКАГО** | успѣхъ!!!

представлено будетъ:

съ особаго разрѣшенія автора новая пьеса

ДЯДЯ ВАНЯ

Сцены деревенской жизни въ 4 д. Соч. А. П. Чехова.

ДѢЙСТВУЮЩІЯ ЛИЦА:

Серебряковъ, Александръ Владимировичъ, отставной профессоръ	Г-нъ Юрочкинъ.
Елена Андреевна, его жена	Г-жа Холмская.
Софья Александровна (Соня), его дочь отъ перваго брака	Г-жа Каренина. Очень хороша в последнем монологе!
Войницкая, Марія Васильевна, вдова тайнаго совѣтника, мать первой жены профессора	Г-жа Бабошина.
Войницкій, Иванъ Петровичъ, ея сынъ	Г-нъ Скуратовъ.
Астровъ, Михаилъ Львовичъ, врачъ	Г-нъ МИХ.-ДОЛЬСКІЙ. Очень хорош!!
Телѣгинъ, Илья Ильичъ, обѣднѣвшій помѣщикъ	Г-нъ Наумовскій.
Марина, старая няня	Г-жа Антоновская.
Работникъ	Г-нъ Полевой.

ВЪ ЗАКЛЮЧЕНІЕ

СУПРУЖЕСКАЯ ИДИЛЛІЯ

(LE DERMIES QUARTIER)

Комедія въ 1 д. Пальеорона. Передѣлка съ фр. И. Л. Щ.

ДѢЙСТВУЮЩІЯ ЛИЦА:

Иванъ Александровичъ Голубевъ	Г-нъ МИХ. ДОЛЬСКІЙ.
Софья Павловна, его жена	Г-жа Погодина.
Яковъ Петровичъ Броневскій	Г-нъ Снарятинъ.
Маша, горничная	Г-жа Бабошина.

Въ воскресенье 2 Августа бенефисъ З. В. ХОЛМСКОЙ.

Готовятся къ постановкѣ только-что разрѣшенная драматической цензурою, обстановочная пьеса „На жизнь и смерть" (Защитники Сіены), драма въ 5 д. и 6 карт., соч. В. Сарду; „Смерть Іоанна Грознаго", трагедія въ 5 д.; „Власть тьмы", драма въ 5 дѣйств. Л. Толстого; „Вторая жена", въ 4 д. Ар. Пинеро; „Гедда Габлеръ", пьеса 4 д. Ибсена.

Начало въ 8 час. вечера.

Распорядительница Товарищества З. В. Холмская.

Режиссеръ Н. П. Ларинъ.

На основаніи Высочайше утвержденнаго ... Мая 1882 г. мнѣнія Государственнаго Совѣта ... Августа 1882 г. ... сборъ ... билеты не дѣйствительны.

Тип. „Валлишъ и К°", Фонт. ... Доз. ценз. Г. Павловскъ, 27 Іюля 1898 г.

С.Петербургъ, Семеновскій полкъ, Серпуховская улица д. № 30, кв. 1, Ив. Леонтьеву

Ich eile zur Post. Bleiben Sie gesund und wohlauf, ich drücke Ihnen fest die Hand. Noch einmal Dank für den Brief.

Jalta. *Ihr A. Čechov.*

705) AN M.P. ČECHOVA JALTA, 6. 12. 1898

6. Dez.

Liebe Maša, vorgestern war ich abends auf dem Namenstagsfest von Varv. Konst. Das Fest fand nicht in der Wohnung, sondern in der Aula statt. Man tanzte, man aß zu Abend. Mädchen und Damen gab es unvergleichlich viel mehr als Männer, zwei Popen waren da, der Direktor des Knabengymnasiums war da. Tupikov hielt während des Essens mit dem ihm eigenen Ernst eine lange Rede an meine Adresse, woraufhin ich mir geschworen habe, in Jalta nie wieder Einladungen zum Essen anzunehmen. Auch die Tanzlehrerin hatte Namenstag. Ich kam gegen zwei Uhr nachts nach Hause, ohne es geschafft zu haben, mit V. K. über die Sache zu reden. Sie wiederholte immer wieder, daß sie deinen Brief und dein Telegramm bekommen habe, aber über die Sache im Beisein Dritter zu reden, wäre peinlich gewesen. Gestern abend bin ich wieder hingegangen. V. K. freute sich über mein Kommen, Manefa desgleichen; wir erinnerten uns an den Namenstag und lachten, dann kam die Rede auf dich, auf deinen Wechsel nach Jalta. V. K. sagte, sie wolle, sobald der Kreiskurator Solskij nach Jalta käme, ihm das Versprechen abnehmen, dich als erste Kandidatin anzusehen; sie wolle ihn auch bitten, mich aufzusuchen. Was den jetzigen Geographielehrer Michail Michajlovič betrifft, so soll er sich, Varvara Konst. zufolge, so geäußert haben: »Wenn nötig, kann ich ihr meine Stelle abtreten.«

Mit einem Wort, deine Aktien stehen gut. Nach Jalta überzuwechseln, ist nicht schwer, in Jalta zu arbeiten ist natürlich angenehm und bequem, aber die Frage ist doch: willst du dich von Moskau trennen? Für den Winter nach Jalta zu ziehen, bedeutet, alle Brücken hinter sich abzubrechen, sich für immer von den Malkiels, den Južins, der Moskauer Korona zu trennen. Wir können zwar im Sommer in Moskau und in der Umgebung von Moskau leben, aber dann wirst du in Moskau nicht mehr zu Hause sein, sondern zu Gast. Überlege es dir, wäge alles gegeneinander ab und entscheide dich. Im Sinne deiner Entscheidung werde ich handeln. Man kann sich ja auch so entscheiden: drei Jahre in Jalta arbeiten, gesundwerden, und dann wieder nach Moskau. Übrigens, entscheide du dich, wie du es für richtig hältst, das ist deine Sache.

Das Paket habe ich bekommen. Aber wo ist mein Seidenhemd – das dunkelblaue, gestreifte? Ich hatte es mir in Nizza gekauft, es war steifgefroren, als ich von zu Hause wegfuhr. Die Bettwäsche ist schön, merci bien.

Du schreibst, wir sollten in dem Haus noch mehr Zimmer unterbringen? Dazu ist es zu spät; aber es sind doch schon viele Zimmer. Unten sind es ganze vier. Und wenn wir noch Raum brauchen sollten, dann bauen wir einen Seitenflügel an aus Stein.

Heute schneit es – aber ganz leicht. Bäume und Gras sind noch grün.

Ich schrieb Vanja, er solle mir ein pince-nez kaufen. Sag ihm, wenn es nicht schon zu spät ist, das pince-nez solle klein sein, damit es gut sitzt, auch wenn die Nase verschwitzt ist (die Stelle, an der es auf der Nase aufsitzt, muß aus Kork sein), und wenn er bei Machin kein passendes findet, soll er es im Stolešnikov p. bei Milek versuchen – und mir die Belästigung verzeihen.

Sag Mamaša einen Gruß. Wie geht es ihr? Sehnt sie sich nach Melichovo zurück oder nicht?

An alle einen ergebenen Gruß. Bleib gesund. Neuigkeiten gibt es keine, alles geht seinen alten Gang.

Dein Antoine.

706) AN M. P. ČECHOVA JALTA, 8. 12. 1898

8. Dez.

Also, ich beginne mit der Neuigkeit. Eine angenehme, überraschende Neuigkeit. Glaub nicht, daß ich heiraten wollte und einen Antrag gemacht hätte. Ich habe mich nicht beherrschen können, habe ausgeholt und Kučukoj gekauft. Ich habe es für genau Zweitausend gekauft und bereits den Kaufvertrag geschlossen, und in ein paar Tagen fahre ich schon als Hausherr dorthin und nehme Matratzen und Bettwäsche mit. Das Haus hat vier Zimmer, einen Seitenflügel in tatarischer Architektur, Küche, eine Scheune für die Kühe, eine Tabaksdarre, einen Quell, der aus dem Fels springt, einen Wagen, Waage, Buffet, Schrank, zwei Tische, ein Dutzend Wiener Stühle, Divan, einen eisernen Ofen. Drei Desjatinen Land, ein Weinberg, Felsen, belle vue. Herrlicher Strand, Sand. Also, von nun an bin ich Besitzer eines der schönsten und interessantesten Landsitze auf der Krim. Dort kann man eine Kuh halten, ein Pferd, einen Esel, Enten und Hühner. Vergleiche meinen Brief (September), der sich auf Kučukoj bezieht. Das Gut ist für bares Geld gekauft, es ist mit keiner Kopeke verschuldet. Meine Schulden liegen wie ein schwerer Ziegelstein auf dem Haus in der Stadt, insgesamt zehntausend, oder ein bißchen weniger; an Zinsen werde ich 600–700 im Jahr zu zahlen haben, mit Tilgung. Besonders verlockend an meinem heutigen Kauf war die Tatsache, daß nicht einmal für einen Groschen Reparaturen notwendig sind und daß der Preis nicht von Bedeutung, sagenhaft niedrig ist. Nur erzähl *niemandem* etwas von dem Kauf, außer Vanja und Miša und natürlich Mamaša, der das Gut mit Sicherheit gefallen wird. Für sie wird das etwas Überwältigendes in seiner Ruhe, Gemütlichkeit und dauernden Wärme, auch in seiner Sauberkeit.

In Autka sind die Arbeiten im Gange. Heute war ich bei dem Bauleiter der Chausseestraßen, und er hat mir gesagt, daß man uns beim Bau der Chaussee keinen Veršok Land abzwacken werde und daß die Staatskasse uns auf ihre Kosten eine Steinmauer mit Zaun auf der Chausseeseite bauen werde. Die Zemstvoverwaltung hat die Pläne bereits genehmigt.

Ich habe eine Erzählung an die »Nedelja« geschickt; heute kam die Antwort: man schickte mir 500 R. Heute ist es wieder heiß.

Also, sag niemandem etwas von meinem Kauf, ich habe Angst,

es könnte in die Zeitungen gelangen und man könnte anfangen zu reden, ich hätte ein Gut für einhunderttausend gekauft. In Kučukoj schließe ich das Haus ab und nehme den Schlüssel mit; ein Wächter ist dort nicht nötig. Für das neue Gut müßte ein Samovar gekauft werden und ein Tischservice (Teller und Gabeln) – und hierbehalten für den Fall, daß jemand zu Besuch kommt. Außerdem brauchen wir billige Betten, aber die kann man in Odessa kaufen. Keller hat es keinen, die Milch wird in Krügen aufbewahrt, die man ins kalte Quellwasser stellt, irgendwo in eine Grube an der Quelle.

Meine Wirtin hat Besuch von einer sehr schönen Dame bekommen. Also, bleib gesund. Wenn es dir nicht gefällt, daß ich Kučukoj gekauft habe, reg dich nicht allzu sehr auf. Das ist kein verlorenes Geld; man kann es jederzeit verkaufen, noch dazu mit großem Gewinn, besonders, wenn erst die Eisenbahn hier entlangführt.

Der Kaufvertrag wird mir aus Simferopol geschickt, wo ihn ein Notar noch beglaubigen muß, – dann schicke ich ihn dir. Nach Kučukoj begleitet mich Šapovalov. *Dein A. Čechov.*

707) AN V. A. GOLCEV JALTA, 10. 12. 1898

Lieber Freund, ich habe heute, am 10. Dez., fünf Überweisungen auf 500 R. bekommen. Wieso fünf? Es wäre bequemer gewesen, das Geld über das Rentamt oder die Staatsbank zu überweisen; bequemer und kostet insgesamt 15 Kop.

Vielen Dank! Es regnet, es ist langweilig.

Ich drücke dir fest die Hand. *Dein Antonio.*

10/XII.

708) AN M. P. ČECHOVA JALTA, 15. 12. 1898

Ich schreibe dies im Theater, auf der Galerie sitzend, im Pelzmantel. Das jämmerliche Orchester und die Galerie erinnern mich an die Kindheit.

Wenn Vanja kommt, soll er mir mein Reiseplaid aus Paris mitbringen (das getigerte), wenn es nicht zu Hause gebraucht wird. Für weite Fahrten, zum Beispiel nach Kučukoj, könnte ich es gut gebrauchen.

E.I. Smagina hat mir Honig geschickt. Weitere Neuigkeiten keine. Gruß an Mamaša und alle. *Dein Antonio.*

15/XII.

709) AN M.P. ČECHOVA JALTA, 17. 12. 1898

17. Dez.

Wenn Melichovo, wie du in deinem letzten Brief schreibst, verkauft werden muß, so jedenfalls nicht, weil ich auf der Krim Schulden gemacht hätte. Meine finanziellen Verhältnisse sind zwar nicht gerade glänzend, aber ich kann mich herauswinden. Als ich mir vornahm, das Grundstück in Autka zu kaufen, hatte ich um 5 Tsd. Rubel Vorschuß auf die Bücher gebeten. Eintausend habe ich für das Grundstück angezahlt (das 4 Tsd. kostet), eintausend für die Arbeiten, zweitausend für Kučukoj, 500 sind für die Kaufverträge draufgegangen, für den Vorschuß an den Architekten usw. usf. Aber ich habe bereits etwa 2 Tsd. verdient und rechne damit, bis April noch einmal 2–3 Tsd. verdient zu haben, nicht eingerechnet die Einkünfte aus dem Theater. Der gesamte Bau in Autka wird etwa zehntausend kosten, die Bank gibt sieben. Notfalls müßte ich auf Kučukoj eine Hypothek aufnehmen. Vor vierzehn Tagen hat Levitan mir seine Dienste angeboten – er wollte mit S.T. Morozov sprechen, damit er mir Geld leihe. Ich habe mich von diesem Angebot verlocken lassen, habe Levitan geschrieben, daß ich mir sehr gern befristet ein, zweitausend leihen würde; heute schreibt mir Levitan, ich solle mich selbst an Morozov wenden... Eine peinliche Geschichte. Sag Levitan nichts. Geld werde ich natürlich weder von ihm noch von Morozov nehmen, und ich hoffe nur, daß er mir keine weiteren Freundesdienste anbietet. Ich werde mich aus eigener Kraft herauswinden und glaube, mit Ausnahme der Bankschulden werde ich alle Schulden bis zum Anbruch des zwanzigsten Jahrhunderts zurückgezahlt haben.

Von meinem Kučukoj sind alle begeistert.

Ich schicke eine Erzählung an die »Russkie vedomosti«. Ich würde gern etwas an den »Kurjer« schicken, natürlich tausendmal lieber als an die »Semja«, aber ich kann im »Kurjer« so lange nicht publizieren, solange man die »Russkie vedomosti« nicht aus der Zensur entläßt. Wenn ich anfange, bei der Konkurrenz der »Russkie vedomosti« zu arbeiten, so werden sie, d.h. die »R. v.«, das negativ interpretieren und beleidigt sein.

Was ist zu hören von der Schule in Melichovo, was über den Neubau? Wird das Holz gebracht? Aša Š. hat versprochen, eine Theateraufführung zugunsten der Schule zu arrangieren.

In ganz Rußland läuft mein »Onkel Vanja«. Ich glaube, bis zum Sommer werden sich bei der Ges. d. dram. Schriftsteller eintausend Rubel angesammelt haben. Während ich diese Zeilen schreibe, wird in Moskau die »Möwe« gespielt. Wie es wohl gelaufen ist? Es ist nicht gut, daß du nicht in der Premiere warst.

Im Winter ist die Gesellschaft hier grau, uninteressant; ich meide im übrigen das Gesellschaftsleben und bin nur hin und wieder im M.-gymnasium, wo es immer wieder nett ist. Ich langweile mich mächtig. Und ich glaube, wenn du nach Jalta zögst, würdest auch du dich ab November langweilen. Wenn man hier lebt, muß man unbedingt ein, zwei Monate nach Moskau fahren, nicht im Sommer natürlich, sondern im Winter.

In Autka ist die steinerne Einfriedung bereits fertig. Es ist gemütlich geworden. Die Arbeit liegt brach, weil die Wasserleitung noch nicht fertig ist, und ohne Wasser kann man nicht bauen. Der Brunnen ist gänzlich ausgeschöpft.

Hast du Geld? Für Januar bekommst du es auf demselben Wege wie im Dezember, d. h. über L.F. Rževskaja. Geh zu Neujahr zu ihr.

Ich bedaure, daß ihr es eng habt in der Wohnung. Das ist furchtbar schlecht, obwohl man dem, wie ich meine, leicht abhelfen könnte.

Siehst du, wie oft und wie lang ich dir schreibe. Das kommt, weil ich allein bin.

Du willst mir Angst machen, daß die »Semja« zu wenig zahle. Aber ich habe Briefe von Nikolaj Ėfros, in denen er verspricht, mir so viel zu zahlen, wie ich wolle.

Wenn er mir zu wenig zahlt, schicke ich es ihm zurück, und Schluß. Bleib gesund. Einen Gruß an Mamaša, Vanja, Sonja, Batekin und, wenn Miša schon bei euch ist, dann auch an ihn und Familie. *Dein Antoine.*

710) AN A. L. VIŠNEVSKIJ JALTA, 19. 12. 1898

19. Dez.

Lieber Aleksandr Leonidovič, ich bitte Sie um Protektion für die Überbringerin dieses Briefes, Vera Efimovna Golubinina, Lehrerin am Mädchengymnasium von Jalta, eine gute Bekannte von mir, lassen Sie ihr einen Platz in meiner »Möwe« geben.

Ich bin Ihnen sehr verbunden.

Ach, wenn Sie empfinden und begreifen könnten, wie bitter es für mich ist, nicht in der »Möwe« sein und Sie alle sehen zu können! Die Telegramme aus Moskau haben mich völlig aus dem Geleise geworfen.

Ich drücke Ihnen fest die Hand. *Ihr A. Čechov.*

Jalta.

Die Antwort ist bezahlt!

711) AN A. L. VIŠNEVSKIJ JALTA, 26. 12. 1898

26. Dez.

Lieber Aleksandr Leonidovič, ein gutes, ein glückliches Neues Jahr, ich wünsche Ihnen Gesundheit, Glück, Erfolge und alles, was Sie sich nur wünschen. Ich sende Ihnen ein großes, riesiges, sechsstöckiges Danke für Ihr liebes Telegramm. Ich werde es zur Erinnerung aufheben und es Ihnen in 20 Jahren zeigen.

Aus den Zeitungen habe ich fast nichts verstanden, aber dann kam mein Bruder Ivan nach Jalta, es kam ein Brief von Vladimir Ivanovič, und allmählich begann ich zu begreifen, wie gut Sie tatsächlich gespielt haben, wie gut die Vorstellung überhaupt gewesen ist, und wie unsinnig es im Grunde ist, daß ich nicht in Moskau bin. Wann und wo werde ich die »Möwe« sehen? Ich drücke Ihnen fest die Hand. Ob Kramsakov wohl je gedacht hat, daß ich einmal Stücke schreiben und daß Sie einmal Schauspieler werden würden?!

An alle viele Grüße. *Ihr A. Čechov.*

712) AN E. M. ŠAVROVA JALTA, 26. 12. 1898

26. Dez.

Sehr geehrte collega, beide Bücher – das zerrissene Blut des aufgewühlten Herzens und die Nihilistin – habe ich bekommen. Das erste hat mir wahres Vergnügen bereitet, das zweite habe ich längst gelesen. Die »Nihilistin« haben Sie in Tuch eingeschlagen, als Paket verpackt, versiegelt, tausend Marken daraufgeklebt – weshalb solche Vorsichtsmaßnahmen? Sie hätten sie als eingeschriebenes Streifband schicken können.

In Jalta ist immer noch sehr schönes Wetter.

Aus Moskau schreibt man mir und hängt es an alle großen Glocken, die »Möwe« habe Erfolg gehabt. Aber da ich mit dem Theater kein Glück habe, auf schicksalhafte Weise kein Glück habe, ist eine der Darstellerinnen nach der Premiere erkrankt – und meine »Möwe« wird nicht gespielt.

Ich habe mit dem Theater so wenig, so wenig Glück, daß wir, wenn ich eine Schauspielerin heiraten würde, sicherlich einen Orang-Utang bekommen würden oder ein Stachelschwein.

Schicken Sie mir noch irgendein Buch und schreiben Sie mir mehr. *Ihr A. Čechov.*

Und die Hauptsache habe ich vergessen: ein gutes Neues Jahr!!

1899

713) AN P. A. SERGEENKO JALTA, 1. 1. 1899

1. Jan.

Lieber Pëtr Alekseevič, ich habe kein einziges Buch, anstelle von Büchern schicke ich Zettel. Nimm sie in Empfang und schick sie an die Bibliothek von Kolomna, ein Buch mit Widmung schicke ich irgendwann später.

Jetzt zu Marks. Ich wäre durchaus nicht abgeneigt, ihm meine Werke zu verkaufen, ich wäre sogar ganz und gar nicht abgeneigt, aber wie soll ich das machen? Dich damit zu behelligen, wäre mir peinlich, denn du bist ein vielbeschäftigter Mann, und die Verhandlungen mit Marks würden einiges an Zeit in Anspruch nehmen. Außer dem bereits Veröffentlichten habe ich in der Schublade noch Material für weitere vier Bücher vom Umfang der »Bunten Erzählungen«; ich würde alles verkaufen, was ich habe, und außerdem alles, was ich irgendwann aus alten Zeitschriften und Zeitungen heraussuchen und für wert befinden würde.

Ich würde alles verkaufen, außer den Einkünften aus den Stükken. Meine Bücher bringen mir jährlich mehr als 3½ Tsd. ein; bisher habe ich das Geschäft schlampig betrieben, das Buch wurde nachlässig ediert und verkauft; wenn man das Geschäft richtig betriebe, würde mir allein »Kaštanka« mindestens tausend im Jahr einbringen. Dreieinhalbtausend – diese Zahl bildet das ehrliche Mittel aus allen vergangenen Jahren, angefangen von 1887; tatsächlich liegt sie weit höher, denn die Einkünfte steigen von Jahr zu Jahr, und das vergangene Jahr zum Beispiel hat mir ungefähr 8 Tsd. eingebracht – das war für mich ein unerhört reiches Erntejahr. Wenn du Lust hast, so sprich mit Marks. Ich möchte verkaufen, und es wäre sowieso längst an der Zeit, daß ich meine Geschäfte in Ordnung bringe, sonst wird es untragbar.

Für den Fall, daß du mit Marks sprichst, schick mir ein Telegramm (Jalta, Čechov). Je eher, desto besser natürlich.

Und wie geht es dir? Du schreibst nichts von deiner Gesundheit. Meine Gesundheit ist bestens, die Krankheits- wie auch alle anderen Prozesse in mir sind zum Stehen gekommen, wie in Pav. Iv. Vukov oder in A.F. Djakonov, und ich führe das Leben eines alten Junggesellen, ein Leben – weder gesund noch krank, sondern so lala.

Ich wünsche dir ein glückliches, gesundes Neues Jahr, ich wünsche dir, daß du ein Dutzend Novellen und ein Drama schreibst und eine Unmenge Geld und Ruhm erntest.

Višnevskij ist ein sympathischer Kerl. Findest du nicht? Und wer hätte damals gedacht, daß aus Višneveckij dem Hungerleider ein Schauspieler werden würde, der im Künstl. Theater im Stück eines anderen Hungerleiders spielt?

Bleib gesund und wohlauf. Ich drücke dir fest die Hand.

Dein A. Čechov.

714) AN V.I. NEMIROVIČ-DANČENKO JALTA, 3. 1. 1899

Lieber Vladimir Ivanovič wünsche dir allen Beteiligten der Möwe gutes Neues Jahr wünsche Gesundheit gute Stimmung Frieden Eintracht rauschende Erfolge wünsche dem Theater Blühen Gedeihen viele solcher aufrichtigen zufriedenen bezauberten Freunde wie mich. Čechov.

715) AN MAKSIM GORKIJ JALTA, 3. 1. 1899

3. Jan.

Lieber Aleksej Maksimovič, ich antworte auf zwei Briefe zugleich. Vor allem wünsche ich Ihnen ein glückliches Neues Jahr; ich wünsche Ihnen von Herzen, als Freund, Glück, altes oder neues – wie Sie wollen.

Sie haben mich offenbar nicht recht verstanden. Ich hatte Ihnen nicht von Grobheit geschrieben, sondern von Fremdwörtern, von nicht eigentlich russischen oder selten gebrauchten Wörtern, die fehl am Platz sind. Bei anderen Autoren bemerkt man Wörter wie zum Beispiel »fatalistisch« überhaupt nicht, aber Ihre Sachen sind musikalisch, sind harmonisch, bei Ihnen schreit geradezu jede kleine Unebenheit. Natürlich ist das Geschmackssache, und vielleicht spricht aus mir nur eine übermäßige Gereiztheit oder der Konservativismus eines Menschen, der seit langem schon bestimmte Gewohnheiten angenommen hat. Ich finde mich in Beschreibungen ab mit einem »Kollegienassessor« und einem »Kapitän zweiten Ranges«, »Flirt« und »Champion« dagegen (wenn sie in Beschreibungen vorkommen) erregen Widerwillen in mir.

Sie sind Autodidakt? In Ihren Erzählungen sind Sie durch und durch Künstler, und dabei ein echter Intellektueller. Am wenigsten eignet Ihnen gerade Grobheit, Sie sind klug und haben ein feines und schönes Gespür. Ihre besten Sachen sind »In der Steppe« und »Die Holzflößer« – hatte ich Ihnen das geschrieben? Das sind vorzügliche, mustergültige Sachen, in ihnen erkennt man den Künstler, der eine gute Schule absolviert hat. Ich glaube nicht, daß ich mich irre. Der einzige Mangel – Sie haben keine Beherrschung, keine Grazie. Wenn ein Mensch auf eine bestimmte Handlung die geringste Menge an Bewegungen verwendet, so ist das Grazie. In Ihren Aufwendungen spürt man Überfluß.

Ihre Naturbeschreibungen sind künstlerisch; Sie sind ein echter Landschaftsmaler. Nur die häufigen Vergleiche mit dem Menschen (Anthropomorphismus), wenn das Meer atmet, der Himmel blickt, die Steppe sich räkelt, die Natur flüstert, spricht, trauert usw. – solche Vergleiche machen die Beschreibungen ein wenig monoton, manchmal süßlich, manchmal unklar; Farbigkeit und Ausdruckskraft in Naturbeschreibungen erreicht man nur durch Einfachheit, mit solch einfachen Sätzen wie »die Sonne war untergegangen«, »es wurde dunkel«, »es fing an zu regnen« usw. – und diese Einfachheit ist Ihnen in hohem Maße eigen, wie selten einem unserer Belletristen.

Das erste Heft der wiedererweckten »Žizn« hat mir nicht gefallen. So etwas ist unseriös. Die Erzählung von Čirikov ist primitiv und verlogen, die von Veresaev ist eine grobe Imitation – ein wenig von ihrem Ehemann Orlov, grob und ebenfalls primitiv. Mit solchen Erzählungen kommt man nicht weit. In Ihrem »Kirilka« verdirbt die Gestalt des Zemstvovorsitzenden alles, der allgemeine Ton ist gut durchgehalten. Stellen Sie nie Zemstvovorsitzende dar. Nichts ist leichter, als eine unsympathische Zemstvoverwaltung darzustellen, der Leser liebt das, aber das ist der unangenehmste, unbegabteste Leser. Gegenüber Gestalten neuester Formation wie den Zemstvovorsitzenden hege ich denselben Widerwillen wie gegenüber dem »Flirt« – und darin habe ich vielleicht unrecht. Aber ich lebe auf dem Lande, ich bin mit allen Zemstvovorsitzenden meines Kreises und der Nachbarkreise bekannt, seit langem bekannt, und ich finde, daß ihre Gestalten und ihre Tätigkeit ganz und gar untypisch, absolut uninteressant sind – und darin habe ich, glaube ich, recht.

Jetzt zum Vagabundenleben. Das, d.h. das Vagabundenleben, ist etwas sehr Schönes, Verlockendes, aber mit den Jahren wird man irgendwie schwerer, man setzt sich an einem Ort fest. Und die literarische Tätigkeit bringt das auch mit sich. Mit Mißerfolgen und Enttäuschungen vergeht die Zeit schnell, man sieht das wirkliche Leben nicht mehr, und die Vergangenheit, als ich so frei war, erscheint mir schon nicht mehr als meine eigene, sondern als die eines Fremden.

Man hat die Post gebracht, ich muß Briefe und Zeitungen lesen. Bleiben Sie gesund und glücklich. Ich danke Ihnen für die beiden Briefe, dafür, daß durch Ihr Verdienst unser Briefwechsel so leicht in Gang gekommen ist.

Ich drücke Ihnen fest die Hand. *Ihr A. Čechov.*

716) AN V.I. NEMIROVIČ-DANČENKO JALTA, 6. 1. 1899

Lieber Vladimir Ivanovič, ich schicke dir einen Brief des Čechen Prusík, des »Möwe«-Übersetzers. In Prag ist die »Möwe« gespielt worden, ist dein Stück gespielt worden. Damit Prusík nicht denkt und in čechischen und deutschen Zeitungen veröffentlicht, daß die »Möwe« an einem Staatstheater gespielt worden wäre, schick ihm den Theaterzettel des Künstl. Theaters an die Adresse: Autriche, Prague, M-r. D.-eur B. Prusic, VI, Moràû 357.

Višnevskij schreibt mir: »empört bin ich ferner über einen *Ihrer Freunde*, der für einen Silberrubel, wie Arkaška sagt, ›den leiblichen Vater‹ verkauft... Die Persönlichkeit, von der ich spreche, ist Petersburger und erfreut sich großen Ansehens und eines noch größeren Geldsacks«... Ich weiß, welchen Freund er meint! Aber man muß die Psychologie dieses Freundes kennen, um ihm nicht allzu böse zu sein. Wie dem auch sei, dieser Freund verkauft für einen Rubel seinen Vater nicht, er verkauft ihn auch nicht für fünf Rubel, aber er gäbe tausend, um alle zu ersäufen, die im Theater Erfolg haben. Am wenigsten ausstehen kann er Leute, die historische Stücke schreiben.

Wie geht es dir? Sollte ich nicht tatsächlich noch ein Stück schreiben für die kommende Saison? Ich werde den ganzen Sommer über frei sein.

Den Brief von Prusík schick mir zurück. Also, bleib gesund. Grüß Ekaterina Nikolaevna und Sumbatov. Meine Schwester ist vom Künstl. Theater begeistert. A propos: Künstlerisches Theater ist ein guter Name, dabei sollte man es belassen. Künstlerisch-allgemeinzugängliches – das klingt unschön, irgendwie sperrig. *Dein A. Čechov.*

6. Jan.

717) AN M. P. ČECHOVA JALTA, 9. 1. 1899

9. Jan.

Liebe Maša, in deinem Brief vom 5. Januar sagst du, Vanja sei noch nicht zurück, dabei ist er am Morgen des 2. Januar aus Jalta abgereist. Wahrscheinlich ist er noch zu Ivanenko nach Glybnoe gefahren.

Ich habe so lange nicht geschrieben, weil es absolut nichts gab, worüber ich hätte schreiben können. Du hast es lustig, du führst, wie du schreibst, ein weltläufiges Leben, ich lebe wie in der Verbannung. In Jalta gibt es zur Zeit keine Menschen – die einen sind abgereist, die anderen fallen einem auf die Nerven, ringsum die Einöde, und ich würde mit Vergnügen nach Moskau fahren, aber man sagt mir, das sei riskant, weil ich seit zwei Jahren den Winter nicht mehr gewohnt bin. Die einzige Zerstreuung, die ich habe, ist der Bau, und auch dort bin ich nur selten, denn auf dem Grundstück ist es morastig, die Galoschen bleiben drin stecken. Bei Schnee und Regen ist es unmöglich zu bauen, und deshalb macht der Bau nur geringe Fortschritte, eigentlich kaum welche. Der Architekt entwirft derweil das Interieur des Arbeitszimmers, den Kamin, die Fenster. Es wird ganz schön.

Sich um Giljarovskij und Legčiščevo kümmern kann man natürlich, aber wir haben doch genug mit unseren Schulen. Die Lehrerin von Talež heiratet den Nachtwächter, sie hat also jemanden, den sie wegen des Geldes nach Melichovo schicken kann. Aleksej Antonovič hat es nämlich geschickt. Einen Keller im Winter instandzusetzen ist unmöglich.

Wegen Varenikov habe ich an den Untersuchungsrichter geschrieben. Die Sache ist niedergeschlagen.

Ich freue mich, daß Roman gewissenhaft ist. Wenn wir Melichovo verkaufen sollten, nehme ich ihn mit auf die Krim. Vanja sagte, daß ihr, d.h. du und Mamaša, dafür wärt, Melichovo zu verkaufen. Wie ihr wollt. Verkauf es um jeden beliebigen Preis, nicht unter 15 Tausend. Meine Bedingungen: 15 Tausend für mich, das Übrige nimm du dir; da Melichovo sein Wachstum hauptsächlich dir verdankt, hast du ein volles Recht auf diese Belohnung. Man sollte es mit allem Inventar verkaufen; mitnehmen nur den Inhalt des Seitenflügels, die Bilder, Wäsche, Teppiche, Betten, Sattel, Gewehr und alle Sachen, die dir und Mamaša gehören, mit Ausnahme solcher Kolosse wie Mamašas Garderobe. Ich schreibe dies für den Fall, daß ihr es tatsächlich verkaufen wollt und einen Käufer findet. Wenn ich Marks meine Werke zu günstigen Bedingungen verkaufen sollte, werde ich Melichovo nicht verkaufen, sondern die Sache anders wenden.

Heute ist ein wunderbarer Frühlingstag. Es ist heiß, das Meer still. Ich habe ein Telegramm von Šaljapin bekommen, der in der »Möwe« war.

Ist es denn nicht möglich, auf die Krim zu ziehen, um dann für ein, zwei Monate nach Moskau zu fahren? Ohne Moskau wirst du dich langweilen, und es besteht auch keine Notwendigkeit, sich derart einzuschränken. Du könntest das Gymnasium ganz aufgeben und dich nur noch mit der Malerei beschäftigen. Wenn du meine Buchführung übernehmen würdest, würde ich dir 40 R. monatlich zahlen – und für mich wäre es ein Vorteil, denn zur Zeit erleiden wir riesige Verluste. Das unter anderem, à propos. Leb, wie du willst, und das wird besser, als du es dir ausdenken kannst.

A propos Bücher. Suvorin ist bereits dabei, eine vollständige Ausgabe meiner Werke zu drucken; ich lese die erste Korrektur und fluche, weil ich ahne, daß diese vollständige Ausgabe nicht vor 1948 erscheint. Die Verhandlungen mit Marks haben anscheinend begonnen.

Wenn ihr mir noch einmal Hemden oder Nachthemden näht, dann näht sie länger, damit sie über die Knie reichen. In einem kurzen Nachthemd sieht man aus wie ein Kranich.

Die Zeitschriften für ausländische Literatur (zwei) habe ich mir nach Jalta schicken lassen. Hierher geschickt bekomme ich auch »Nedelja« und den »Istorič. vestnik«.

Grüß alle, vor allem Mamaša und Vanja mit Familie. Bleib gesund. Wenn du in Melichovo bist, nimm aus der Apotheke im Flur im Seitenflügel alle Arzneien, die eingefroren sind, und stell sie ins Warme. Vorsicht mit dem Äther, sonst explodiert er. Den Äther laß im Flur. Wenn das Fläschchen geplatzt ist, wirf es in den Schnee! Bleib gesund. Ich drücke dir fest die Hand.

Antonij,
Bischof von Melichovo,
Autka und Kučukoj.

718) AN P. A. SERGEENKO JALTA, 16. 1. 1899

Möchte 75 000. Kann nicht kommen, werde alles tun, was du sagst. Danke von ganzem Herzen. Ich telegraphiere an Suvorin. Warte auf Einzelheiten. *Čechov.*

719) AN A. S. SUVORIN JALTA, 16. 1. 1899

Marks bietet Eigentumsrechte 50 000. Ich bitte 75 000. Telegraphieren Sie Ihre Meinung. Was tun. Grüße. *Čechov.*

720) AN A. S. SUVORIN JALTA, 17. 1. 1899

17. Jan.

Die Rede ist nur von denjenigen meiner Werke, die bereits veröffentlicht sind; ich habe gebeten, Marks zu sagen, daß ich nur die Einkünfte aus den Stücken nicht verkaufe. Künftige Novellen kann ich natürlich nicht verkaufen, denn unsere Zukunft liegt verborgen im Dunkel der Ungewißheit. Ich weiß selbst, daß ich mich nicht so sehr beeilen sollte, aber auf einen einzigen Schlag einige Zehntausend zu bekommen – das ist so verführerisch!

Ich habe die Erzählung von Lev Lvovič »Das Mir ist ein Dummkopf« gelesen. Die Konstruktion der Erzählung ist schlecht, da hätte man schon besser einen Aufsatz geschrieben, aber der Gedanke wird richtig und mit Leidenschaft behandelt. Ich bin selbst ein Gegner der Obščina. Die Obščina hat einen Sinn, wenn man es mit äußeren Feinden zu tun hätte, die häufig Übergriffe verüben, und mit wilden Tieren, aber heutzutage ist das eine Menschenmenge, die künstlich zusammengehalten wird wie eine Menge von Häftlingen. Es heißt, Rußland sei ein Agrarland. Das ist so, aber die Obščina hat damit nichts zu tun, zumindest nicht in der Gegenwart. Die Obščina lebt vom Ackerbau, aber wenn der Ackerbau erst einmal in eine landwirtschaftliche Kultur überzugehen beginnt, wird die Obščina aus allen Nähten platzen, denn Obščina und Kultur sind unvereinbare Begriffe. A propos, unsere Trunksucht und die tiefe Unbildung – das sind Sünden der Obščina.

Ich lese hier aus Langeweile die Provinzzeitungen und erfuhr, daß vor ein paar Tagen in Ekaterinoslav Ihr »Ehrenwort« mit Erfolg gespielt worden ist.

Das Wetter in Jalta ist sommerlich. Ich gehe abends aus, gehe auch an regnerischen Tagen aus, – das tue ich, um mich wieder an die rauhere Witterung zu gewöhnen und um den kommenden Winter in Moskau und in Petersburg zu verbringen. Ich habe es satt, so herumzubaumeln.

Ich lese die Korrektur des ersten Bandes. Viele Erzählungen arbeite ich ganz neu um. Der Band wird insgesamt über 70 Erzählungen enthalten. In den zweiten kommen dann die »Bunten Erzählungen«, in den dritten – »In der Dämmerung« usw. Nur muß ich da und dort Erzählungen hinzufügen, um die von der Zensur verlangten 10 Bogen zu erreichen.

Wo werden Sie im Frühjahr sein? Im Sommer? Ich würde gern nach Paris ausreißen und werde es wahrscheinlich auch tun.

Hier in Jalta lebt das Akademiemitglied Kondakov. Uns beide hat die Stadt in die Kommission zur Ausrichtung der Puškinfeierlichkeiten gewählt. Wir werden den »Boris Godunov« inszenieren, Kondakov gibt den Pimen. Ich werde ein lebendes Bild stellen: »Wieder in der Heimat«. Auf der Bühne ein verlassener Hof, Landschaft, Kiefern ... eine Gestalt tritt auf, wie Puškin geschminkt, und trägt das Gedicht »Wieder in der Heimat« vor. Wir stellen das »Duell Puškins« als lebendes Bild, eine Kopie des Bildes von Naumov.

An Anna Ivanovna, Nastja und Borja einen herzlichen Gruß. Bleiben Sie gesund und wohlauf. *Ihr A. Čechov.*

721) AN A. S. SUVORIN — JALTA, 19. 1. 1899

Hauptsächlicher Gedanke: möchte meine Angelegenheiten gewisse Ordnung bringen. Feilsche weiter. Erbitte für künftige Werke 250 den Bogen und Erhöhung jede fünf Jahre um 250.

Schicken Sie Kalender. Danke herzlich für Telegramm. Grüße.
Čechov.

722) AN V.F. KOMISSARŽEVSKAJA JALTA, 19. 1. 1899

19. Jan.

Ich bin betrübt, Vera Fëdorovna: Sie haben mir eine unlösbare Aufgabe gestellt. Erstens habe ich mein Lebtag noch keine Rezension geschrieben, für mich ist das Chinesisch, zweitens schreibe ich nicht im »Novoe vremja«. Ich bin betrübt, daß ich Ihren Wunsch nicht erfüllen kann, und fürchte, daß Sie mir nicht glauben werden, in welchem Maße ich betrübt bin. Ihr Wunsch ist mir heilig, und ihn nicht erfüllen zu können, das ist schon die totale Konfusion. A propos, im »Novoe vremja« schreibe ich schon lange nicht mehr, seit 1891. Für das Buch danke ich Ihnen sehr, ich habe es mit Vergnügen gelesen. Was soll ich von mir schreiben? Ich lebe in Jalta, langweile mich; hier fällt mir alles auf die Nerven, sogar das schöne Wetter, ich möchte nach Norden. Wenn ich Geld habe, werde ich zu Beginn des Frühlings ins Ausland fahren, nach Paris.

Meine »Möwe« wird in Moskau schon zum 8. Mal gespielt, das Theater ist jedesmal überfüllt. Man sagt, die Inszenierung sei außergewöhnlich, und jeder beherrsche seine Rolle. M.I. Pisarev hatte am Schluß des Stückes gesagt, im Nachbarzimmer sei eine »Pulle« geplatzt, und das Publikum hat gelacht; der Moskauer Darsteller sagt, das Fläschchen mit dem Äther sei geplatzt – und es hat keinen Lacher gegeben, alles ist gutgegangen. Wie dem auch sei, Stücke zu schreiben habe ich keine Lust mehr, das Petersburger Theater hat mich geheilt.

Warum sind Sie dauernd krank? Weshalb lassen Sie sich nicht ernsthaft behandeln? Krankheiten, besonders Frauenkrankheiten verderben die Stimmung, verderben das Leben, behindern die Arbeit. Ich bin doch Arzt, ich weiß, was für Geschichten das sind.

Sie schreiben, Sie hätten Erfolg; mir ist das bekannt, ich freue und ärgere mich zugleich, – ich ärgere mich, daß ich keine Gelegenheit habe, Sie zu sehen. Sie sind eine vorzügliche Schauspielerin, nur schade, daß es Ihnen an der passenden entourage fehlt, Sie haben kein Theater, keine Kollegen. Sie sollten nach Moskau gehen, ans Kleine Theater. Da sieht es trotz allem mehr nach Kunst aus, und unter den Schauspielern gibt es einige gute Leute! In Moskau würden Sie einen Riesenerfolg haben, wie man ihn sich kaum vorstellen kann.

Wo werden Sie im Sommer sein? Wo werden Sie spielen? Wenn Sie irgendwo in der Nähe von Moskau sein sollten, würde ich kommen, um Sie zu sehen. Ab April werde ich zu Hause sein, in der Umgebung von Moskau.

Ich danke Ihnen nochmals von ganzem Herzen, wünsche Ihnen Gesundheit, Glück und alles, was es an Gutem auf dieser Welt nur gibt. *Ihr A. Čechov.*

723) AN M. P. ČECHOVA JALTA, 20. 1. 1899

20. Jan.

Liebe Maša, Ivan wird dir wahrscheinlich bereits erzählt haben von meinen Verhandlungen mit Marks. Ich habe lange gefeilscht, lange und hartnäckig, und heute habe ich schließlich telegraphiert, ich sei einverstanden. Für alle bereits veröffentlichten und künftigen Werke bekomme ich 75 000 Rub. (fünfundsiebzigtausend), wobei ich für künftige 250 R. pro Bogen bekommen werde, in 5 Jahren 450, und in weiteren fünf Jahren 650 usw., einen Aufschlag von je 200 R. für jede weiteren 5 Jahre. Meine künftigen Werke werden Marks erst gehören, nachdem ich sie in Zeitschriften und Zeitungen veröffentlicht und dafür Honorar bekommen habe. Die Einkünfte aus den Stücken gehören mir und danach meinen Erben.

Die Medaille hat zwei Seiten. Und der Verkauf, den ich getätigt habe, hat zweifelsohne auch seine schlechten Seiten. Aber zweifelsohne hat er auch seine guten. 1) werden meine Werke mustergültig ediert werden, 2) werde ich nichts mehr mit Drukkerei und Buchhandlung zu tun haben, man wird mich nicht bestehlen und mir keine Gefälligkeiten erweisen, 3) werde ich in Ruhe arbeiten können, ohne Angst vor der Zukunft haben zu müssen, 4) sind die Einkünfte nicht hoch, aber beständig; wenn man davon ausgeht, daß 25 Tausend für die Rückzahlung der Schulden, für Ausgaben für den Bau, den Kauf eines Klaviers, von Möbeln usw. draufgehen, und daß 50 Tausend sozusagen mein Grundkapital bilden werden, das 4% abwirft, dann ist das Mindeste, was ich jährlich bekommen werde:

Zinsen von 50 T. – 2 Tsd.
Honorare für 10 Bogen neuer Werke – 3500 R.
Von Marks für diese 10 Bogen – 2500 R.
Einkünfte aus den Stücken – 1500 R.
Insgesamt 9½ Tausend.

Und in 5 Jahren werde ich von Marks nicht mehr 250, sondern 450 R. bekommen; und nicht selten sind die Jahre, in denen ich nicht 10, sondern 20 Bogen schreibe und in denen das Theater, wie zum Beispiel in diesem Jahr, nicht 1500 Rubel einbringt, sondern 3000. Immerhin wird Ordnung einkehren – Gottseidank.

Was machen wir mit Melichovo? Das zweite Grundstück würde ich den Bauern schenken, und für mich nur den Hof behalten. Aber – wie du willst.

Morgen werde ich Mamaša wegen Marfočka schreiben, von der ich einen Brief bekommen habe. Bleib gesund.

Dein Antoine.

Die Mütze ist sehr schön. Ich danke dir.

724) AN P. A. SERGEENKO JALTA, 20. 1. 1899

20. Jan.

Lieber Pëtr Alekseevič, die beiden hiesigen Anwälte sagen, in Jalta habe es noch nie auch nur einen Fall gegeben, in dem jemand literarisches Eigentum verkauft habe, sie wüßten daher nicht, was eigentlich zu tun sei. Ich schicke dir die Vollmacht. Wenn sie untauglich ist, wirf sie weg; setzt den Vertrag ohne Vollmacht auf, schickt ihn her, ich unterschreibe ihn. Hier meine Verpflichtungen:

1) Wie ich bei Suvorin verlegt werde, auf Grundlage wovon, erfährst du bei F.I. Kolesov. Beim Buchhalter Achmylov kannst du dich über den Stand meines Kontos informieren. Im September (oder Oktober) dieses Jahres habe ich mir 5 Tsd. à conto der Bücher geliehen. Diese Schulden müssen also verrechnet und beglichen werden. In der »Billigen Bibliothek« gibt es den Band »Kinder«. Für jede Auflage von 5 Tsd. bekomme ich 100 Rub. Bekommen habe ich sie bereits für die 2. Auflage und, ich glaube, auch für die 3. – genau kann ich mich nicht entsinnen, erkundige dich beim Buchhalter.

2) Je 50 Exemplare der bei Suvorin verlegten Bücher (mit Ausnahme der »Kinder«) sind in Kommission an die Buchhandlung Ju.V. Volkova in Jalta geliefert worden.

3) Die »Insel Sachalin« ist im Verlag der »Russkaja mysl« erschienen; sie hat sich längst amortisiert, ist beinahe ausverkauft, so daß ich sie nur am Rande erwähne.

4) »Novellen und Erzählungen« habe ich 1897 an Sytin verkauft, 5 Tausend Exemplare. Wahrscheinlich ist bereits über die Hälfte verkauft.

5) Dem Verlag »Posrednik« habe ich für Einzelausgaben die Erzählungen »Namenstag«, »Krankensaal Nr. 6« und »Meine Frau« gegeben, und in irgendeinem Sammelband des »Posrednik« ist, glaube ich, »Vanka« erschienen.

6) Zu dem Belinskij-Almanach habe ich die Erzählungen »Der Redner«, »Der Fehler« und »Im Bad« beigesteuert.

7) An die Buchhandlung I. V. Kljukin in Moskau habe ich eine sehr kleine Erzählung für Kinder, »Weißstirnchen«, für einen Almanach gegeben (»Märchen aus dem Leben und der Natur«, zusammengestellt von M. Vasiljev). Kljukin hat »Weißstirnchen« als Einzelbroschüre herausgegeben, wozu ich ihm keine Genehmigung erteilt hatte.

8) Ein gewisser N. V. Nazarov in Moskau hat die Genehmigung, meine Erzählung »Der Anfall« zu wohltätigen Zwecken herauszugeben.

9) Die »Alphabetisierungsgesellschaft« hat meine Erzählungen »Stille Nacht« und »Träume« herausgegeben.

10) Dem Privatdozenten F.D. Batjuškov (Litejnaja, 15) habe ich die Erzählung »Vanka« für einen Almanach zugunsten des Roten Kreuzes gegeben.

11) Rassochin (»Theaterbibliothek«) in Moskau gibt, glaube ich, meine Einakter heraus – ohne jede Verpflichtung von irgendeiner Seite.

12) In dem Almanach zugunsten der Armenier von Dženšiev ist meine Erzählung »Auf dem Wagen« veröffentlicht.

Das ist alles. In dem Vertrag sollte mir vorbehalten bleiben das Recht der Redaktion bei jeder neuen Auflage, bei allen Gelegenheiten, wo Korrektur gelesen werden muß. Das Recht, Übersetzungen meiner Werke in fremde Sprachen zu genehmigen, desgleichen sollten die Honorare für diese Übersetzungen mir gehören.

Du brauchst Instruktionen, das Geld betreffend? Was ist Geld? Geld ist – Rauch! In jedem Fall brauche ich jetzt bereits 25 Tausend zur Begleichung der Schulden, die ich auf dein Anraten gemacht habe. (Du hast mir oft gesagt: »In deinem Alter hatte Puškin schon 30 Tausend Schulden gemacht.«) Wenn du mir das Geld überweist, dann über das Rentamt (eine Bank gibt es nicht in Jalta), telegraphisch, wenn das nicht zu viel kostet. Alle Quittungen über Telegramme usw. heb auf.

Zum Schluß die Frage: wie soll ich dir danken? Du hast mir einen solchen Dienst erwiesen, daß ich angesichts der Frage nach dem Dank absolut ratlos bin.

Ich drücke dir die Hand.

Dein A. Čechov.

Um leben zu können, muß ich mindestens 50 000 sozusagen zu meinem Grundkapital machen, damit es etwa 2 Tsd. im Jahr abwirft. Was tun? Soll ich es auf die Bank legen oder Pfandbriefe kaufen? Welche?

Dein letztes Telegramm kam mit der Unterschrift: Suvčinskij.

Sytin, »Posrednik«, »Russkaja mysl« usw. werden dir die nötigen Auskünfte erteilen; für den Fall, daß deine Adresse sich ändert, habe ich ihnen diese Adresse gegeben: Redaktion »Niva«, für P. A. Sergeenko. Ich schreibe gleichzeitig an alle.

725) AN M.P. ČECHOVA JALTA, 23. 1. 1899

Liebe Maša, ich schicke dir die 200 Rubel für Februar. Neuigkeiten gibt es in Jalta keine, es regnet, wie bei uns im Herbst. Wenn es dir unbequem ist, das Geld per Post in Empfang zu nehmen, dann schreib mir, ich werde es irgendwie auf anderem Wege schikken.

Ich habe von Lika einen Brief aus Paris bekommen. Sie schreibt nichts von sich; sie kommt im April nach Moskau zurück. Lavrov ist in Jalta eingetroffen. Wenn du zufällig bei der Landesbank vorbeikommst, geh hinein und frag, ob die 141 R. 7 K. angekommen sind, die ich aus Jalta geschickt habe, und warum man mir keine Quittung schicke. Wenn du nicht vorbeikommst, laß es, es eilt nicht. Die beiden Zeitschriften für ausld. Literatur, »Istorič. vestnik«, »Niva«, »Nedelja« bekomme ich hierher.

Mehr ist nicht zu schreiben.

In meinem Brief an Mamaša schrieb ich über das Klavier. Wenn du willst, sieh dich um und feilsche. Sobald ich mit Marks zu Ende bin, teile ich es dir mit. Ich erwarte die Nachricht von der definitiven Unterzeichnung des Vertrages am Mittwoch, dem 27., und heute ist Samstag, der 23. Jan.

Warum wird die »Möwe« nur einmal in der Woche angesetzt? Auf diese Weise wird sie bis zu den Fasten kaum 15mal gespielt werden. Die Azalee, die ich geschenkt bekommen habe, blüht üppig.

Einen Gruß an Mamaša und alle. Ich habe von Sonja einen

Brief bekommen, ich werde ihr schreiben. Wie geht es Aleksej Dolženko? Wo ist er? Ich habe einen Brief von Gruzinskij bekommen.

Schreib, ob ich dir den Modeteil und die Schnittbogen aus der »Niva« schicken oder ob ich sie nur aufheben soll, oder wegwerfen?

726) AN AL. P. ČECHOV JALTA, 27. 1. 1899

Jawohl, armer Verwandter, es stimmt alles. Ich verlasse die Druckerei, Neupokoev, den zerstreuten Tyčinkin, ich verlasse sie nicht nur, sondern habe sie bereits verlassen. Suvorin habe ich meine Werke nicht zum Kauf angeboten; und der vollendeten Tatsache gegenüber verhält er sich wohlwollend, zumindest schreibt er mir kokette Briefe. Bis jetzt steht alles bestens.

Von Marks habe ich 75 Tsd. bekommen für alles, was ich bisher veröffentlicht habe; für Künftiges wird er mir das zahlen: in den ersten fünf Jahren nach Unterzeichnung des Vertrages – 5 Tausend für 20 Bogen, in den zweiten fünf Jahren – 9 Tsd usw., je 200 R. pro Bogen Aufschlag, alle weiteren fünf Jahre, so daß er, wenn ich noch 45 Jahre leben sollte, durch den Schornstein geht. Dem werden wirs zeigen! Die Einkünfte aus den Stücken gehören mir und danach meinen Erben.

Beim Wort »Erben« hast du hämisch gegrinst. Mach dir keine Sorgen, ich werde alles zu wohltätigen Zwecken vermachen, damit meine Verwandten keine Kopeke bekommen. Du wirst einmal im Jahr ½ Pfd. Tee zu 30 K. bekommen – mehr nicht!! Da siehst du, wohin Unbotmäßigkeit führt.

Ich habe mir hinter Alupka ein Gut gekauft. Drei Desjatinen Land, Haus, Weinberg, Wasser; Preis zweitausend. Belle vue, eine belle vue zum Verrücktwerden. Wenn ich mich dort eingerichtet habe, werde ich in der Nachbarschaft ein kleines Grundstück für dich ausfindig machen. Hier reicht einem sogar eine halbe Desjatine. Gib deine Tausende nur nicht aus.

Natalija Aleksandrovna, Tosja und Miša viele Grüße. Wenn

Nikolaj zu Hause ist, dann auch an ihn. Schreib. Schreib, genier dich nicht.

Der reiche Verwandte und Grundbesitzer *A. Čechov.*

27. Jan.

727) AN A. S. SUVORIN JALTA, 27. 1. 1899

27. Jan.

Sergeenko telegraphiert, der Vertrag sei bereits notariell unterzeichnet. Es sei da noch etwas mit einer Konventionalklausel, aber das habe ich in dem Telegramm nicht verstanden. Es wird wohl alles gut gehen. Ich bekomme die 75 000 in drei Raten; für künftige Werke bekomme ich, nach deren erster Veröffentlichung, 250 R., mit einem Aufschlag von 200 R. alle weiteren 5 Jahre. Die Einkünfte aus den Stücken gehören mir, und später meinen Erben. Den letzten Punkt habe ich erkämpft, im Handstreich genommen.

Damit beginnt also eine neue Ära, und Sergeenko, den Sie einen Totengräber nennen, kann sich als Schöpfer dieser neuen Ära feiern lassen. Ich kann jetzt 2–3 Tausend beim Roulette verlieren.

Aber trotzdem ist mir unwohl, so als hätte ich eine reiche Frau geheiratet. Ich habe viele Schulden bei Ihnen und habe Sergeenko gebeten, in die Buchhandlung zu gehen und dort meine Schulden zu tilgen; wahrscheinlich hat er dies bereits erledigt, und mir bleibt jetzt, nach russischer Sitte, Ihnen zu danken. Unter Geschäftsleuten gibt es die Redewendung: leb und schlag dich, aber geh in Frieden auseinander. Wir gehen in Frieden auseinander, aber wir haben immer auch in Frieden miteinander gelebt, und ich glaube, solange ich meine Bücher bei Ihnen veröffentlicht habe, hat es zwischen uns kein einziges Mißverständnis gegeben. Dabei haben wir doch große Dinge vollbracht. Und wirklich sollten wir, daß Sie mich veröffentlicht haben und daß ich bei Ihnen veröffentlicht habe, beiderseits feierlich begehen.

Sie deuteten in Ihrem Brief an, daß Sie in der Butterwoche alles stehen und liegen lassen und hierher kommen könnten. Zu Beginn der Fasten wird hier bereits richtiger Frühling, herrliches Wetter sein, wir könnten von hier nach Feodosija fahren. Sie schreiben, Sie müßten mit mir sprechen; ich muß ebenfalls mit Ihnen sprechen. Also kommen Sie bitte.

Neulich habe ich eine humoristische Erzählung von 1/2 Bogen geschrieben, und jetzt schreibt man mir, L. N. Tolstoj lese diese Erzählung vor, lese sie ungewöhnlich schön vor.

Lesen Sie den Belletristen Gorkij? Das ist zweifellos ein Talent. Wenn Sie ihn nicht gelesen haben, dann lassen Sie sich seine Bände kommen und lesen Sie fürs erste die zwei Erzählungen: »In der Steppe« und »Die Holzflößer«. Die Erzählung »In der Steppe« ist mustergültig gemacht; ein As, wie Stasov zu sagen pflegt.

An Anna Ivanovna, Nastja und Borja viele herzliche Grüße. Ich wünsche Gesundheit und Wohlergehen.

Ihr A. Čechov.

728) AN JU. O. GRJUNBERG — JALTA, 27. 1. 1899

27. Jan.

Sehr geehrter
Julij Osipovič!

Ich weiß nicht mit Sicherheit, ob die Verhandlungen bereits abgeschlossen sind, aber ich schicke Ihnen bereits 65 Erzählungen für den ersten Band. Diese Erzählungen sind in noch keinem Erzählungsband erschienen. Ich schicke sie per Post, als Paket – die Hälfte in Korrekturbögen, die andere Hälfte im Manuskript. Wenn Sie dieses Paket bekommen, geben Sie mir bitte Nachricht.

Ich wünsche Ihnen alles Gute.

Jalta. *In aufrichtiger Hochachtung A. Čechov.*

729) AN V.I. NEMIROVIČ-DANČENKO JALTA, 29. 1. 1899

29. Jan.

Lieber Vladimir Ivanovič, in diesen Tagen wird dich im Theater der Sohn des Schriftstellers Leskov, Andrej Nikolaevič, aufsuchen, ein Offizier. Er will den Dienst beim Militär quittieren und träumt von einer Bühnenkarriere und möchte dich jetzt um Rat fragen. Er ist ein durch und durch intelligenter nervöser Mensch, bewegt sich schön, geschmeidig, kann sprechen und verfügt, wie mir scheint, über Qualitäten, die solche Mängel wie seinen kleinen Wuchs und die etwas näselnde Stimme mehr als wettmachen. Schenk ihm bitte zehn Minuten, nimm dich seiner an.

Die Just schreibt: »›Die Möwe‹ läuft noch glatter und besser als in der zweiten Vorstellung; obwohl Stanislavskij den Trigorin allzu sehr als physisch und moralisch geschwächten Literaten spielt und die Möwe selbst (j'en conviens) im letzten Akt ein wenig hübscher sein könnte. Aber dafür sind die Arkadina, Treplëv, Maša, Sorin, der Lehrer und der Verwalter großartig, sie sind ganz und gar lebendige Menschen.« Da hast du ein Beispiel für die Rezensionen, die ich bekomme.

In meinem Leben hat es, glaube ich, eine Umwälzung gegeben: ich führe Verhandlungen mit Marks, die Verhandlungen sind anscheinend bereits abgeschlossen, und ich habe ein Gefühl, als habe mir der heilige Synod endlich, nach langer Wartezeit, die Scheidung geschickt. Ich werde nichts mehr mit Druckereien zu tun haben! Werde keine Gedanken mehr verschwenden müssen an Format, Preis und Buchtitel!

Moskau beantwortet keine Briefe, und wenn man hundertmal schriebe. Ich weiß nicht, was ich tun soll! Nicht einmal die Moskauer Banken antworten, ganz zu schweigen von Nikolaj Ėfros, der sich mir gegenüber einfach schweinisch benimmt.

Wenn sich alle an der »Möwe« Beteiligten in Kostüm und Maske photographieren lassen und mir die Photographie schikken würden, wäre das so nett von ihnen! Ich langweile mich hier. Also, bleib gesund und glücklich. Grüß Ekaterina Nikolaevna.

Dein A. Čechov.

730) AN P. A. SERGEENKO JALTA, 31. 1. 1899

31. Jan.

Lieber Pëtr Alekseevič, der Vertrag kam heute, am Sonntag, dem 31., gegen Abend. Die Einverständniserklärung schreiben und per Einschreiben abschicken kann ich erst morgen; die Post geht in der Nacht auf den 2. Februar ab. Folglich wird das Paket am Freitag in Moskau ankommen, du wirst es am Abend desselben Tages oder spätestens am Samstag morgens bekommen.

Der Vertrag enthält einen merkwürdigen Punkt: 4) Čechov hingegen räumt Marks das Recht ein, den Erwerb irgendeines seiner, Čechovs, neuen Werke abzulehnen, sofern dieses aufgrund seiner literarischen Qualitäten zur Aufnahme in die Gesamtausgabe seiner Werke für ungeeignet befunden wird... Befunden von wem? Das öffnet doch der Willkür Tür und Tor! Da ist noch ein merkwürdiger Punkt: 7) Čechov verpflichtet sich, *sämtliche* Werke *ohne Ausnahme* zusammenzustellen und den vollständigen Text innerhalb von sechs Monaten zu übergeben, nach Möglichkeit mit genauer Angabe, wo, wann und mit welcher Unterschrift jedes dieser Werke veröffentlicht worden ist. Das ist, als wollte Marks, daß ich ihm sagte, wo, an welchem Tag und zu welcher Stunde ich im Laufe meines Lebens den und den Fisch gefangen habe, ich, der ich mehr als 1000mal geangelt habe. Und der Vertrag sieht auch vor, daß ich alles bis zum Juli fertighabe! Aber das ist doch Katorga! Katorga nicht im Sinne von Schwerstarbeit, sondern im Sinne von Unmöglichkeit, denn redigieren kann man doch nur nach und nach, je nachdem, wann aus den Abgründen meiner Vergangenheit die in alle Welt verstreuten Kinder mein hier eintreffen. Ich habe doch 20 Jahre lang veröffentlicht. Jetzt kann ich sie zusammensuchen!

Aber all das ist nicht schlimm, darüber kann man sich letzten Endes einigen, schlimm hingegen ist das: du hast in dem Vertrag die Einkünfte aus den Stücken vergessen! Wenn nicht Marks, so werden sich seine Erben meine Stücke unter den Nagel reißen, – und meine Witwe wird leer ausgehen. Mir macht dieser Punkt große, große Sorgen.

Alles übrige ist in Ordnung. Ich danke dir vielmals, unendlich.

Diesen Brief werfe ich in der Nacht auf den 1. Februar ein. Morgen wird er in Simferopol sein.

Morgen schreibe ich dir mehr. Bis dahin drücke ich dir fest die Hand und wünsche dir alles Gute.

I. I. Gorbunov vom »Posrednik« möchte dich sehen, um mit dir zu sprechen. Schreib ihm (Zubovo, Dolgij per., Hs. Njunina), wo und wann er dich sehen kann. *Dein A. Čechov.*

731) AN P. A. SERGEENKO JALTA, 1. 2. 1899

1. Febr.

Lieber Freund, Pëtr Alekseevič, gestern habe ich dir ein Telegramm geschickt (oder, richtiger, zwei: nach Lochvica und ans »Bellevue«) und einen Brief. Heute schreibe ich dir schon wieder.

In dem Vertrag wird nichts gesagt über die Einkünfte aus den Stücken, aber das ist ein wichtiger Punkt. Ein Vaudeville ist etwas, das andre alles Unfug. Die Stücke bringen mir im Durchschnitt jährlich über eintausend Rubel ein, und sie bringen mit jedem Jahr mehr ein. Kann man nicht den im Vertrag ausgelassenen Punkt nachträglich einsetzen oder irgendein neues Papier schreiben, das für mich und meine Erben die Kraft eines Dokuments besitzt?

Für die Gesamtausgabe photographieren lasse ich mich bei Čechovskij, wenn ich in Moskau bin. In Jalta sind die Photographen miserabel.

Marks habe ich das Material für den ersten Band bereits geschickt, er hat es bereits bekommen. Das sind kleine humoristische Erzählungen, die noch nie in irgendeinen Sammelband aufgenommen worden sind. In den zweiten Band kommen die »Bunten Erzählungen« plus weitere Erzählungen, die ich im Februar schicken werde. Frag bitte, an welchen Namen ich meine Werke schicken soll, an wen ich schreiben soll. An Marks

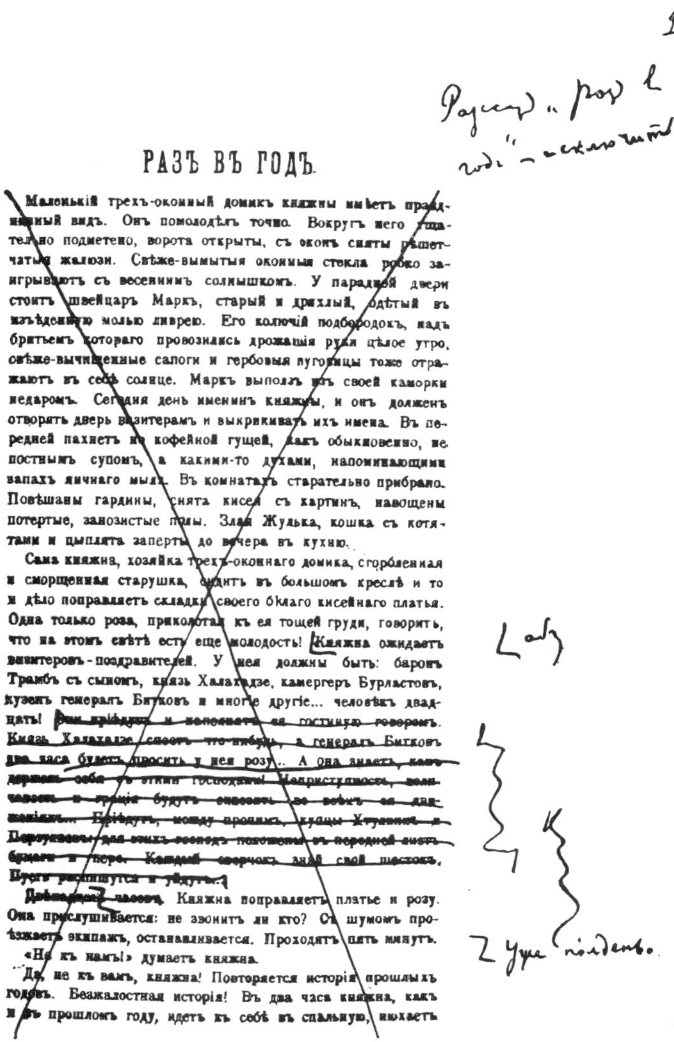

1

Рассказ „Раз в году“ — исключить

РАЗЪ ВЪ ГОДЪ.

Маленькій трехъ-оконный домикъ княжны имѣетъ праздничный видъ. Онъ помолодѣлъ точно. Вокругъ него тщательно подметено, ворота открыты, съ оконъ сняты рѣшетчатыя жалюзи. Свѣже-вымытыя оконныя стекла робко заигрываютъ съ весеннимъ солнышкомъ. У парадной двери стоитъ швейцаръ Маркъ, старый и дряхлый, одѣтый въ изъѣденную молью ливрею. Его колючій подбородокъ, надъ бритьемъ котораго провозились дрожащія руки цѣлое утро, свѣже-вычищенные сапоги и гербовыя пуговицы тоже отражаютъ въ себѣ солнце. Маркъ выползъ изъ своей каморки недаромъ. Сегодня день именинъ княжны, и онъ долженъ отворять дверь визитерамъ и выкрикивать ихъ имена. Въ передней пахнетъ не кофейной гущей, какъ обыкновенно, не постнымъ супомъ, а какими-то духами, напоминающими запахъ яичнаго мыла. Въ комнатахъ старательно прибрано. Повѣшаны гардины, снята кисея съ картинъ, навощены потертые, занозистые полы. Злая Жулька, кошка съ котятами и цыплята заперты до вечера въ кухню.

Сама княжна, хозяйка трехъ-оконнаго домика, сгорбленная и сморщенная старушка, сидитъ въ большомъ креслѣ и то и дѣло поправляетъ складки своего бѣлаго кисейнаго платья. Одна только роза, приколотая къ ея тощей груди, говоритъ, что на этомъ свѣтѣ есть еще молодость! Княжна ожидаетъ визитеровъ-поздравителей. У нея должны быть: баронъ Трамбъ съ сыномъ, князь Халахадзе, камергеръ Бурластовъ, кузенъ генералъ Битковъ и многіе другіе... человѣкъ двадцать! ~~Они пріѣдутъ и наполнятъ ея гостиную говоромъ. Князь Халахадзе споетъ что-нибудь, а генералъ Битковъ два часа будетъ просить у нея розу.. А она знаетъ, какъ держать себя съ этими господами! Неприступность, величавость и грація будутъ сквозить во всѣхъ ея движеніяхъ... Пріѣдутъ, между прочимъ, купцы Хрулкины и Перукиновы: для этихъ господъ положены въ передней листъ бумаги и перо. Каждый сверчокъ знай свой шестокъ. Пусть распишутся и уйдутъ..~~

~~Двѣнадцать часовъ.~~ Уже полдень. Княжна поправляетъ платье и розу. Она прислушивается: не звонитъ ли кто? Съ шумомъ проѣзжаетъ экипажъ, останавливается. Проходятъ пять минутъ.

«Не къ намъ!» думаетъ княжна.

Да, не къ вамъ, княжна! Повторяется исторія прошлыхъ годовъ. Безжалостная исторія! Въ два часа княжна, какъ и въ прошломъ году, идетъ къ себѣ въ спальную, нюхаетъ

Korrekturfahne des Anfangs der Erzählung »Einmal im Jahr« mit handschriftlichen Korrekturen Čechovs sowie, rechts oben, dem Vermerk: »Die Erzählung ›Einmal im Jahr‹ – nicht aufnehmen.« Gemeint: in die »Gesammelten Werke« im Verlag A.F. Marks.

persönlich? An Grjunberg? Und frag: wann will Marks mit der Ausgabe beginnen? Kann man nicht vorläufig schon einen ersten Band erscheinen lassen, ohne den Juli abzuwarten (laut Vertrag habe ich meine Werke bis spätestens Juli abzugeben)?

In dem Vertrag wird nichts gesagt über die Bücher, die bei Suvorin, Sytin u. a. veröffentlicht und noch nicht verkauft worden sind. Dem entnehme ich, daß nur weitere Veröffentlichungen verboten sind, nicht aber der Verkauf dessen, was bereits veröffentlicht ist.

Jetzt zum Geld. Ich schrieb dir bereits, daß es in Jalta keine Staatl. Bank gibt. Man wird es an das Rentamt Jalta schicken müssen, über die Petersb.-Azovsk. oder die Internationale oder die Staatl. Bank. Über die Bank schicken kann man es so: »Jalta, Gesellschaft für wechselseitigen Kredit, auf das laufende Konto Čechovs«. So ist es wohl am besten, denn dann muß ich nicht herumlaufen und einen Haufen Geld mit mir über die Straße schleppen. Man hat mir aus Moskau über Junker Geld überwiesen »auf das laufende Konto A.P. Čechovs, Gesellschaft für wechselseitigen Kredit, Jalta«.

Mit Suvorin rechne ich ab, wenn ich die Abrechnungen aus der Buchhandlung bekommen habe. Meine Bücher werden in der Druckerei Suvorin nicht mehr gedruckt, die Anzeigen veröffentlicht man einfach aus Schlamperei weiter.

Schreib mir, wohin ich dir schreiben soll, wo du im Februar sein wirst. Ich werde versuchen, im April in Melichovo zu sein, und bis dahin weiß ich nicht, was ich tun soll. Die Katastrophe, die in den letzten vierzehn Tagen geschehen ist, hat mich völlig aus dem Geleise geworfen, ich kann nicht arbeiten.

Nach Erhalt und Lektüre der Konventionalstrafklausel schick mir ein Telegramm, und sei es nur das eine Wort »ausreichend« oder »so«, damit ich weiß, ob dieser Entwurf tauglich ist oder nicht. Wenn du das Geld abgeschickt hast, schick mir ebenfalls ein Telegramm. Und danach kannst du dich ausruhen auf den Lorbeeren meiner ewigen Dankbarkeit. Ich sage dir ehrlich, wichtig an diesem Verkauf sind mir weniger die 75 Tsd., als vielmehr die Tatsache, daß meine Werke jetzt anständig ediert werden, daß ich von nun an befreit bin von der Verpflichtung, mir für jedes neue Buch einen neuen Titel einfallen zu lassen, das Format des Buches auszuwählen, mich mit schlechtem Papier abzufinden, abzufinden mit schlimmen Gerüchten über die »Druckerei«-Exemplare, die auf dem Trödelmarkt und in der Provinz verkauft werden. Ich fühle mich, als habe mir der heilige Synod endlich, nach langem, qualvollen Warten die Scheidung geschickt. Nur eben der eine Stachel: die Einkünfte aus den Stükken! Die Stücke wegzugeben, würde für mich bedeuten, ein für alle Mal mit dem Theater zu brechen, zu dem ich ohnehin nur schwache und welke Bande habe – zu meinem Leidwesen.

Was hat Potapenko zu dem Verkauf gesagt?

Also, bleib gesund und wohlauf. Ich drücke dir fest die Hand.

Dein Antonio.

Anmerkungen: 1) einfache Briefe, die man an Dampferanlegestellen einwirft, gehen doppelt so schnell wie eingeschriebene, die man auf der Post aufgibt; 2) in Jalta ist der Telegraph nachts außer Betrieb, die Annahme von Telegrammen endet 9 Uhr abends.

Die Konventionalstrafenklausel kostet 7 R. 60 K. Bevor du sie Marks aushändigst, sprich mit ihm wegen der Stücke, sprich ein ernstes Wort mit ihm. Du schreibst: »wenn du irgendein dringendes Anliegen hast, – schreib, irgendetwas wird man bei Unterzeichnung des Vertrags schon rausschlagen können.« Ich habe ein solches Anliegen! Erstens, 25–50 R. für den Neubau einer Schule in Melichovo, und zweitens, das ist wichtiger, schwer tuberkulosekrank ist Sergej Alekseič Epifanov, ein Zeitungsmitarbeiter, der zur gleichen Zeit angefangen hat wie wir. Seine Adresse: Arbat, Hs. Bromlej, Wohnung 5.

Epifanov ist Mitarbeiter am »Budilnik« und an »Razvlečenie«, seit langem. Seine Situation ist äußerst bedrückend.

Schick mir aus Petersburg ein Telegramm für mindestens 10 Rub., je länger, desto besser.

732) AN AL. P. ČECHOV JALTA, 5. 2. 1899

5. Febr.

Tiefsinniger Saša! Zieh die neuen Hosen an, geh in die Redaktion des »Novoe vremja« und veranlasse, daß dort mein Märchen »Ein Märchen« abgeschrieben und mir geschickt wird, das in Nr. 4253 veröffentlicht worden war. Veranlasse weiter, daß jemand für Geld (aber so wenig wie möglich) eingestellt wird, der in eben jenem »Novoe vremja« ein Jahr nach jener Nr. 4253 ein zweites, zu Ostern oder Weihnachten oder Neujahr veröffentlichtes Märchen heraussucht, in dem zwei Millionäre eine Wette abschließen. Laß weiter die Erzählungen »Lebensüberdruß«, »Der Lehrer« und »Schwere Naturen« abschreiben, die in eben jenem »Novoe vremja« veröffentlicht sind, im ersten Jahr meiner Mitarbeit an dieser schönen Zeitung. All das brauche ich für Hrn. Marks, unseren Wohltäter, der mir meine Werke abgekauft hat, ungeachtet deines schlechten Benehmens.

Heute habe ich von Suvorin und Tyčinkin einen Brief bekommen. Suvorin spricht über den von mir getätigten Verkauf; daß nicht er es gekauft hat, erklärt er damit, daß Sergeenko ihm von dem Verkauf erst erzählt habe, als mit Marks bereits abgeschlossen gewesen sei usw. usf., und er beteuert seine Freundschaft und guten Gefühle. Sein Brief ist mit großer Wärme geschrieben. Tyčinkin beteuert ebenfalls seine Gefühle und übt Kritik an der »jungen« Redaktion.

Wie dem auch sei, im ganzen macht das »Novoe vremja« einen ekelhaften Eindruck. Die Telegramme aus Paris kann man nicht lesen, ohne angewidert zu sein, das sind keine Telegramme, sondern reinster Betrug und Schurkerei. Und die Aufsätze des sich selbst lobenden Ivanov! Und die Denunziationen des ekelerregenden Petersburgers! Und Amfiteatrovs Habichtsflüge! Das ist keine Zeitung, sondern ein Tiergarten, eine Meute hungriger, sich gegenseitig in den Schwanz beißender Schakale, das ist der Teufel weiß was. Oh, Hirten Israels!

Suvorin und ich beabsichtigen, unsere verlegerischen Beziehungen, die 12 Jahre so glücklich verlaufen sind, feierlich zu begehen. Erkundige dich, wie begehen, womit? Geld habe ich von Marks noch keins bekommen. Sicher hat er alles Geld irrtümlicherweise an dich überwiesen.

Weshalb solltest du nicht mit dem Moskauer »Kurjer« in Verbindung treten? Dort wird Belletristisches dringend gebraucht. Maša könnte dich protegieren, denn der »Kurjer« wird von ihren Freunden, Jerusalemer Edelleuten, herausgegeben. Die Zeitung ist gut, zahlt gut. Du könntest sofort mit 4 Kop. Zeilenhonorar anfangen. Ist dir zu wenig? Na gut, dann 12 Kop.

Alsdann, ich werde also nicht mehr bei euch verlegt, und Neupokoev ist vor mir geflohen wie einst Jakob vor Laban. »Ich wünsche nicht, mit ihm bekannt zu sein«, – wie damals jemand mit heiserer Stimme sagte.

Anfang der Fasten wird Suvorin zu mir nach Jalta kommen.

Du schriebst neulich, du wolltest dir ein Stück Land kaufen. Wo möchtest du es dir kaufen? Im Norden? Im Süden? Antworte ausführlich.

Grüß deine Familie und bleib gesund. Wenn Marks mein Geld an dich geschickt hat, gib es zurück.

Dein Bruder und Wohltäter *A. Čechov.*

733) AN L. A. AVILOVA JALTA, 5. 2. 1899

5. Febr.

Verehrte Lidija Alekseevna, ich habe eine große, außerordentlich langweilige Bitte an Sie – seien Sie mir bitte nicht böse. Seien Sie so gut, nehmen Sie irgendeinen Menschen oder ein wohlgesonnenes Mädchen und lassen Sie meine Erzählungen abschreiben, die früher einmal in der »Peterburgskaja gazeta« veröffentlicht worden sind. Und veranlassen Sie, daß man in der Redaktion der »Pet. gazeta« erlaubt, daß meine Erzählungen herausgesucht und abgeschrieben werden, weil es sehr unbequem ist, dies in einer Öffentlichen Bibliothek zu tun. Wenn diese meine Bitte aus irgend einem Grunde nicht erfüllt werden kann, so lassen Sie es, ich werde nicht gekränkt sein; wenn meine Bitte mehr oder weniger bequem zu erfüllen ist, wenn Sie einen Abschreiber haben, dann schreiben Sie mir, ich werde Ihnen dann eine Liste derjenigen Erzählungen schicken, die nicht abgeschrieben zu werden brauchen. Ich habe keine genauen Daten, habe sogar vergessen, in welchem Jahr ich in der »Pet. gazeta« veröffentlicht habe, aber wenn Sie mir schreiben, daß Sie einen Abschreiber hätten, würde ich mich sofort an einen alteingesessenen Petersburger Bibliographen wenden, der sich bemühen würde, Sie mit den genauen Daten zu versehen.

Ich flehe Sie an, verzeihen Sie, daß ich Sie behellige und Sie mit dieser Bitte langweile; es ist mir furchtbar peinlich, aber ich bin nach langem Überlegen zu dem Entschluß gelangt, daß ich mich mit dieser Bitte an niemanden wenden kann. Die Erzählungen brauche ich; ich muß sie Marks aushändigen, aufgrund eines zwischen uns geschlossenen Vertrages, und was das Schlimmste ist – ich muß sie alle wieder lesen, redigieren und, wie Puškin sagt, »mein Leben lesen voller Scham und Abscheu«...

Wie geht es Ihnen? Was gibt es Neues?

Meine Gesundheit ist offenbar in Ordnung; irgendwann mitten im Winter kam Blut, aber jetzt ist es wieder gut, alles steht zum besten.

Schreiben Sie mir zumindest, daß Sie mir nicht böse sind, wenn Sie mir überhaupt nicht schreiben wollen.

In Jalta ist herrliches Wetter, aber es ist langweilig wie in Šklov. Ich fühle mich wie ein Armeeoffizier, den man ins Grenzland versetzt hat. Also bleiben Sie gesund, glücklich, erfolgreich in allen Ihren Angelegenheiten. Schließen Sie mich in Ihre heiligen Gebete ein, mich großen Sünder.

Ihr ergebener A. Čechov.

Jetzt wird mich nicht mehr Suvorin verlegen, sondern Marks. Ich bin jetzt »Marxist«.

734) AN V.I. NEMIROVIČ-DANČENKO JALTA, 8. 2. 1899

8. Febr.

Lieber Vladimir Ivanovič, ist der Offizier Leskov bei dir gewesen? Hier der zweite Auftritt: Zoja Petrovna, geb. Kundasova, 25 Jahre alt, ausgebildet von der Fedotova, war zwei Jahre in der Provinz ingénue dramatique. Für sie verwendet sich ein sehr sympathischer Mensch, – ihre Schwester. Bitte empfang diese Zoja, erforsch sie, klopf sie ab, horch sie ab und sag ihr, ob sie sich als Schauspielerin eignet und, insbesondere, ob sie irgendwann damit rechnen kann, ins Künstl. Theater aufgenommen zu werden. Ihre Schwester sagt rundheraus, man sollte ihr für ihr Debüt die Möwe zu spielen geben.

Du hast dich überarbeitet, und ich bin erdrückt vom Müßiggang. Ich ähnele jetzt einer Kleinstadt, in der alle Dinge zum Stillstand gekommen sind. Bald beginnen die Großen Fasten – da wirst du dich auf deinen Lorbeeren ausruhen, dich erholen – und selig wirst du sein.

Wenn du eine freie Minuten erübrigen kannst, schreib mir, an welchen Tagen ihr in Odessa, Charkov und Kiev seid, damit ich kommen und euch sehen kann. A propos, der hiesige Theaterunternehmer will dir telegraphieren, um die Truppe für einige Vorstellungen nach Jalta einzuladen. Für das Versprechen eine Photographie machen zu lassen und mir zu schicken, vielen Dank. Ich werde voller Ungeduld darauf warten.

Ich schreibe nichts über den »Onkel Vanja«, weil ich nicht weiß, was ich schreiben soll. Ich habe ihn mündlich dem Kleinen Theater versprochen, und jetzt ist es mir ein bißchen peinlich. Es könnte so aussehen, als wolle ich das Kleine Theater meiden. Sei so gut, erkundige dich: hat das Kleine Theater die Absicht, in der kommenden Saison »Onkel Vanja« zu inszenieren? Wenn nicht, so erkläre ich dieses Stück natürlich für porto-franco; wenn ja, so werde ich für das Künstlerische Theater ein anderes Stück schreiben. Sei nicht beleidigt; ich habe auch dieses Jahr wieder einen Brief von A. I. Urusov bekommen, der mich darüber informiert, daß er mit A. I. Južin gesprochen habe usw. usf.

Ich habe an Marks alles verkauft, außer den Einkünften aus den Stücken.

Ich erstarre vor Müßiggang, wie du vor Kälte.

Bleib gesund, ich drücke dir fest die Hand. Grüß Ekaterina Nikolaevna und alle im Theater. *Dein A. Čechov.*

735) AN A.F. MARKS JALTA, 16. 2. 1899

16. Februar 1899.

Sehr geehrter

Adolf Fëdorovič!

Ich schicke Ihnen die notariell beglaubigte Erklärung und bitte um Entschuldigung für die unfreiwillige Verspätung, die infolge der großen Eile zustandekam.

Das Material für die Gesamtausgabe meiner Werke werde ich Ihnen noch vor Juli übergeben und bitte Sie, mir zu glauben, daß ich alles, wozu mich unser Vertrag verpflichtet, auf das sorgfältigste erfüllen werde. Mir persönlich wäre es angenehmer, wenn Sie mit der Ausgabe bereits im Mai beginnen könnten, so daß ich auf diese Weise im Laufe der ersten Sommermonate Korrektur lesen könnte, wenn ich nicht so weit entfernt von Petersburg leben werde. Mir scheint, mit der Ausgabe von »Kaštanka«, einer Erzählung für Kinder (wenn Sie beabsichtigen, sie als Einzelausgabe erscheinen zu lassen), könnte man bereits jetzt beginnen; ebenfalls bereits jetzt beginnen könnte man mit der Ausgabe meiner Stücke, alle in einem Band oder in Einzelausgaben für die Theater; dies, damit es im Verkauf zu keiner Unterbrechung kommt.

Das Material für den ersten Band habe ich Ihnen am 27. Januar geschickt. Es sind insgesamt 65 Erzählungen; da es sich um lauter kleine Erzählungen handelt, ist es bequemer, sie in den Fahnen zu korrigieren.

Gestatten Sie mir, Ihnen alles Gute zu wünschen und in aufrichtiger Hochachtung zu verbleiben

Ihr ergebener Diener *A. Čechov.*

736) AN A.M. KONDRATJEV JALTA, 20. 2. 1899

20. Febr.

Vielen Dank für Ihren Brief, sehr geehrter Aleksej Michajlovič! Mein Stück »Onkel Vanja« stelle ich Ihnen zur Verfügung. Nachdem es vom Theat.-Literaturkomitee noch nicht gelesen worden ist, möchte ich Sie bitten, die Mühe auf sich zu nehmen, zwei Exemplare an das Komitee zu schicken mit der Bitte, das Stück zu lesen.

Wie geht es Ihnen? Als ich Ihren Brief bekam, erinnerte ich mich daran, wie wir damals im Frühling in Babkino gemeinsam Fische auf Haken gefangen haben. A propos Babkino. A.S. Kiselëv ist jetzt in Kaluga; er arbeitet dort bei der Landesbank. Marija Vladimirovna soll sehr gealtert sein, sie ist eine richtige alte Frau geworden. Saša hat geheiratet.

Wenn Sie im Sommer in Moskau oder nicht weit weg von Moskau sind, so schreiben Sie mir (Lopasnja, Gouv. Mosk.), ich würde zu Ihnen kommen, um Sie zu besuchen und mit Ihnen über das Stück zu sprechen.

Wer fährt nach Monte Carlo? Wenn im März in Jalta das Wetter schlecht ist, werde ich, aller Wahrscheinlichkeit nach, auch nach Monte Carlo fahren.

Gestatten Sie mir, Ihnen alles Gute zu wünschen und fest die Hand zu drücken.

In aufrichtiger Hochachtung Ihr ergebener *A. Čechov.*

Jalta.

737) AN I.I. ORLOV JALTA, 22. 2. 1899

22. Febr.

Seien Sie gegrüßt, lieber Ivan Ivanovič! Ihr Freund Krutovskij ist bei mir gewesen; wir sprachen über die Franzosen, über Panama, aber ihn in den Kreis meiner Jaltaer Bekannten einzuführen, wie Sie es gewünscht hatten, ist mir nicht gelungen, weil er, nachdem wir über die Politik gesprochen hatten, zu den Damen gegangen ist; das war gestern, und heute ist er in Gurzuf.

Ich habe alles an Marks verkauft – meine Vergangenheit wie meine Zukunft, ich bin auf Lebenszeit Marxist geworden. Für jede 20 Bogen bereits veröffentlichter Prosa werde ich 5 Tausend von ihm bekommen; in 5 Jahren werde ich 7000 bekommen usw. – alle 5 Jahre einen Aufschlag, so daß ich mit 95 Jahren eine Unmenge Geld bekommen werde. Für die Vergangenheit bekomme ich 75 Tsd. Die Einkünfte aus den Stücken habe ich für mich und meine Erben erhandelt. Aber trotzdem – wehe! habe ich es noch weit bis zum Vanderbilt. 25 Tausend sind schon futsch, und die restlichen 50 bekomme ich nicht sofort, sondern erst im Laufe der nächsten zwei Jahre, so daß ich durchaus nicht den wahren chic an den Tag legen kann.

Besondere Neuigkeiten gibt es keine. Ich schreibe sehr wenig. In der kommenden Saison wird eines meiner Stücke, das bisher noch nie in den Hauptstädten gespielt worden ist, im Kleinen Theater gespielt: eine kleine Einnahme, wie Sie sehen. Mein Haus in Autka ist noch kaum angefangen infolge des feuchten Wetters, das fast den ganzen Januar und Februar über angedauert hat. Ich werde abreisen müssen, ohne die Fertigstellung des Baus erlebt zu haben. Meine Mayonnaise in Kučukoj (so nennt N.I. Pastuchov, Herausgeber des »Mosk. listok«, das Majorat) ist bezaubernd, aber beinahe unzugänglich. Ich träume davon, dort ein möglichst billiges Häuschen zu bauen, aber im europäischen Stil, um dort auch den Winter verbringen zu können. Das jetzige zweistöckige Häuschen eignet sich nur für den Sommer.

Mein Telegramm, die Teufelsinsel betreffend, war nicht für die Presse bestimmt; es war ein rein privates Telegramm. In Jalta hat es ein Murren der Empörung ausgelöst. Einer der Alteingesessenen von Jalta, Professor Kondakov, Akademiemitglied, sagte anläßlich des Telegramms zur mir:

– Es kränkt und ärgert mich.

– Was denn? – wunderte ich mich.

– Es kränkt und ärgert mich, daß nicht *ich* dieses Telegramm veröffentlicht habe.

Tatsächlich ist Jalta im Winter eine Marke, die nicht jeder verträgt. Langeweile, Klatsch, Intrigen, und die schamloseste Verleumdung. Altšuller ist es in letzter Zeit sauer angekommen, die verehrten Kollegen klatschen über ihn wie wild.

Ihr Brief enthält eine Stelle aus der Schrift. Auf Ihre Klage über den Gouverneur und alle möglichen Mißerfolge antworte ich Ihnen ebenfalls mit einer Stelle: verlasset euch nicht auf Fürsten; sie sind Menschen ... Und ich erinnere an einen weiteren Ausdruck, der die Menschensöhne betrifft, eben jene, die Ihnen das Leben sauermachen: Söhne des Zeitalters. Nicht der Gouverneur, sondern die gesamte Intelligenz ist schuld, die gesamte, mein Herr. Solange es noch Studenten und Kursschülerinnen sind, ist es ein ehrliches, gutes Volk, ist es unsere Hoffnung, ist es die Zukunft Rußlands, aber es reicht, daß die Studenten und Kursschülerinnen selbständig ihren Weg gehen, erwachsen werden, und unsere Hoffnung und Rußlands Zukunft verwandelt sich in Rauch, und im Filter zurückbleiben Ärzte, Sommerhausbesitzer, hungernde Beamte, stehlende Ingenieure. Erinnern Sie sich, Katkov, Pobedonoscev, Vyšnegradskij – das sind Zöglinge der Universitäten, sind unsere Professoren, durchaus keine Bourbonen, sondern Professoren, Leuchten der Wissenschaft ... Ich glaube nicht an unsere Intelligenz, die heuchlerisch, verlogen, hysterisch, ungezogen und faul ist, ich glaube nicht an sie, selbst wenn sie leidet und sich beklagt, denn ihre Unterdrücker kommen aus ihren eigenen Reihen. Ich glaube an den einzelnen Menschen, ich sehe die Rettung in Einzelpersönlichkeiten, die hier und da über ganz Rußland verstreut sind – gleichgültig, ob es Intellektuelle sind oder Bauern, – in ihnen liegt die Kraft, auch wenn ihrer nur wenige sind.

Der Prophet gilt nichts in seinem Vaterlande; und die Einzelpersönlichkeiten, von denen ich spreche, spielen in der Gesellschaft eine fast unbemerkte Rolle, sie dominieren nicht, aber ihre Arbeit ist sichtbar; wie dem auch sein mag, die Wissenschaft macht immer größere Fortschritte, das gesellschaftliche Selbstbewußtsein wächst, moralische Fragen gewinnen zunehmend beunruhigenden Charakter usw. usf. – und all das geschieht ohne Zutun der Staatsanwälte, Ingenieure, Gouverneure, ohne Zutun der Intelligenz en masse und trotz allem.

Wie geht es I.G. Vitte? Kovrejn ist hier. Er hat sich gut erholt. Kolcov geht es ein bißchen besser. Ich drücke Ihnen fest die Hand, bleiben Sie gesund, wohlauf, fröhlich. Schreiben Sie!!

Ihr A. Čechov.

738) AN A.F. MARKS JALTA, 25. 2. 1899

25. Februar.

Sehr geehrter Adolf Fëdorovič!

Ich beeile mich, Ihren Brief zu beantworten. Ich werde Ihnen alle meine belletristischen und dramatischen Werke vorlegen, die ich jemals unter eigenem Namen oder unter Pseudonym veröffentlicht habe, auch die geringsten nicht ausgenommen. Ein Teil davon ist bereits in den Sammelbänden enthalten, die Sie bereits über P. A. Sergeenko von mir bekommen haben, ein anderer Teil befindet sich in Form von Sonderdrucken bei mir und wird gegenwärtig von mir redigiert, ein dritter Teil, dessen Umfang ich vorläufig nicht übersehen kann, wird in meinem Auftrag in Petersburg und Moskau abgeschrieben und mir bis spätestens März geschickt werden. Ich habe die genauen Daten nicht mehr; von den Erzählungen, verstreut in einer Menge von Zeitungen und Zeitschriften, verstreut über einen Zeitraum von beinahe zwei Jahrzehnten, habe ich viele vergessen; vergessen sowohl die Titel der Erzählungen als auch meine Unterschriften, ja sogar die Titel der Zeitschriften, und um mir all das ins Gedächtnis zurückzurufen, müßte ich sämtliche Briefe von Redakteuren und Herausgebern durchsehen, die ich zu Hause aufbewahrt habe. Dies tun, d. h. die Briefe durchsehen, kann ich nicht vor April, wenn ich nach Hause zurückkehren werde, und jemanden damit zu beauftragen ist unmöglich, da in der Masse von Briefen aus 20 Jahren nur ich imstande bin, mich zurechtzufinden, und außerdem auf meinem Gut niemand da ist, der lesen und schreiben kann. Aber das, was ich vergessen habe, stellt nur einen unbedeutenden Teil des Gesamten dar und sollte bei der Aufteilung des Materials auf die einzelnen Bände nicht berücksichtigt werden. Auf diejenigen Erzählungen und dramatischen Werke, die ich für die Gesammelten Werke für ungeeignet halte, setze ich ein NB: »wird nicht in die Gesammelten Werke aufgenommen«. Für Ihr Angebot, mir zu helfen, mir die notwendigen Zeitschriften zu schicken, danke ich Ihnen. »Oskolki« und »Strekoza« habe ich, aus dem »Budilnik« wird in Moskau bereits abgeschrieben. Haben Sie nicht »Sverčok« und »Zritel« (Jahrgang zwei)? Wenn ja, so schicken Sie sie mir bitte nach Jalta, ich werde sie Ihnen, sobald ich sie nicht mehr benötige, zurückschicken.

Ich werde meine Werke chronologisch ordnen, aber sich strikt an diese Reihenfolge zu halten ist unmöglich, ich werde mir nur Mühe geben, daß neue Werke nicht mit den alten durcheinandergeraten. Besonders große Sachen habe ich nicht, deshalb werde ich eine Einteilung in große und weniger große nicht vornehmen. Was den Umfang der Bände betrifft, so ist es auch mein Wunsch, daß die Aufteilung des Materials möglichst gleichmäßig geschieht, damit die Bände den gleichen Umfang haben und der Buchtyp bereits jetzt festgelegt werden kann, damit er in Zukunft, bei Eintreffen neuen Materials, nicht geändert werden muß. Umfang und Buchformat liegen ganz bei Ihnen; ich habe dazu nur die eine Meinung: je dicker das Buch, desto besser. Die Anzahl der Bände wird man in annähernd 2–3 Wochen festlegen können, wenn sich das nahezu vollständige Material bei mir befinden wird.

Die Buchhandlung Suvorin verspricht, Ihnen die nötigen Auskünfte sofort zu übermitteln, sobald bei ihr die nötigen Informationen aus der Provinz eintreffen (Buchhandlungen und Bahnhofskioske). Zwei Bücher – »Erzählungen« und »Kaštanka« – sind bereits vergriffen.

Weiter an der »Niva« mitarbeiten werde ich mit großem Vergnügen, da ich Ihre Zeitschrift liebe. Gegenwärtig, solange ich nicht zu Hause bin, arbeite ich sehr wenig und ungern, aber im April werde ich wahrscheinlich anfangen zu arbeiten, wie es sich gehört, und werde Ihnen die Erzählungen schicken, die sich ihrem Inhalt und den Zensurbestimmungen nach für Ihre Zeitschrift eignen.

Jetzt zu der Photographie. In Jalta kann man sich nicht photographieren lassen, es gibt hier keine anständigen Photographen. Ich werde es bis Moskau aufschieben müssen. Ich werde mich photographieren lassen, nur um Ihrem Wunsche nachzukommen, wenn es jedoch nach mir ginge, so würde ich persönlich dieses Porträt nicht verwenden, zumindest nicht in den ersten Bänden. Dasselbe kann ich auch von meiner Biographie sagen. Wenn es Ihnen möglich wäre, ohne Porträt und ohne Biographie auszukommen, so wäre ich Ihnen dafür sehr verbunden.

Ich habe Ihren Brief vom 20. Februar bekommen. In die ersten Bände kommen die Erzählungen, die ich Ihnen bereits geschickt habe, sowie die Erzählungen aus dem Sammelband »Bunte Erzählungen«, »In der Dämmerung« und »Erzählungen«. Außerdem werde ich Ihnen kleine Erzählungen für noch mindestens einen Band schicken. In Ihrem letzten Brief fragen Sie nach den Erzählungen, die ich einmal in der »Peterburgskaja gazeta« veröffentlicht habe. Ein Teil davon ist bereits in den Sammelbänden enthalten, einen anderen Teil habe ich in Sonderdrucken, ein weiterer wird gerade abgeschrieben.

Zum Schluß gestatten Sie mir, Ihnen alles Gute zu wünschen und in aufrichtiger Hochachtung zu verbleiben

Jalta. *Ihr ergebener A. Čechov.*

739) AN L. A. AVILOVA JALTA, 26. 2. 1899

26. Febr.

Verehrte Lidija Alekseevna, ich schicke Ihnen die Liste der Erzählungen, die nicht abgeschrieben zu werden brauchen. Sagen Sie meinem Abschreiber, daß ich von ganzem Herzen mit ihm fühle. Alle nur irgendwie anständigen und leidlichen Erzählungen sind längst ausgewählt, übriggeblieben sind nur die schlechten, die sehr schlechten und widerwärtigen, die ich jetzt nur deshalb brauche, weil ich nach Punkt 6 des Vertrages verpflichtet bin, sie Hrn. Marks zu übergeben.

Jede Erzählung wird in ein besonderes Heft mit Linien abgeschrieben, nur auf der einen Seite; Format – ein Viertelbogen. Auf jeder Erzählung № der und der Jahrgang, die und die Nummer.

Aber es ist ein großes Vergnügen zu erkennen, daß ich mir nicht mehr für jedes neue Buch einen Titel ausdenken muß. Es werden einfach »Erzählungen«, Band I, Band II usw. Marks will ein Porträt von mir bringen, aber ich sträube mich. Er verspricht, sehr schöne Bücher herauszugeben. Wir werden sehen, wenn wir es erleben. Die neue Ausgabe wird aller Wahrscheinlichkeit nicht vor August erscheinen.

Vor 5–6 Tagen habe ich Ihnen einen Brief geschickt, heute schreibe ich schon wieder. Was gibt es Neues in Petersburg und in der Literatur? Gefällt Ihnen Gorkij? Meiner Meinung nach ist Gorkij ein echtes Talent, Pinsel und Farben von ihm sind echt, aber es ist ein irgendwie unbeherrschtes, verwegenes Talent. Sein »In der Steppe« ist eine großartige Sache. Veresaev und Čirikov dagegen gefallen mir überhaupt nicht. Das ist kein Schreiben, sondern Gezwitscher; sie zwitschern und blasen sich auf. Und die Schriftstellerin Avilova gefällt mir nicht, weil sie so wenig schreibt. Schriftstellerinnen müssen viel schreiben, wenn sie schreiben wollen; nehmen Sie sich ein Beispiel an den Engländerinnen. Das sind wunderbare Arbeiterinnen! Aber mir scheint, ich bin ins kritische Fach geraten: ich fürchte, Sie schreiben mir etwas Erbauliches als Antwort.

Heute ist bezauberndes Frühlingswetter. Die Vögel singen, die Mandel- und Kirschbäume blühen, es ist heiß. Aber dennoch muß ich gen Norden. In Moskau wird zum 18. Mal die »Möwe« gespielt; die Inszenierung soll großartig sein.

Bleiben Sie gesund, ich drücke Ihnen fest die Hand.

Ihr A. Čechov.

740) AN AL. P. ČECHOV JALTA, 4. 3. 1899
4. M.

Guter Bruder, ich weiß, daß dir das Abschreiben meiner Werke nichts als Vergnügen bereitet, aber trotzdem wäre es besser, wenn du sie nicht selbst abschreiben, sondern jemanden dafür bezahlen würdest.

Bekommen habe ich die 2 Märchen, den »Lehrer«, und »Lebensüberdruß«, die »Schwester«, die »Schweren Naturen«. Jetzt warte ich auf die »Begegnung«.

In Jalta ist sehr schönes Wetter. Ich bleibe hier bis April, dann fahre ich nach Melichovo, so daß du mich hier wahrscheinlich nicht mehr antreffen wirst. Odessa ist eine sehr langweilige Stadt, die Presse dort die niederträchtigste auf der ganzen Welt.

Vom Alten bekomme ich Briefe, die im Ton an den Kanon der reuigen Sünder erinnern. Es geht ihm anscheinend nicht gut.

Jetzt zu dem Gut. Solltest du dir nicht besser kein Gut kaufen, sondern ein Häuschen am Stadtrand, wie Jasinskij? Ein Leben auf dem Lande wäre für dich tatsächlich nicht bequem, ein Häuschen dagegen brächte dir Prosa und Poesie, den Gestank der Stadt und die Reize des Landlebens zugleich. Ich würde mir selbst gern ein Häuschen am Stadtrand von Moskau kaufen, und ich rate dir dasselbe für Petersburg. Ein Gut bringt eine Menge Scherereien und Ausgaben mit sich; es kann einen zur Verzweiflung bringen, besonders in der ersten Zeit und besonders, wenn du nur herrschen und nicht im Zemstvo dienen willst, nicht das Leben der Bauern studieren willst, d.h. nichts hast, womit du deinen Aufenthalt auf dem Lande rechtfertigen könntest.

Jetzt eine Bitte. In dem Vertrag mit Marks ist der Punkt ausgelassen worden, der die Einkünfte aus den Stücken betrifft (laut Abmachung gehören sie mir und meinen Erben). Ich habe Krach geschlagen, und Sergeenko schrieb mir, dieser Punkt sei bei Unterzeichnung des Vertrages eingefügt worden, und eine Kopie dieses Punktes könne ich jederzeit von dem Anwalt T.D. Andreev bekommen, Nevskij 28, wenn ich ihm zwei Marken à 7 Kop. schickte. Es ist bereits einen Monat her, seit ich Andreev geschrieben, ihm die Marken geschickt habe, aber von ihm – kein Sterbenswörtchen. Bitte, zieh dir die neuen Hosen an, putz dir die Stiefel und geh zu Andreev, bitte ihn, die Kopie des Punktes, der meine Stücke betrifft, entweder dir zu geben oder mir zu schicken, sonst werde ich wieder Krach schlagen. Wenn die Kopie mehr als die zwei Marken kostet, möge er sie mir per Nachnahme nach Jalta schicken. Grüße Andreev und frag ihn, ob er seine Pflichten als Anwalt gut erfülle.

Bitte zähl dich nicht zu den Erben, denen die Einkünfte aus meinen Stücken zufließen werden. Die vermache ich anderen, du dagegen bekommst nach meinem Tode den Hund Belka und ein Schnapsglas ohne Henkel.

Es ist Morgen. Der Dampfer tutet.

Hier ist schon richtiger Frühling, nicht so was, was ihr in Petersburg habt. Ich warte auf weitere Briefe von dir – die Fortsetzung über die Studentenunruhen. Grüß deine Familie. Bleib gesund und murre nicht über deine Armut; jeder bekommt, was er verdient. *Dein reicher Bruder A. Čechov.*

741) AN A. S. SUVORIN JALTA, 4. 3. 1899

4. März.

Das Akademiemitglied Kondakov und ich werden zugunsten der Puškin-Schule die »Zelle im Kloster Čudov« aus dem »Boris Godunov« inszenieren. Den Pimen wird Kondakov selbst spielen. Seien Sie so gut, erweisen Sie mir die göttliche Gnade, der heiligen Kunst zuliebe, schreiben Sie an jemanden in Feodosija, er möge mir per Post den Gong schicken, den Sie dort hängen haben; den chinesischen Gong. Wir brauchen ihn als Glocke. Ich schicke ihn Ihnen unversehrt zurück. Wenn es nicht geht, so schreiben Sie mir schnell: dann muß ich mit dem Becken läuten.

Das ist nicht alles. Wieder habe ich Bitten über Bitten. Wenn Photographien oder überhaupt Aufnahmen der letzten Bilder von Vasnecov verkauft werden, so lassen Sie sie mir per Nachnahme schicken. Über die Studentenunruhen wird hier, wie überall, viel gesprochen, und es wird beklagt, daß darüber nichts in den Zeitungen steht. Es kommen Briefe aus Petersburg, die Stimmung ist aufseiten der Studenten. Ihre Briefe über die Unruhen haben nicht befriedigt, das muß auch so sein, denn es ist unmöglich, in der Presse seine Meinung über die Unruhen zu äußern, wenn es unmöglich ist, die faktische Seite der Sache zu berühren. Der Staat hat Ihnen verboten, zu schreiben, er verbietet, die Wahrheit zu sagen, das ist Willkür, und Sie sprechen angesichts dieser Willkür leichten Herzens von den Rechten und Prärogativen des Staates – und das fügt sich irgendwie im Bewußtsein nicht zusammen. Sie sprechen vom Recht des Staates, Sie stehen aber nicht auf dem Standpunkt des Rechts. Recht und Gerechtigkeit sind für den Staat dasselbe wie für jede andere juristische Person. Wenn mir der Staat unrechtmäßig ein Stück Land wegnimmt, so verklage ich ihn vor Gericht, und dieses Gericht stellt mein Recht wieder her; muß es nicht dasselbe sein, wenn der Staat mich mit der Nagajka schlägt, darf ich im Falle von Gewaltanwendung seitens des Staates nicht auf Rechtsverletzung klagen? Der Staatsbegriff muß auf bestimmten Rechtsverhältnissen beruhen, andernfalls ist er ein Schreckgespenst, ist er leerer Schall, der einem Angstphantasien verursacht.

Slučevskij schrieb mir wegen des Puškin-Almanachs, ich habe ihm geantwortet. Ich weiß nicht warum, aber manchmal tut er mir aus irgendeinem Grunde leid. Und haben Sie den Brief von Michel Deline gelesen? Ich habe ihn einige Male in Nizza getroffen, er hat mich dort besucht. Das ist ein Déroulède jüdischen Glaubensbekenntnisses.

Ich werde nach Paris eingeladen; aber auch hier beginnt bereits das schöne Wetter. Kommen Sie? Kommen Sie zum Ende der Fasten, wir könnten dann gemeinsam zurückfahren. Wenn Sie den Gong nicht bekommen können, telegraphieren Sie. Unsere Vorstellung ist in der dritten Woche. An Anna Ivanovna, Nastja und Borja einen Gruß. Bleiben Sie gesund und glücklich.

Ihr A. Čechov.

742) AN L.A. AVILOVA JALTA, 9. 3. 1899

9. März.

Matuška, schicken Sie mir die Hefte mit den abgeschriebenen Erzählungen; ich werde sie überarbeiten, und das, was nicht zu überarbeiten ist, – das überantworte ich dem Fluß des Vergessens. Zu den Erzählungen, die nicht abgeschrieben werden müssen, kommen noch »Die Sündenböcke«, »Schläfrigkeit« und »Der Schriftsteller«.

An dem Schriftstellerkongreß werde ich nicht teilnehmen. Im Herbst werde ich auf der Krim oder im Ausland sein, natürlich nur, wenn ich am Leben und in Freiheit bleibe. Den ganzen Sommer werde ich bei mir zu Hause im Kreis Serpuchov verbringen. Übrigens: in welchem Kreis des Gouv. Tula haben Sie das Gut gekauft? In den ersten beiden Jahren nach dem Kauf hat man es schwer, augenblicksweise kann es sogar unerträglich werden, aber dann verwandelt sich alles nach und nach zum Nirwana, zur wohligen Gewohnheit. Ich habe mein Gut auf Kredit gekauft, in den ersten Jahren hatte ich es sehr schwer (der Hunger, die Cholera), dann jedoch kam alles ins Geleise, und heute ist es angenehm daran zu denken, daß ich irgendwo nahe der Oka meinen eigenen kleinen Winkel habe. Mit den Bauern lebe ich in Frieden, mir wird nie etwas gestohlen, und wenn ich durchs Dorf gehe, lächeln die alten Weiber oder schlagen das Kreuz. Ich sage zu allen, außer den Kindern, *Sie,* schreie nie, aber die Hauptsache, die unsere guten Beziehungen begründet hat, ist die Medizin. Sie werden es schön haben auf dem Gut, nur bitte hören Sie auf niemandes Ratschläge, niemandes Drohungen, lassen Sie sich in der ersten Zeit nicht enttäuschen und bilden Sie sich keine Meinung über die Bauern; die Bauern verhalten sich in der ersten Zeit allen Neulingen gegenüber roh und unaufrichtig; besonders im Gouv. Tula. Es gibt sogar die Redewendung: er ist ein guter Mensch, obwohl aus Tula.

Sehen Sie, Matuška, da habe ich Ihnen auch etwas Erbauliches geschrieben. Zufrieden?

Sie sind bekannt mit L.N. Tolstoj? Liegt Ihr Gut weit von

Tolstoj entfernt? Wenn es nah ist, so beneide ich Sie. Tolstoj liebe ich sehr. Als Sie über die neuen Schriftsteller sprachen, haben Sie auch Melšin in denselben Topf geworfen. Das ist nicht richtig. Melšin hält sich abseits, er ist ein großer, wenn auch nicht sonderlich geschätzter Schriftsteller, ein kluger, starker Schriftsteller, obwohl er vielleicht nicht mehr das schreiben wird, was er bereits geschrieben hat. Kuprin habe ich gar nicht gelesen. Gorkij gefällt mir, aber in letzter Zeit hat er angefangen, Unsinn zu schreiben, empörenden Unsinn, so daß ich bald aufhören werde, ihn zu lesen. »Die Demütigen« sind gut, obwohl man ohne Buchvostov hätte auskommen können, der durch seine Anwesenheit ein Element der Gespanntheit in die Erzählung einbringt, der Aufdringlichkeit und sogar der Verlogenheit. Korolenko ist ein wunderbarer Schriftsteller. Er wird geliebt – und das nicht von ungefähr. Neben allem anderen hat er Nüchternheit und Reinheit.

Sie fragen, ob Suvorin mir leidtue. Natürlich tut er mir leid. Seine Fehler werden ihn teuer zu stehen kommen. Aber die Leute aus seiner Umgebung tun mir ganz und gar nicht leid.

Indes – ich komme ins Schwatzen. Bleiben Sie gesund. Ich danke Ihnen von ganzem Herzen, von ganzer Seele.

Ihr A. Čechov.

743) AN M.P. ČECHOVA JALTA, 14. 3. 1899

14. März.

Liebe Maša, ich beantworte deinen letzten Brief. Daß man auch ein Holzhaus kaufen könne, hatte ich dir bereits geschrieben. Ich gebe dir carte blanche. Was Melichovo betrifft, so steht es ganz zu deiner Verfügung; wenn man es verkaufen will, dann sollte man es, meiner Meinung nach, jetzt tun, vor dem Herbst, um sich nicht lange damit herumschlagen zu müssen, denn langes Zögern kostet nur Geld. Besteh nicht auf einem hohen Preis. Berate dich mit Efim Zinovjevič, ob er es nicht für angezeigt hält, mit den Verkaufsannoncen schon jetzt zu beginnen, sagen wir im

April oder Mai, damit man Ende August schon verkauft haben kann.

Du bist es bereits leid, übers Wetter zu lesen, aber ich kann nicht anders, ich muß darüber schreiben. Vorgestern wehte ein heißer Wind, und mit einem Mal ist es Sommer geworden, ich kann gar nicht sagen, wie herrlich es ringsum ist. Gestern und heute habe ich auf dem Grundstück Bäume gepflanzt und habe buchstäblich geschwelgt in Seligkeit, so schön, so warm und poetisch war es. Es ist einfach das reine Entzücken. Ich habe 12 Süßkirschen gepflanzt, 4 Maulbeerbäume, zwei Mandelbäume und noch so einiges. Es sind gute Bäume, sie werden bald tragen. Und die alten Bäume fangen an auszuschlagen, der Birnbaum blüht, der Mandelbaum blüht mit rosa Blüten. Die Vögel, unterwegs nach Norden, übernachten hier in den Gärten und singen gegen Morgen, die Drosseln zum Beispiel. Überhaupt ist es sehr schön, und wenn Mamaša hier wäre, sie würde es nicht bedauern.

Diesen Brief gebe ich Vukol mit. Er war bei uns auf dem Grundstück und kann bezeugen, daß das Haus bereits aus dem Boden hervorkriecht. Das Fundament est fini. Die Balken sind gelegt.

Mein Darmkatarrh ist vorbei.

Also dann, bleib gesund. An Mamaša und Vanja mit Familie viele Grüße. *Dein Antoine.*

Zugegeben, als ich dir zum ersten Mal wegen des Hauskaufs schrieb, war ich davon überzeugt, daß dir diese Idee ganz und gar nicht gefallen würde; anscheinend ist es ganz anders gekommen.

744) AN P. A. SERGEENKO JALTA, 17. 3. 1899

17. März.

Lieber Pëtr Alekseevič, ich schicke, auf dein Wort hin, 100 R. an N. N. Juškova nach Normanka und ebensoviel an P. V. Troickaja nach Čistopol – und bin sehr, sehr froh, daß es dazu gekommen ist, d. h. daß du dich an mich gewandt hast und ich deinen Wunsch erfüllt habe. Du schreibst: »Bedräng die guten Leute«. Ich werde die »guten Leute« von Jalta nach Kräften ausplündern, aber speziell für den Zirkel von Samara, der die Kinderspeisung organisiert, ich habe auch bereits eintausend Rubel dorthingeschickt. Für das Gouv. Kazan kann ich eines tun: ich werde zur Information der »guten Leute« in der Lokalzeitung die Adressen veröffentlichen, die du mir geschickt hast.

Marks gibt sich offenbar Mühe, einen Briefwechsel mit mir in Gang zu setzen, aber einen wenig freundschaftlichen. Der Deutsche, die Kanaille, beginnt bereits, mir mit einer Konventionalstrafe zu drohen, und zitiert in seinen Briefen ganze Vertragspunkte. Ich habe ihm als Antwort geschrieben, daß ich eine Konventionalstrafe nicht zu fürchten habe.

Dem »Novoe vremja« geht es schlecht. In verschiedenen Städten schreiben und veröffentlichen die Leute demonstrativ Anzeigen über einen Boykott des »Novoe vremja«. Sogar in Jalta haben die Mitglieder des hiesigen Klubs auf ihrer Vollversammlung einstimmig beschlossen, das »Novoe vremja« abzubestellen und darüber eine Anzeige in die »Peterb. vedomosti« zu setzen.

Neuigkeiten gibt es keine, alles geht seinen alten Gang. Bleib gesund und munter. Ich drücke dir die Hand.

Dein A. Čechov.

745) AN I. I. ORLOV — JALTA, 18. 3. 1899

18. März.

Lieber Ivan Ivanovič, Altšuller hat es Ihnen wahrscheinlich bereits geschrieben – Kolcov ist gestorben, und wir haben ihn an einem klaren, warmen Tag auf dem Friedhof von Autka beerdigt.

In Jalta ist bereits Frühling; alles grünt, blüht, am Quai begegnen einem neue Gesichter. Heute kommen Miroljubov und Gorkij, tres faciunt collegium, und ich werde wahrscheinlich in 2–2½ Wochen nach Norden ausreißen, in Ihre Nähe. An meinem Haus wird gebaut, meine Muse dagegen ist vollkommen zerrüttet, ich schreibe nichts und habe gar keine Lust zu arbeiten;

ich muß andere Luft atmen, hier, im Süden, wird man so faul! Die Stimmung ist größtenteils miserabel, den Briefen zufolge, die Freunde und Bekannte mir schicken. Dauernd muß ich in meinen Briefen entweder trösten oder Köpfe zurechtsetzen oder mich auf Hundeart herumbeißen. Ich bekomme viele Briefe zu der Studentengeschichte – von Studenten, von Erwachsenen; sogar von Suvorin habe ich drei Briefe bekommen. Auch von der Universität verwiesene Studenten haben mich aufgesucht. Meiner Meinung nach haben die Erwachsenen, d. h. die Väter und Machthabenden, einen großen Bock geschossen; sie haben sich benommen wie die türkischen Paschas gegenüber den Jungtürken und Soften, und die gesellschaftliche Meinung hat diesmal sehr beredt bewiesen, daß Rußland Gott sei Dank nicht mehr dasselbe ist wie die Türkei. Ich werde Ihnen einige Briefe zeigen, wenn wir uns sehen, und bis dahin lassen Sie uns von Ihnen sprechen. Wie geht es Ihnen? Haben Sie nicht vor, nach Jalta zu kommen? Wann? Werde ich Sie im Sommer in Podsolnečnoe antreffen, wenn ich komme?

Meiner Meinung nach ist Kolcov an einer Embolie gestorben. Kurz vor seinem Tode hatte er einen Lungeninfarkt. Wahrscheinlich war es eine Endokarditis, aber aufgrund wovon? Zufällig hörte ich, daß man viel Eiweiß gefunden habe. Offenbar hat sich der Mann wegen der vielen Scherereien gequält und ist daran gestorben.

Altšuller ist gesund, er bläst Trübsal. Der heilige Elpatij baut ein Haus, schreitet rüstig einher, ist heiter, unermüdlich, geistreich. Im Mädchengymnasium bin ich seltener; dort geht alles gut, man ist wie früher gastlich und nett. Sinani ist ganz der Alte.

Ich drücke Ihnen fest die Hand. Bleiben Sie gesund, munter und leben Sie mit Appetit, ohne Langeweile, ohne Krankheiten, und vor allem – kommen Sie uns jedes Jahr besuchen.

Ihr A. Čechov.

746) AN A. I. SUVORINA JALTA, 29. 3. 1899

29. März.

Liebe Anna Ivanovna, wenn es nicht so weit und nicht so kalt wäre, würde ich nach Petersburg kommen und versuchen, Aleksej Sergeevič zu entführen. Ich bekomme viele Briefe und höre von früh bis spät Gesprächen zu, mir ist deshalb teilweise bekannt, was bei Ihnen vor sich geht. Sie werfen mir Treuebruch vor, Sie schreiben, A. S. sei ein guter und uneigennütziger Mensch, und ich vergelte ihm dies nicht mit gleicher Münze; aber was könnte ich als ein aufrichtig wohlgesonnener Mensch jetzt tun? Was? Die derzeitige Stimmung ist nicht plötzlich entstanden, sie ist jahrelang vorbereitet worden, und alles, was jetzt gesagt wird, ist schon seit langem gesagt worden, überall, nur Sie und Aleksej Sergeevič haben die Wahrheit nicht gekannt, wie die Könige sie nicht kennen. Das ist keine Philosophie, ich sage, was ich weiß. Das »Novoe vremja« erlebt zur Zeit schwere Tage, aber es bleibt doch eine Kraft und wird eine Kraft bleiben, die Zeit geht vorüber und alles kommt wieder ins Geleise, und nichts wird sich ändern, alles wird bleiben, wie es war.

Mich interessiert mehr die Frage, ob Aleksej Sergeevič in Petersburg bleiben oder verreisen sollte, und ich würde mich sehr freuen, wenn er wenigstens für eine Woche alles stehen und liegen lassen und wegfahren würde. Ich habe ihm das geschrieben, ihn gebeten, mir ein Telegramm zu schicken, aber er reagiert darauf mit keinem Wort, und ich weiß jetzt nicht, was ich mit mir machen soll – ob ich in Jalta sitzenbleiben und auf ihn warten oder nach Norden fahren soll. Wie dem auch sei, um den 10.–15. April werde ich nach Moskau fahren, und wenn A. S. dorthin käme, um dort die Feiertage zu verbringen, dann wäre das, glaube ich, das beste.

Der Frühling ist in Moskau schön, die Umgebung ist interessant, man kann Ausflüge unternehmen. Ich werde Aleksej Sergeevič schreiben, aber sprechen auch Sie mit ihm, und er soll mir ein Telegramm schicken.

Wo werden Sie im Sommer sein? Wohin werden Sie verreisen?

Hier ist Frühling, meine Gesundheit ist leidlich, aber es ist langweilig, der Galimathias hier fällt mir auf die Nerven.

Wie geht es Nastja? Borja? Grüßen Sie sie bitte, ich denke oft an sie und singe ihr Lob. Herzlichen Dank für den Brief, dafür, daß Sie an mich gedacht haben. Bleiben Sie gesund, wohlauf. Ich küsse Ihnen die Hand und wünsche Ihnen alles, alles Gute.

Ihr A. Čechov.

747) AN AL.P. ČECHOV JALTA, 30. 3. 1899

30. März.

Proletarier! Armer Bruder! Redlicher Arbeiter, ausgebeutet von den Reichen! Wenn du diesen Brief bekommst, bin ich bereits auf dem Sprung: am 3. April werde ich packen, am 4.–5. fahre ich gen Norden nach Moskau, und dann auf mein eigenes Gut, wo ich als Reicher die Proletarier ausbeuten werde. Also, es ist dir nicht gelungen zu kommen und mir mit schmeichlerischen Reden einen Teil des Kapitals zu entlocken! Deine Pläne sind gescheitert.

Wenn es bis zum 15. April nicht warm wird, werde ich bis 15. und sogar bis 18. in Moskau hockenbleiben; wenn du willst, komm auf dem Rückweg vorbei (Ml. Dmitrovka, Hs. Vladimirov).

In Odessa oder Umgebung befindet sich gegenwärtig Pavlovskij (I. Jakovlev). Erkundigungen über ihn kannst du beim »Odesskij listok« einziehen, das über ihn berichtet hat.

Bleib gesund und benimm dich gut, maßvoll.

Man schreibt mir von zu Hause, Mutter sei krank gewesen, sei jetzt aber wieder gesund. Neuigkeiten gibt es keine. So merkwürdig es auch sein mag, ich bin in finanziellen Schwierigkeiten.

Marks, der Wohltäter, hat mir erst einen kleinen Teil gezahlt, den Rest zahlt er später, nach 1900, im nächsten Jahrhundert, in Raten. Wir leben schließlich nicht in England!

Grüß deinen Seefahrersohn, und möge dir die See nie bis ans Knie reichen! Bleib du auf dem Trocknen.

Dein Bruder, Mitglied der Gesellschaft für gegenseitigen Kredit in Jalta. *A. Čechov.*

Sašečka, bist du Atheist?

748) AN L. A. AVILOVA MOSKAU, 16. 4. 1899

16. April.

Matuška, eben habe ich Ihren Brief bekommen und beeile mich, ihn zu beantworten. »Im Tiergarten« ist bereits in den »Bunten Erzählungen«, Verlag »Oskolki«, veröffentlicht. »Der Flüchtling« – in dem Band »Kinder« in der »Billigen Bibliothek« usw. usf. Die »Überflüssigen Menschen« sind ebenfalls in den »Bunten Erzählungen«, Verlag »Oskolki«. Ihre Schriftsteller haben die Hälfte der Erzählungen abgeschrieben, die bereits in den Erzählungsbänden stehen, aber das ist natürlich nicht schlimm. Ich verneige mich vor Ihnen bis zum Boden und erwarte in Ergebenheit die Rechnung. Wie viele Erzählungen ich bekommen habe, weiß ich nicht, ich bin zu faul, sie zu zählen. Ich weiß, daß der Postbote gestern einen ganzen Packen angeschleppt hat. Den Packen, der nach Jalta gegangen ist (Sie schreiben davon in Ihrem vorletzten Brief), habe ich noch nicht bekommen. Wenn ich ihn bekommen habe, zähle ich alles zusammen und schreibe Ihnen, Matuška.

Ein Haus werde ich nicht kaufen. Ich habe in Moskau eine Wohnung gemietet. Hier meine Adresse: Moskau, Malaja Dmitrovka, Hs. Šeškov. Eine aristokratische Straße, wie Sie sehen. Ich bleibe hier bis Anfang Mai.

Ich flehe Sie an, schreiben Sie mir ausführlich, was im Verband geschehen ist, was los war, als man über Suvorin zu Gericht saß; weshalb man über ihn zu Gericht saß, wie die Verhandlung verlief usw. usf. Bitte! Mit dieser Bitte kann ich mich an niemanden wenden, nur an Sie.

Bleiben Sie gesund, munter, glücklich. Frohe Feiertage!

Ihr A. Čechov.

749) AN A. S. SUVORIN MOSKAU, 24. 4. 1899

24.

Ich bin nach Moskau gekommen, und das erste, was ich tat, war, die Wohnung zu wechseln. Meine Adresse: Moskau, Mal. Dmitrovka, Hs. Šeškov. Diese Wohnung habe ich für ein ganzes Jahr gemietet, in der vagen Hoffnung, daß man mir vielleicht gestatten wird, im Winter ein, zwei Monate hier zu leben.

Ihren letzten Brief mit dem Sonderdruck (das Ehrengericht) hat man mir gestern aus Lopasnja geschickt. Ich verstehe absolut nicht, wer dieses Ehrengericht nötig hatte und wozu er es nötig hatte, und welche Notwendigkeit für Sie bestand, sich diesem Gericht zu stellen, das Sie, wie Sie mehrfach in der Presse erklärt hatten, nicht anerkennen. Ein Ehrengericht unter Literaten, die nun einmal keine eigene Körperschaft bilden wie zum Beispiel die Offiziere, die Rechtsanwälte, – das ist Unsinn, ist absurd; in einem asiatischen Lande, in dem es keine Pressefreiheit und keine Gewissensfreiheit gibt, in dem Regierung und 9/10 der Gesellschaft den Journalisten als einen Feind ansehen, in dem das Leben so eingeengt und miserabel ist und so wenig Hoffnung auf bessere Zeiten besteht, versetzen solche Amüsements wie sich gegenseitig mit Spülicht zu begießen, wie Ehrengerichte usw. die Schreibenden in die komische und erbärmliche Lage von kleinen Tieren, die, in den Käfig gesperrt, sich gegenseitig die Schwänze abbeißen. Selbst wenn man sich den Standpunkt des Verbandes, der solch ein Gericht zuläßt, zueigen macht, – was will er, dieser Verband? Was? Sie dafür verurteilen, daß Sie in der Presse, laut und vernehmlich, Ihre Meinung gesagt haben (wie immer diese Meinung auch sein mag) – das wäre eine gefährliche Sache, das wäre ein Anschlag auf die Freiheit des Wortes, ein Schritt darauf zu, die Lage des Journalisten unerträglich zu machen, denn nach dem Gericht über Sie könnte kein einziger Journalist mehr sicher sein, früher oder später nicht selbst einmal vor dieses merkwürdige Gericht zitiert zu werden. Da geht es nicht um die Studentenunruhen und nicht um Ihre Briefe. Ihre Briefe können den Anlaß bilden für scharfe Polemik, für feindselige Demonstrationen gegen Sie, für Schmähbriefe, aber keineswegs für ein Gericht. Die Punkte der Anklage verdecken gleichsam absichtlich die Hauptursache des Skandals, sie schieben absichtlich alles auf die Unruhen und auf Ihre Briefe, um nur von der Hauptsache nicht reden zu müssen. Und wozu das gut sein soll, kann ich absolut nicht verstehen, ich kann mich nur in Vermutungen ergehen. Weshalb, wenn es jemand für nötig hält oder Lust hat, mit Ihnen nicht auf Leben, sondern auf den Tod zu kämpfen, weshalb legt er dann die Karten nicht auf den Tisch? Die Gesellschaft (nicht die Intelligenz, sondern überhaupt die russische Gesellschaft) war dem »Nov. vremja« in den letzten Jahren feindlich gesonnen. Es hatte sich die Überzeugung gebildet, das »Novoe vremja« werde von der Regierung und vom französischen Generalstab subventioniert. Und das »Nov. vremja« hat alles, was in seiner Macht stand, getan, um diese unverdiente Reputation aufrechtzuerhalten, und es fiel einem schwer zu verstehen, weshalb es das tat, im Namen welchen Gottes. Zum Beispiel versteht niemand die in letzter Zeit übertriebene Aufmerksamkeit für Finnland, niemand versteht die Denunziation der Zeitungen, die verboten worden waren und unter anderem Titel wieder zu erscheinen begannen, – das kann man vielleicht rechtfertigen mit den Zielen der »nationalen Politik«, aber in der Literatur gehört sich das nicht; niemand versteht, wozu das »Novoe vremja« Deschanel und Gen. Bilderling Worte in den Mund legt, die diese nie gesagt haben usw. usf. Über Sie hat sich eine Meinung gebildet, derzufolge Sie ein bei der Regierung mächtiger, grausamer, unerbittlicher Mensch seien – und wiederum hat das »Novoe vremja« alles getan, um dieses Vorurteil in der Gesellschaft so lang wie möglich am Leben zu erhalten. Das Publikum stellte das »Novoe vremja« in eine Reihe mit den anderen, ihm unsympathischen Organen, es murrte, wurde unwillig, das Vorurteil verfestigte sich, es bildeten sich Legenden – und aus dem Schneeball wurde eine ganze Lawine, die anfing zu rollen und die weiterrollt und immer größer wird. Und von dieser »Lawine« ist in den Punkten der Anklage mit keinem Wort die Rede, obwohl man

Sie ihretwegen eigentlich verurteilen will, und diese Unaufrichtigkeit berührt mich unangenehm.

Nach dem 1. Mai fahre ich nach Melichovo, vorläufig sitze ich noch in Moskau und empfange Besucher, deren Zahl niemand kennt. Ich bin müde. Gestern war ich bei L. N. Tolstoj. Er und Tatjana sprachen in gutem Ton von Ihnen; Ihr Verhalten in Sachen »Auferstehung« hat ihnen sehr gefallen. Gestern war ich bei der Fedotova zum Abendessen. Sie ist eine echte, unnachahmliche Schauspielerin. Ich bin gesund. Kommen Sie nach Moskau?

Ihr A. Čechov.

750) AN MAKSIM GORKIJ MOSKAU, 25. 4. 1899

25. April.

Von Ihnen, teurer Aleksej Maksimovič, ist kein Sterbenswörtchen zu hören. Wo sind Sie? Was treiben Sie? Wohin werden Sie verreisen?

Vorgestern war ich bei L. N. Tolstoj; er hat Sie sehr gelobt und gesagt, Sie seien ein »bemerkenswerter Schriftsteller«. Gefallen haben ihm Ihr »Jahrmarkt« und »In der Steppe«, nicht gefallen hat ihm »Malva«. Er sagte: »Man kann alles erfinden, was man will, nicht aber die Psychologie, und bei Gorkij gibt es gerade diese psychologischen Erfindungen, er beschreibt Dinge, die er nicht empfunden hat.« Da haben Sies. Ich sagte, wenn Sie in Moskau wären, würden wir gemeinsam zu L. N. fahren.

Wann werden Sie in Moskau sein? Am Donnerstag wird die »Möwe« gespielt, eine geschlossene Vorstellung nur für meine Person. Wenn Sie kämen, würde ich Ihnen einen Platz verschaffen. Meine Adresse: Moskau, Malaja Dmitrovka, Hs. Šeškov, Wohnung 14 (Eingang vom Degtjarnyj per.). Nach dem 1. Mai fahre ich aufs Land (Lopasnja, Gouv. Mosk.).

Aus Petersburg bekomme ich bedrückende, geradezu reuevolle Briefe, und mir ist schwer zumute, weil ich nicht weiß, was ich darauf antworten soll, wie ich mich verhalten soll. Ja, das Leben ist, wenn es keine psychologische Erfindung ist, eine komplizierte Sache.

Schreiben Sie mir zwei bis drei Zeilen. Tolstoj hat sich sehr nach Ihnen erkundigt, Sie erregen seine Neugier. Er ist offenbar gerührt.

Also, bleiben Sie gesund, ich drücke Ihnen fest die Hand. Grüßen Sie Ihren Maksimka. *Ihr A. Čechov.*

751) AN MAKSIM GORKIJ MELICHOVO, 9. 5. 1899

Lopasnja, G. Mosk. 9. Mai.

Teurer Aleksej Maksimovič, ich schicke Ihnen ein Stück von Strindberg, »Gräfin Julie«. Lesen Sie es und schicken Sie es an seinen Bestimmungsort zurück: Elena Michajlovna Just, Pantelejmonovskaja 13/15, Petersburg.

Die Jagd mit dem Gewehr habe ich früher einmal gemocht, heute bin ich ihr gegenüber gleichgültig. Die »Möwe« habe ich ohne Bühnenbilder gesehen; ich kann über das Stück nicht in ruhigem Ton sprechen, denn die Möwe selbst hat abscheulich gespielt, sie hat die ganze Zeit geheult und geschluchzt, und Trigorin (der Belletrist) ging auf der Bühne auf und ab und sprach wie ein Paralytiker; er hat »keinen eigenen Willen«, und der Darsteller hat das so aufgefaßt, daß mir beim Zuschauen übel wurde. Aber im ganzen recht gut, es hat mich gefesselt. Stellenweise habe ich gar nicht glauben können, daß ich das geschrieben haben soll.

Ich freue mich sehr, den Priester Petrov kennenzulernen. Ich habe schon von ihm gelesen. Wenn er Anfang Juli in Alušta ist, wird sich leicht ein Treffen arrangieren lassen. Sein Buch habe ich nicht gelesen.

Ich lebe bei mir zu Hause in Melichovo. Es ist heiß, die Krähen schreien, die Bauern kommen. Vorläufig ist es noch nicht langweilig.

Ich habe mir eine goldene Uhr gekauft, aber eine einfache.

Wann kommen Sie nach Lopasnja?

Also, bleiben Sie gesund und wohlauf und munter. Vergessen Sie mich nicht, schreiben Sie, wenigstens manchmal.

Wenn Sie auf den Gedanken kommen sollten, ein Stück zu schreiben, so schreiben Sie es und schicken Sie es mir zum Lesen. Schreiben Sie es und halten Sie es geheim, bis es fertig ist, sonst wird man Sie verprügeln, Ihnen die Laune verderben.

Ich drücke Ihnen fest die Hand. *Ihr A. Čechov.*

752) AN I. M. KONDRATJEV MELICHOVO, 9. 5. 1899

9. Mai 1899.

Sehr geehrter

Ivan Maksimovič!

Seien Sie so gut, veranlassen Sie, daß mir das Honorar für die Stücke geschickt wird an die Adresse: »Lopasnja, Gouv. Mosk.« Bei der Gelegenheit möchte ich Ihnen mitteilen, daß ich mein Stück »Onkel Vanja« Vl. Iv. Nemirovič-Dančenko für das Künstlerische allgemeinzugängliche Theater gegeben habe (für die Saison 1899–1900).

Ich wünsche Ihnen alles Gute.

Ihr aufrichtig ergebener *A. Čechov.*

Lopasnja, Gouv. Mosk.

753) AN E. P. GOSLAVSKIJ MELICHOVO, 11. 5. 1899

11. Mai.

Ich habe Ihr Stück gelesen, sehr geehrter Evgenij Petrovič, ich danke Ihnen sehr. Tatsächlich, fünf Akte – das ist zu viel. Ich würde direkt mit dem zweiten beginnen, so wie Sie ihn haben, das hätte Effekt, und das, was Ihnen im ersten besonders wertvoll erscheint, würde ich in den zweiten herübernehmen. Sie haben sowohl viele Akte, als auch viele handelnde Personen und Gespräche; das ist kein Mangel, sondern eine Eigenheit Ihrer Begabung. Wie dem auch sei, das Stück würde gewinnen, wenn Sie einige der handelnden Personen ganz entfernen würden, zum

Beispiel Nadja, die – niemand weiß, wozu – 18 Jahre alt und – niemand weiß, wozu – Poetesse ist. Auch ihr Bräutigam ist überflüssig. Auch Sofja ist überflüssig. Den Lehrer und Kačedykin (den Professor) könnte man der Ökonomie halber zu einer Person zusammenfassen. Je dichter, je kompakter, desto ausdrucksvoller und schärfer. Die Liebe ist in Ihrem Stück nicht intim genug; sie ist geschwätzig, weil die Frauen zu viel reden und sogar räsonnieren, sogar grobwerden (du Ekel, widerliches Weib, »ich hatte plötzlich eine Reaktion«) und Gefahr laufen, noch dazu deshalb unangenehm zu erscheinen, weil sie nicht mehr jung sind ... Die Liebe ist nicht intim, die Frauen sind unpoetisch, die Künstler haben keinen Enthusiasmus und keine religiöse Einstellung – so als wären alle Buchhalter, hinter denen man weder die russische Natur empfindet noch die russische Kunst mit Tolstoj und Vasnecov. Das kommt hauptsächlich davon, daß Sie, vielleicht absichtlich, in einer Sprache schreiben, in der Stücke gemeinhin geschrieben werden, in einer Theatersprache, in der es keine Poesie gibt. Kompaktheit, Ausdruckskraft, Plastizität des Satzes, also genau das, was Ihre Individualität als Autor ausmacht, stehen bei Ihnen im Hintergrund, im Vordergrund steht für Sie die *mise en scène* mit all ihrem Trara, Auftritte, Abgänge, Rollen; dieser Vordergrund übt offenbar eine solche Anziehungskraft auf Sie aus, daß Sie nicht bemerken, wie die Leute bei Ihnen reden: »und anläßlich dieses des Diebstahls bezichtigten Jungen«, Sie bemerken nicht, daß Ihr Lehrer und Ihr Professor sich wie die Idealisten in Potapenkos Stücken verhalten und äußern, – kurz, Sie bemerken nicht, daß Sie frei sein, daß Sie in erster Linie Dichter und Künstler sein sollten, sondern daß Sie ein professioneller Dramatiker sind. Ich schreibe dies, um noch einmal zu wiederholen, was ich Ihnen auf dem Boulevard sagte; vernachlässigen Sie die Belletristik nicht. Sie sind Ihrer Natur nach (soweit ich sehe) und der Kraft Ihrer Begabung nach ein Künstler; Sie müssen in Ihrem Arbeitszimmer sitzen und schreiben und schreiben, fünf Jahre lang, ohne Luft zu holen, fern von allen Einflüssen, die der Individualität schaden wie ein Sarkom;

Sie müssen jährlich 20–30 Druckbogen schreiben, um sich selbst zu erkennen, sich zu entwickeln, zum Mann zu werden, um in Freiheit die Flügel auszubreiten, und dann werden Sie sich die Bühne unterwerfen, nicht umgekehrt.

All dies habe ich schon seit langem von Ihnen gedacht, das Stück war nur ein Vorwand, dies einmal zu äußern. Sie haben mich nicht nach meiner Meinung oder um Rat gefragt, ich dränge mich Ihnen gleichsam auf, aber Sie werden mir das nicht allzu übel nehmen, denn Sie kennen meine Einstellung zu Ihnen und Ihrer Begabung, die ich schätze und deren Entwicklung ich beobachte, soweit das möglich ist. Was ich hier schreibe, bezieht sich auf das Stück, aber nicht nur auf das Stück, das einen erfreulichen Eindruck auf mich gemacht hat; man kann daran Kritik üben, aber nur in Kleinigkeiten, nicht im ganzen, und ich teile die Meinung von Vl. I. Nem.-Dančenko, dem es gefällt. Schade, daß ich es nicht auf der Bühne sehen werde, und überhaupt schade, daß wir einander so selten begegnen. Sie gehören zu denjenigen angenehmen Autoren, mit denen man gern über ihre Werke redet.

Bleiben Sie gesund. Ich drücke Ihnen fest die Hand und danke Ihnen nochmals. *Ihr A. Čechov.*

Lopasnja, Gouv. Mosk.

754) AN O. R. VASILJEVA MELICHOVO, 20. 5. 1899

Lopasnja, G. Mosk.
20. Mai 1899.

Verehrte Olga Rodionovna, was den Almanach betrifft, so halte ich weiterhin an meiner Meinung fest. Ein Almanach, der zugunsten der Hungernden erscheint, kann mir nicht gewidmet werden: wenn, wie Sie schreiben, alle Autoren sich nur meinetwegen daran beteiligen, so geht es offensichtlich nicht um den Hunger; und es bekümmert mich, daß ich Sie nicht überzeugen kann und daß dieser mein Brief Sie nicht daran hindern wird, ein Buch erscheinen zu lassen, das mir nichts als Ärger bereiten wird. Ich bitte Sie zu begreifen, daß ich diese Ehre nicht aus Bescheidenheit ablehne, sondern aus der Überzeugung, daß man Erscheinungen wie den Hunger des Volkes in höchstem Maße ernst nehmen muß und es unmöglich ist, sich seiner zu bedienen, um zum Beispiel irgendjemandes Namen damit in Verbindung zu bringen. Das ist unseriös.

Wenn Sie dennoch auf Ihrem Standpunkt beharren, so bitte ich Sie, mir zumindest in einer Kleinigkeit entgegenzukommen: nehmen Sie den »Versuch einer literarischen Charakteristik« und meine Erzählungen nicht in den Almanach auf.

Gestatten Sie mir, Ihnen alles Gute zu wünschen.

In aufrichtiger Hochachtung *A. Čechov.*

755) AN V. K. CHARKEEVIČ MELICHOVO, 20. 5. 1899

Lopasnja Gouv. Moskau

Ich stehe in Ihrer Schuld, verehrte Varvara Konstantinovna; jeden Tag schicke ich mich an, Ihnen zu schreiben, und dennoch komme ich einfach nicht dazu. Womit soll ich anfangen? Ich fange an mit Moskau. Dort habe ich beinahe bis Mitte Mai gelebt, mich um und um gedreht im Strudel der Vergnügungen, habe auf ein ganzes Jahr eine Wohnung gemietet in der Hoffnung, daß man mir erlaubt, einen Teil des Winters in Moskau zu verbringen. Die Wohnung ist sehr schön, in der Mal.Dmitrovka – das ist im Stadtzentrum, in der Nähe des Strastnoj Klosters. Es ist hoch, hell, man hört eine schöne Glocke, überallhin ist es nah; nur eines ist unbequem: es kommen ununterbrochen Gäste, von 8 Uhr morgens bis 10 Uhr abends. Es gab Tage, an denen ich buchstäblich erschöpft war von Besuchern. Jetzt bin ich auf dem Land. Diesen Brief schreibe ich, während ich in meinem Seitenflügel sitze. Das Wetter ist häufiger schlecht als schön; es ist kalt, der Himmel bedeckt, neulich war drei Nächte hintereinander Frost; es kommen die Zimmerleute, Maurer, Kalfaterer, man muß lange mit ihnen handeln, Erklärungen geben, auf die Baustelle gehen – und im allgemeinen lebt es sich weder langweilig noch lustig, sondern einfach so. Meine Gesundheit ist leidlich, besser sogar als in Jalta. Die finanziellen Angelegenheiten stehen nachgerade glänzend: in Moskau habe ich binnen eines Monats an die dreitausend verbraucht, als hätte ich beim Roulette verloren, und bis zu meiner Reise auf die Krim rechne ich, noch einmal so viel zu verbrauchen, so daß die Hoffnung besteht, daß von den Kapitalien, die ich für meine Werke bekommen habe, bald nur noch eine angenehme Erinnerung zurückbleibt.

Nach Jalta komme ich wahrscheinlich Ende Juni; bei mir wird eine Schule gebaut, und ich kann nicht abfahren, ehe der Bau nicht abgeschlossen ist. Ende Mai muß ich nach Petersburg fahren – zu Marks. An den Puškinfeierlichkeiten werde ich nicht teilnehmen, denn ich habe mich bereits an der Puškinkommission in Jalta beteiligt und, wie Sie wissen, nicht wenig dafür getan, zum Beispiel den Rat gegeben, das »Goldene Fischlein« zu inszenieren, das, den Zeitungen nach zu schließen, einen Riesenerfolg hatte. Außerdem habe ich mir auf den Puškinmatineen den Vortrag von Nikodim Pavlovič angehört, und das will schließlich etwas heißen!

Sie haben mir nichts über Ihre Gesundheit geschrieben. Ich hoffe, sie ist gut und es steht überhaupt alles zum Besten bei Ihnen. Bitte grüßen Sie Nadežda Andreevna und Sergej Antonovič, Natalija Vasiljevna (Alleja), die vortreffliche und ehrwürdige Mutter von Manefa, Varvara Michajlovna, Nikolaj Michajlovič...

Sagen Sie Natalija Vasiljevna, daß ich mich wegen der Karten entschuldige; bessere waren in Moskau nicht zu finden. Man hat mir versprochen, mir gute Karten aus dem Ausland mitzubringen – und dann werde ich sie schicken.

Meine Schwester sendet Ihnen einen Gruß und wünscht Ihnen alles Gute. Bleiben Sie gesund, ich grüße Sie ergebenst und danke Ihnen noch einmal von ganzem Herzen für die Gastfreundschaft und die übermäßige Güte, die ich durch nichts verdient habe.

Vive la Jalta!

Ihr ergebener A. Čechov.

Wir wollen Melichovo verkaufen und wollen es auch wieder nicht; es ist noch nichts entschieden. Ich habe jetzt vier Wohnungen; ich sollte mir in jeder eine Ehefrau halten, damit sie nach meinem Tode alle nach Jalta kommen und sich auf der Strandpromenade gegenseitig verprügeln. Zum großen Vergnügen von Usatov.

756) AN JU. O. GRJUNBERG MELICHOVO, 21. 5. 1899

21. Mai.

Sehr geehrter Julij Osipovič, ich schicke heute mit der Post an A. F. Marks noch die folgenden Erzählungen: 1) »Gute Menschen«; 2) »Auf See«; 3) »Erzählung des Obergärtners«; 4) »Perpetuum mobile«; 5) »Entlassen«; 6) »Der Tragöde«; 7) »Anjuta«; 8) »Triumph des Siegers«; 9) »Talent«, 10) »Ein Scherz«, 11) »Der Schriftsteller«, 12) »Vor Gericht«, 13) »Ein schutzloses Wesen«, 14) »Die Damen«, 15) »Knaben«, 16) »Die Krähe«. Die letzten 13 sollen in Band II aufgenommen werden.

In diesen II. Band sollen die von mir bereits früher geschickten Erzählungen aufgenommen werden: 1) »Die Bräutigame«, 2) »Traum eines Reporters«, 3) »Marja Ivanovna«, 4) »Spaziergang in Sokolniki«, 5) »Auf der Jagd«, 6) »Aus den Erinnerungen eines Idealisten«, 7) »Die Brieftasche«, 8) »Ein Name mit Pferd«, 9) »Die Dulder«, 10) »In Moskau auf der Trubnaja«.

Ich würde mir, aus verschiedenen Gründen, wünschen, daß die Bände I und II gleichzeitig erschienen, und wenn es gelänge, mit der Korrektur dieser Bände vor dem 10. Juni fertig zu werden, so wäre das sehr schön.

Hr. Koreckij von der Abteilung Theater bei den »Novosti« hat mir mitgeteilt, daß Adolf Fëdorovič ihm die Genehmigung erteilt habe, mein Stück »Tragöde wider Willen« in seinen Almanach aufzunehmen; der Herausgeber des »Budilnik« hat mir ebenfalls mitgeteilt, ihm sei genehmigt worden, eine Erzählung von mir im Almanach der »Budilnik« (zum Jubiläumstag) zu veröffentlichen; eine gewisse Frau Vasiljeva schrieb aus Jalta, sie beabsichtige um Genehmigung dafür zu bitten, in einem von ihr herausgegebenen Almanach zugunsten der Hungernden meine Erzählung »Der Mensch im Futteral« zu veröffentlichen. Seien Sie so gut, richten Sie Adolf Fëdorovič meine Bitte aus – mich in jedem Fall eines Nachdrucks meiner Werke zu informieren. Gegen die Almanache von Hrn. Koreckij und des »Budilnik« habe ich nichts, Frau Vasiljeva dagegen habe ich geschrieben, daß ich den Abdruck meiner Erzählung in ihrem Almanach nicht für wünschenswert erachte.

V.G. Valter wird Ihnen mit diesem Brief meinen Gruß übermitteln, meine besten Wünsche und meine tiefe Dankbarkeit.

Die Erzählungen schicke ich als Wertpaket.

In aufrichtiger Hochachtung *A. Čechov.*

Lopasnja, Gouv. Moskau.

757) AN P.I. KURKIN MOSKAU, 24. 5. 1899

Lieber Pëtr Ivanovič, das Künstlertheater inszeniert meinen »Onkel Vanja«, im dritten Akt wird ein Kartogramm gebraucht. Seien Sie bitte so gut, wählen Sie ein geeignetes aus und lassen Sie es kopieren oder versprechen Sie mir ein geeignetes, wenn sich ein solches unter denen finden sollte, die Sie nicht mehr brauchen. (Vgl. meine »Stücke«, S. 305.)

Ich bin in Moskau, bleibe zwei–drei Tage hier. Ml.Dmitrovka, Hs. Šeškov. Schreiben Sie mir eine Zeile.

Ich schreibe dies auf der Probe, wohin ich vom Bahnhof direkt gefahren bin.

Ich drücke Ihnen die Hand. *Ihr A. Čechov.*

Montag.

758) AN M.O. MENŠIKOV MELICHOVO, 4. 6. 1899

4. Juni.

Lieber Michail Osipovič, seien Sie gegrüßt! Sie gehen auf Reisen? Das freut mich sehr für Sie, ich beneide Sie. Am Ende werden Sie zwar erschöpft sein, Sehnsucht bekommen, aber dafür werden Sie, wenn Sie zurückkehren in Ihr geliebtes Palmyra des Nordens, wo es so naß, kalt und dunkel ist, – wenn Sie zurückkehren, werden Sie etwas haben, woran Sie sich erinnern können. Ich freue mich auch für Jaša. Sie gehen auf Reisen, Sie schweben im Empyreum, und ich sitze hier in meinem geliebten Melichovo, friere und lese wie wild Korrekturen, die Marks mir pudweise schickt. Beim Redigieren all dessen, was ich bisher geschrieben habe, habe ich bereits über 200 Erzählungen und alles, was nicht Belletristik ist, rausgeworfen, und trotzdem sind es noch über 200 Druckbogen – es wird also auf 12–13 Bände hinauslaufen. Alles, was den Inhalt der bisherigen, Ihnen bekannten Erzählungsbände ausmachte, versinkt in der Masse des Materials, das der Welt noch unbekannt ist. Als ich diese ganze Masse zusammenstellte, habe ich vor Staunen die Hände zusammengeschlagen.

Meine Schwester will Melichovo verkaufen und hat bereits eine Anzeige an die Zeitungen geschickt, aber vor Herbst oder sogar Winter wird es wohl kaum gelingen, es zu verkaufen. Im Juli fahre ich auf die Krim, werde aber im August zurückkommen und bis zum Spätherbst in Rußland leben.

An den Puškinfeiern habe ich nicht teilgenommen. Erstens habe ich keinen Frack, und zweitens habe ich große Angst vor Reden. Sowie bei einem Jubiläumsdiner jemand zu einer Rede ansetzt, werde ich unglücklich, und es zieht mich unter den Tisch. In diesen Reden, besonders denen von Moskauern, steckt viel bewußte Lüge, außerdem werden sie schlecht vorgetragen. In Moskau hat es am 26. Mai und danach geregnet, es war kalt, die Feiern sind ins Wasser gefallen, aber geredet wurde viel. Und geredet haben natürlich nicht die Literaten, sondern einzig und allein die Industriellen (die literarischen Roßtäuscher). Von allen, die ich während dieser Zeit in Moskau getroffen habe, war nur Golcev mir sympathisch.

In den Wäldern sind die Pilze aus dem Boden geschossen. Die Maiglöckchen blühen.

Gestern bekam ich aus Petersburg ein Telegramm: »Wetter abscheulich«.

Vielen Dank für den Brief, vergessen Sie mich auch in Zukunft nicht. An Lidija Ivanovna und Jaša viele herzliche Grüße; ich wünsche ihnen alles Gute.

Meine Mutter und Schwester danken für den Gruß und lassen ihrerseits grüßen.

Ich drücke Ihnen fest die Hand. *Ihr A. Čechov.*

759) AN V.I. NEMIROVIČ-DANČENKO MELICHOVO, 16. 6. 1899

Lieber Vladimir Ivanovič, meine Stücke sind nicht im Handel, ich habe kein einziges Expl., aber wir werden bald mit dem Druck und Erscheinen beginnen, wahrscheinlich zum August. Ich habe mich mit Marks getroffen. Über meinen Vorschlag – die Stücke zu veröffentlichen und die Stücke überhaupt mit der mise en scène des Künstl. Theaters zu veröffentlichen, hat er sich offensichtlich gefreut, so als habe er seit langem darauf gewartet. Er sagte, er würde die Stücke mit den Bühnenbildern, Kostümen, Masken, mit der ganzen mise en scène usw. usf. veröffentlichen und billig verkaufen. Zweimal habe ich zu Alekseev nach Tarasovka fahren wollen: Ende Mai – da hielt mich die Kälte zurück, und um den 10. Juni – da hielt der Regen mich zurück. Und jetzt ist Alekseev wahrscheinlich bereits abgereist. Wenn ich mit Sicherheit wüßte, wo er ist, würde ich ihm schreiben. Wenn du es für nötig hältst, schreib du ihm wegen der Stükke-Ausgabe; soll er eine Form finden. Mir scheint, in dieser Angelegenheit würde Eile nicht schaden.

Wie geht es dir? Was gibt es Neues? Was gibt es Schönes? Schreib mir 2–3 Zeilen. Einen Gruß an Ekaterina Nikolaevna.

Ich drücke dir die Hand. *Dein A. Čechov.*

16. Juni, Lopasnja, Gouv. Moskau

760) AN O.L. KNIPPER MELICHOVO, 16. 6. 1899

16. Juni.

Was soll das heißen? Wo sind Sie? Sie geben so hartnäckig keine Nachricht, daß wir uns nur noch in Vermutungen ergehen und bereits anfangen zu glauben, daß Sie uns vergessen und im Kaukasus geheiratet haben. Wenn Sie tatsächlich geheiratet haben, dann wen? Haben Sie sich auch nicht entschlossen, die Bühne aufzugeben?

Der Autor ist vergessen – oh, wie ist das schrecklich, wie grausam, wie treulos!

Alle senden Ihnen Grüße. Neues gibt es nicht. Nicht einmal Fliegen gibt es. Nichts gibt es bei uns. Nicht einmal die Kälber beißen.

Ich wollte Sie damals zum Bahnhof begleiten, zum Glück hat es der Regen aber verhindert.

Ich war in Petersburg, habe mich zweimal photographieren lassen. Und wäre dort beinahe erfroren. Nach Jalta fahre ich spätestens Anfang Juli.

Mit Ihrer Erlaubnis drücke ich Ihnen fest die Hand und wünsche Ihnen alles Gute. *Ihr A. Čechov.*

Lopasnja, Gouv. Moskau

761) AN O.L. KNIPPER MELICHOVO, 17. 6. 1899

Seien Sie gegrüßt, letzte Seite meines Lebens, große Schauspielerin des russischen Landes. Ich beneide die Tscherkessen, die Sie jeden Tag sehen dürfen.

Neuigkeiten gibt und gibt es nicht. Heute gab es zum Essen Kalbfleisch, also nicht die Kälber beißen, sondern umgekehrt, wir beißen die Kälber. Mücken gibt es keine. Die Johannisbeeren haben die Spatzen gefressen.

Ich wünsche Ihnen wunderbare Laune, fesselnde Träume.

Ich habe Maša Ihre Adresse gegeben: Michajlovskaja 233. Ja? Ich werde versuchen, noch nach Mcchet zu schreiben, Haus Berg.

Schreiben Sie, wann Sie nach Jalta kommen. *Der Autor.*

762) AN MAKSIM GORKIJ MOSKAU, 22. 6. 1899

22. Juni.

Warum blasen Sie dauernd Trübsal, teurer Aleksej Maksimovič? Warum schimpfen Sie wie wild auf Ihren »Foma Gordeev«? Dafür gibt es, glaube ich, außer allem übrigen, mit Ihrer Erlaubnis, zwei Gründe. Sie haben erfolgreich begonnen, haben mit furore begonnen, und jetzt kann Sie alles, was Ihnen alltäglich und gewöhnlich erscheint, nicht mehr befriedigen und quält Sie. Das zum ersten. Zweitens kann ein Literat nicht ungestraft in der Provinz leben. Was immer Sie auch sagen mögen, Sie haben von der Literatur gekostet, Sie sind bereits hoffnungslos vergiftet, Sie sind Literat und werden Literat bleiben. Das Natürlichste für einen Literaten ist, daß er sich in der Nähe der literarischen Kreise aufhält, unter Schriftstellern lebt, Literatur atmet. Kämpfen Sie nicht an gegen diese Natur, unterwerfen Sie sich ihr ein für alle Male und ziehen Sie nach Petersburg oder Moskau. Streiten Sie sich mit den Literaten herum, erkennen Sie sie nicht an, verachten Sie sie zur Hälfte, aber leben Sie mit ihnen.

Ich bin in Petersburg gewesen, wäre dort beinahe erfroren. Habe Mirov gesehen. Jetzt lese ich für Marks Korrektur; zum Beweis schicke ich Ihnen zwei Erzählungen.

Meine Adresse: Moskau, Malaja Dmitrovka, Hs. Šeškov. Ich werde bis 5.–10. Juli hier bleiben und dann nach Jalta fahren, wo mein eigenes Schloß im Bau ist.

Ich habe Ihnen einen langen Brief über das Buch des Priesters Petrov schreiben wollen, habe es aber nicht geschafft. Das Buch hat mir gefallen.

Wenn Sie zufällig nach Moskau kommen, dann schauen Sie bei mir in der Dmitrovka vorbei.

Bleiben Sie gesund, ich drücke Ihnen fest die Hand, wünsche Ihnen alles Gute. Blasen Sie keine Trübsal! *Ihr A. Čechov.*

763) AN K. S. STANISLAVSKIJ MOSKAU, 24. 6. 1899

24. Juni.

Von Lužskij, sehr geehrter Konstantin Sergeevič, erfuhr ich, daß Sie in Moskau sind. Ich bin ebenfalls in Moskau. Könnten wir uns nicht sehen? Es geht darum, daß ich in Petersburg war und dort mit Marks gesprochen habe über eine Ausgabe der Stücke mit Ihrer mise en scène. Mein Vorschlag hat ihm sehr gefallen – jetzt liegt es allein bei Ihnen.

Ich bin in der Malaja Dmitrovka; zu Hause bin ich morgens bis 11 Uhr und danach zu unbestimmter Zeit. Wenn Sie mir schrieben, wann Sie zu mir kommen wollen, würde ich zu Hause bleiben und auf Sie warten. Wir könnten auch im »Slav. Bazar« zusammen essen, wenn Sie mögen.

Ich drücke Ihnen fest die Hand.

Ihr ergebener A. Čechov.

764) AN A. S. SUVORIN MOSKAU, 26. 6. 1899

26. Juni.

Ich habe zwei Briefe von Ihnen bekommen, aber auf keinem von beiden war Ihre Adresse auf dem Lande angegeben. Ich wollte nach Skuratovo schreiben, hatte aber Bedenken; ich begann, Erkundigungen einzuziehen, habe an Konstantin Semënovič geschrieben, heute schließlich war ich in der Buchhandlung – und jetzt schreibe ich.

Vor allem zu den Schulplänen. Ich habe drei Schulen gebaut, und sie werden als mustergültig angesehen. Sie sind aus bestem Material gebaut, die Räume sind 5 Arš. hoch, haben holländische Öfen, die Lehrer haben einen Kamin, und die Lehrerwohnung ist nicht klein, 3–4 Zimmer. Zwei Schulen haben je 3 Tsd. gekostet, die dritte weniger – etwas über 2 Tsd. Ich schicke Ihnen die Fassaden aller drei Schulen, ich werde jemanden bitten, eine Photographie davon zu machen; ich schicke auch die Pläne mit allen Maßen, die, nebenbei bemerkt, nicht willkürlich angenommen, sondern aufgrund der vom Gouvernements-Zemstvo ausgearbeiteten Instruktionen gewählt wurden. Nur bauen Sie nicht mehr in diesem Jahr, warten Sie bis nächsten Sommer.

Sie haben sich nicht geirrt, wir werden unser Melichovo verkaufen. Nach dem Tode meines Vaters will dort niemand mehr wohnen, alles ist irgendwie getrübt und hat seinen Glanz verloren; zudem ist meine Lage unbestimmt, ich weiß nicht, wo ich leben soll, wer ich bin, welchen Standes ich bin, und wenn es schon notwendig ist, daß ich die Wintermonate auf der Krim oder im Ausland verbringe, so entfällt die Notwendigkeit eines Gutes von selbst, und ein Gut zu besitzen und nicht dort zu leben, wäre ein Luxus, für den mein Portemonnaie zu klein ist. Auch in literarischer Hinsicht hat sich Melichovo, nach den »Bauern«, verbraucht und seinen Wert für mich verloren.

Die Käufer kommen und besichtigen. Wenn sie es kaufen – gut; wenn nicht, schließe ich es den Winter über ab.

Zur Zeit bin ich in Moskau. Ich gehe ins »Aquarium«, sehe mir dort die Akrobaten an, unterhalte mich mit den gefallenen Frauen. In Petersburg bin ich gewesen, aber nicht für lange. Es war kalt, widerlich, ich bin nicht mal über Nacht geblieben; ich bin am Freitag angekommen und am Freitag auch wieder gefahren. Aleksej Petrovič habe ich getroffen.

Meine Gesundheit ist leidlich, beinahe gut. Wenn man mir erlauben würde, den Winter über in Moskau zu bleiben, dann würde ich mich wahrscheinlich auf irgendeinen Komerz einlassen (mit einem m); zum Beispiel würde ich ein Buchgeschäft speziell für das Provinzpublikum aufmachen, d. h. ich würde nicht verkaufen, sondern nur Bestellungen erledigen, die per Post kommen, wobei ich nur einen Packer hätte, der mir auch noch die Stiefel putzen müßte. Aber, oh weh, man läßt mich nicht in Moskau, man wird mich wieder in den Sumpf verbannen.

In 2–3 Tagen fahre ich wieder aufs Land, aber adressieren Sie die Post nicht nach Lopasnja, sondern so: Moskau, Ml. Dmitrovka, Hs. Šeškov. Hier ist immer jemand, die Briefe bleiben nicht lange liegen.

An Anna Ivanovna, Nastja und Borja einen herzlichen Gruß

und alle guten Wünsche. Ich würde gern kommen, um Sie zu sehen, aber ich weiß nicht, wann ich mich losreißen kann – im Juli oder später.

Bleiben Sie gesund, ruhig und heiter. *Ihr A. Čechov.*

765) AN O. L. KNIPPER MOSKAU, 1. 7. 1899

1. Juli.

Ja, Sie haben recht: der Schriftsteller Čechov hat die Schauspielerin Knipper nicht vergessen. Mehr noch, Ihr Vorschlag, gemeinsam von Batum nach Jalta zu reisen, erscheint ihm bezaubernd. Ich werde kommen, aber unter der Bedingung, 1) daß Sie nach Erhalt dieses Briefes, ohne einen Augenblick zu zögern, mir annäherungsweise das Datum telegraphieren, zu dem Sie Mcchet zu verlassen gedenken; halten Sie sich an dieses Schema: »Moskau, Malaja Dmitrovka, Šeškov, Čechov, zwanzigsten.« Das heißt, daß Sie am 20. Juli von Mcchet nach Batum fahren. 2) unter der Bedingung, daß ich direkt nach Batum komme und Sie dort abhole, ohne den Umweg über Tiflis, und 3) daß Sie mir nicht den Kopf verdrehen. Višnevskij hält mich für einen ernsthaften Menschen, und ich möchte in seinen Augen nicht so schwach erscheinen wie alle anderen.

Wenn ich das Telegramm von Ihnen bekommen habe, werde ich Ihnen schreiben – und alles wird sehr schön werden, bis dahin sende ich Ihnen tausend gute Wünsche und drücke Ihnen fest die Hand. Danke für den Brief. *Ihr A. Čechov.*

Ml. Dmitrovka, Hs. Šeškov.

Wir verkaufen Melichovo. Mein Gut auf der Krim, Kučukoj, ist jetzt, im Sommer, wie man mir schreibt, wunderschön. Sie müssen mich dort unbedingt besuchen.

Ich war in Petersburg, habe mich dort zweimal photographieren lassen. Es ist nicht schlecht geworden. Ich verkaufe die Bilder für einen Rubel. Višnevskij habe ich per Nachnahme schon fünf geschickt.

Das Bequemste für mich wäre, wenn Sie telegraphieren würden »fünfzehnten«, auf jeden Fall nicht später als »zwanzigsten«.

766) AN M.P. ČECHOVA MOSKAU, 5./6. 7. 1899

Liebe Maša, ich gebe dem Kommissionär Vinogradov (eine Empfehlung von Ežov) alle Vollmachten zum Verkauf des Gutes, so daß er *alles* übernimmt: Auskünfte zu erteilen, Anzeigen zu veröffentlichen, sich um den Kaufvertrag zu kümmern usw. usf. Dir bleibt nur das eine: das Geld in Empfang zu nehmen. Provision für Vinogradov 2%.

Also kümmere dich nicht weiter darum und hoffe. Hoffe und weiter nichts.

30 Tausend – das ist der Preis. Das habe ich Vinogradov gesagt. Aber wenn nach allen Ausgaben dir 10 Tsd. bleiben und mir ebensoviel, so bin ich vollauf zufrieden. Man kann mit sich handeln lassen und das Gut auch für 26–27 Tsd. verkaufen.

Morgen schreibe ich dir mehr.

Roman war, als er mich zur Station fuhr, angeheitert. Wenn diese seine Stimmung anhält, kann ich ihn unmöglich mit nach Jalta nehmen.

Maša hat alle Sachen unversehrt hierhergebracht.

Bleib gesund. Grüße. *Dein Antoine.*

Schick nach Taganrog 4 R. 47 K.

Ich bestehe nicht auf einem bestimmten Preis. Wenn es unmöglich sein sollte, rasch für 26–30 Tsd. zu verkaufen, dann verkaufen wir für 20–23 Tsd. Mir ist es egal.

767) AN O.L. KNIPPER MOSKAU, 8. 7. 1899

Abfahre Taganrog wichtige Angelegenheit ankomme Novorossijsk Sonntag siebzehnten treffen uns dort Dampfer *Čechov.*

768) AN O.L. KNIPPER MOSKAU, 8. 7. 1899

8. Juli.

Ich schreibe dies in Ergänzung meines Telegramms. Um den 15. Juli muß ich bereits in einer wichtigen Angelegenheit in Taganrog sein. Vor dem 17. in Batum zu sein, schaffe ich nicht. Ich fahre am 17. aus Taganrog ab und werde am 18. in Novorossijsk sein – dort treffen wir uns auf dem Dampfer. Wenn Sie durch irgendetwas in Mcchet oder Batum auch nur einen Tag aufgehalten werden sollten und Sie nicht am 17. von Batum abreisen, so telegraphieren Sie an diese Adresse: Taganrog Čechov.

Am 17. samstags geht von Batum ein gutes Schiff mit direkter Verbindung.

Ich habe kein Glück. Aus Petersburg werden mir die Korrekturen unpünktlich geschickt, ich lebe in Moskau, nirgends kann man essen, im »Aquarium« ist es langweilig usw. usf.

Am 12. fliehe ich aus Moskau. Am 14. bin ich in Taganrog.

Also, für den Fall, daß Sie die Reiseroute ändern, schicken Sie mir ein Telegramm nach Taganrog.

Bis zum 18.!! Auf dem Dampfer trinken wir Wein.

Ihr A. Čechov.

Schlimmer, schweinischer als im Sommer in Moskau kann das Leben nirgends sein. Außer dem »Aquarium« und der Farce gibt es keinerlei Zerstreuungen, und auf den Straßen ersticken alle am Asphalt. Bei mir wird direkt unter dem Fenster Asphalt gekocht. An diesem Qualm und den Gesprächen mit den Malkiels ersticke ich.

769) AN V.M. SOBOLEVSKIJ MOSKAU, 11. 7. 1899

Lieber Vasilij Michajlovič, am Montag um 12 Uhr fahre ich nach Taganrog, von dort nach Jalta. Ich kann also nicht an dem Essen bei Ihnen teilnehmen.

Zurückkommen werde ich Ende Juli oder Anfang August.

Bleiben Sie gesund, ich drücke Ihnen fest die Hand und wünsche Ihnen alles Gute. *Von Herzen Ihr A. Čechov.*

770) AN M.P. ČECHOVA TAGANROG, 17. 7. 1899

17. Juli.

Heute fahre ich nach Novorossijsk, von dort nach Jalta. Bin gesund. Alles bestens. *Antoine.*

771) AN M.P. ČECHOVA JALTA, 22. 7. 1899

22/VII.

Liebe Maša, ich antworte auf deinen Brief. Ich komme spätestens am 2. August nach Moskau. Aber warum wartest du auf mich? Ich habe dir doch eine Vollmacht dagelassen. Zu zweit kann man kein Gut verkaufen, das muß einer allein tun. Ich werde es nicht tun, mit Morel werde ich nicht sprechen; wenn du es nicht tun willst oder nicht kannst (obwohl das eine sehr einfache Sache ist), dann laß es uns jemand anderem übergeben. Der Preis ist ganz deine Sache. Verkauf es meinetwegen für 15 Tsd., ich werde keinen Streit anfangen. Die Knipper ist hier, sie ist sehr nett, bläst aber Trübsal. Der Bau macht Fortschritte. Bleib gesund. Wenn du die Vollmacht nicht benutzen willst, dann übergib sie jemand anderem, meinetwegen Vinogradov. Dein Zimmer gefällt der Knipper sehr. Das ist kein Zimmer, sondern ein Traum.

Die Verpackung des Büffets war schlecht, sie war ganz zerfetzt.

Der Sessel ist gut angekommen.

772) AN M.P. ČECHOVA MOSKAU, 8. 8. 1899

8. Aug.

Konšin hat an das Kontor Vinogradov telegraphiert, er habe das Gut gekauft, das Kontor sieht das Gut jetzt also als verkauft an, indessen schwirren die Käufer nur so, wie die Fliegen. Gestern kam ein junger Deutscher, der es unbedingt kaufen wollte, ein Oberst hat einen Brief geschickt.

Neuigkeiten gibt es keine. Alles steht bestens. Meine Grippe ist vorbei. Die Knipper war gestern zum Abendessen bei uns.

Vorgestern war Nemirovič da, Mejerchold war da. Golcev und S. I. Šachovskoj waren da. Der Fürst ist sehr lebenslustig.

Sag Mamaša, das Halva sei teurer geworden.

Wie geht es Marija Fëdorovna? Grüß alle und bleib gesund und glücklich. *Dein Antoine.*

773) AN A. S. SUVORIN MOSKAU, 19. 8. 1899

19. Aug.

Ihren Brief hat man mir aus Jalta nach Moskau geschickt, wo ich mich zur Zeit aufhalte. Ich war auf der Krim, bin neulich nach Moskau zurückgekehrt und werde wahrscheinlich morgen oder übermorgen wieder abreisen, denn ich bin krank. Ich weiß nicht, ob es die Bazillen sind, die einen Aufstand machen, oder ob es das Wetter ist, das sich in Erinnerung bringt, nur, ich bin schwach und mein Kopf sehnt sich nach dem Kissen.

Ich habe Ihnen nach Velie Nikolskoe geschrieben, aber keine Antwort bekommen. Neues bei mir persönlich gibt es nicht, in den Zeitungen ebenfalls nicht. Die Pest ist nicht schlimm. Erstens wird sie kein besonders großes Gebiet erfassen, sie wird sich nur an bestimmten Punkten halten, zweitens ist sie als vernichtende Gewalt nicht schrecklicher als die Diphtherie oder Unterleibstyphus, drittens haben wir bereits Injektionsmittel, die sich als wirksam erwiesen haben und die wir, nebenbei bemerkt, dem russischen Arzt Chavkin verdanken. In Rußland ist er so gut wie unbekannt, in England nennt man ihn seit langem einen großen Philanthropen. Die Biographie dieses Juden, den die Hindus so haßten, den sie beinahe totgeschlagen hätten, ist tatsächlich bemerkenswert. Also, die Pest als Krankheit ist nicht besonders schlimm. Schlimm ist sie als Schreckgespenst, das starken Einfluß auf die Phantasie der Massen ausübt. In Spanien wird sie viel Unheil anrichten, und wahrscheinlich wird sie auch die Ausstellung stören.

Über die Studenten wird wenig gesprochen. Neulich bin ich zum Rektor in die Universität gegangen, mit der Bitte, einen

Studenten aus einem anderen Bereich aufzunehmen; den Studenten hatte man abgelehnt, und mich selbst hat man überaus unfreundlich empfangen. Das Vorzimmer des Rektors und sein Arbeitszimmer und der Portier erinnerten mich an die Geheimpolizei. Ich bin mit Kopfschmerzen weggegangen.

Neulich war ich auf der Durchreise in Feodosija, habe von ferne Ihr Haus gesehen. Die Stadt ist völlig verhunzt durch die Eisenbahn und den guten Genius von Feodosija. Der armenische Geist dieses Genius ist auf Schritt und Tritt zu spüren.

Im Süden, in Taganrog, sah ich Ežov, der dort Fabriken besichtigte. Aus ihm wird noch einmal ein guter Korrespondent. Haben Sie die »Evangelien als Grundlage des Lebens« von Priester Petrov gelesen? Seit diesem Buch habe ich nichts Interessantes mehr gelesen, außer, übrigens, den »Einsamen Menschen« von Hauptmann – einem alten Stück, das mich aber in seiner Neuartigkeit verblüfft hat. Warum haben Sie dieses Stück bis heute nicht genommen? Es ist sehr klug und bühnenwirksam.

Zwei französische Offiziere, einer von ihnen Sohn des ehemaligen Kriegsministers, haben in Afrika ihre Kameraden Offiziere umgebracht. Haben Sie davon gelesen? Und das ausgerechnet in einer Zeit, in der die armen Franzosen ohnehin schon von allen möglichen unangenehmen Überraschungen heimgesucht werden: wenn man allein an den Hundesohn Mercier denkt!

Der Regen pladdert. In spätestens einer Woche also bin ich wieder in Jalta.

Was macht Borja? Wie geht es ihm? An Anna Ivanovna, Nastja und Borja meine herzlichen Grüße.

Ihr Brief (der letzte) ist offensichtlich von jemandem gelesen worden, bevor er hier ankam.

Bleiben Sie gesund. Ich danke Ihnen für den Brief.

Ihr A. Čechov.

Ml. Dmitrovka, Hs. Šeškov.

774) AN MAKSIM GORKIJ MOSKAU, 24. 8. 1899

24. Aug.

Lieber Aleksej Maksimovič, die Gerüchte, denen zufolge ich an einem Roman schreibe, gründen sich offensichtlich auf eine Fata morgana, denn an einen Roman habe ich nicht im Traum gedacht. Ich schreibe fast nichts, das einzige, was ich tue, ist, daß ich auf den Augenblick warte, an dem ich mich endlich werde hinsetzen können, um zu schreiben. Neulich war ich in Jalta, bin nach Moskau zurückgekehrt, um auf den Proben zu meinem Stück zu sein, bin hier aber ein bißchen krankgeworden und muß jetzt wieder nach Jalta fahren. Morgen fahre ich dorthin. Ob ich mich lange festsetzen, ob ich dort werde schreiben können – ist ungewiß. In der ersten Zeit werde ich biwakieren müssen, denn mein Haus ist noch nicht fertig.

Beinahe gleichzeitig mit Ihrem Brief kam ein Brief von der »Žizn« – zum gleichen Thema. Ich werde noch heute an »Žizn« schreiben.

Ihren »Foma Gordeev« habe ich stückweise gelesen; man schlägt ihn auf und liest eine Seite. Den ganzen »Foma« werde ich lesen, wenn Sie ihn abgeschlossen haben, ihn monatlich in Teilen zu lesen, bin ich absolut außerstande! »Auferstehung« habe ich aus demselben Grunde nicht gelesen.

Mein Exemplar der »Žizn« habe ich verloren; wenn »Foma« in diesem Jahr nicht als Einzelausgabe erscheint, dann werde ich ihn in der Zeitschrift lesen, die ich mir bei der Volkova holen kann.

Giljarovskij ist über mich hergefallen wie ein Wirbelsturm und hat mir mitgeteilt, daß er Sie kennengelernt habe. Er hat sich sehr lobend über Sie geäußert. Ich kenne ihn bereits seit fast 20 Jahren, wir haben unsere Karriere zusammen in Moskau begonnen, und ich hatte Gelegenheit genug, ihn mir gut anzuschauen ... Er hat etwas von Nozdrëv, etwas Unruhiges, Geräuschvolles, aber er ist ein einfacher Mensch, mit reinem Herzen, und ihm fehlt völlig jenes Element des Verräterischen, das den Herren Zeitungsschreibern in solchem Maße eigen ist. Anekdoten erzählt er ununterbrochen, er trägt eine Uhr mit obszönem Bild, und wenn er in Fahrt ist, führt er Kartenkunststücke vor.

Der Müßiggang macht mir zu schaffen, ich bin böse. Wann kommen Sie nach Jalta? An welchem Tag im September? Ich werde mich sehr, sehr freuen, Sie zu sehen und mit Ihnen über die laufenden Geschäfte zu reden. Bringen Sie Ihre Photographie und Ihre Bücher mit.

Also, bleiben Sie gesund, der Himmel beschütze Sie. Schreiben Sie mir bitte nach Jalta. Ich drücke Ihnen die Hand.

Ihr A. Čechov.

775) AN A.F. MARKS MOSKAU, 25. 8. 1899

25. August.

Sehr geehrter

Adolf Fëdorovič!

Ihren Brief habe ich zwei Stunden vor meiner Abreise nach Jalta bekommen, und ich bin sehr froh, daß er mich noch in Moskau erreicht hat.

Die »Stücke« werden Band VII. Seien Sie so gut, veranlassen Sie, daß man mir die Korrektur der »Stücke« nach Jalta schickt. Ich werde sie nicht lange dabehalten und wiederhole noch einmal, daß ich sie nur einmal lesen werde. Meine Adresse: Jalta.

Ich wünsche Ihnen alles Gute.

Ihr aufrichtig ergebener *A. Čechov.*

776) AN O.L. KNIPPER JALTA, 3. 9. 1899

3. Sept.

Liebe Schauspielerin, ich antworte auf alle Ihre Fragen. Ich bin wohlbehalten angekommen. Meine Mitreisenden haben mir den unteren Platz überlassen, danach ergab es sich, daß nur noch zwei in dem Abteil waren: ich und ein junger Armenier. Ich habe mehrmals am Tag Tee getrunken, jedesmal drei Gläser, mit Zitrone, gesetzt, ohne Hast. Alles, was in dem Korb war, habe ich aufgegessen. Aber ich finde, sich mit einem Korb herumzuplagen und ins Bahnhofsgebäude zu rennen, um heißes Wasser zu holen – das ist unseriös und untergräbt das Ansehen des Künstlertheaters. Bis Kursk war es kalt, dann wurde es wärmer, und in Sevastopol war es bereits ganz heiß. In Jalta bin ich im eigenen Hause abgestiegen und lebe jetzt hier, behütet vom treuen Mustafa. Ich esse nicht jeden Tag zu Mittag, denn der Weg in die Stadt ist weit, und sich mit der Kerosinküche herumzuplagen beeinträchtigt wiederum das Ansehen. Abends esse ich Käse. Ich treffe mich mit Sinani. Bei Sredins war ich bereits zweimal; die Photographie von Ihnen haben sie voll Rührung betrachtet, das Konfekt gegessen. L. V. fühlt sich leidlich. Narzan trinke ich nicht. Was sonst noch? Im Garten bin ich fast nie, sondern sitze zu Hause und denke an Sie. Und als ich an Bachčisaraj vorbeifuhr, habe ich ebenfalls an Sie gedacht und mich an unsere Reise erinnert. Liebe, außergewöhnliche Schauspielerin, bemerkenswerte Frau, wenn Sie wüßten, wie ich mich über Ihren Brief gefreut habe. Ich verneige mich vor Ihnen tief, tief, so tief, daß ich mit der Stirn den Boden meines Brunnens berühre, der bereits 8 Saž. tief ist. Ich habe mich an Sie gewöhnt und habe jetzt Sehnsucht und kann mich einfach mit dem Gedanken nicht abfinden, Sie bis zum Frühling nicht mehr zu sehen; ich bin böse, mit einem Wort, wenn Nadenka erführe, was in meinem Herzen vor sich geht, das gäbe eine Geschichte.

In Jalta ist wunderbares Wetter, nur regnet es aus heiterem Himmel schon seit zwei Tagen, es ist morastig, so daß man Galoschen anziehen muß. An den Wänden kriechen vor der Nässe die Tausendfüßler hoch, im Garten hüpfen die Frösche und die jungen Krokodile auf und ab. Das grüne Scheusal im Blumentopf, das Sie mir geschenkt haben und das ich auch wohlbehalten hierhergebracht habe, sitzt jetzt im Garten und sonnt sich.

Ein Geschwader ist eingelaufen. Ich beobachte es durch das Fernglas.

Im Theater gibt es eine Operette. Die dressierten Flöhe stehen weiterhin im Dienste der heiligen Kunst. Geld habe ich keins.

Gäste dagegen viele. Im allgemeinen ist es langweilig, und es ist eine müßige, sinnlose Langeweile.

Also, ich drücke Ihnen fest die Hand und küsse sie. Bleiben Sie gesund, fröhlich, glücklich, arbeiten Sie, springen Sie, begeistern Sie sich, trinken Sie und vergessen Sie, wenn möglich, nicht den Provinzschriftsteller, Ihren eifrigen Verehrer *A. Čechov.*

777) AN MAKSIM GORKIJ JALTA, 3. 9. 1899

3. Sept.

Teurer Aleksej Maksimovič, seien Sie nochmals gegrüßt! Ich antworte auf Ihren Brief.

Erstens bin ich allgemein dagegen, einem Lebenden irgendwelche Sachen zu widmen. Ich habe das früher einmal getan und spüre heute, daß ich das vielleicht nicht hätte tun sollen. Das im allgemeinen. Im besonderen Falle würde mir eine Widmung des »Foma Gordeev« nichts als Vergnügen und Ehre bereiten. Nur, womit habe ich das verdient? Übrigens, dies zu beurteilen ist Ihre Sache, meine ist es, mich zu verneigen und zu danken. Machen Sie die Widmung nach Möglichkeit ohne überflüssige Worte, d. h. schreiben Sie nur: »Gewidmet dem und dem« – und Schluß. Nur Volynskij liebt lange Widmungen. Und hier noch einen praktischen Rat, wenn Sie ihn wünschen: drucken Sie mehr, so mindestens 5–6 Tausend. Das Buch wird gut gehen. Die zweite Auflage können Sie gleichzeitig mit der ersten drucken lassen. Noch einen Rat: wenn Sie Korrektur lesen, streichen Sie, wo es möglich ist, die Attribute zu den Substantiven und Verben. Sie haben so viele Attribute, daß die Aufmerksamkeit des Lesers sich nur schwer zurechtfinden und er ermüden wird. Jeder versteht, wenn ich schreibe: »ein Mensch setzte sich ins Gras«; das versteht man, weil es klar ist und die Aufmerksamkeit nicht aufhält. Dagegen ist schwerverständlich und schwer faßbar für das Gehirn, wenn ich schreibe: »ein hochgewachsener, schmalbrüstiger Mensch mittleren Alters mit einem roten Bart setzte sich in das grüne, von Fußgängern bereits niedergetretene Gras, er setzte sich lautlos, wobei er sich schüchtern und ängstlich umsah«. Das geht nicht gleich ins Gehirn, die Belletristik muß dies aber, augenblicklich. Und nun noch eines: Sie sind von Natur Lyriker, das Timbre Ihres Herzens ist weich. Wenn Sie Komponist wären, würden Sie es vermeiden, Märsche zu schreiben. Grob, laut, verletzend zu sein, zornentbrannt zu entlarven – das ist Ihrem Talent nicht eigen. Daher werden Sie verstehen, wenn ich Ihnen den Rat gebe, die Hundesöhne, Rüden und Schweinehunde, die einem hier und da von den Seiten der »Žizn« entgegenspringen, in der Korrektur nicht zu schonen.

Kann ich Sie Ende September erwarten? Warum so spät? Der Winter beginnt in diesem Jahr früh, der Herbst wird kurz, man muß sich beeilen.

Also, bleiben Sie gesund. Gesund und munter.

Ihr A. Čechov.

Im Künstlertheater beginnen die Vorstellungen am 30. September. »Onkel Vanja« wird am 14. Oktober gespielt.

Ihre beste Erzählung ist – »In der Steppe«.

778) AN O. L. KNIPPER JALTA, 9. 9. 1899

9. Sept.

Briefchen, Parfüm und Konfekt habe ich bekommen. Seien Sie gegrüßt, liebe, teure, großartige Schauspielerin! Seien Sie gegrüßt, meine treue Begleiterin auf den Aj-Petri und nach Bachčisaraj! Seien Sie gegrüßt, meine Freude!

Maša sagt, Sie hätten meinen Brief nicht bekommen? Wieso nicht? Warum nicht? Den Brief habe ich längst abgeschickt, sofort nachdem ich Ihren bekommen hatte.

Wie geht es Ihnen? Wie geht die Arbeit? Wie laufen die Proben? Gibt es nicht was Neues?

Die Meinen sind angekommen. Klein aber fein richten wir uns in dem großen Hause ein. Es wird erträglich.

Das Telephon. Aus Langeweile telephoniere ich jeden Augenblick. Es ist langweilig ohne Moskau, langweilig ohne Sie, liebe Schauspielerin. Wann werden wir uns wiedersehen?

Von den Alexandrinern habe ich ein Telegramm bekommen. Sie wollen den »Onkel Vanja«.

Ich eile in die Stadt und auf den Markt. Bleiben Sie gesund, glücklich, froh! Vergessen Sie den Schriftsteller nicht, vergessen Sie ihn nicht, sonst ersäufe ich mich hier oder heirate einen Tausendfüßler.

Ich küsse Ihnen fest die Hand, fest, fest!!

Ganz Ihr A. Čechov.

Die »Schreckschraube« ist ausgelaufen.

779) AN V. A. GOLCEV JALTA, 15. 9. 1899

15. September.

Sei gegrüßt, lieber Freund Viktor Aleksandrovič! Verzeih, ich schicke die Novelle noch nicht, weil sie noch nicht fertig ist. Die Parkettverleger und Zimmerleute hämmern von früh bis spät und stören mich beim Schreiben. Und das Wetter ist schon sehr schön, es hält einen nur schwer im Zimmer.

Es gingen Gerüchte, daß du bald auf die Krim kämst. Ist das wahr?

Wo ist Vukol? Wie geht es ihm gesundheitlich? Wenn er wieder in Moskau ist, grüß ihn.

Schick mir deine Photographie.

Noch eine Bitte, diesmal eine kommerzielle: kann ich mir nicht bei irgendjemandem in Moskau bis Dezember tausend Rubel leihen? Im Dezember bekomme ich von Marks bergeweise Geld, aber jetzt im September sitze ich da ohne einen Groschen. Kann mir das Kontor der »Russkaja mysl« nichts leihen? Ich habe Schulden beim Kontor. Dafür schuldet mir die Buchhandlung noch etwas für »Sachalin« – so daß wir quitt sind, glaube ich, oder beinahe quitt, weshalb ich mich auch erkühne, überhaupt zu bitten. Im Dezember würde ich das Geliehene mit

Dank zurückzahlen. Könnte mir sonst D. I. Tichomirov nichts geben?

Verzeih, mein Lieber, daß ich dich mit dieser unangenehmen Bitte behellige. Ich tröste mich damit, daß ich nichts schuldig bleiben werde. Wenn D.I. Tich. in Moskau ist und geneigt ist, Literaten Geld zu leihen, dann würde ich mir bis 15. Dezember dreitausend leihen.

Die Novelle bekommst du fürs Dezemberheft. Den kleinen Roman von 4 Bogen – für April. Du hattest einmal versprochen, die ganzen vier Bogen dieses Romans ungeteilt in ein Heft zu stecken.

Meine Schwester läßt grüßen. Es ist heiß. Hier gibt es einen guten Rotwein – 30 K. die Flasche.

Also, bleib gesund. Ich drücke dir die Hand.

Dein A. Čechov.

Adresse: Jalta.

780) AN E.P. KARPOV JALTA, 22. 9. 1899

22. September 99.

Lieber Evtichij Pavlovič, ich schicke Ihnen als eingeschriebenes Streifband den »Onkel Vanja«. Ich bedaure sehr, sehr, daß ich, wegen der großen Entfernung, mich nicht mit Ihnen treffen und nicht mit Ihnen sprechen kann, und nicht auf wenigstens einer einzigen Probe sein kann. Ich möchte, daß die Rolle der Sonja V.F. Komissarževskaja übernimmt, den Astrov – Samojlov, wenn er noch bei Ihnen ist. Es wird erzählt, Samojlov habe den Astrov in der Provinz sehr gut gespielt. Wenn er nicht mehr bei Ihnen ist, dann geben Sie diese Rolle Herrn Ge. Vojnickij, d.h. den Onkel Vanja, wird Gorev sehr schön spielen, den Professor – N.F. Sazonov, Telegin – V.N. Davydov.

Ich wünsche Ihnen alles Gute, drücke Ihnen fest die Hand.

Jalta. *Ihr A. Čechov.*

781) AN A.F. MARKS JALTA, 25. 9. 1899

25. September 1899.

Sehr geehrter

Adolf Fëdorovič!

N. A. Rubakin hat sich der Mühe unterzogen, Ihnen die Korrekturen zu überbringen. Seien Sie so gut, veranlassen Sie, daß die Erzählungen, die in der beiliegenden Liste genannt sind, vollkommen ausgeschlossen werden. Die Erzählung »Anjuta« muß nach der Erzählung »Weißstirnchen« kommen.

In Ihrem letzten Brief hatten Sie mir mitgeteilt, daß mir bald die Korrektur der »Stücke« geschickt werden würde. Ich habe sie bis heute nicht bekommen, indessen sollte man sich damit beeilen, die »Stücke« erscheinen zu lassen, denn sie sind nicht im Handel und es besteht, ich wiederhole es, große Nachfrage danach.

Auch noch nicht bekommen habe ich die Korrekturen vom Umschlag des ersten Bandes.

Der zweite Band wird genauso heißen wie der erste: »Erzählungen«, und auf dem Umschlag wird sein Inhalt angegeben. Ich weiß nicht, welche Bedingungen Sie mit Suvorin vereinbart haben, als Sie die restlichen Exemplare seiner Ausgaben aufkauften, ich weiß nicht, ob ich jetzt in den zweiten Band einen Teil der »Bunten Erzählungen« aufnehmen und mich an die Redaktion des dritten Bandes begeben kann, in den die »Bunten Erzählungen« und »In der Dämmerung« des Verlags Suvorin kommen.

Gestatten Sie, Ihnen alles Gute zu wünschen.

In aufrichtiger Hochachtung *A. Čechov.*

Jalta.

782) AN O.L. KNIPPER JALTA, 29. 9. 1899

29. Sept.

Ihren einsichtsvollen Brief mit dem Kuß auf die rechte Schläfe und den anderen Brief mit den Photographien habe ich bekommen. Ich danke Ihnen, liebe Schauspielerin, ich danke Ihnen schrecklich. Heute beginnen bei Ihnen die Vorstellungen, und aus Dankbarkeit für die Briefe, für das an mich Denken schicke ich Ihnen meinen Glückwunsch zum Beginn der Saison, schicke Ihnen eine Million guter Wünsche. Ich hatte den Direktoren ein Telegramm schicken und allen gratulieren wollen, aber da man mir nicht schreibt, da man mich offenbar vergessen und mir nicht einmal den Bericht geschickt hat (der, den Zeitungen zufolge, neulich erschienen ist) und da in der »Möwe« immer noch dieselbe Roksanova spielt, hielt ich es für besser, mir den Anschein zu geben, ich sei beleidigt, – und darum gratuliere ich nur Ihnen allein.

Bei uns hat es geregnet, jetzt ist klares, kühles Wetter. In der Nacht hat es gebrannt, ich bin aufgestanden, habe von der Terrasse das Feuer beobachtet und mich schrecklich einsam gefühlt.

Wir bewohnen das Haus jetzt, essen im Eßzimmer; wir haben ein Klavier.

Geld haben wir keins, ganz und gar keins, und das einzige, was ich tue, ist, mich vor meinen Gläubigern zu verstecken. Und so wird es gehen bis Mitte Dezember, wenn Marks welches schickt.

Ich möchte Ihnen noch etwas Einsichtsvolles schreiben, aber mir fällt einfach nichts ein. Bei mir hat die Saison ja auch noch nicht begonnen, bei mir gibt es nichts Neues und Interessantes, es ist alles, wie es war. Und ich erwarte auch nichts, außer dem schlechten Wetter, das vor der Tür steht.

Die Alexandriner spielen »Ivanov« und »Onkel Vanja«.

Also, bleiben Sie gesund, liebe Schauspielerin, großartige Frau, Gott beschütze Sie. Ich küsse Ihnen beide Hände und verneige mich vor Ihnen bis zu den Füßen. *Ihr A. Čechov.*

783) AN O.L. KNIPPER JALTA, 30. 9. 1899

30. Sept.

Auf Ihren Befehl beeile ich mich, Ihren Brief zu beantworten, in dem Sie nach der letzten Szene zwischen Astrov und Elena fragen. Sie schreiben, daß Astrov sich in dieser Szene an Elena wende wie der feurigste Verliebte, »sich an sein Gefühl klammert wie der Ertrinkende an den Strohhalm«. Aber das ist falsch, grundfalsch! Elena gefällt Astrov, sie fesselt ihn durch ihre Schönheit, aber im letzten Akt weiß er bereits, daß nichts daraus werden wird, daß Elena für ihn für immer verschwinden wird – und er spricht mit ihr in dieser Szene im selben Ton wie über die Hitze in Afrika, und er küßt sie einfach so, weil er nichts Besseres zu tun weiß. Wenn Astrov diese Szene stürmisch führt, dann geht die gesamte Stimmung des IV. Akts verloren – der still und träge ist.

Ich habe Aleksandr Leonidovič durch den Fürsten ein japanisches Massagegerät geschickt. Soll A. L. dieses Ding seinem Schweden zeigen.

In Jalta ist es plötzlich kalt geworden, der Wind weht aus Moskau. Ach, wie gern ich nach Moskau käme, liebe Schauspielerin! Übrigens, Sie wissen nicht, wo Ihnen der Kopf steht, Sie sind vergiftet, Sie befinden sich im Rausch – Ihnen steht jetzt nicht der Sinn nach mir. Sie können mir jetzt schreiben: »Wir machen von uns reden, mein Freund, wir machen von uns reden!«

Ich schreibe an Sie, und sehe dabei aus dem großen Fenster: ein ganz weiter Blick, ein Blick, daß man ihn einfach nicht beschreiben kann. Eine Photographie von mir schicke ich Ihnen nicht, bevor ich nicht eine von Ihnen bekomme, oh Schlange! Ich hatte Sie keineswegs »kleine Schlange« genannt, wie Sie schreiben. Sie sind eine Schlange, keine kleine, sondern eine riesengroße. Ist das nicht schmeichelhaft?

Also, ich drücke Ihnen die Hand, verneige mich tief, stoße mit der Stirn an den Fußboden, Verehrteste.

Bald schicke ich Ihnen noch ein Geschenk.

Ihr A. Čechov.

784) AN L.S. MIZINOVA JALTA, 30. 9. 1899

30. Sept.

Sie schreiben wie gewöhnlich über meine Bräute, liebe Lika, aber kein Wort darüber, wie es Ihnen geht, wie Ihr Befinden ist, wie Ihre Geschäfte gehen. Ich werde nichts über Ihre Bräutigame schreiben und damit beginnen, daß ich gesund bin oder beinahe gesund, daß ich im eigenen Haus in Jalta lebe und daß das Wetter hier schön ist, sommerlich, und daß ich Sehnsucht habe nach Moskau. Maša ist hier, sie fährt um den 20. Oktober nach Moskau zurück. Meine Mutter hat Zahnschmerzen, die alte Marjuška ist angenehm überrascht, daß bei uns im Garten ein eigener Lorbeerbaum steht, aber die Krim gefällt ihr offenbar nicht, sie möchte zurück nach Rußland.

Wann kommen Sie nach Jalta? Schreiben Sie mir ausführlich über alles, und vor allem über sich. Schicken Sie mir bei Gelegenheit die Adresse von Olga Petrovna.

Gehen Sie ins Theater? Sehen Sie Levitan? Mamontov?

Schreiben Sie, Lika, seien Sie nicht faul, schieben Sie es nicht auf die lange Bank.

Hier gibt es einen sehr guten Rotwein für 35–40 Kop. die Flasche, herrliches Weißbrot und weißen Schafskäse. Es ist schön, abends weißen Käse zu essen und Rotwein dazu zu trinken. Kommen Sie. *Ihr A. Čechov.*

785) AN DAS MOSKAUER KÜNSTLERTHEATER JALTA, 1. 10. 1899

Danke unendlich Gratuliere Schicke aus tiefstem Herzen gute Wünsche Werden arbeiten bewußt wach unermüdlich einmütig damit dieser sehr schöne Anfang Unterpfand wird für weitere Erfolge damit Leben des Theaters heller Streifen wird in der Geschichte der russischen Kunst und im Leben jedes von uns Glauben Sie an Aufrichtigkeit meiner Freundschaft *Čechov.*

786) AN O. L. KNIPPER JALTA, 4. 10. 1899

4. Okt.

Liebe Schauspielerin, Sie haben alles stark übertrieben in Ihrem düsteren Brief, das ist offensichtlich, denn die Zeitungen haben die Premiere durchaus wohlwollend aufgenommen. Wie dem auch sei, ein–zwei erfolglose Vorstellungen sind durchaus kein hinreichender Grund, die Nase hängen zu lassen und die ganze Nacht nicht zu schlafen. Die Kunst, besonders die Bühne, ist ein Bereich, wo man nicht gehen kann, ohne zu stolpern. Vor Ihnen liegen noch viele erfolglose Tage, ganze erfolglose Spielzeiten; es wird sowohl große Mißverständnisse als auch tiefe Enttäuschungen geben, – auf all das muß man gefaßt sein, man muß damit rechnen und trotz alledem hartnäckig, fanatisch seine eigene Linie verfolgen.

Und natürlich haben Sie recht: Alekseev sollte nicht den Groznyj spielen. Das ist nicht seine Sache. Wenn er Regisseur ist, ist er ein Künstler, wenn er spielt, ist er ein junger, reicher Kaufmann, der Lust bekommen hat, sich mit der Kunst zu amüsieren.

Ich war 3–4 Tage krank, jetzt sitze ich zu Hause. Es kommen unerträglich viele Besucher. Müßige Provinzzungen plappern, und ich langweile mich, ärgere, ärgere mich und beneide die Ratte, die unter dem Boden Ihres Theaters lebt.

Den letzten Brief haben Sie um 4 Uhr morgens geschrieben. Wenn Sie den Eindruck haben, daß »Onkel Vanja« nicht den Erfolg haben werde, den Sie sich wünschen, dann bitte, legen Sie sich schlafen und schlafen Sie fest. Sie sind vom Erfolg verwöhnt, Sie können schon den Alltag nicht mehr ertragen.

In Petersburg wird den »Onkel Vanja«, wahrscheinlich, Davydov spielen, und er wird ihn gut spielen, das Stück wird aber sicher trotzdem durchfallen.

Wie geht es Ihnen? Schreiben Sie mehr. Sehen Sie, ich schreibe Ihnen fast jeden Tag. Der Autor schreibt so oft an die Schauspielerin – darunter wird noch mein Stolz anfangen zu leiden. Schauspielerinnen soll man kurzhalten, und nicht ihnen Briefe schreiben.

Ich vergesse immer, daß ich der Inspektor der Schauspielerinnen bin.

Bleiben Sie gesund, kleiner Engel. *Ihr A. Čechov.*

787) AN E.P. KARPOV JALTA, 4. 10. 1899

4. Oktober 99.

Lieber Evtichij Pavlovič, wenn Davydov die Rolle des Onkel Vanja übernehmen will, so freue ich mich sehr. Er wird sehr schön spielen. Damit, daß Sazonov den Astrov spielt, bin ich ebenfalls gern einverstanden. Aber wem geben Sie dann den Professor? Gorev? Lenskij? Die Rollen der Elena Andreevna und Marja Vasiljevna geben Sie, wem Sie wollen; ich würde nur darum bitten, daß Elena möglichst jung und warm ist; ich würde der Potockaja den Vorzug vor der Mičurina geben. Die Savina wird sie nicht nehmen, weil ihr die Rolle zu klein sein dürfte.

Kommen kann ich nicht, weil man mich wohl kaum aus Jalta fortlassen würde. Ich bin gesund, aber nicht jeden Tag.

Jetzt eine Bitte. Diesen Brief überbringt Ihnen S.Ja. Elpatjevskij. Er ist nach Petersburg gekommen, um sich um seinen Sohn zu kümmern, einen Studenten, darum, daß das Departement der Staatl. Polizei seinem Sohn gestattet, ins Ausland zu gehen. Zu diesem Departement gibt es einen Zugang: mit dem Direktor Zvoljanskij ist Al.P. Kolomnin gut bekannt. Könnten Sie es nicht ermöglichen, sich mit diesem K. zu treffen und ihn zu bitten, Zvoljanskij aufzusuchen und mit ihm über den jungen Elpatjevskij zu sprechen? Ich würde selbst an Al.P. schreiben, aber ich fürchte, ein Brief ist da zu wenig. Er ist ein Mensch, dem man alles eintrichtern und erklären muß. Er ist, nebenbei gesagt, sehr verbindlich und erfüllt Bitten jedesmal mit der ihm eigenen Güte. Bleiben Sie gesund, ich drücke Ihnen die Hand und wünsche Ihnen alles Gute. *Ihr A. Čechov.*

Jalta.

788) AN V. Ė. MEJERCHOLD JALTA, ANFANG OKTOBER 1899

Lieber Vsevolod Ėmiljevič, ich habe den Text nicht zur Hand und kann daher über die Rolle des Johannes nur ganz allgemein sprechen. Wenn Sie mir die Rolle schickten, würde ich sie lesen, im Gedächtnis auffrischen und ausführlich schreiben, jetzt dagegen sage ich nur das, was für Sie von nächstliegendem praktischen Interesse sein kann. Vor allem ist J. durch und durch Intellektueller; er ist ein junger Gelehrter, aufgewachsen in einer Univers.-Stadt. Absolutes Fehlen von bürgerlichen Elementen. Manieren eines wohlerzogenen Menschen, der an die Gesellschaft anständiger Menschen (wie Anna) gewöhnt ist; in den Bewegungen und im Äußeren Weichheit und Jugendlichkeit, wie bei einem Menschen, der, im Schoße der Familie aufgewachsen, von der Familie verwöhnt worden ist und immer noch unter den Fittichen seiner lieben Mama steht. J. ist ein deutscher Gelehrter, zu Männern hat er deshalb ein solides Verhältnis. Frauen gegenüber jedoch wird er weibisch zärtlich, wenn er mit ihnen allein bleibt. In dieser Beziehung sehr charakteristisch ist seine Szene mit seiner Frau, wo er sich der Liebkosungen nicht enthalten kann, obwohl er Anna bereits liebt oder zu lieben beginnt. Jetzt zur Nervosität. Man sollte die Nervosität nicht unterstreichen, damit nicht die neuropathologische Natur das Übergewicht bekommt und dasjenige verdeckt, was wichtiger ist, nämlich die Einsamkeit, die nur von hoch entwickelten, dabei (in höchster Bedeutung) gesunden Menschen empfunden wird. Spielen Sie einen einsamen Menschen, und zeigen Sie die Nervosität nur insoweit, als sie im Text selbst vorgegeben ist. Behandeln Sie diese Nervosität nicht als eine private Erscheinung; denken Sie daran, daß gegenwärtig beinahe jeder kultivierte Mensch, selbst der gesündeste, nirgends eine solche Gereiztheit erlebt wie zu Hause, in seiner eigenen Familie, denn die Disharmonie zwischen Vergangenheit und Gegenwart spürt man vor allem in der Familie. Es ist eine chronische Gereiztheit, ohne Pathos, ohne krampfhafte Ausbrüche, dieselbe Gereiztheit, die von Gästen gar nicht bemerkt wird und die in ihrer ganzen Schwere vor allem auf den Allernächsten lastet – der Mutter, der Frau, – sozusagen eine familiäre, intime Gereiztheit. Halten Sie sich nicht zu sehr bei ihr auf, zeigen Sie sie nur als *einen* typischen Zug, überziehen Sie sie nicht, sonst wird daraus kein einsamer, sondern ein reizbarer junger Mensch. Ich weiß, Konstantin Sergeevič wird auf dieser überflüssigen Nervosität insistieren, er hat zu ihr ein übertriebenes Verhältnis, aber geben Sie ihm nicht nach; opfern Sie nicht Schönheit und Kraft der Stimme und der Rede einer solchen Kleinigkeit wie einem Akzent. Tun Sie das nicht, denn Gereiztheit ist tatsächlich nur ein Detail, eine Kleinigkeit.

Vielen Dank dafür, daß Sie an mich gedacht haben. Schreiben Sie mir bitte mehr, das wäre sehr großmütig von Ihnen, denn ich langweile mich sehr. Das Wetter hier ist großartig, warm, aber das ist doch nur Soße, und was soll ich mit Soße, wenn das Fleisch fehlt.

Bleiben Sie gesund, ich drücke Ihnen fest die Hand und wünsche Ihnen alles Gute. *Ihr A. Čechov.*

Jalta.

Grüßen Sie Olga Leonardovna, Aleksandr Leonidovič, Burdžalov, Lužskij. Noch einmal Dank für das Telegramm.

789) AN O. L. KNIPPER JALTA, 7. 10. 1899

7. Okt.

Liebe, berühmte, außergewöhnliche Schauspielerin, ich schicke Ihnen eine kleine Schatulle zur Aufbewahrung von Gold und Brillanten. Bitte!

In Ihrem letzten Brief beklagen Sie sich darüber, daß ich nichts schriebe, dabei schicke ich Ihnen sehr oft Briefe, zwar nicht jeden Tag, aber häufiger, als ich welche von Ihnen bekomme.

Diesen Brief überbringt Ihnen Dr. P. I. Kurkin, Autor der Kartogramme, die im »Onkel Vanja« mitspielen werden. Er war bei uns zu Gast und wird Ihnen, wenn Sie es wünschen, erzählen von unserem neuen Haus und unserem alten Leben.

Bleiben Sie gesund, fröhlich, glücklich, schlafen Sie ruhig, und Gott beschütze Sie. *Ihr A. Čechov.*

790) AN A. L. VIŠNEVSKIJ JALTA, 8. 10. 1899

8. Okt.

Seien Sie gegrüßt, lieber Aleksandr Leonidovič, vielen Dank für Ihren Brief. Das Stück, über das wir in der Malaja Dmitrovka sprachen, gibt es immer noch nicht und wird wahrscheinlich so bald auch nicht geschrieben werden. Ich habe mich ein, zweimal daran begeben und es wieder bleibenlassen, weil absolut nicht das dabei herausgekommen ist, was herauskommen sollte. Richten Sie Glikerija Nikolaevna aus, wenn ich ein oder zumindest ein halbes Jahr früher gewußt hätte, daß sie für ihr Benefiz ein Stück braucht, dann wäre dieses Stück längst fertig; ob gut oder nicht, weiß ich nicht, aber es wäre fertig. Sie wissen, wie sehr ich Glikerija Nikolaevna verehre; ihr Auftreten in einem Stück von mir würde ich als große Ehre für mich ansehen, und meine Eitelkeit als Autor wäre vollauf befriedigt. Also, das Stück gibt es nicht, aber die Zukunft ist uns noch nicht davongelaufen, und mir bleibt nur das eine – auf diese Zukunft zu hoffen.

Ich gratuliere zu Ihrem Erfolg, ich gratuliere von ganzem Herzen. Diesen Brief bekommen Sie kurz vor der Premiere des »Onkel Vanja«. Wie ärgerlich und bitter für mich, daß ich nicht bei Ihnen allen sein kann, daß die Proben für mich nahezu umsonst dahingehen und ich sie nur vom Hörensagen kenne, dabei würde es mir völlig reichen, nur auf die Proben zu gehen, um mich aufzufrischen, um Erfahrungen zu sammeln und mich an ein neues Stück zu setzen.

Die Duma von Taganrog hat mich zum Kurator der Städtischen Bibliothek gewählt. Wenn Sie das nächste Mal nach Taganrog kommen, gestatte ich Ihnen, in der Bibliothek zu übernachten.

Die Möwe spielt die Roksanova? Sie haben nichts davon geschrieben, wie die »Möwe« gelaufen ist, wie Trigorin war usw.

Wenn Sie wüßten, wie sehr ich mich hier langweile, dann wären Sie in Ihren Briefen nicht so kurz.

Hier ist es langweilig, obwohl die helle Sonne scheint, durchs Fenster sticht und mich beim Schreiben stört. Die Bäume sind noch grün. Also, bleiben Sie gesund, ich drücke Ihnen die Hand.

Ihr A. Čechov.

791) AN G.I. ROSSOLIMO JALTA, 11. 10. 1899

11. Okt.

Lieber Grigorij Ivanovič, die 8 R. 50 K. für die Photographie und den Jahresbeitrag – 5 R. habe ich heute an Dr. Ralcevič geschickt. Eine Photographie von mir, eine ziemlich schlechte (aufgenommen, als meine enteritis auf dem Höhepunkt war), schicke ich als eingeschriebenes Streifband an Ihre Adresse. Meine Autobiographie? Ich habe eine Krankheit: die Autobiographobie. Irgendwelche Einzelheiten über mich zu lesen, und dann gar noch zur Veröffentlichung zu schreiben – das ist für mich ein wahres Martyrium. Ich schicke Ihnen auf einem gesonderten Bogen einige sehr nackte Daten – mehr kann ich nicht. Wenn Sie wollen, dann setzen Sie hinzu, daß ich in meinem Gesuch an den Rektor um Zulassung zur Universität geschrieben habe »medizynische Fakultät«.

Sie fragen, wann wir uns wiedersehen werden. Wahrscheinlich nicht vor kommendem Frühjahr. Ich bin in Jalta, in der Verbannung, einer vielleicht sehr schönen, aber trotzdem – in der Verbannung. Das Leben verläuft langweilig. Meine Gesundheit ist leidlich: ich bin nicht jeden Tag gesund. Außer allem übrigen habe ich Darmhämorrhoiden, Katarrh recti, und es gibt Tage, wo ich vom vielen Drang einfach völlig erschöpft bin. Ich muß mich operieren lassen.

Ich bedaure sehr, daß ich an dem Festessen nicht habe teilnehmen, daß ich die Kollegen nicht habe sehen können. Eine Studien-Hilfsgenossenschaft ist eine gute Sache, aber praktischer und leichter zu realisieren wäre eine Unterstützungskasse ähnlich unserer Literatenkasse. Die Familie jedes verstorbenen Mitglieds bekäme Geld, und neue Beiträge kämen nur jedesmal nach dem Tode irgendeines Mitglieds auf die anderen zu.

Kommen Sie nicht im Sommer oder im Herbst auf die Krim? Hier kann man sich auf angenehme Weise erholen. A propos, die Südküste ist zum Lieblingsort der Ärzte des Gouv. Moskau geworden. Man kann hier gut und billig unterkommen, und alle fahren jedesmal bezaubert wieder ab.

Wenn irgendetwas Interessantes passiert, dann bitte, schreiben Sie. Wirklich, mir ist langweilig hier, und ohne Briefe könnte man sich aufhängen, oder anfangen, schlechten Krimwein zu trinken, oder eine häßliche und dumme Frau heiraten.

Bleiben Sie gesund, ich drücke Ihnen fest die Hand und sende Ihnen und Ihrer Familie meine besten Wünsche.

Ihr A. Čechov.

Jalta.

Ich, A. P. Čechov, wurde am 17. Januar 1860 in Taganrog geboren. Ich besuchte zuerst die griechische Schule an der Kirche des Kaisers Konstantin, danach das Gymnasium von Taganrog. 1879 immatrikulierte ich mich an der Medizinischen Fakultät der Universität Moskau. Von den Fakultäten hatte ich damals nur eine schwache Vorstellung, und aus welchen Gründen ich die Medizinische Fakultät wählte, weiß ich nicht mehr, aber ich habe diese Wahl später nie bereut. Bereits im ersten Studienjahr begann ich, in Wochenzeitschriften und Zeitungen zu veröffentlichen, und diese Beschäftigung mit der Literatur nahm bereits Anfang der Achtziger Jahre festen, professionellen Charakter an. 1888 erhielt ich den Puškin-Preis. 1890 bereiste ich die Insel Sachalin, um danach ein Buch über unsere Strafkolonie und die Katorga zu schreiben. Die gerichtsmedizinischen Berichte, Rezensionen, Feuilletons und Notizen nicht eingerechnet, umfaßt alles, was ich tagaus tagein für Zeitungen im Verlauf von 20 Jahren literarischer Tätigkeit geschrieben und veröffentlicht habe und was jetzt schwierig wäre, herauszusuchen und zu sammeln, mehr als 300

Druckbogen an Novellen und Erzählungen. Ich habe auch Theaterstücke geschrieben.

Ich bezweifle nicht, daß meine Beschäftigung mit den medizinischen Wissenschaften großen Einfluß auf meine literarische Tätigkeit gehabt hat, sie hat den Horizont meiner Beobachtungen beträchtlich erweitert, hat mich um Kenntnisse bereichert, deren wahren Wert für mich als Schriftsteller nur der ermessen kann, der selbst Arzt ist; sie besaß auch richtungsweisenden Einfluß, und wahrscheinlich ist es mir, dank meiner Nähe zur Medizin, gelungen, viele Fehler zu vermeiden. Die Bekanntschaft mit den Naturwissenschaften, mit der wissenschaftlichen Methode hat mich immer wachsam bleiben lassen, und ich habe mich bemüht, mein Schreiben dort, wo es möglich war, mit den wissenschaftlichen Gegebenheiten in Einklang zu bringen, wo dies hingegen unmöglich war, zog ich es vor, gar nicht zu schreiben. Nebenbei merke ich an, daß die Bedingungen des künstlerischen Schaffens völlige Übereinstimmung mit den wissenschaftlichen Gegebenheiten nicht immer zulassen; es ist unmöglich, auf der Bühne den Tod durch Gift so darzustellen, wie er sich in Wirklichkeit abspielt. Aber die Übereinstimmung mit den wissenschaftlichen Gegebenheiten sollte man auch in dieser Bedingtheit spüren, d. h. dem Leser oder Zuschauer soll klarwerden, daß es sich nur um eine Bedingtheit handelt und daß er es mit einem Schriftsteller zu tun hat, der sich dessen bewußt ist. Ich gehöre nicht zu den Schriftstellern, die sich der Wissenschaft gegenüber negativ verhalten; und zu denjenigen, die alles aus ihrem eigenen Verstande schöpfen, möchte ich nicht gehören.

Was die prakt. Medizin betrifft, so habe ich noch als Student am Zemstvokrankenhaus von Voskresensk (bei Novyj Ierusalim) bei dem berühmten Zemstvo-Arzt P. A. Archangelskij gearbeitet, danach für kurze Zeit als Arzt am Krankenhaus von Zvenigorod. In den Cholerajahren (92, 93) leitete ich das Revier Melichovo, Kreis Serpuchov.

792) AN A.I. URUSOV JALTA, 16. 10. 1899

16. Okt. 99.

Lieber Aleksandr Ivanovič, ich hatte im April zu Ihnen kommen wollen, um Sie zu sehen, Ihnen zu danken für die Freuden, die Sie mir im Laufe des Winters bereitet hatten, aber unsere gemeinsamen Bekannten ließen mich nicht zu Ihnen, sie sagten, daß Sie stark unter neuralgischen Schmerzen litten und Ihnen der Sinn nicht nach Gästen stünde. Und danach sind Sie verreist.

Lieber Aleksandr Ivanovič, ich flehe Sie an, seien Sie nicht böse: ich kann den »Waldschrat« nicht veröffentlichen. Ich hasse dieses Stück und versuche, es zu vergessen. Ob es selbst daran schuld ist oder die Umstände, unter denen es geschrieben und auf der Bühne gespielt worden ist, – ich weiß es nicht, aber es wäre für mich ein wahrer Schlag, wenn irgendwelche Mächte es unter dem Schutt hervorziehen und zum Leben erwecken würden. Da haben Sie einen markanten Fall von Perversion des elterlichen Gefühls.

Sie äußern Ihren Wunsch in Ihrem Brief in Form einer lieben, freundschaftlichen Bitte, ich schäme mich unendlich, daß ich Ihnen nicht die erhoffte Antwort schicke, ich weiß nicht, was ich tun soll. Soll ich Ihnen ein Versprechen machen? Bitte sehr, ich verspreche Ihnen, daß ich ein neues Stück schreiben und es Djagilev schicken werde. Ich werde es schreiben und Ihnen im Manuskript schicken.

Wenn Sie wieder ins Ausland fahren, dann schreiben Sie mir von dort 2–3 Zeilen über Ihr Befinden. Das wollen sowohl ich als auch Ihre Bekannten wissen, die sich oft mit der Frage nach Ihrem Befinden an mich wenden.

Ich lebe bereits im eigenen Hause, auf dem Grundstück, das Sie im vergangenen Jahr gesehen haben. Darauf steht ein Haus von $2^1/_4$ Etagen, ein weißes Haus, das die Kutscher und Tataren die »weiße Villa« nennen. Der Blick vom Balkon ist wunderbar. Der Staub, mit dem man mir solche Angst eingejagt hatte, existiert gar nicht. Mein Befinden ist leidlich. Die Bazillen sind in den Hintergrund getreten, derzeit muß ich mich mit Hämorrhoiden und Darmkatarrh herumplagen, der mich schwächt und mir einen Fastenausdruck verleiht. M-me I. ist neulich aus Karlsbad zurückgekehrt. Sie fragte nach Ihnen; sie sagte, sie habe in den Zeitungen von Ihren letzten Erfolgen gelesen, – sagte es und strahlte. Heute rufe ich sie ans Telephon und lese ihr aus Ihrem Brief die sich auf sie beziehenden Zeilen vor.

Das Wetter ist heute herrlich, wie im Mai.

Ich grüße Sie sehr, danke, danke, danke Ihnen und drücke Ihnen fest die Hand. *Ihr A. Čechov.*

793) AN M.P. ČECHOVA JALTA, 26. 10. 1899

26. Okt. abends. Liebe Maša, am Tag nach deiner Abreise fing es an zu regnen, und wahrscheinlich wird es noch lange regnen. Es ist warm, still. Die untere Tür ist bereits funktionstüchtig, gestern war die gesamte untere Etage fest verschlossen, die Türken haben nicht mehr dort übernachtet. Die Tataren arbeiten fleißig und haben schon den ganzen Schutt abgetragen: jetzt hat sich eine Grube gebildet.

Neuigkeiten gibt es keine. Heute habe ich in Mutters Zimmer mit persischem Pulver die Fliegen ausgeräuchert. Wir haben zu zweit gegessen. Gäste waren keine da. Draußen ist es feucht, obwohl nicht kalt.

Hast du vom Dampfer aus Kučukoj gesehen? Schreib ausführlich.

Grüß Olga Leonardovna und Višnevskij. Bleib gesund. Bei uns steht alles zum besten. *Dein Antoine.*

794) AN AL.P. ČECHOV JALTA, 26. 10. 1899

26/X 1899.

Liebwerter Brrruder! Gegenwärtig verfüge ich über keine Mittel, um meinen armen Verwandten zu helfen, da ich selbst gebaut und mich in Schulden gestürzt habe. Aber im Januar wird der gute Herr Marks, gemäß dem beim Notarius Timofeev geschlossenen Vertrage, verpflichtet sein, mir einen Teil seiner Schuld zu zahlen, und dann werde ich dir ein Papier schicken, in dem ich bekräftige, daß du tausend Rubel zu bekommen hast. Also, bis Januar. Sag das auch deinen Bauarbeitern: bis Januar. Um noch genauer zu sein, fixiere ich den 20. Januar. Und bis dahin laß dich in den Schuldturm setzen.

Für die eintausend wirst du mir in Jahresfrist 1800 R. zurückzahlen müssen, widrigenfalls ich dich beim Handelsgericht in Taganrog verklage.

Mutter ist gekränkt, weil du ihr nichts schreibst.

Bleib gesund. Einen Gruß an deine Familie.

Was macht Suvorin? Was Suvorin-fils? *Dein Antonio.*

795) AN O. L. KNIPPER JALTA, 30. 10. 1899

30. Okt.

Liebe Schauspielerin, gutes Menschenkind, Sie fragen, ob ich Lampenfieber hätte. Aber daß der »Onkel V.« am 26. Premiere hatte, habe ich offiziell doch erst aus Ihrem Brief erfahren, den ich am 27. bekam. Die Telegramme begannen am 27. abends zu kommen, als ich bereits im Bett war. Sie werden mir telephonisch übermittelt. Ich wachte jedesmal auf und lief im Dunkeln ans Telephon, barfuß, und fror sehr; dann war ich kaum wieder eingeschlafen, als es wieder klingelte und wieder. Das erste Mal, daß mich mein eigener Ruhm nicht schlafen ließ. Am nächsten Tag habe ich mir vor dem Schlafengehen Pantoffeln und Schlafrock ans Bett gelegt, aber da kamen keine Telegramme mehr.

In den Telegrammen war von nichts anderem die Rede als von Vorhängen und einem glänzenden Erfolg, aber es war darin etwas Feines, kaum Faßbares zu spüren, dem ich entnehmen konnte, daß die Stimmung bei Ihnen allen nicht die beste ist. Die Zeitungen, die ich heute bekam, haben diese meine Vermutung bestätigt. Ja, Schauspielerin, Ihnen allen, den Künstlerschauspielern, ist schon ein gewöhnlicher, mittlerer Erfolg zu wenig. Ihr wollt nur noch Knall, Salutschüsse, Dynamit. Ihr seid total verwöhnt, betäubt vom ständigen Gerede über Erfolge, volle und leere Häuser, seid von dieser Droge bereits vergiftet, und in 2–3 Jahren werdet ihr überhaupt nichts mehr wert sein! Da habt ihrs!

Wie geht es Ihnen? Wie fühlen Sie sich? Ich bin immer noch hier und immer noch derselbe; ich arbeite, pflanze Bäume.

Aber es sind Gäste gekommen, ich kann nicht weiterschreiben. Die Gäste haben sich seit über einer Stunde festgesetzt, jetzt wollen sie Tee. Also gehe ich und setze den Samovar auf. Oh, ist das langweilig!

Vergessen Sie mich nicht, möge Ihre Freundschaft nicht erlöschen, damit wir im Sommer wieder gemeinsam irgendwohin verreisen können. Auf Wiedersehen! Wir werden uns wahrscheinlich nicht vor April wiedersehen. Wenn Sie alle im Frühjahr nach Jalta kämen, könnten Sie hier spielen und sich erholen. Das wäre herrlich künstlerisch!

Einer der Gäste nimmt diesen Brief mit und wirft ihn ein.

Ich drücke Ihnen fest die Hand. Grüßen Sie Anna Ivanovna und Ihren Onkel vom Militär. *Ihr A.Čechov.*

Schauspielerin, schreiben Sie, bei allen Heiligen, sonst langweile ich mich so. Ich sitze wie im Gefängnis und ärgere und ärgere mich.

796) AN O. L. KNIPPER JALTA, 1. 11. 1899

1. November.

Ich verstehe Ihre Stimmung, liebe Schauspielerin, ich verstehe sie sehr wohl, aber trotzdem würde ich mich an Ihrer Stelle nicht so verzweifelt aufregen. Weder die Rolle der Anna noch das Stück selbst sind es wert, daß man ihretwegen so viel Blut und Nerven darangibt. Das Stück ist uralt, es ist bereits veraltet, es enthält viele Dinge, die nicht aufgehen; wenn über die Hälfte der Darsteller den richtigen Ton einfach nicht treffen kann, so ist natürlich das Stück daran schuld. Das zum ersten. Zweitens sollte man ein für alle Male die Sorge um Erfolg oder Mißerfolg fahren lassen. Das soll Sie gar nichts angehen. Ihre Sache ist, zäh zu arbeiten, tagaus tagein, im Stillen, gefaßt zu sein auf Fehler, auf Mißerfolge, mit einem Wort, die eigene schauspielerische Linie zu verfolgen, – die Vorhänge sollen die anderen zählen. Schreiben oder spielen und sich gleichzeitig dessen bewußt sein, daß man nicht tut, was nötig wäre, – das ist so etwas Normales, und für Anfänger so etwas Nützliches!

Drittens hat mir der Direktor ein Telegramm geschickt, die zweite Vorstellung sei großartig gelaufen, alle hätten wunderbar gespielt, und er sei völlig zufrieden.

Maša schreibt, es sei nicht schön in Moskau und ich solle nicht nach Moskau kommen, dabei möchte ich so gern von hier wegfahren, wo mir meine Einsamkeit schon auf die Nerven fällt. Ich bin Johannes ohne Frau, kein gelehrter Johannes und kein tugendhafter.

Grüßen Sie Nikolaj Nikolaevič, von dem Sie in Ihrem Brief sprechen. Bleiben Sie gesund! Schreiben Sie, daß Sie sich inzwischen beruhigt haben und daß alles sehr gut geht. Ich drücke Ihnen die Hand. *Ihr A. Čechov.*

797) AN A. L. VIŠNEVSKIJ JALTA, 3. 11. 1899

3. November.

Lieber Aleksandr Leonidovič, Freund meiner Kindheit, vielen Dank für den Brief und das Plakat. Ja, das Plakat ist originell, Sie haben recht, aber es ist nicht seriös genug und eignete sich eher für eine Wohltätigkeitsvorstellung im Hause irgendeiner emanzipierten Baronesse. Wie dem auch sei, es ist alles sehr schön, und ich danke dem Himmel, daß ich, nach so langer Irrfahrt über die Wogen des Lebens, endlich auf einer so wunderbaren Insel wie dem Künstlertheater gelandet bin. Wenn ich einmal Kinder habe, werde ich sie ewig für Sie alle beten lassen.

Die Schwangerschaft unserer Köchin Maša hat Sie überrascht, Sie fragen mich in Ihrem Brief, wer der Schuldige sei. An Männern waren am häufigsten Sie und ein junger Soldat bei uns, aber wer der Schuldige ist, weiß ich nicht, und es ist auch nicht meine Sache, über meine Nächsten zu richten. Wenn Sie es nicht sind, werden Sie natürlich auch nicht für das Kind zu zahlen haben.

Ich habe eine Bitte an Sie: Kommen Sie im Frühjahr in den Süden, um hier zu spielen, bitten Sie Vlad. Ivanovič und Konstantin Sergeevič flehentlich darum. Sie werden spielen und sich bei der Gelegenheit erholen. In Jalta werden Sie fünfmal volles Haus haben, in Sevastopol ebensooft, und in Odessa wird man Sie wie Könige empfangen, denn man liebt Ihr Theater bereits unbesehen, vom Hörensagen.

Schreiben Sie mir bitte. Ohne Briefe langweile ich mich.

Übermitteln Sie meinen herzlichen Gruß an Glikerija Nikolaevna, Ihre beiden Direktoren und die ganze Truppe. Ich warte voller Ungeduld auf die Photographien – von Ihnen und allen am »Onkel Vanja« Beteiligten.

Ich drücke Ihnen die Hand. *Ihr A. Čechov.*

798) AN M.P. ČECHOVA JALTA, 11. 11. 1899

11. November.

Liebe Maša, wir haben eine Regierungskrise. Mustafa ist gegangen, und an seine Stelle ist Arsenij gerückt, ein Russe in Jackett, der lesen und schreiben kann, er hat im Nikitskij-Park gearbeitet. Er wird gelobt. Ist jung.

Nun beantworte ich deinen letzten Brief. Für Mašas Kind muß nicht Ašešov zahlen, sondern Višnevskij. Und auch Maša selbst muß er monatlich mindestens drei Rubel zahlen. Noch besser wäre, wenn er Melanija zu sich nähme und sie zusammen mit dem Kind bei sich behielte. Er hat mir bereits geschrieben, daß er der Vater des Kindes sei, nicht der Soldat Aleksandr.

Ich glaube, den Wechsel einklagen sollten wir nicht. Das ist nicht mein Stil.

Auf den Bergen liegt Schnee. Es ist kalt und zugig. Jetzt auf der Krim zu leben, bedeutet, einen großen Idioten abzugeben. Du schreibst vom Theater, von euerm Kreis und allen möglichen

Verlockungen, als wolltest du dich über mich lustigmachen; als wüßtest du nicht, welche Langeweile hier herrscht, welcher Druck es ist, sich um 9 Uhr abends schlafenzulegen, sich zu ärgern im Bewußtsein, daß man nirgendwohin gehen, mit niemandem reden kann und für nichts arbeitet, weil man sowieso von seiner Arbeit nichts sieht und nichts hört. Das Klavier und ich – das sind die zwei Gegenstände im Hause, die ihr Dasein geräuschlos und befremdet darüber verbringen, daß man sie hierhertransportiert hat, wo doch niemand auf uns spielen kann.

Mutter ist vollkommen gesund. Marjuška ebenfalls. Marfuša gibt sich Mühe. Von dem Gut am Strand von Gurzuf kann ich mit Bestimmtheit noch nichts schreiben. Das Junkersche Papier lege ich bei, den Scheck desgleichen. Das ist alles. Mehr gibt es nicht zu schreiben. Grüß Olga Leonardovna, den Fürsten Šachovskoj, Maša mit dem Säugling. Nebenbei, eins der Telegramme hat die Lepeškina unterschrieben. Ist sie hübsch, interessant, oder so lala?

M. N. Klimentova und M. I. Machorina lasse ich grüßen. Lauter Mašečkas. In der Kunst gibt es nur noch Mašečkas. (Ich spreche nicht von Anwesenden.)

Wenn du O. L. Knipper besuchen gehst, grüß ihre Mutter.

Einen Gruß an Vladimir Ivanovič. Ich beneide ihn, denn es steht für mich jetzt zweifelsfrei fest, daß er Erfolg bei einer gewissen Person hat.

Also, bleib gesund. Schreib.

Wie geht es und was macht Ivan? *Dein Antoine.*

Den Brief an Junker habe ich am 17. November abgeschickt, geh also nach dem 20. dorthin.

799) AN O. L. KNIPPER JALTA, 19. 11. 1899

18. November.

Liebe Schauspielerin, Višnevskij schrieb mir, daß Sie zur Zeit, um mich zu sehen, nur drei Kopeken geben würden, – das hätten

Sie ihm gesagt. Ich danke Ihnen, Sie sind sehr freigebig. Und wenn noch ein wenig Zeit vergeht, noch ein, zwei Monate, dann werden Sie nicht mal mehr zwei Kopeken geben wollen.

Wie sich die Menschen ändern!

Und ich würde, um Sie sehen zu können, 75 Rubel geben.

Aber stellen Sie sich vor, es ist unmöglich zu schreiben: man schlägt Alarm, es brennt bei uns in Autka. Und es ist starker Wind.

Bleiben Sie gesund! Ich laufe zum Feuer. *Ihr A. Čechov.*

800) AN V. A. POSSE JALTA, 19. 11. 1899

19. November.

Sehr geehrter Vladimir Aleksandrovič. Ihr Brief liegt immer noch auf meinem Tisch und harrt seiner Beantwortung; er hat mir die ganze Zeit als strenger Vorwurf gedient, bis ich endlich, jetzt, nachdem ich auf Ihr Telegramm geantwortet habe, zur Feder greife, um Ihnen zu antworten. Die Sache ist die, daß ich an einer Novelle für »Žizn« schreibe, sie wird bald fertig sein, wahrscheinlich 2. Hälfte Dezember. Sie wird etwa drei Bogen enthalten, aber eine Unmenge handelnder Personen, ein dichtes Gedränge – und ich muß mich sehr plagen, damit dieses Gedränge nicht allzu sehr ins Auge fällt. Wie dem auch sei, um den 10. Dezember wird sie ihre endgültige Form angenommen haben, dann werden Sie sie in Satz geben können. Aber das Schlimme ist: mich packt die Angst, daß die Zensur sie rupfen könnte. Striche seitens der Zensur werde ich nicht hinnehmen, oder ich glaube es zumindest. Und weil die Novelle stellenweise nicht ganz zensurgerecht ausgefallen ist, habe ich mich nicht entschließen können, Ihnen definitiv und verbindlich zu antworten. Meine jetzige Antwort ist natürlich verbindlich, aber unter der Bedingung, daß Sie mir meine Novelle zurückschicken, wenn sie auch Ihnen stellenweise nicht zensurgerecht erscheint, d. h. wenn auch Sie die Gefahr sehen, daß der Zensor sie zusammenstreicht.

Jetzt eine Bitte: veröffentlichen Sie bitte nicht so lange Anzeigen über mich. Wirklich, es ist mir unangenehm. Veröffentlichen Sie eine Zeile, wie bei allen anderen, nach dem Alphabet.

Wo ist Maksim Gorkij?

Also, bleiben Sie gesund. Ich wünsche Ihnen eine gute Subskription und viele Leser, so an die hunderttausend. Ich drücke Ihnen die Hand. *Ihr ergebener A. Čechov.*

801) AN V. I. NEMIROVIČ-DANČENKO JALTA, 24. 11. 1899

24. November.

Lieber Vladimir Ivanovič, bitte sei mir nicht böse für mein langes Schweigen. In meinem Briefwechsel ist allgemein Stillstand eingetreten. Das kommt, weil ich an meiner Belletristik schreibe – erstens, zweitens lese ich Korrektur für Marks, drittens habe ich viele Scherereien mit den Kranken, die hier ankommen und sich aus irgendeinem Grunde an mich wenden. Und die Korrekturen für Marks – das ist die Katorga; ich bin kaum mit dem zweiten Band zu Ende, und wenn ich früher gewußt hätte, daß das so schwer ist, dann hätte ich von Marks nicht 75, sondern 175 Tausend verlangt. Die Kranken, die hier ankommen, sind in der Mehrzahl arme Schlucker, sie wenden sich mit der Bitte an mich, sie irgendwo unterzubringen, so daß ich viel zu reden und zu schreiben habe.

Natürlich langweile ich mich hier verzweifelt. Tagsüber arbeite ich, und gegen Abend beginne ich mich zu fragen, was ich tun, wohin ich gehen soll, – während bei euch im Theater der zweite Akt läuft, liege ich bereits im Bett. Ich stehe auf, wenn es noch dunkel ist, stell dir das vor, es ist dunkel, der Wind heult, der Regen trommelt.

Du gehst fehl in der Annahme, daß mir »von allen Ecken und Enden Freunde« schrieben. Meine Freunde und Bekannten schreiben mir ganz und gar nicht. In der ganzen Zeit habe ich nur zwei Briefe von Višnevskij bekommen, und einer davon zählt nicht, weil A. L. darin Rezensenten kritisiert, die ich nicht gelesen habe. Ich habe auch einen Brief von Goslavskij bekommen, aber auch dieser Brief zählt nicht, weil er ein geschäftlicher Brief ist; geschäftlich in dem Sinne, daß einem einfach nichts einfällt, was man darauf antworten soll.

Ein Stück schreibe ich nicht. Ich habe ein Sujet »Drei Schwestern«, aber bevor ich die Novellen nicht fertighabe, die mir schon lange auf der Seele liegen, gehe ich nicht an das Stück. Die kommende Saison wird ohne ein Stück von mir ablaufen – das ist beschlossene Sache.

Mein Haus in Jalta ist sehr angenehm geworden. Es ist gemütlich, warm, der Blick ist schön. Der Garten wird außergewöhnlich. Ich pflanze alles selbst, eigenhändig. Allein einhundert Rosen habe ich gepflanzt, und zwar die edelsten, kultiviertesten Sorten. 50 Pyramidalakazien, viele Kamelien, Lilien, Tuberosen usw. usf.

In deinem Brief klingt eine kaum hörbare Note an, die sirrt wie bei einer alten Glocke, – und zwar dort, wo du vom Theater schreibst, davon, wie dich die Kleinigkeiten des Theateralltags ermüden. Oh, werd nicht müde, werd nicht gleichgültig! Das Künstlertheater – das sind die besten Seiten jenes Buches, das einmal über das moderne russische Theater geschrieben werden wird. Dieses Theater ist dein Stolz, und es ist das einzige Theater, das ich liebe, auch wenn ich noch kein einziges Mal drin war. Wenn ich in Moskau lebte, dann würde ich versuchen, bei euch in die Verwaltung einzutreten, und sei es als Nachtwächter, um wenigstens ein bißchen zu helfen und nach Möglichkeit zu verhindern, daß du gleichgültig wirst gegenüber dieser liebenswerten Institution.

Es gießt in Strömen, im Zimmer ist es warm. Bleib gesund, fröhlich, glücklich.

Ich drücke dir fest die Hand. Grüß Ekaterina Nikolaevna und alle im Theater, und vor allem – Olga Leonardovna.

Dein A. Čechov.

802) AN A. B. TARACHOVSKIJ JALTA, 26. 11. 1899

29. November.

Endlich habe ich mich aufgerafft, Ihnen zu antworten, sehr geehrter Abram Borisovič. Das Statut der Unterstützungskasse habe ich nicht. Schreiben Sie an Ippolit Fëdorovič Vasilevskij, Petersburg, Oficerskaja, 40 – er wird es Ihnen schicken, oder schreiben Sie direkt an jemanden aus Odessa, damit man Sie in die Odessaer Sektion aufnimmt (sie ist, glaube ich, in Odessa); ich glaube, man benötigt zwei, um aufgenommen zu werden. Der eine dieser beiden werde ich sein. Als Nachweis Ihrer literarischen Befähigung reicht das bei »Posrednik« erschienene Buch, ganz zu schweigen von Ihrer ständigen und bedeutenden Tätigkeit als Journalist. Wenn es in Odessa keine Sektion gibt, dann in Moskau oder Petersburg. Schreiben Sie Vasilevskij, legen Sie diesem Gentleman eine Briefmarke fürs Rückporto bei.

Wozu tragen Sie einen Revolver bei sich? Sie haben in Ehren Ihre Pflicht getan, die Wahrheit ist auf Ihrer Seite – wozu also einen Revolver? Hat man Sie angegriffen? Na, sollen sie doch. Man soll keine Angst haben, was auch drohen mag, und das ständige Tragen eines Revolvers ruiniert nur Ihre Nerven.

Ja, Volkslesesaal und Volkstheater müssen ihr eigenes Gebäude haben, und die Städtische Bibliothek ebenfalls. Bildungsinstitutionen sollten nicht an einer Stelle untergebracht werden, man sollte sie über die ganze Stadt verstreuen – das zum ersten. Zweitens sollte man sich hüten vor Enge, Gedränge, vor Lärm, der bei einem Theater nötig ist und der bei einer Bibliothek stört. Drittens, wenn mehrere Institutionen desselben Charakters unter ein und demselben Dach untergebracht sind, muß eine die anderen verschlingen. Viertens werden die Köchinnen des Bibliothekars, des Theaterinspektors usw. usf. untereinander und mit ihren Hausherren Streit bekommen. Und fünftens und vor allem muß die Städtische Bibliothek als Aufbewahrungsort von Büchern ihr eigenes, geräumiges, für das Publikum attraktives Gebäude haben, und es muß die Garantie dafür gegeben sein, daß das Gebäude je nach Bedarf erweitert werden kann; wenn dagegen an der einen Seite der Lesesaal, auf der anderen das Theater ist, ist an eine Erweiterung gar nicht mehr zu denken. Beim derzeitigen Wachstum des kulturellen Lebens kann doch niemand mehr garantieren, daß für eine Bibliothek in 25–40 Jahren nicht ein fünfstöckiges Gebäude gebraucht wird! Theater dagegen sind halb kommerzielle Institutionen; setzen Sie selbst den Termin, und die Theater werden wie die Pilze aus dem Boden schießen, und in jeder Straße wird es ein Theater geben, und zwar genau dasjenige Theater, das in der betreffenden Straße nötig ist. Wie in Neapel, zum Beispiel.

Es schneit. Das Leben hier ist ganz schön, aber langweilig, ach, wie langweilig! Ich arbeite ein bißchen und warte auf den Frühling, bis ich wegfahren kann. Die hier ankommenden Schwindsüchtigen gehen über meine Kraft; sie wenden sich an mich, bringen mich in Verlegenheit, ich weiß nicht, was ich tun soll. Ich habe mir einen Aufruf ausgedacht, wir werden Geld sammeln, und wenn wir nichts zusammenbekommen, dann muß ich aus Jalta fliehen. Lesen Sie diesen Aufruf und veröffentlichen Sie, wenn Sie es für nötig befinden, ein paar Zeilen darüber im »Priaz. kraj«. Legen Sie den Hauptakzent darauf, daß wir ein Sanatorium bauen wollen. Wenn Sie wüßten, wie diese schwindsüchtigen armen Schlucker hier leben, die man aus Rußland hinauswirft, um sie loszuwerden, wenn Sie das wüßten, – das ist ein einziges Entsetzen! Das Entsetzlichste ist die Einsamkeit und ... die schlechten Decken, die nicht wärmen, sondern nur ein Gefühl des Ekels erregen.

Sie haben mir etwas über die Sonntagsschule geschrieben? Haben Sie das? Nehmen Sie mich als Mitglied auf und schreiben Sie mir, wie hoch der Mitgliedsbeitrag ist und wohin ich ihn zu schicken habe.

Sagen Sie Gordon, daß ich mich an mein Versprechen erinnere. Ich werde ihm die Bilder für die Eingangshalle schicken, er möge sich gedulden. *Ihr A. Čechov.*

Einen Gruß an Ihre Familie.

803) AN E.P. KARPOV JALTA, 27. 11. 1899

27. November 99.

Lieber Evtichij Pavlovič, ich habe eine große Bitte an Sie. Kann man den »Onkel Vanja« nicht auf kommende Saison verschieben, wenn ich, aller Wahrscheinlichkeit nach, in Petersburg sein werde? Es eilt ja nicht, die Arbeit ist kein Bär, sie läuft nicht in den Wald.

Wie geht es Ihnen? Ich wünsche Ihnen alles Gute und drücke Ihnen fest die Hand. *Ihr A. Čechov.*

804) AN V.I. NEMIROVIČ-DANČENKO JALTA, 3. 12. 1899

3. Dez.

Lieber Vladimir Ivanovič, die Antwort von Karpov ist gekommen. Er ist damit einverstanden, die Aufführung des »O.V.« bis nächstes Jahr (oder, genauer, bis nächste Saison) zu verschieben. Jetzt liegt es also bei euch, auf »Rechtsgrundlage« vorzugehen, wie gute Anwälte sagen. Das Stück gehört euch, ihr werdet damit auf Reisen gehen, und ich werde mir den Anschein geben, als sei ich machtlos, gegen euch vorzugehen, da ich das Stück bereits an euch vergeben habe.

Du hast Angst vor Suvorin? Wir stehen nicht mehr im Briefwechsel miteinander, ich weiß daher nicht, was dort vor sich geht. Aber man kann im voraus und mit großer Wahrscheinlichkeit sagen, daß das Künstlertheater dort nicht genehm sein wird. Die Petersburger Literaten und Schauspieler sind sehr eifersüchtig und neidisch, und dabei leichtfertig. Im Vergleich zu ihnen ist Iv.Iv. Ivanov der großzügigste, gerechteste und weiseste Mensch.

Ich habe Rezensionen zum »O.V.« nur im »Kurjer« und den »Novosti dnja« gelesen. In den »Russkie ved.« habe ich einen Aufsatz über »Oblomov« gesehen, aber nicht gelesen. Es geht mir wider den Strich, dieses Aus-den-Fingern-Saugen, dieses Herbeiziehen von »Oblomov«, »Vätern und Söhnen« usw. Man kann zu jedem Stück alles Beliebige herbeiziehen, und wenn Sanin und Ignatov statt Oblomov Nozdrëv oder König Lear genommen hätten, wäre etwas gleichermaßen Tiefsinniges und leicht Eingängiges herausgekommen. Ich lese solche Aufsätze nicht, weil ich mir die Laune nicht versauen lassen will.

Du willst das Stück unbedingt für nächste Saison haben. Aber wenn es nicht zu schreiben ist? Ich werde es natürlich versuchen, aber ich garantiere für nichts und werde nichts versprechen. Übrigens, wir werden nach Ostern darüber sprechen, wenn euer Theater – wenn man Višnevskij und den Zeitungen glauben darf – nach Jalta kommen wird. Dann reden wir darüber.

Heute morgen war ganz sommerliches Wetter, aber gegen Abend ist es wieder mies geworden. Nie war es in Jalta so widerwärtig wie jetzt. Da säße ich schon besser in Moskau.

Du hast recht, für Petersburg muß man Alekseev-Trigorin unbedingt ändern, und sei es nur ein bißchen. Ihm Spermin einimpfen, oder so. In Petersburg, wo die Mehrzahl unserer Belletristen lebt, wird Alekseev, der Trigorin als einen hoffnungslos Impotenten spielt, nur allgemeines Befremden hervorrufen. Meine Erinnerungen an Alekseevs Spiel sind dermaßen düster, daß ich sie einfach nicht loswerden kann und einfach nicht glauben kann, daß A. im »Onkel Vanja« gut sein soll, obwohl alle einstimmig schreiben, er sei tatsächlich gut, sehr sogar.

Du hattest mir versprochen, mir eine Photographie von dir zu schicken, ich warte und warte... Ich brauche sie in zwei Exemplaren: eins für mich, das andere für die Bibliothek in Taganrog, wo ich Kurator bin. Dort braucht man auch eine Photographie von Sumbatov – sag es ihm.

Ich schreibe an einer Novelle für »Žizn«. Ich schicke dir einen Sonderdruck, da du »Žizn« sicherlich nicht liest.

Also, bleib gesund. Grüß Ekaterina Nikolaevna, Alekseev und die ganze Truppe. Ich drücke dir die Hand und umarme dich. *Dein A. Čechov.*

805) AN O. L. KNIPPER JALTA, 8. 12. 1899

8. Dez.

Wir sind von der Welt abgeschnitten: der Telegraph ist überall unterbrochen, die Post nicht gekommen. Seit zwei Tagen heult der Sturm – wie man hier noch keinen erlebt hat.

Liebe Schauspielerin, bezaubernde Frau, ich schreibe Ihnen nicht, weil ich mich an die Arbeit gesetzt habe und mich nicht ablenken lasse.

Zu den Feiertagen werde ich eine Verschnaufpause einlegen – und dann ausführlich schreiben. Schreiben Sie mir klar und verständlich: wird die Truppe im Frühjahr nach Jalta kommen oder nicht? Ist es definitiv beschlossen worden oder nicht definitiv?

Sie heben gern Zeitungsausschnitte auf, ich schicke Ihnen zwei.

Der Wind ist grimmig.

Sehen Sie den Fürsten Šachovskoj? In seinem Leben hat es eine Perturbation gegeben – eine ziemlich amüsante.

Also, bleiben Sie gesund, munter, zornige Schauspielerin, ich wünsche Ihnen Gesundheit, Frohsinn, Geld – alles, was Ihr Herz sich nur wünscht. Ich drücke Ihnen fest die Hand und verneige mich bis zur Erde. *Ihr A. Čechov.*

806) AN V. A. POSSE JALTA, 20. 12. 1899

20. Dez.

Sehr geehrter Vladimir Aleksandrovič, verzeihen Sie erstens, daß ich mich ein bißchen verspätet habe, und zweitens, daß ich das Manuskript in einem solch unansehnlichen Zustand schicke. Ich habe es nicht abgeschrieben aus Angst, mich noch mehr zu verspäten und wieder damit anzufangen, beim Abschreiben zu ändern. Bitte geben Sie es in Satz und schicken Sie mir die Fahnen, ich werde in den Fahnen tun, was ich sonst gewöhnlich beim Abschreiben tue, d. h. das Unansehnliche wohlansehnlich machen. Die Fahnen behalte ich nicht länger als zwei Tage. Wenn Sie verschieben könnten bis zum Febr.-Heft, wäre es gut.

Bleiben Sie gesund und wohlauf.
Das Manuskript geht als eingeschriebenes Streifband ab.
In aufrichtiger Hochachtung *Ihr A. Čechov.*

Den Titel »In der Schlucht« werde ich vielleicht noch ändern, wenn mir irgend etwas Ausdrucksvolleres und Scharfsinnigeres einfällt.

807) AN JU. O. GRJUNBERG JALTA, 22. 12. 1899

22. Dez. 99.

Sehr geehrter Julij Osipovič, von Vertragsbruch meinerseits kann keine Rede sein. Über die »Insel Sachalin« hatte ich mit Adolf Fëdorovič bereits gesprochen, als ich in Petersburg war. Da es sich nicht um Belletristik handelt und da das Buch bereits ziemlich veraltet ist, hatte ich vorgeschlagen, es einstweilen nicht in die Gesamtausgabe aufzunehmen, sondern abzuwarten; vielleicht besteht gar kein Bedarf nach einer Neuauflage dieser Ausgabe. A.F. war mit mir einer Meinung. Wenn er seine Meinung geändert hat, so kann man »Insel Sach.« als achten Band erscheinen lassen, nach den »Stücken«, oder als Einzelausgabe, als Buch, das von besonderem, speziellem Interesse ist. Aus dem letzten Brief von A. F. und Ihrem geht unter anderem hervor, daß Sie mir bereits früher wegen der »Ins. Sach.« geschrieben haben. Diesen Brief habe ich nicht bekommen.

Was meine übrigen ungenannten Werke betrifft, die Sie nennen, so stehen »Das Unglück« und »Gram« in den »Bunten Erzählungen« des Verlags Suvorin, »Vanka« in den »Erzählungen« von Sytin, »Weiberreich« – in den »Novellen und Erzählungen« von Sytin, sie sind wahrscheinlich längst miteinbezogen; »Unvorsichtig« ist bereits im zweiten Band der Ausgabe bei A.F. Marks enthalten. »Die Begegnung« war bereits gesetzt worden, hat mir im Satz aber nicht gefallen, ich habe sie für eine passende Gelegenheit aufgehoben; vielleicht werde ich sie umarbeiten. Bleibt eine Erzählung, das sind »Die Kostgänger«. Sie muß in

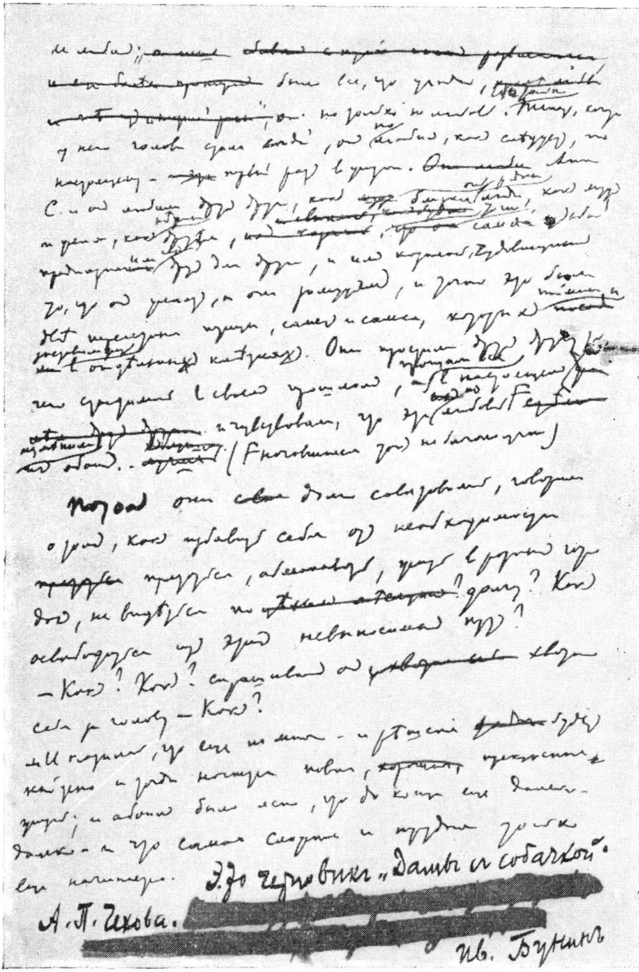

Seite aus dem Manuskript der Erzählung »Die Dame mit dem Hündchen«. Rechts unten handschriftliche Notiz von I.A. Bunin: »Das ist das Manuskript der ›Dame mit dem Hündchen‹ von A.P. Čechov. Iv. Bunin.«

den II. Band. Für den V. Band nehmen wir zwei Erzählungen aus Band VIII herüber, aus den »Novellen und Erzählungen« von Sytin: »In der Verbannung« und »Der Vater«.

Um den zweiten Band abzuschließen, lassen Sie die »Bunten Erzählungen« des Verlags Suvorin in Satz gehen; die ersten daraus bilden, mit einem Umfang von 135 000 Buchstaben, den Teil, der dem zweiten Band noch fehlt, um vollständig zu sein (angefangen von der Erzählung »Der Denker« bis »Eine langwierige Angelegenheit«).

Die Quittung schicke ich zurück und bitte, sie Adolf Fëdorovič mit meinem Dank zu überreichen.

Ich las, der erste Band meiner Erzählungen sei erschienen, habe ihn aber noch nicht gesehen.

Ich wünsche Ihnen alles Gute, ein glückliches Neues Jahr; es ist doch bald Neujahr.

Ich drücke Ihnen die Hand.

Ihr aufrichtiger ergebener *A. Čechov.*

Die detaillierte Inhaltsangabe aller Bände schicke ich Ihnen im neuen Jahr, nur, schreiben Sie mir Ihre endgültige Entscheidung in bezug auf die »I. Sachalin«.

1900

808) AN O. L. KNIPPER JALTA, 2. 1. 1900

2. Jan. 1900.

Seien Sie gegrüßt, liebe Schauspielerin! Sie sind böse, daß ich Ihnen so lange nicht geschrieben habe? Ich habe Ihnen oft geschrieben, aber Sie haben meine Briefe nicht bekommen, weil sie einer unserer gemeinsamen Bekannten auf der Post abgefangen hat.

Ich wünsche Ihnen ein gutes, glückliches Neues Jahr. Ich wünsche Ihnen wirklich Glück und verneige mich bis zur Erde. Werden Sie glücklich, reich, gesund, fröhlich.

Das Leben, das wir führen, ist ganz schön, wir essen viel, schwatzen viel, lachen viel und denken oft an Sie. Maša wird Ihnen erzählen, wie wir die Feiertage verbracht haben.

Ich gratuliere Ihnen zum Erfolg der »Einsamen« nicht. Ich hoffe noch immer, daß Sie alle nach Jalta kommen werden, daß ich die »Einsamen« auf der Bühne sehen und Ihnen dann herzlich, richtig gratulieren können werde. Ich habe Mejerchold geschrieben und ihn in meinem Brief zu überzeugen versucht, nicht zu dick aufzutragen bei der Darstellung des nervösen Menschen. Die überwiegende Mehrheit der Menschen ist doch nervös, die Mehrheit leidet, die Minderheit verspürt den scharfen Schmerz, aber wo – wo auf den Straßen und in den Häusern – sehen Sie Menschen, die hin und her rennen, springen, sich an den Kopf fassen? Das Leiden muß man so darstellen, wie es sich im Leben äußert, d.h. nicht mit Händen und Füßen, sondern im Tonfall, im Blick; nicht mit wildem Gestikulieren, sondern mit Grazie. Feine seelische Regungen, wie sie Intellektuellen eigen sind, muß man auch im Äußeren fein darstellen. Sie werden sagen: die Bedingungen der Bühne. Es gibt keine Bedingungen, die eine Lüge rechtfertigen.

Meine Schwester sagt, Sie hätten die Anna wundervoll gespielt. Ach, wenn das Künstlertheater doch bloß nach Jalta käme!

Im »Nov. vremja« hat man Ihre Truppe sehr gelobt. Dort hat der Kurs gewechselt: offenbar wird man Sie auch während der Großen Fasten sehr loben. Im Febr.-Heft. der »Žizn« erscheint meine Novelle – eine sehr merkwürdige. Da gibt es viele handelnde Personen, auch Landschaften. Da gibt es einen Halbmond, da gibt es die Rohrdommel, die irgendwo in der Ferne ruft: bu-u! bu-u! – wie eine Kuh, die man in eine Scheune eingesperrt hat. Alles gibt es da.

Levitan ist bei uns. Auf meinen Kamin hat er eine Mondnacht während der Heuernte gemalt. Eine Wiese, Heuschober, in der Ferne Wald, über allem der Mond.

Nun denn, bleiben Sie gesund, liebe, außergewöhnliche Schauspielerin. Ich habe Sehnsucht nach Ihnen.

Ihr A. Čechov.

Und wann schicken Sie mir Ihre Photographie?

So eine Barbarei!

809) AN MAKSIM GORKIJ JALTA, 2. 1. 1900

2. Jan.

Teurer Aleksej Maksimovič, ich wünsche Ihnen ein glückliches Neues Jahr! Wie geht es Ihnen, wie fühlen Sie sich, wann kommen Sie nach Jalta? Schreiben Sie mir ausführlich. Ihre Photographie habe ich bekommen, sie ist sehr schön, vielen Dank.

Danke auch für Ihre Bemühungen um unsere Krankenfürsorge. Das Geld, das eingegangen ist oder noch eintreffen wird, schicken Sie an mich oder den Vorstand der Wohltätigkeitsgesellschaft – das ist egal.

Die Novelle für »Žizn« ist bereits abgeschickt. Habe ich Ihnen geschrieben, daß mir Ihre Erzählung »Die Waise« sehr gefallen hat und daß ich sie an einen vorzüglichen Rezitator nach Moskau geschickt habe? An der Medizinischen Fakultät in Moskau gibt es den Professor A.B. Focht, der vorzüglich Slepcov vorträgt. Einen besseren Rezitator kenne ich nicht. An ihn habe ich Ihre »Waise« geschickt. Habe ich Ihnen geschrieben, daß mir in Ihrem dritten Band »Mein Gefährte« sehr gefallen hat? Das ist von derselben Kraft wie »In der Steppe«. Ich an Ihrer Stelle würde die besten Sachen aus den drei Bänden auswählen und sie in einem Band für einen Rubel herausgeben – das wäre etwas wirklich Bemerkenswertes an Kraft und Harmonie. Jetzt geht es in den drei Bänden irgendwie bunt durcheinander; es sind keine schwachen Sachen darin, aber man hat den Eindruck, als seien diese drei Bände nicht von einem, sondern von sieben Autoren geschrieben – ein Zeichen dafür, daß Sie noch jung und unausgegoren sind.

Schreiben Sie mir zwei, drei Worte. Ich drücke Ihnen fest die Hand. *Ihr A. Čechov.*

Sredin läßt Sie grüßen. Wir, d. h. ich und Sredin, sprechen oft von Ihnen. Sredin liebt Sie. Seine Gesundheit ist in Ordnung.

810) AN A.S. SUVORIN JALTA, 8. 1. 1900

8. Jan.

Ich wünsche Ihnen ein glückliches Neues Jahr! Die Feiertage sind vorüber, heute habe ich die Gäste verabschiedet, ich bin wieder allein – und habe Lust, Briefe zu schreiben. Ich wünsche Ihnen Glück und alles Gute – Gesundheit, ein langes Leben. Ich grüße Anna Ivanovna, Nastja und Borja und sende ihnen meine herzlichsten guten Wünsche. Ich grüße auch jene Unbekannte, die mir einen Brief auf Ihrem Briefpapier (mit den Insignien A.S.) geschrieben und nicht unterschrieben hat. Meine Gesundheit ist nicht schlecht, ich fühle mich besser als im vergangenen Jahr, aber die Ärzte lassen mich noch immer nicht aus Jalta fort. Und diese liebe Stadt hier habe ich satt bis zum Erbrechen, wie eine versauerte Ehefrau. Sie kuriert mich von der Tuberkulose, aber dafür macht sie mich um zehn Jahre älter. Wenn ich nach Nizza fahre, dann nicht vor Februar. Ich schreibe ein wenig;

neulich habe ich eine größere Erzählung an »Žizn« geschickt. Geld habe ich wenig; alles, was ich bisher von Marks und für die Stücke bekommen habe, hat sich bereits in Rauch aufgelöst.

Was Sie über die Subskription bei den Zeitungen schreiben, ist interessant. Die »Novosti« lassen nach, das ist auch nicht verwunderlich. »Svet« hat seine Bedeutung als billigstes Organ offenbar bereits verloren. Der »Sev. kurjer« wird allerdings in der Provinz viel gelesen. Wenn man den Fürsten Barjatinskij aufgrund seiner Zeitung beurteilt, dann habe ich mich, zugegeben, an ihm versündigt, denn ich habe ihn mir bei weitem nicht als den vorgestellt, der er ist. Seine Zeitung wird man natürlich einstellen, aber das Renommee eines guten Journalisten wird ihm dennoch lange bleiben. Sie fragen: warum hat der »Sev. kurjer« Erfolg? Weil unsere Gesellschaft müde ist, vom gegenseitigen Haß verrostet und versauert wie das Gras im Sumpf, sie möchte etwas Frisches, Freies, Leichtes, sie möchte es zum Sterben gern.

Ihre Novelle habe ich, glaube ich, in der Moskauer Buchhandlung abgegeben zur Weiterleitung an Sie, oder ich habe sie in meiner Moskauer Wohnung vergessen. Ich werde sie heraussuchen und zurückschicken. Und schicken Sie mir Ihr Stück, ich schicke es Ihnen sofort nach Lektüre zurück. Lassen Sie mir den »Istoričeskij vestnik« schicken – à propos, wenn Ihre Güte so weit reicht, dann auch den Kalender. Im vergangenen Jahr habe ich Ihren Kalender nicht bekommen. Schicken Sie ihn mir gebunden.

Ich treffe hier oft mit dem Mitglied der Akademie Kondakov zusammen. Wir sprechen über die Puškin-Sektion für Schöne Literatur. Da Kondakov an der Wahl der künftigen Akademiemitglieder teilnehmen wird, gebe ich mir alle Mühe, ihn zu hypnotisieren und ihm die Wahl von Barancevič und Michajlovskij zu suggerieren. Der erste, ein abgequälter, erschöpfter Mensch, zweifellos ein Literat, leidet im Alter, das für ihn bereits begonnen hat, Not und arbeitet bei der Pferdeeisenbahn, so wie er schon in seiner Jugend Not gelitten und gearbeitet hat. Ein Gehalt und ein Leben in Frieden kämen für ihn gerade recht. Der zweite, d. h. Michajlovskij, würde der neuen Sektion einen festen Boden geben und seine Wahl würde 3/4 der schreibenden Zunft zufriedenstellen. Aber meine Hypnose ist mißlungen, meine Idee hat nicht verfangen. Die Ergänzung zu dem Erlaß ist etwas ähnliches wie das Tolstojsche Nachwort zur Kreutzersonate. Die Akademiemitglieder haben alles getan, um sich die Literaten vom Leibe zu halten, deren Gesellschaft sie ebenso schockiert wie die Gesellschaft der russ. Akademiemitglieder die Deutschen. Belletristen können nur Ehrenmitglieder werden, aber das bedeutet nichts, es ist dasselbe wie Ehrenbürger der Stadt Vjazma oder Čerepovec: kein Gehalt, kein Stimmrecht. Geschickt eingefädelt! Zu Wirkl. Mitgliedern der Akademie werden Professoren gewählt, und zu Ehrenmitgliedern die Schriftsteller, die nicht in Petersburg leben, d. h. diejenigen, die auf den Sitzungen nicht erscheinen und die Professoren beschimpfen können.

Ich kann hören, wie der Muezzin auf dem Minarett ruft. Die Türken sind sehr religiös; sie haben gerade Fastenzeit, sie essen den ganzen Tag nichts. Sie haben keine religiösen Damen, – dies Element, an dem die Religion sich verläuft wie die Volga im Sand.

Sie tun gut daran, ein Martyrologium der Städte Rußlands zu veröffentlichen, die von bestechlichen Ingenieuren heimgesucht wurden. Hier, was der berühmte Schriftsteller Čechov in seiner Novelle »Mein Leben« geschrieben hat:

> Der Bahnhof wurde fünf Verst vor der Stadt gebaut. Man sagte, die Ingenieure hätten für das Heranführen des Schienenstranges an die Stadt ein Bestechungsgeld von Fünfzigtausend gefordert, die Stadtverwaltung habe jedoch nur vierzig bewilligt; über die zehntausend habe man sich nicht einigen können, und jetzt bereuten es die Städter, denn nun mußte eine Chaussee bis zum Bahnhof gebaut werden, die laut Kostenvoranschlag viel teurer kam.

Die Straßenbau-Ingenieure sind rachsüchtig. Lehnen Sie ihnen eine Bagatelle ab, und sie werden sich ihr Leben lang an Ihnen rächen, – aus Tradition.

Danke für den Brief, danke für die Nachsicht. Ich drücke Ihnen fest die Hand und grüße Sie. *Ihr A. Čechov.*

811) AN M.P. ČECHOVA JALTA, 15. 1. 1900

15. Jan.

Liebe Maša, den Schlüssel gib Kirov. Den Aufruf habe ich heute abgeschickt.

Heute habe ich einen Brief vom »Kurjer« bekommen – eine Einladung, mich am 20jährigen Jubiläum von Golcev zu beteiligen; sie sammeln Kapital für den Bau einer Bibliothek in Staraja Ruza (es gibt so ein Dorf), die nach ihm benannt werden soll. Diese dumme Moskauer Sentimentalität bringt vor allem V.A. selbst in eine peinliche Situation. Niemand auf der Welt feiert 20jährige Jubiläen, und wenn irgendein Beamter oder Schauspieler sein 20jähriges Jubiläum feiern wollte, dann wäre der »Kurjer« der erste, der darüber spottete. Oh, wie schön, daß niemand weiß, wann ich angefangen habe zu schreiben.

Die »Novosti dnja« bekommen wir nicht. Kümmere dich darum, daß man sie uns schickt. Wenn es gratis nicht geht, dann bezahl, was nötig ist. Mutter langweilt sich ohne Zeitungen.

Ich habe das Uferstück mit Badeplatz und Puškinfelsen in der Nähe der Anlegestelle und des Parks von Gurzuf gekauft. Jetzt gehört uns eine ganze kleine Bucht, in der ein Kahn oder Ruderboot liegen kann. Das Haus ist jämmerlich, aber mit Ziegeln gedeckt, vier Zimmer, großer Flur. Ein großer Baum – eine Maulbeere.

Gestern war ich in Gurzuf und habe bei jener sehr hübschen Dame (so hübsch, daß man es mit der Angst zu tun bekommt) gegessen, mit der M-me Bonnier uns bekanntgemacht hatte. Kučukoj wird verkauft. Für das neue Sommerhaus brauchen wir Wiener Stühle. Babakaj hat Tische und hohe Hocker geschickt. Nicht übel. Lampen kauf keine. Ich werde sie selbst mitbringen, wenn ich nach Moskau komme.

Alles steht bestens. Bleib gesund. In Jalta ist Regen. Auf unserer Chaussee ist solcher Morast, daß man weder fahren noch gehen kann. Die Türen werden eingesetzt.

Grüß Olga Leonard. und Gurgulja. *Dein Antoine.*

812) AN I. L. LEONTJEV-ŠČEGLOV JALTA, 19. I. 1900

19. Jan.

Sie haben unterschrieben: »Der kranke Ščegol.« Sie sind krank, lieber Jean? Was haben Sie? Schreiben Sie Genaueres.

Als ich auf dem Briefcouvert Ihre tragische Handschrift erkannte, habe ich mich sehr gefreut. Überhaupt erinnere ich mich immer gern an Sie, und wenn ich Ihnen zum 7. Jan. nicht gratuliert habe, so nicht etwa, weil ich nicht dran gedacht hätte, sondern weil ich Ihre Adresse nicht wußte. Ich begegne oft auf der Strandpromenade in Jalta einer Ihnen bekannten Fratze – der von Doktor Laur, dem Vaudevilleschreiber und Homöopathen, der die »Lacherin« geschrieben hat. Wir, d. h. die Fratze und ich, verbeugen uns voreinander und sprechen über Homöopathie und über Sie.

Mein Leben verläuft so lala. Die Bazillen benehmen sich anständig, leisten sich keine Liberalitäten; zumindest habe ich seit langem nichts Rotes in meinem Speichel gefunden...

Was gibt es Neues, lieber Jean? Wieso sind Ihre Briefe so kurz? Und wenn Sie tatsächlich krank sind, woran leiden Sie?

Woran?

Grüßen Sie Ihre Frau. Meine Mutter dankt Ihnen für den Gruß und sendet einen herzlichen Gruß.

Ich drücke Ihnen fest die Hand, bleiben Sie gesund und munter. *Ihr A. Čechov.*

813) AN G. I. ROSSOLIMO JALTA, 21. I. 1900

21. Jan. 1900.

Lieber Grigorij Ivanovič, das entsprechende PS zu meiner Autobiographie kann man machen, aber besser wäre, die Vollversammlung der Akademie abzuwarten, auf der die Wahlen offiziell stattfinden werden.

Das, was sich von meinen Sachen vielleicht für Kinder eignet, – zwei Märchen aus dem Leben der Hunde, schicke ich Ihnen als eingeschriebenes Streifband. Mehr in diesem Stil habe ich, glaube ich, nicht. Überhaupt kann ich nicht für Kinder schreiben, ich schreibe einmal in 10 Jahren für sie, und die sogenannte Kinderliteratur mag ich nicht und erkenne ich nicht an. Kindern soll man das geben, was sich auch für Erwachsene eignet. Andersen, die Fregatte Pallas, Gogol werden von Kindern gern gelesen, wie auch von Erwachsenen. Man sollte nicht für Kinder schreiben, sondern es fertigbringen, auszuwählen aus dem, was bereits für die Erwachsenen geschrieben ist, d. h. aus echten künstl. Werken; es fertigbringen, die Arznei auszuwählen und zu dosieren – das ist zweckmäßiger und direkter, als sich für einen Patienten irgendeine besondere Arznei auszudenken, nur weil er ein Kind ist. Verzeihen Sie diesen medizinischen Vergleich. Er kommt allerdings gerade recht, weil ich bereits seit 4 Tagen wieder praktiziere, ich behandle mich und meine Mutter. Wahrscheinlich Influenza. Fieber und Kopfschmerzen.

Wenn ich irgend etwas schreibe, werde ich es Sie rechtzeitig wissen lassen, aber das Geschriebene verlegen darf nur ein einziger Mensch – Marks! Für alles, was nicht bei Marks verlegt wird, muß ich 5000 R. Strafe zahlen (für jeden Bogen).

Mein Bruder, Ivan Pavlovič, ist Lehrer, der sich schon seit über 20 Jahren mit den Kindern herumplagt. Er weiß sehr genau, was Kindern gefällt und was nicht. Bei der Auswahl des Sammelbandes könnte er Ihnen von Nutzen sein, als Redakteur ist er schlecht, aber wenn Sie auf den Gedanken kommen sollten, irgendwann einmal eine Bibliographie künstler. Werke und Aufsätze herauszugeben, die sich als Kinderlektüre eignen, so könnte Ihnen mein Bruder manch guten Hinweis geben. Er ist Lehrer in Moskau, seine Adresse: Nov. Basmannaja, Petrovsko-Basmannaja-Schule. Er hat praktisches Gespür.

Ihr Brief hat mich gefreut und ein wenig Soda in meine saure

Stimmung gegossen. Danke, daß Sie an mich gedacht haben. Bald erscheint in der »Žizn« eine Novelle von mir – die letzte aus dem Volksleben. Ich drücke Ihnen fest die Hand.

Ihr A. Čechov.

814) AN A. S. SUVORIN JALTA, 23. 1. 1900

23. Jan.

Das neue Stück, Akt 1 und 2, hat mir gefallen, und ich finde es sogar besser als »Tatjana Repina«. Jene steht dem Theater näher, dieses dem Leben. Der 3. Akt ist zu vage, denn er hat keine Handlung, hat Klarheit nicht einmal im Plan. Vielleicht müßte man, damit er einen bestimmten Charakter bekommt und klar wird, zuerst einmal den 4. Akt schreiben. Im 3. Akt gerät die Aussprache zwischen den Ehegatten in die Nähe der Sumbatovschen »Ketten«; ich zöge es vor, wenn die Frau die ganze Zeit hinter den Kulissen bliebe und Varja, – wie das ja auch im Leben in ähnlichen Fällen zu sein pflegt, – ihrem Vater mehr glaubt als ihrer Mutter.

Anmerkungen habe ich nur wenige. Der gebildete Adelige, der Pope werden will – das ist bereits veraltet und erregt keine Neugierde mehr. Wer Pope geworden ist, ist sozusagen vom Erdboden verschwunden; die einen sind ordinäre Archimandriten geworden, sind verfettet und haben all ihre Ideen längst vergessen, die anderen haben alles hingeworfen und leben in Ruhe und Frieden. Man hat nichts Besonderes von ihnen erwartet, sie haben auch nichts dergleichen getan; und auf der Bühne wird ein junger Mann, der Pope werden will, dem Publikum unsympathisch sein, in seiner Jungfräulichkeit und Keuschheit wird man etwas Skopzenhaftes sehen. Und auch der Schauspieler wird ihn ganz unsinnig spielen. Da hätten Sie besser einen jungen Gelehrten genommen, einen versteckten Jesuiten, der von der Vereinigung der Kirchen träumt, oder irgendeinen anderen, nur einen, der etwas Größeres darstellt als einen Adeligen, der unter die Popen gehen will.

Varja ist gut. In ihrem ersten Auftritt ist ihre Sprache zu hysterisch. Sie sollte keine Witze machen, weil sonst alle bei Ihnen Witze, Wortspiele machen, und das ermüdet die Aufmerksamkeit ein bißchen, es flimmert; die Sprache Ihrer Helden hat Ähnlichkeit mit einem Seidenkleid, auf das dauernd die Sonne scheint und das anzusehen einem wehtut. Die Wörter »Trivialität« und »trivial« sind bereits veraltet.

Nataša ist sehr gut. Zu Unrecht machen Sie im 3. Akt eine andere aus ihr.

Die Namen »Ratiščev« und »Muratov« klingen zu sehr nach Bühne, zu kompliziert. Geben Sie Ratiščev einen kleinrussischen Namen, zur Abwechslung.

Der Vater hat keine Schwächen, keine besonderen äußeren Merkmale: er trinkt nicht, raucht nicht, spielt nicht, ist nicht krank. Man sollte ihm irgendeine Eigenschaft zuordnen, damit der Schauspieler etwas hat, woran er sich halten kann.

Ob der Vater von Varjas Sünde etwas weiß oder nicht, – ich finde, das ist egal, oder es ist nicht so wichtig. Die sexuelle Sphäre spielt auf dieser Welt natürlich eine wichtige Rolle, aber dennoch hängt nicht alles von ihr ab, bei weitem nicht alles; und bei weitem nicht überall kommt ihr entscheidende Bedeutung zu.

Wenn Sie mir den IV. Akt schicken, schreibe ich Ihnen mehr, wenn mir noch etwas einfällt. Ich freue mich, daß Sie beinahe schon das ganze Stück geschrieben haben, und ich wiederhole noch einmal, daß Sie sowohl Stücke als auch Romane schreiben sollten, erstens, weil das überhaupt notwendig ist, und zweitens, weil das gesund ist für Sie, denn es bringt Abwechslung in Ihr Leben.

Was die Akademie betrifft, so sind Sie nicht ausreichend informiert. Wirkl. Mitglieder der Akademie wird es aus dem Kreise der Literaten *nicht* geben. Die Schriftsteller und Künstler wird man zu Ehrenmitgliedern der Akademie machen, zu Ober-Akademikern, Erz-Akademikern, zu einfachen Akademiemitgliedern dagegen – nie oder noch nicht so bald. Die werden in ihren Heiligenschrein doch keine Menschen einlassen, die sie nicht kennen und zu denen sie kein Vertrauen haben. Sagen Sie: wozu war es notwendig, sich den Titel eines Ehrenmitglieds auszudenken?

Wie dem auch sei, ich freue mich, daß man mich gewählt hat. Jetzt wird in meinem Auslandspaß stehen, ich sei Mitglied der Akademie. Und auch die Moskauer Ärzte haben sich gefreut. Das ist für mich wie vom Himmel gefallen.

Danke für den Kalender und für »Ganz Petersb.«

An Anna Ivanovna, Nastja und Borja meine herzlichsten Grüße. Bitte fragen Sie Nastja, ob nicht sie es war, die mir einen nicht unterschriebenen Brief auf Ihrem Briefpapier (A. S.) geschickt hat. Die Hand ist, glaube ich, ihre. In dem Brief steht das Wort »miese Schriftsteller« und es ist die Rede von einer Photographie von mir, die bei Popov gekauft worden sei. Bleiben Sie gesund.

Ihr A. Čechov.

Jurjev ist gut. Nur sollte er bei der Rostoverin keine Schulden haben. Soll lieber Nataša sich von ihm etwas leihen und es ihrem Vater verheimlichen. Soll auch Varja sich etwas leihen, um es ihrer Mutter zu geben.

815) AN F. D. BATJUŠKOV JALTA, 24. I. 1900

24. Jan. 1900.
Sehr geehrter
Fëdor Dmitrievič!

Roche bittet darum, ihm die Stellen aus den »Bauern« zu schikken, die von der Zensur gestrichen worden sind. Aber solche Stellen hat es nicht gegeben. Es gibt ein Kapitel, das weder in die Zeitschrift noch ins Buch eingegangen ist; es ist ein Gespräch der Bauern über die Religion und die Behörden. Aber dieses Kapitel nach Paris zu schicken, besteht keine Notwendigkeit, wie überhaupt keine Notwendigkeit besteht, die »Bauern« ins Französische zu übersetzen.

Ich danke Ihnen herzlich für die Photographie. Die Illustration von Repin ist eine Ehre, die ich nicht erwartet und von der ich nicht einmal geträumt hatte. Das Original zu bekommen, würde mich sehr freuen; sagen Sie Ilja Efimovič, daß ich voller Ungeduld darauf warte und daß er, Ilja Efimovič, jetzt nicht mehr zurückkann, weil ich das Original bereits der Stadt Taganrog vermacht habe, in der ich übrigens geboren bin.

Sie erwähnen Gorkij in Ihrem Brief. Wie gefällt Ihnen übrigens Gorkij? Mir gefällt nicht alles, was er schreibt, aber er hat Sachen, die mir sehr, sehr gefallen, und es unterliegt für mich keinem Zweifel, daß Gorkij aus dem Holz geschnitzt ist, aus dem Künstler geschnitzt werden. Er ist echt. Er ist ein guter, kluger, denkender und nachdenklicher Mensch, aber an und in sich trägt er viel Überflüssiges mit sich herum, zum Beisp. seinen Provinzialismus.

Sie schreiben, »man weiß nicht, aus welcher Richtung man auf eine Bewegung des Wassers hoffen soll«. Hoffen Sie darauf? Es gibt eine Bewegung, aber sie ist wie die Bewegung der Erde um die Sonne, unsichtbar für uns.

Vielen Dank für Ihren Brief, dafür, daß Sie an mich gedacht haben. Ich langweile mich, habe es satt und fühle mich, als hätte man mich über Bord geworfen. Und dann noch das schlechte Wetter, die Krankheit. Ich huste noch immer.

Ich wünsche Ihnen alles Gute. *Ihr ergebener A. Čechov.*

816) AN AL. P. ČECHOV JALTA, 25. 1. 1900

25. Jan.

Grauer Bruder! Ich schicke dir den Wechsel über eintausend Rubel. Ein wenig spät, weil ich selbst ganz durcheinandergekommen bin und jeden Überblick verloren habe und zerstreut die Hände habe sinkenlassen, als ich Flicken auf meinen Finanzkaftan setzen wollte, der offensichtlich nicht mehr zu flicken ist.

Mutter geht es gut. Ich bin mal gesund, mal krank. Die Nachricht von meiner Wahl in die Akademie kam, als ich krank war, – die ganze Freude ging zum Teufel, weil mir alles egal war.

Bitte veröffentliche keine Gegendarstellungen in den Zeitungen. Das ist nicht Sache der Schriftsteller. Die Zeitungsschreiber widerlegen zu wollen ist doch dasselbe, als wollte man den Teufel am Schwanz ziehen oder ein böses Weib überschreien. Und die Schmuuls, besonders die Odessaer, werden dich absichtlich ärgern, nur damit du ihnen Gegendarstellungen schickst. Von allen Schriftstellern, die ich kannte und kenne, haben nur zwei Gegendarstellungen geschrieben: du und Potapenko. Und Potapenko ist immer deswegen beschimpft worden, und selbst hat es ihn jedesmal gereut. Selbst wenn sie schrieben, daß du falsche Geldscheine herstellst, selbst dann – keine Gegendarstellung; der einzige Fall, wo es uns ansteht, eine Gegendarstellung zu veröffentlichen, ist, wenn man für jemanden eintreten muß. Nicht für sich, sondern für jemand anderen.

Auf das Telegramm habe ich gestern spät abends geantwortet, sofort nach Erhalt.

»Rossija« hat großen Erfolg in der Provinz, das »Novoe vremja« fällt immer weiter ab. Und meiner Meinung nach vollkommen zu Recht.

Also, bleib gesund. Schreib wenigstens 2–3 Zeilen, wie es geht. Grüß die Deinen. *Dein Antoine.*

817) AN V. A. GOLCEV JALTA, 27. 1. 1900

27. Jan.

Lieber Viktor Aleksandrovič, ich habe ein Telegramm geschickt, gestatte mir aber trotzdem, dir noch einmal brieflich zu gratulieren. Ich gratuliere dir, umarme dich fest, drücke dir fest die Hand und bitte dich, mir zu glauben, daß ich dich liebe und verehre wie kaum jemanden. In den letzten 10 Jahren warst du einer derjenigen, die mir am nächsten standen.

Ich warte immer noch auf den jungen Gelehrten, von dem du schriebst, aber er kommt nicht. Wo steckt er? Natürlich werden wir ihn unterbringen. Das Wetter hier ist miserabel, und im Februar wird es noch schlechter werden, aber die Jaltaer Luft soll ja auch bei schlechtem Wetter Heilkraft besitzen. Ich war seit dem 17. Jan. (dem Tag meines Engels und meiner Beförderung in die Unsterblichkeit) krank und habe zeitweise sogar gedacht, ich würde jene bald Lügen strafen, die mich zu den »Unsterblichen« gewählt haben, aber es war nichts, ich bin genesen und jetzt wieder gesund, wenn auch, übrigens, mit einem Pflaster unter dem linken Schlüsselbein. Der Arzt fand die rechte Lunge sehr gut, besser als im vergangenen Jahr. Und außer allem übrigen die Titularkrankheit – Hämorrhoiden.

Die Idee, einen Lesesaal in St. Ruza zu eröffnen, gefällt mir ganz und gar nicht. In St. Ruza gibt es doch nichts als die Fähre und die Kneipe – das zum ersten; zweitens ist es unmöglich, einen guten Lesesaal zu eröffnen, und drittens werden die Bauern vom Bücherlesen in Lesesälen keineswegs klüger. Dazu bräuchte es Stipendien. Wenn du dein 25jähriges Jubiläum feierst, werde ich dir zu Ehren vorschlagen, irgend einem »Köchinnen-Kind«, wie es deinen Gegnern im Grundsätzlichen so verhaßt ist, eine volle Gymnasial- und Universitätsbildung angedeihen zu lassen.

In nächster Zeit wird sich in eigener Sache ein Student bei dir melden (Absolvent des Gymnasiums von Jalta), ein armer Schlucker. Er heißt: Maksimovič, Georgij Andreevič. Bitte lehne es nicht ab, ihn zu empfangen und mit ihm zu reden.

»Der Jammerschrei« der Krestovskaja ist eine gute Sache; alles ist gut, bis auf den Titel. Eine Sache im Stil des Tolstojschen »Familienglücks«, es riecht ein wenig altertümlich – alles ist so delikat und ausgeklügelt. Mamins Novelle ist ein grober, geschmackloser und verlogener Quatsch.

Grüß Vukol, gratuliere ihm zu seinem verflossenen Jubiläum.

Bleib gesund und glücklich. *Dein A. Čechov.*

818) AN M.O. MENŠIKOV JALTA, 28. 1. 1900

28. Januar. Jalta.

Lieber Michael Osipovič, welche Krankheit Tolstoj hat, kann ich nicht begreifen. Čerinov hat mir nicht geantwortet, und dem, was ich in den Zeitungen gelesen habe und was Sie jetzt schreiben, kann ich nichts entnehmen. Magen- oder Darmgeschwüre würden sich anders äußern; es sind keine, oder es waren einige blutende Schrammen, die von Gallensteinen herrühren, die abgegangen sind und die Innenwände verletzt haben. Krebs ist es auch nicht, der würde sich vor allem auf den Appetit niederschlagen, auf den Allgemeinzustand, und vor allem würde das Gesicht den Krebs verraten, wenn es welcher wäre. Am wahrscheinlichsten ist, daß L. N. gesund ist (von den Steinen abgesehen) und noch an die zwanzig Jahre leben wird. Seine Krankheit hat mich erschreckt und in ständiger Spannung gehalten. Ich habe Angst vor Tolstojs Tod. Wenn er stürbe, würde in meinem Leben ein großer leerer Fleck bleiben. Erstens habe ich keinen Menschen so geliebt wie ihn; ich bin ein ungläubiger Mensch, aber von allen Arten des Glaubens halte ich gerade seinen Glauben für den, der mir selbst am nächsten ist und am ehesten liegt. Zweitens ist es, wenn und solange es in der Literatur einen Tolstoj gibt, leicht und angenehm, Literat zu sein; selbst wenn man sich eingestehen muß, daß man nichts getan hat und nichts tut, ist das nicht so schlimm, denn Tolstoj tut es für uns alle. Sein Tun ist die Rechtfertigung all der Hoffnungen und Erwartungen, die in die Literatur gesetzt werden. Drittens steht Tolstoj stark und fest, er hat eine Riesenautorität, und solange er lebt, wird jeder schlechte Geschmack in der Literatur, alle mögliche Trivialität, ob frech oder tränenselig, wird alle struppige, zornentbrannte Eitelkeit weit und tief im Schatten stehen. Allein seine moralische Autorität ist in der Lage, die sogenannten literarischen Stimmungen und Strömungen auf einem gewissen Niveau zu halten. Ohne ihn wäre das eine Herde ohne Hirten oder ein Brei, in dem man sich nur schwer zurechtfände.

Um mit Tolstoj abzuschließen, möchte ich noch etwas zu

»Auferstehung« sagen, die ich nicht in Fragmenten, nicht stückweise gelesen habe, sondern im ganzen, in einem Zug. Das ist ein bemerkenswertes Kunstwerk. Das Uninteressanteste ist all das, was über die Beziehungen Nechljudovs zu Katjuša gesagt wird, das Interessanteste sind die Fürsten, Generäle, Tanten, Bauern, Häftlinge, Aufseher. Die Szene bei dem General, dem Kommandanten der Peter-Pauls-Festung, dem Spiritisten, las ich mit stockendem Atem – so gut ist das! Und M-me Korčagina im Sessel, und der Bauer, Fedosjas Mann! Dieser Bauer nennt sein Weib »zupackend«. Genau das ist Tolstojs Feder – zupackend. Einen Schluß hat die Novelle nicht, und das, was sie hat, ist nicht als Schluß zu bezeichnen. Schreiben, schreiben, um dann auf einmal alles auf einen Text aus dem Evangelium abzuwälzen – das ist schon ziemlich theologisch. Alles durch einen Text aus dem Evangelium lösen zu wollen, ist ebenso willkürlich, wie die Häftlinge in fünf Klassen einzuteilen. Warum in fünf, warum nicht in zehn? Warum einen Text aus dem Evangelium, und nicht aus dem Koran? Zuerst muß man Vertrauen in das Evangelium erwecken, Vertrauen darein, daß gerade in ihm die Wahrheit liegt, und dann alles im Text lösen.

Falle ich Ihnen auf die Nerven? Wenn Sie auf die Krim kommen, werde ich ein Interview mit Ihnen machen und es dann in den »Novosti dnja« veröffentlichen. Die schreiben über Tolstoj wie alte Weiber über einen Narren in Christo, allen möglichen salbungsvollen Unsinn; er redet umsonst mit diesen Schmuuls.

Ich war etwa zwei Wochen lang krank. Ich habe versucht, es zu überwinden. Jetzt sitze ich mit einem Pflaster unter dem linken Schlüsselbein und fühle mich nicht übel. Nicht mit dem Pflaster, sondern dem roten Fleck von dem Pflaster.

Die Photographie schicke ich Ihnen ganz bestimmt. Über den Titel eines Mitglieds der Akademie freue ich mich, denn es ist angenehm zu wissen, daß Sigma mich jetzt beneidet. Aber noch mehr würde ich mich freuen, diesen Titel aufgrund irgendeines Mißverständnisses wieder loszuwerden. Und dieses Mißverständnis wird sich mit Sicherheit einstellen, denn die gelehrten

Akademiker haben große Angst, daß wir sie schockieren könnten. Tolstoj haben sie nur widerstrebend gewählt. Er ist, wie sie meinen, Nihilist. So hat ihn zumindest eine Dame genannt, eine Wirkliche Geheimrätin, – wozu ich ihm von Herzen gratuliere.

Ich bekomme die »Nedelja« nicht. Weshalb nicht? In der Redaktion befindet sich ein von mir eingesandtes Manuskript von S. Voskresenskij, »Die Dummheiten des Ivan Ivanovič«. Wenn es nicht veröffentlicht wird, schicken Sie es zurück. Bleiben Sie gesund, ich drücke Ihnen fest die Hand. An Jaša und Lidija Ivanovna meinen Gruß. *Ihr A. Čechov.*

Schreiben Sie!

819) AN M.P. ČECHOV JALTA, 29. I. 1900

Lieber Michel, ich antworte auf deinen Brief.

1) In Toržok bin ich kein einziges Mal gewesen und habe auch niemandem aus Toržok je Telegramme geschickt. Ich bin am Tage nach der »Möwe«-Premiere aus Petersburg abgereist, in Begleitung von Suvorins Lakai und Potapenko.

2) Darüber, daß ich meine Werke an Marks verkaufe und zu welchen Bedingungen, war Suvorin in allen Einzelheiten informiert. Auf meine direkte Frage, ob er sie nicht kaufen wolle, gab er zur Antwort, daß er kein Geld habe, daß ihm seine Kinder nicht gestatteten, meine Werke zu kaufen, und daß mehr als Marks sowieso niemand zahlen könne.

3) Ein Vorschuß von 20 Tausend – das hätte bedeutet, die Werke für 20 Tausend zu kaufen, und ich wäre nie aus meinen Schulden herausgekommen.

4) Als ich mit Marks abgeschlossen hatte, hat Suvorin mir geschrieben, daß er sich sehr freue, denn es habe ihn immer das Gewissen geplagt, daß er mich schlecht behandle als Verleger.

5) Gespräche über die Richtung des »Nov. vremja« haben in Nizza nicht stattgefunden.

6) Die »Beziehungen«, über die ich dir schrieb (und darüber

sollte man natürlich mit S. nicht offen reden), haben sich erst zu ändern begonnen, nachdem A. S. mir geschrieben hatte, daß wir einander nichts mehr zu sagen hätten.

7) Die vollständige Ausgabe meiner Werke ist in seiner Drukkerei begonnen, aber nicht fortgesetzt worden, weil man dort dauernd meine Manuskripte verlor, Briefe nicht beantwortete und mich durch diese schlampige Einstellung in eine verzweifelte Lage brachte; ich hatte Tuberkulose, ich mußte daran denken, meine Werke nicht in Gestalt einer ungeordneten, formlosen Masse auf meine Erben abzuwälzen.

8) Natürlich hätte ich dir dies alles nicht schreiben sollen, denn all das ist zu persönlich und langweilig, aber wenn man dich nun einmal bezaubert und dir alles im anderen Lichte dargestellt hat, was soll ich da machen – lies alle diese 8 Punkte und schreib sie dir hinter die Ohren. Von irgend einer Versöhnung kann überhaupt nicht die Rede sein, denn ich und S. haben uns nicht gestritten, und wir schreiben einander wieder so, als sei nichts gewesen. Anna Ivanovna ist eine nette Frau, aber sie ist sehr hinterlistig. Ich glaube an ihr Wohlwollen, aber wenn ich mit ihr spreche, kann ich keinen Augenblick vergessen, daß sie hinterlistig und daß A. S. ein sehr guter Mensch ist und das »Novoe vremja« herausgibt. Das schreibe ich ausschließlich dir allein.

Bei uns steht alles zum besten. Mutter war ein bißchen krank, jetzt ist alles wieder gut. Hast du in Moskau Maša gesehen?

Den »Severnyj kraj« bekomme ich. Man sollte die Chronik auffüllen. Die Provinz-Korrespondenten sind gut, besonders die aus Vologda.

Wie geht es Ženja? Also, bleib gesund, grüß Olga Germanovna, ich wünsche euch beiden Glück und alles Gute.

29. Jan. *Dein A. Čechov.*

820) AN L.S. MIZINOVA JALTA, 29. I. 1900

29. Jan.

Liebe Lika, man schrieb mir, Sie seien sehr dick geworden und gesetzt, so daß ich keineswegs erwartet hatte, daß Sie an mich denken und mir schreiben würden. Aber Sie haben an mich gedacht, – und ich danke Ihnen sehr dafür, Geliebte. Sie schreiben nichts von Ihrer Gesundheit: sie ist offenbar gut, und darüber freue ich mich. Ich hoffe, auch Ihre Frau Mama ist gesund und es steht alles zum besten. Ich bin beinahe gesund; manchmal bin ich krank, aber das nicht oft – und auch nur deshalb, weil ich schon ein alter Mann bin, die Bazillen haben nichts damit zu tun. Und wenn ich jetzt eine schöne Frau sehe, lächle ich greisenhaft, die Unterlippe vorgeschoben, – und nichts weiter.

Haben Sie die Schriftstellerin kennengelernt? Ich kann mir vorstellen, welche Posen Sie vor ihr eingenommen haben, um zu verbergen, daß Sie eine schiefe Hüfte haben. Nebenbei bemerkt, sie wird im Frühjahr nach Jalta kommen, fahren Sie doch mit ihr, wenn Sie schon vereinbart haben, gemeinsam zu reisen. Auf der Krim ist es im Frühjahr sehr schön.

Mir gefällt nicht, daß Sie im »Helsingfors« wohnen. Es gibt doch auch möblierte Zimmer, die sauberer sind. Schließlich könnte man ja auch eine Wohnung mieten. Im »Helsingfors« zu wohnen, das ist eine schlechte Angewohnheit, die Ihnen nicht als schlecht erscheint, solange Sie dort wohnen, aber ein–zwei Wochen woanders zu wohnen würde reichen, daß Ihnen das »Helsingfors« genauso widerwärtig wird wie mir.

Wo ist Varja? Was macht sie?

Meine Photographie werde ich Ihnen schicken, wenn der hiesige Photograph die Abzüge fertighat. Man photographiert mich hier sehr oft, gibt mir aber keine Photographien.

Sie schreiben, Sie führen nach Berdičev. Fliehen Sie vielleicht mit jemandem aus der Redaktion des »Kurjer« dorthin? Mit Konovicer? Ja?

Lika, ich langweile mich in Jalta sehr. Mein Leben verläuft nicht und strömt nicht, sondern schleppt sich. Vergessen Sie mich nicht, schreiben Sie mir wenigstens bisweilen. In Briefen, wie auch im Leben, Sie sind eine sehr interessante Frau. Ich drücke Ihnen fest die Hand. *Ihr A. Čechov.*

Wenn Sie Golcev und Konovicer sehen, so grüßen Sie sie. Grüßen Sie unbedingt auch Olga Petrovna.

821) AN I. L. LEONTJEV-ŠČEGLOV JALTA, 2. 2. 1900

2. Februar.

Lieber Jean, ich schicke die Antwort auf Ihren letzten Brief. Stanislavskij heißt so: Konstantin Sergeevič Alekseev, Moskau, Krasnye vorota, eigenes Haus. Stücke liest außer ihm noch Vl. I. Nemirovič-Dančenko (Karetnyj rjad, Künstlerisches Theater). Bisher sind, glaube ich, Einakter noch nicht aufgeführt worden. Wenn ihnen das Stück gefällt, führen sie es auf. »Gefällt« bedeutet in ihrer Sprache es paßt, es ist interessant in bezug auf Regie und andere Theatergesichtspunkte. Am besten, Sie schrieben für dieses außergewöhnliche Theater ein Stück in 4 Akten, ein Ščeglovsches, wahrhaft künstlerisches wie den »Gordischen Knoten«, ohne Reporter und ohne edelmütige alte Schriftsteller. Lieber Jean, Entlarven, Galligkeit, Bosheit, die sogenannte »Unabhängigkeit«, d. h. Kritik an den Liberalen und neuen Menschen, – das ist ganz und gar nicht Ihr Fach. Der Herrgott hat Ihnen ein gutes, zartfühlendes Herz geschenkt, benützen Sie es, schreiben Sie mit weicher Feder, mit leichter Hand, ohne an die Kränkungen zu denken, die man Ihnen zugefügt hat. Sie nennen sich einen Verehrer von mir. Und ich bin ein Verehrer von Ihnen, und zwar der beharrlichsten einer, weil ich Sie kenne und weiß, aus welchem Holz Ihr Talent geschnitzt ist, und niemand wird mich von meiner festen Überzeugung abbringen, daß Sie den wahren göttlichen Funken besitzen. Aber infolge der Umstände, die sich so und nicht anders gefügt haben, sind Sie gereizt, sind bis zu den Knien eingesunken in Kleinkram, Kleinkram hat Sie ermüdet, argwöhnisch gemacht, Sie glauben nicht mehr an sich selbst – daher das beständige Denken an Krankheiten, an Not, das Denken an eine Pension, an Vejnberg. An eine Pension zu denken ist für Sie noch zu früh, und wenn Vejnberg Ihnen gegenüber kühl geworden ist, so hatte er dazu ein gewisses Recht oder einen Grund. Sie haben einen Protestbrief geschrieben, das Lit.-Theater-Komitee entlarvt, und das hat damals auf alle einen bedrükkenden Eindruck gemacht, wahrscheinlich, weil so etwas nicht üblich ist. Seien Sie objektiv, sehen Sie alles mit den Augen eines guten Menschen, d. h. mit Ihren eigenen Augen – und setzen Sie sich hin und schreiben Sie eine Novelle oder ein Stück aus dem russischen Leben, keine Kritik an diesem russischen Leben, sondern ein frohes Stieglitz-Lied auf das russische Leben und unser Leben überhaupt, das nur einmal gegeben wird und das darauf zu verschwenden, [...], giftige Ehefrauen und Komitees zu entlarven, nichts einbringt. Lieber Jean, seien Sie sich selbst, seien Sie Ihrer Begabung gerecht, lassen Sie Ihr großes Schiff über das weite Meer segeln, halten Sie es nicht fest in der Fontanka. Verzeihen Sie allen, die Sie beleidigt haben, winken Sie ab und, ich wiederhole, setzen Sie sich hin und schreiben Sie.

Verzeihen Sie, daß ich in den Singsang einer Pilgerin verfallen bin. Aber ich meine es ehrlich mit Ihnen, als Kollege, und mich auf eine kurze geschäftliche Antwort zu beschränken, wäre meinerseits zumindest unpassend gewesen.

Ich würde mich sehr freuen, wenn uns das Schicksal im Frühjahr zusammenführte. Laur habe ich lange nicht gesehen. Und auch nichts von ihm gehört.

Meine Gesundheit ist noch nicht wiederhergestellt, aber es läßt sich leben. In diesem Jahr geht es mir besser als im vergangenen. Meine Mutter dankt Ihnen herzlich für den Gruß und läßt ihrerseits grüßen.

Richten Sie Ihrer Frau einen Gruß von mir aus und bleiben Sie gesund, lieber Jean. Ich drücke Ihnen fest die Hand.

Ihr A. Čechov.

822) AN MAKSIM GORKIJ JALTA, 3. 2. 1900

3. Febr.

Lieber Aleksej Maksimovič, ich danke Ihnen für den Brief, für die Zeilen über Tolstoj und den »Onkel Vanja«, den ich nicht auf der Bühne gesehen habe, danke überhaupt, daß Sie mich nicht vergessen. Hier, im gesegneten Jalta, würde man ohne Briefe eingehen. Der Müßiggang, der idiotische Winter ständig mit Temperaturen über Null, die totale Abwesenheit interessanter Frauen, die Schweinerüssel auf der Strandpromenade – all das kann einen Menschen binnen kürzester Zeit vergiften und verbrauchen. Ich bin müde, und es kommt mir so vor, als schleppe sich dieser Winter bereits zehn Jahre dahin.

Sie haben Pleuritis? Wenn ja, wozu sitzen Sie dann in Nižnij? Wozu? Was haben Sie, nebenbei, an diesem Nižnij? Welches Harz hält Sie so festgeklebt an diese Stadt? Wenn Moskau, wie Sie schreiben, Ihnen gefällt, weshalb leben Sie dann nicht in Moskau? In Moskau gibt es Theater usw. usf., und vor allem – von Moskau ist es ein Katzensprung ins Ausland, wenn Sie dagegen in Nižnij leben, werden Sie auch in Nižnij hängenbleiben und nie über Vasilsursk hinauskommen. Sie müssen möglichst viel sehen, möglichst viel kennenlernen, möglichst weit sehen. Sie haben eine weitgreifende, zupackende Phantasie, aber sie ist wie ein großer Ofen, dem nicht genug Brennholz zugeführt wird. Das spürt man allgemein, und insbesondere in Ihren Erzählungen; in der Erzählung bringen Sie zwei, drei Gestalten, aber diese Gestalten stehen isoliert, außerhalb der Masse; man sieht, daß diese Gestalten in Ihrer Phantasie leben, aber nur die Gestalten, die Masse dagegen ist nicht erfaßt. Davon ausnehmen möchte ich Ihre Krim-Geschichten (zum Beisp. »Mein Gefährte«), wo außer den Gestalten auch menschliche Masse zu spüren ist, aus der sie kommen, und Luft, und Perspektive – mit einem Wort, alles. Sehen Sie, wie sehr ich auf Sie einrede – nur, damit Sie nicht in Nižnij sitzenbleiben. Sie sind ein junger, ein kräftiger Mensch, der viel aushält, ich an Ihrer Stelle würde nach Indien gehen, weiß der Teufel wohin, ich würde noch zwei Fakultäten absolvieren. Ich würde, ich würde – Sie lachen, aber es ärgert mich so, daß ich schon 40 bin, daß ich Asthma habe und allen möglichen Mist, der mich daran hindert, frei zu leben. Wie dem auch sei, seien Sie ein guter Mensch und Kollege, seien Sie mir nicht böse, daß ich Ihnen in meinen Briefen Belehrungen erteile wie ein Protopope.

Schreiben Sie mir. Ich warte auf den »Foma Gord.«, den ich bis heute noch nicht gelesen habe, wie er es verdient hätte.

Neues gibt es nicht. Bleiben Sie gesund, ich drücke Ihnen fest die Hand.

Ihr A. Čechov.

823) AN O. L. KNIPPER JALTA, 10. 2. 1900

10. Febr.

Liebe Schauspielerin, der Winter ist sehr lang, ich war nicht ganz gesund, niemand schrieb mir, fast einen ganzen Monat lang – und ich beschloß, da mir nichts übrigblieb, ins Ausland zu fahren, wo es nicht so langweilig ist. Aber jetzt ist es wärmer geworden, es geht mir besser – und ich beschloß, erst gegen Ende des Sommers ins Ausland zu fahren, zur Ausstellung.

Aber weshalb sind denn Sie deprimiert? Weshalb? Sie leben, Sie arbeiten, hoffen, trinken, lachen, wenn Ihnen Ihr Onkel vorliest, – was wollen Sie mehr? Bei mir ist das etwas anderes. Ich bin entwurzelt, ich lebe kein ganzes Leben mehr, trinke nicht, obwohl ich gern trinke; ich liebe den Lärm und höre keinen, mit einem Wort, ich erlebe jetzt den Zustand eines umgepflanzten Baumes, der noch schwankt: soll er anwachsen oder verdorren? Wenn ich mir manchmal erlaube, mich in meinen Briefen über die Langeweile zu beklagen, so habe ich einen gewissen Grund dazu, aber Sie? Oh je! A propos Mejerchold. Er sollte den ganzen Sommer auf der Krim verbringen, das verlangt seine Gesundheit. Nur unbedingt den ganzen Sommer.

Also, ich bin jetzt gesund. Ich tue nichts, denn ich habe vor, mich an die Arbeit zu setzen. Ich grabe den Garten um.

Sie schrieben einmal, für Sie, die kleinen Leute, liege die Zukunft unter dem Schleier des Geheimnisses. Neulich habe ich von Ihrem Chef Vl. Iv. Nemirovič-Dančenko einen Brief bekommen. Er schreibt, die Truppe werde nach Sevastopol, dann nach Jalta kommen – Anfang Mai. In Jalta 5 Vorstellungen, und danach abends Proben. Zu den Proben bleiben nur die wertvollen Vertreter der Truppe, die übrigen können sich erholen, wo es ihnen beliebt. Ich hoffe, Sie sind wertvoll. Für den Direktor sind Sie wertvoll, für den Autor – unbezahlbar. Diesen Scherz zum Nachtisch. Mehr schreiben werde ich nicht, bevor Sie mir nicht Ihr Bild schicken. Ich küsse Ihr Händchen.

Ihr Antonio, academicus.

Im Frühjahr kommt die Truppe auch nach Charkov. Ich werde Ihnen entgegenkommen, nur sagen Sie niemandem etwas davon. Nadežda Iv. ist nach Moskau abgereist.

Ich danke Ihnen für die guten Wünsche zu meiner Heirat. Ich habe meiner jungen Frau Ihre Absicht mitgeteilt, nach Jalta zu kommen, um sie ein bißchen zu betrügen. Sie erwiderte, wenn »diese schlechte Frau« nach Jalta kommen sollte, werde sie mich nicht aus ihren Armen lassen. Ich bemerkte, sich bei heißem Wetter so lange in Umarmungen aufzuhalten, sei unhygienisch. Sie war beleidigt und dachte einen Augenblick nach, als wolle sie erraten, in welchem Milieu ich mir diese *façon de parler* angeeignet habe, und sagte nach kurzer Pause, das Theater sei ein Übel und meine Absicht, keine Stücke mehr zu schreiben, verdiene jedes Lob, und sie bat mich, sie zu küssen. Darauf gab ich zur Antwort, daß es sich für mich als Mitglied der Akademie nicht mehr gezieme, so oft zu küssen. Sie fing an zu weinen, und ich ging.

824) AN A. L. VIŠNEVSKIJ JALTA, 11. 2. 1900

11. Febr.

Lieber Landsmann, Ihren Brief habe ich bekommen, nicht dagegen die Photographien, sie werden morgen kommen, wenn Sie

sie wirklich auch geschickt haben. Ich danke Ihnen für die Einzelheiten, das Theater betreffend, vor allem die Buchhaltung, der ich entnehme, daß Sie in diesem Jahr ein Defizit von 15 Tsd. haben, 1901 wird es einschließlich Ausbau des Ščukinschen Theaters nur noch ein Defizit von 900 R. sein, und 1902 dagegen ein Gewinn von 82 R., und 1903 bereits von 112 R. Geben Sie den ganzen Gewinn Morozov, damit er sich aus dem Geschäft zurückzieht, und 1904 bauen Sie Ihr eigenes Theater, um mindestens + 60 Tsd. im Jahr einzunehmen. Sie sollten sich schämen, weniger einzunehmen. Wenn man sich vor Augen hält, welch große Sache Sie da betreiben und welch lauter Ruhm sich über ganz Rußland ausbreitet, so sollten Sie sich schämen, zu geizen und Defizite zu zählen. Sie hätten schon im vergangenen Jahr mit dem Bau Ihres eigenen Theaters beginnen sollen.

Wenn es tatsächlich möglich wäre, einen Teil der Einnahmen vom 20. Febr. zugunsten der Schwindsüchtigen zu spenden, so wäre das sehr schön. Es gibt hier einige Wohltätigkeitsgesellschaften, ich bin bei der »Fürsorge für eintreffende Kranke« – vergessen Sie diesen Namen nicht, damit das gespendete Geld nicht an irgendeine andere Stelle gelangt. Um eine Vorstellung zugunsten der »Fürsorge« in Jalta werde ich die Direktion auch persönlich bitten.

Ein Stück werde ich schreiben, aber unter der Bedingung, daß die Direktion mir gestattet, die Rollen an die Schauspieler zu versteigern. Der jeweils Meistbietende bekommt die Rolle.

Ich lege einen Ausschnitt aus dem »Priaz. kraj« bei. Ihm werden Sie entnehmen, daß ich in Taganrog geachtet werde, Ihren Intrigen zum Trotz.

Mit Ihrem Brief haben Sie mir eine große Ehre erwiesen, ich weiß nicht, wie ich Ihnen danken soll. Meine herzlichsten Grüße an Glikerija Nikolaevna, Nemirovič, Alekseev und alle. Bleiben Sie gesund, fröhlich, essen Sie Bliny und körnigen Kaviar, essen Sie Lachs, Hausen, Seljanka vom Stör – und seien Sie sich dabei bewußt, daß ein Verbannter Sie beneidet.

Ich drücke Ihnen fest die Hand. *Ihr A. Čechov.*

825) AN A. S. SUVORIN JALTA, 12. 2. 1900

12. Febr.

Ich habe mir über den IV. Akt den Kopf zerbrochen, und es ist mir nichts eingefallen, außer vielleicht, daß es nicht geht, mit den Nihilisten aufzuhören. Das ist zu stürmisch, zu schrill, zu Ihrem Stück paßte besser ein stiller, lyrischer, ergreifender Schluß. Wenn Ihre Heldin alt wird, ohne irgend etwas erreicht und für sich gelöst zu haben, und einsieht, daß sie von allen verlassen, daß sie uninteressant, überflüssig ist, wenn sie begreift, daß die Menschen, die sie umgaben, müßig, überflüssig und schlecht waren (auch ihr Vater) und daß sie am Leben vorbeigelebt hat – ist das nicht schrecklicher als die Nihilisten?

Ihre Briefe zu »Rusalka« und Korš sind sehr gut. Im Ton glänzend und wundervoll geschrieben. Aber über die Konovalova und die Geschworenen hätten Sie, glaube ich, nicht schreiben sollen, so verlockend das Sujet auch sein mag. Soll A-t darüber schreiben, soviel er will, aber nicht Sie, denn das ist nicht Ihr Fach. Um Fragen dieser Art kühl und überzeugend abzuhandeln, muß man ein geradliniger Mensch sein, Sie dagegen kommen in der Mitte des Briefes vom Wege ab, so wie Sie vom Wege abgekommen sind, als Sie plötzlich davon zu sprechen anfingen, daß wir alle manchmal den Wunsch verspürten zu töten, unserem Nächsten den Tod zu wünschen. Wenn einer jungen Frau plötzlich beim Anblick ihrer kranken Schwiegermutter, der bösen Alten, übel und schwach wird, dann wird ihr, der jungen Frau, leichter bei dem Gedanken, daß die Alte bald sterben wird, aber das ist kein Todeswunsch, sondern Ermüdung, Ohnmacht des Geistes, Ärger, Sehnsucht nach Ruhe. Wollte man dieser jungen Frau befehlen, die Alte zu töten, so würde sie eher sich selbst umbringen, gleichgültig, welche Wünsche immer sich in ihrem Herzen regen mögen.

Ja, natürlich, auch Geschworene können sich irren, aber was folgt daraus? Es kommt vor, daß sie irrtümlicherweise ein Almosen dem Satten geben statt dem Hungernden, aber soviel Sie darüber auch schreiben, Sie erreichen nichts damit, Sie schaden nur dem Hungernden. Ob die Geschworenen, unserer Ansicht nach, irren oder nicht, wir müssen zugestehen, daß sie in jedem Falle einen Spruch bei vollem Bewußtsein fällen, daß ihr Gewissen dabei bis zum äußersten angespannt ist; und wenn ein Dampferkapitän seinen Dampfer bei vollem Bewußtsein lenkt, die ganze Zeit Karte und Kompaß im Auge behält, und der Dampfer trotzdem Schiffbruch erleidet, ist es dann nicht richtiger, die Ursache für den Schiffbruch nicht bei dem Kapitän, sondern irgendwo anders zu suchen, und es sei beispielsweise darin, daß die Karte längst veraltet ist oder der Meeresboden sich verändert hat? Die Geschworenen müssen doch mit drei Umständen rechnen: 1) außer dem geltenden Recht, außer den Gesetzesverordnungen und juristischen Bestimmungen gibt es noch das moralische Recht, das dem geltenden immer vorausgeht und das unsere Handlungen bestimmt, besonders dann, wenn wir nach unserem Gewissen handeln wollen; so steht einer Tochter laut Gesetz nur ein Siebtel zu, Sie dagegen, der Sie sich von den Forderungen rein moralischer Ordnung leiten lassen, gehen dem Gesetz voraus und vermachen ihr, entgegen dem Gesetz, ebensoviel wie den Söhnen, weil Sie wissen, daß Sie, würden Sie anders handeln, gegen Ihr Gewissen handeln würden. So geraten auch die Geschworenen manchmal in die Lage, daß sie sich bewußtwerden und spüren, daß das geltende Recht ihrem Gewissen nicht genügt, daß in der Sache, in der sie zu entscheiden haben, Nuancen und Feinheiten stecken, die mit dem »Strafgesetzbuch« nicht in Einklang zu bringen sind, und daß für eine richtige Entscheidung der Frage offenbar noch etwas fehlt, und weil dieses »Etwas« nicht da ist, fällen sie unwillkürlich-ungewollt ein Urteil, in dem etwas fehlt; 2) die Geschworenen sind sich dessen bewußt, daß ein Freispruch keine Vergebung bedeutet und daß ein Freispruch den Angeklagten nicht befreit vom Jüngsten Gericht, vom Gericht des Gewissens, vom Gericht der öffentl. Meinung; sie entscheiden die Frage nur insoweit, als sie eine gerichtliche Frage ist, und das soll nun lieber A-t entscheiden, ob es gut oder schlecht ist, Kinder zu töten; 3) erscheint der Angeklagte vor Gericht, nachdem er bereits durch Gefängnis und Untersuchung erschöpft ist, und er erlebt vor Gericht einen so qualvollen Zustand, daß auch ein Freigesprochener das Gericht nicht ungestraft verläßt.

Wie dem auch sei, es stellt sich heraus, daß der Brief bereits fast zu Ende ist und ich eigentlich noch nichts geschrieben habe.

Bei uns in Jalta ist Frühling, Neues und Interessantes gibt es nicht. Im hiesigen Buchladen habe ich den letzten Band L. Tolstoj mit »Auferstehung« gekauft; es stellte sich heraus, daß es sich um eine vollkommene Fälschung der Tolstoj-Ausgabe handelte – eine saubere Arbeit von Kljukin. Ich frage: wo haben Sie die her? Antwort: in Odessa, von Suvorin.

Wer ist dieser ungläubige Thomas? An Anna Ivanovna, Nastja und Borja meine herzlichsten Grüße. Kommen Sie im Frühling nicht auf die Krim? Von Jalta könnte man im Wagen nach Feodosija fahren, zum Kloster. Bleiben Sie gesund, ich grüße Sie.

Ihr A. Čechov.

»Auferstehung« ist ein bemerkenswerter Roman. Er hat mir gefallen, nur muß man alles auf einmal lesen, auf einen Sitz. Der Schluß ist uninteressant und falsch, falsch in technischer Hinsicht.

826) AN M.P. ČECHOVA JALTA, 14. 2. 1900

14. Febr.

Liebe Maša, auf der Grabplatte sollte stehen:

Pavel Georgievič
Čechov
1825–1898

D.h. Geburts- und Sterbejahr. Das Geburtsjahr hat Vater eigenhändig aufgeschrieben, den Zettel habe ich aufgehoben. Je einfacher die Grabplatte, desto besser.

In Jalta war es warm und ganz schön, aber jetzt ist es wieder kalt. Du sagst, ich jagte dir mit meinen Reiseplänen Angst ein, aber was soll ich machen, wenn ich von Zeit zu Zeit wegfahren muß ...

Ich habe lange keine Briefe bekommen. Briefe bekam ich nur von Personen wie der rührenden Veselitskaja und der liberal-strengen A.F. Lintvarëva (Burlej). Aber vor einigen Tagen überstürzten sie sich plötzlich, ich bekam hundert Briefe aus Moskau. Gurgulja hat mir einen Brief geschickt, einen talentierten, wenn auch analphabetischen. Sie schreibt, Olga Leon. habe zu ihr gesagt, sie liebe Nemirovič sehr, und mich liebe sie überhaupt nicht. Dann schickte mir Višnevskij die Photographien, Aufnahmen von der »Möwe«. Von sieben Photos stellen fünf die Personen von V. selbst dar (das ist sehr interessant!), auf zweien ist die Gruppe mit O. L. abgebildet. Die große Schauspielerin ist, diesen Bildern nach zu schließen, fülliger und hübscher geworden, ich beneide Nemirovič.

Von dem Grundstück in Gurzuf wird dir Dr. P.P. Rozanov erzählen, der zur Zeit in Moskau ist.

Bleib gesund. Zu Hause ist alles wohlauf. *Dein Antoine.*

Versuch Mejerchold zu treffen und ihn zu überzeugen, daß er den *ganzen* Sommer irgendwo möglichst weit südlich von Moskau verbringen muß. Am besten verbrächte er den Sommer auf der Krim und im Kaukasus. Sonst ruiniert er sich seine Gesundheit.

827) AN O.L. KNIPPER JALTA, 14. 2. 1900

14. Febr.

Liebe Schauspielerin, die Photographien sind sehr, sehr schön, besonders die, auf der Sie sich mit den Ellbogen auf die Stuhllehne stützen und auf der Sie einen Gesichtsausdruck haben, einen bescheiden-bekümmerten, stillen Ausdruck, hinter dem sich das Teufelchen verbirgt. Auch die andere ist gelungen, aber auf der haben Sie Ähnlichkeit mit einer kleinen Jüdin, einer sehr musikalischen Person, die aufs Konservatorium geht und gleichzeitig, für alle Fälle, insgeheim die zahnärztliche Kunst erlernt und einen Bräutigam in Mogilëv hat; und zwar einen Bräutigam wie Manasevič. Ärgern Sie sich? Wirklich, wirklich, Sie ärgern sich? Das ist meine Rache dafür, daß Sie nicht unterschrieben haben.

Im Garten sind von den 70 Rosen, die ich im Herbst gepflanzt habe, nur 3 nicht angegangen. Lilien, Iris, Tuberosen, Tulpen, Hyazinthen – alles sprießt aus dem Boden. Die Weide ist schon grün; an der Bank in der Ecke steht schon seit langem üppiges Gras. Der Mandelbaum blüht. Ich habe im ganzen Garten kleine Bänke aufgestellt, keine Paradebänke mit Eisenfüßen, sondern hölzerne, die ich grün anstreichen werde. Ich habe drei Brücken gebaut über den Bach. Ich pflanze Palmen. Überhaupt gibt es viele Neuigkeiten, so viele, daß Sie weder das Haus, noch den Garten, noch die Straße wiedererkennen werden. Nur der Hausherr hat sich nicht verändert, er ist weiterhin deprimiert und ein eifriger Verehrer jener Talente, die in der Nähe der Nikitskie vorota wohnen. Seit dem Herbst habe ich weder Musik noch Gesang gehört, habe ich keine interessante Frau gesehen – wie soll man da nicht trübsinnig werden?

Ich hatte beschlossen, Ihnen nicht zu schreiben, aber da Sie mir die Photographien geschickt haben, nehme ich diesen Fluch von Ihnen und schreibe Ihnen, wie Sie sehen. Ich komme sogar nach Sevastopol, nur, ich wiederhole, sagen Sie niemandem etwas davon, vor allem nicht Višnevskij. Ich werde incognito kommen und mich im Hotel so eintragen: Graf Černomordik.

Es war ein Scherz, als ich sagte, Sie hätten auf dem Bild Ähnlichkeit mit einer kleinen Jüdin. Seien Sie nicht böse, Teuerste. Und damit küsse ich Ihnen das Händchen und bleibe unverändert Ihr *A. Čechov.*

Was macht Ivan Cinger bei Ihnen im Theater?

828) AN MAKSIM GORKIJ JALTA, 15. 2. 1900

15. Febr.

Lieber Aleksej Maksimovič, Ihr Feuilleton im »Nižegor. listok« war Balsam auf meine Seele. Was für Talent Sie haben! Ich kann nichts schreiben außer Belletristik, Sie dagegen beherrschen auch die Feder des Journalisten. Ich dachte zu Anfang, das Feuilleton gefiele mir so, weil Sie mich darin loben, dann aber stellte sich heraus, daß sowohl Sredin, seine ganze Familie, als auch Jarcev – daß alle davon begeistert waren. Schreiben Sie also auch Publizistik, der Herr segne Sie!

Warum schickt man mir »Foma Gordeev« nicht? Ich habe ihn nur in Fragmenten gelesen, dabei sollte man alles auf einmal lesen, auf einen Sitz, so wie ich neulich »Auferstehung« gelesen habe. Alles, außer den ziemlich vagen und erfundenen Beziehungen Nechljudovs zu Katjuša hat mich an diesem Roman erschüttert – seine Kraft und sein Reichtum, seine Weite und die Unehrlichkeit eines Menschen, der sich vor dem Tode fürchtet, sich das aber nicht eingestehen will und sich deshalb an einen Text aus der hl. Schrift klammert.

Schreiben Sie, daß man mir »Foma« schickt.

»Sechsundzwanzig und eine« ist eine gute Erzählung, besser als das, was sonst in der »Žizn« steht, dieser dilettantischen Zeitschrift. In der Erzählung spürt man den Ort der Handlung, es riecht nach Kringeln.

»Žizn« hat meine Erzählung mit groben Druckfehlern veröffentlicht, obwohl ich Korrektur gelesen hatte. An dieser »Žizn« ärgern mich sowohl die provinz. Bildchen von Čirikov als auch das Bild »Glückliches Neues Jahr!« als auch die Erzählung der Gurevič.

Eben hat man mir Ihren Brief gebracht. Sie wollen also nicht nach Indien? Falsch. Wenn man in seiner Vergangenheit Indien hat, eine lange Seereise, so hat man in Stunden der Schlaflosigkeit etwas, woran man sich erinnern kann. Und eine Reise ins Ausland nimmt einem wenig Zeit, sie würde Sie nicht daran hindern, zu Fuß durch Rußland zu wandern.

Ich langweile mich nicht im Sinne von Weltschmerz, nicht im Sinne von Lebensüberdruß, ich langweile mich einfach ohne Menschen, ohne Musik, die ich liebe, und ohne Frauen, die es in Jalta nicht gibt. Es ist langweilig ohne Kaviar und ohne Sauerkraut.

Sehr schade, daß Sie es sich offenbar anders überlegt haben und nicht nach Jalta kommen. Im Mai wird aus Moskau das Künstlertheater hierherkommen. Es wird 5 Vorstellungen geben und dann noch bleiben, um zu proben. Kommen Sie doch, auf den Proben können Sie die Bedingungen der Bühne studieren, und danach schreiben Sie in 5–8 Tagen ein Stück, was ich freudig, von ganzem Herzen begrüßen würde.

Ja, ich habe jetzt das Recht hervorzuheben, daß ich 40 Jahre alt und kein junger Mensch mehr bin. Ich war einmal der jüngste Belletrist, aber dann sind Sie erschienen – und auf einmal bin ich ein gestandener Mann, niemand nennt mich mehr den Jüngsten. Ich drücke Ihnen fest die Hand. Bleiben Sie gesund.

Ihr A. Čechov.

Eben habe ich das Feuilleton von Žukovskij bekommen.

829) AN V. N. LADYŽENSKIJ JALTA, 17. 2. 1900

17. Febr.

Vive la Penza! Vive monsieur le membre de l'hôtel des Zemstvo! Vive la punition corporelle pour les moujiks!

Sei gegrüßt, lieber Dichter, Eiferer der Volksbildung, Chronist der Literatur und, wie man hoffen sollte, künftiger Historiker der Zivilisation von Penza! Ich grüße dich sehr und danke für den Brief und das Buch! Dein Brief steckt voller schmeichelhaft-erhabener Ausdrücke; wahrscheinlich warst du neulich in Moskau beim »Jubiläum der Russkaja mysl«, bist bei D. I. Tichomirov gewesen, hast seinen Worten gelauscht und seinen Muskatwein (Muscat vomitif) getrunken – und all dies hat deinen Stil beeinflussen müssen! Ich danke dir für den Glückwunsch zu meiner Wahl zum Akademiemitglied und erlaube mir, dir mein herzliches Mitgefühl auszudrücken anläßlich der Tatsache, daß du nicht gewählt worden bist. Gegen deine Wahl aufs heftigste opponiert hat Antonij, der Metropolit von Sankt Petersburg. »Welche aus Penza, sagte er, brauchen wir nicht!«

Ich bin immer noch in diesem Jalta. Freunde kommen nicht zu mir gefahren, es gibt keinen Schnee, keine Schlittenfahrten, es gibt auch kein Leben. Cogito ergo sum, – außer diesem »cogito« gibt es keinerlei Anzeichen für Leben.

In Ermangelung der Praxis haben sich viele Organe meines Körpers als überflüssig erwiesen, so daß ich sie ihrer Entbehrlichkeit halber einem Türken verkauft habe. Lies diese Zeilen und sei gestraft. Möge das Gewissen dich plagen, weil du mir so selten schreibst!

Neuigkeiten gibt es keine. Meine Gesundheit ist leidlich. Wenn du mir noch einen Brief schreiben und mir deine Gedichte schicken würdest, so wäre das sehr nach meinem Geschmack. Hast du meine Novelle in der »Žizn« gelesen? Bist du in Moskau in meinen Stücken gewesen, im »Onkel Vanja«? Wo steckt Mamin?

Schreib überhaupt ausführlich, damit ich Grund habe, dich für einen guten Menschen zu halten.

Bleib gesund und kräftig. Mühe dich! Streng dich an! Ich denke oft daran, wie wir bei Filippov saßen und Tee tranken; am Nachbartisch saßen zwei junge Damen, deren eine dir sehr gefallen hatte. *Dein Antonius.*

830) AN O. L. KNIPPER — JALTA, 19. 2. 1900

Konfekt Brieftasche bekommen danke liebe Schauspielerin schenke Gott Ihnen Gesundheit Freuden Sie sind gut und klug prächtig Frühling die Vögel singen meinem Garten blüht Kamelie. *Akademiker.*

831) AN M.P. ČECHOVA JALTA, 22. 2. 1900

Liebe Maša, Mutter bittet darum, ihr eine fertige Halbrotonde zu kaufen und zu schicken. Ich habe so lange nicht geschrieben, weil nichts zu schreiben war. Bei uns ist es warm; aus der Wasserleitung fließt überhaupt kein Wasser – und die einen sagen, das käme von dem schneefreien Winter und so werde es den ganzen Sommer sein, die anderen sagen, es sei ein Rohrbruch, und unternehmen nichts dagegen. Wenn du, wie Marja Abramova sagt, im April kommst, würde ich mich sehr freuen. Das Theater wird nicht nach Jalta kommen, so schrieb Nemirovič. Du bist böse, daß ich nicht geantwortet habe wegen des »Kurjer«. Diese Zeitung will von mir eine Erzählung für 2–3 Feuilletons haben, aber solche Erzählungen schreibe ich nicht. Wegen des Stücks habe ich an Nemirovič geschrieben.

Die Zakuski habe ich bekommen, danke. Bring zu Ostern noch welche mit. Bei uns steht alles zum besten, außer der Geschichte mit dem Wasser, und wenn die gelöst ist, wird der Garten üppig und, so merkwürdig es auch klingen mag, sogar einträglich. Im Garten blüht eine Kamelie, das hat es in Jalta noch nicht gegeben. Ich fange Mäuse. Bleib gesund, hör auf, dich behandeln zu lassen. *Dein Antoine.*

Vgl. »Niva« Schnittmuster, Februar: »Lange Pelerine« Nr. 1; Mutter möchte so eine, aus dickem Tuch ohne Pelzbesatz.

832) AN V. A. POSSE JALTA, 29. 2. 1900

29. Febr.

Sehr geehrter Vladimir Aleksandrovič, Gorkij hat mir mitgeteilt, daß er und Sie nach Jalta kommen wollten: wann kommen Sie? Gorkij hat siebenmal in der Woche Freitag, er ändert seine Pläne ständig. Bitte schreiben Sie mir, ob Sie tatsächlich kommen, wann Sie kommen usw. usf. Bis Ostern werde ich fest zu Hause in Jalta bleiben, über Ostern vielleicht für kurz nach Charkov fahren, danach sitze ich wieder in Jalta.

Es gehen Gerüchte, das Moskauer Künstlertheater wolle in Sevastopol und Jalta spielen; wenn ja, dann werden Sie sich nicht langweilen.

»Foma Gordeev« ist monoton geschrieben wie eine Dissertation. Alle handelnden Personen sprechen gleich; auch ihre Art zu denken ist gleich. Alle sprechen nicht einfach, sondern absichtsvoll; alle haben irgendeinen Hintergedanken; sie sprechen nicht zu Ende, als wüßten sie irgend etwas; tatsächlich wissen sie nichts, es ist einfach ihre façon de parler – zu sprechen und nicht zu Ende zu sprechen.

Stellen gibt es wunderbare im »Foma«. Gorkij wird einmal ein großer Schriftsteller, wenn er nicht müde, nicht gleichgültig und nicht faul wird.

Also, bleiben Sie gesund und wohlauf. Ich warte auf Antwort wegen Ihres Kommens. *Ihr ergebener A. Čechov.*

833) AN MAKSIM GORKIJ JALTA, 6. 3. 1900

6. März.

Lieber Aleksej Maksimovič, das Künstlertheater wird vom 10. bis 15. April in Sevastopol, vom 16. bis 21. – in Jalta spielen. Gegeben werden: »Onkel Vanja«, »Die Möwe«, die »Einsamen« von Hauptmann und »Hedda Gabler« von Ibsen. Sie sollten sich dieses Theater aus nächster Nähe anschauen, um dann ein Stück zu schreiben. Und wenn Sie zu den Proben kämen, würde das Ihren Blick noch mehr schärfen. Nichts macht einen besser mit den Bedingungen der Bühne bekannt als das Durcheinander auf den Proben.

In Jalta ging das Gerücht, Sredin habe einen Brief von Ihnen bekommen: Sie kämen Anfang April. Ist das wahr? Ich sollte das Gerücht selbst überprüfen, kann aber nicht zu Sredin gehen, weil es schon seit 5 Tagen regnet und schneit. Neues gibt es nichts. Bleiben Sie gesund und glücklich, schreiben Sie bald den »Bauern«.

Ich drücke Ihnen fest die Hand. *Ihr A. Čechov.*

Das Künstlertheater kommt mit Bühnenbild und allem.

834) AN M.P. ČECHOVA JALTA, 7. 3. 1900

7. März.

Liebe Maša, in Jalta Schnee, Regen, Kälte, Morast – und so geht es schon seit einer ganzen Woche. Wie in Novoselki. Und es sieht so aus, als würde sich das Wetter so bald nicht ändern. Višnevskij war da. Er hat 4 Tage hier verbracht und die ganze Zeit bei mir am Tisch gesessen und Telegramme an seine Direktion verfaßt oder erzählt, wie wundervoll er gespielt habe. Er hat mir seine Rolle aus dem »Onkel Vanja« vorgetragen, mir das Stück in die Hand gedrückt und mich gebeten, ihm die Stichworte zu sagen; er hat gebrüllt, sich geschüttelt, sich an die Schläfen gefaßt, und ich habe ihm zugesehen und zugehört mit Verzweiflung im Herzen, weggehen konnte ich doch nicht, weil es schneite, – und das 4 Tage lang!!

Hier hängen bereits die Plakate aus, Sinani macht den Kartenvorverkauf. Wenn Nemirovič es sich noch anders überlegt, gibt es einen Skandal.

Die Wasserleitung führt fast gar kein Wasser, ich habe mich eingeschaltet, jetzt wird die Wasserleitung repariert, vielleicht ist bis Ostern alles in Ordnung. Die Chaussee ist bereits fertig, aber – oh weh! – vom vielen Regen hat die Mauer sich zum Garten hin geneigt, sie drohte einzustürzen, jetzt wird sie abgerissen und neu wieder aufgebaut. Sie ist über drei Sažen hoch.

Višnevskij interessiert sich für nichts anderes als sein geniales Spiel, er hat nichts gesehen und kann dir daher nichts erzählen. Ja, nebenbei, es gibt auch nichts Neues. Du kommst doch wohl zu Ostern? Das Theater wird schon in der Karwoche in Sevastopol sein. Die ganze Karwoche bleibe ich in Jalta und fahre erst am Ostermontag nach Sevastopol. In Jalta sind die Vorstellungen in der Woche nach Ostern. Am Karfreitag will Olga Leonardovna zu uns kommen, und am Montag fahren wir gemeinsam nach Sevastopol.

Es hat Frost gegeben, der vieles im Garten verdorben hat. Die Kamelien (nur die Blüten) sind eingegangen.

Bleib gesund. Mutter läßt dich grüßen. *Dein Antoine.*

»Der Arzt sagt im ›Onkel Vanja‹ zu der unwiderstehlich bezaubernden Elena Andreevna: ›Wenn Sie noch ein wenig länger bei uns blieben, würde ich schrecklich hingerissen sein von Ihnen.‹«

Das ist aus einer Rezension. Gib es O. L., sie sammelt so was.

835) AN A. S. SUVORIN JALTA, 10. 3. 1900

10. März.

Noch kein Winter hat sich für mich so lange hingezogen wie dieser, und erst die Zeit zieht sich dahin, sie bewegt sich nicht, und jetzt begreife ich, wie dumm ich gehandelt habe, Moskau aufzugeben. Ich bin des Nordens entwöhnt und an den Süden nicht gewöhnt, und in meiner Situation fällt einem nichts anderes mehr ein als das Ausland. Nach dem Frühling hat hier in Jalta der Winter begonnen; Schnee, Regen, Kälte, Morast – es ist zum Ausspucken.

In der Woche nach Ostern wird in Jalta das Mosk. Künstler-Theater spielen, es bringt alle Bühnenbilder und Requisiten mit. Die Karten für alle 4 angekündigten Vorstellungen waren binnen eines Tages ausverkauft, ungeachtet der stark erhöhten Preise. Gespielt werden, unter anderem, die »Einsamen« von Hauptmann – ein meiner Meinung nach großartiges Stück. Ich habe es mit großem Vergnügen gelesen, obwohl ich Stücke nicht mag, und inszeniert haben soll es das Künstlertheater wunderbar.

Neuigkeiten gibt es keine. Übrigens, ein großes Ereignis gibt es: der »Sokrates«, von Sergeenko wird in den Beilagen zur »Niva« veröffentlicht. Ich habe ihn gelesen, aber mit großer Anstrengung. Das ist nicht »Sokrates«, sondern ein Intrigant, ein dümmliches Menschlein, dessen gesamte Weisheit und Originalität darin besteht, daß er alle seine Nächsten beim Wort nimmt. Nach Talent riecht das nicht einmal, aber es ist sehr wohl möglich, daß das Stück Erfolg haben wird, denn es kommen Wörter darin vor wie »die Amphore«, und Karpov sagt, es sei sehr szenisch.

Akademie-Neuigkeiten. Der Präsident ist sehr erbost sowohl über das Buch von Korš als auch seine Polemik. Am 5. Februar waren die Wahlen der ordentl. Mitglieder. Prof. Kondakov ist in die Puškin-Sektion gewählt worden. Mit Lamanskij und Korš sind es also bereits drei. Und Kondakov schreibt mir: »Die Sektion hat beschlossen, die übrigen drei Sessel einstweilen nicht zu besetzen«, und er meint, er persönlich werde es wohl nicht mehr erleben, wann dieses »einstweilen« ein Ende hat. Auch über Kondakovs Wahl hat es keine offizielle Mitteilung gegeben, offenbar will man es geheimhalten, um die Herren Literaten nicht in Aufruhr zu versetzen.

Wie viele Schwindsüchtige es hier gibt! Welch ein Elend und welche Unruhe um sie! Schwerkranke werden hier weder in den Hotels noch in Privatwohnungen aufgenommen, Sie können sich also vorstellen, welche Geschichten man hier mitansehen muß. Die Leute sterben an Entkräftung, an der Umgebung, an der totalen Verwahrlosung – und das im gepriesenen Tauris. Da verliert man jeglichen Appetit auf Sonne und aufs Meer.

Einen herzlichen Gruß an Anna Ivanovna, Nastja und Borja. Bleiben Sie gesund und wohlauf. *Ihr A. Čechov.*

836) AN V.I. NEMIROVIČ-DANČENKO JALTA, 10. 3. 1900

10. März.

Lieber Vladimir Ivanovič, ich habe von Gorev einen Brief bekommen: er will den »Onkel Vanja« als sein Abschieds-Benefiz spielen. Ich habe ihm geschrieben, daß ich mich sehr freute, daß aber das Stück dem Künstlerischen Theater gehöre und daß es, wenn dieses Theater seine Absicht, es jetzt oder in der kommenden Saison in Petersburg zu spielen, nicht aufgebe, an einem Staatstheater nicht gespielt werden könne.

Gestern sah Sinani, der die Karten verkauft, den ganzen Tag

zerfahren und wie betäubt aus, das Publikum hatte seinen Laden im Handstreich genommen. Die Karten sind ausverkauft, und wenn das Theater doppelt so lange bliebe, würden die Karten auch dann nicht reichen. Und das in Jalta, wo es nie ein volles Haus gibt im Theater und das Theater leersteht.

Das Wetter in Jalta ist widerwärtig, es ist zum Verzweifeln. Dieser Winter kommt mir furchtbar, furchtbar lang vor; ich habe nicht gelebt, obwohl ich alles Geld verbraucht habe, das ich in den Händen und auf meinem Konto hatte. Den ganzen Winter habe ich mich mit Hämorrhoiden herumgeplagt, und erst jetzt, seit ich mich darauf besonnen habe, kein Rindfleisch mehr zu essen, geht es mir besser.

Ob ich an dem neuen Stück schreibe? Es setzt sich allmählich zusammen, aber zu schreiben habe ich noch nicht begonnen, ich mag nicht, außerdem muß ich auch warten, bis es warm wird.

Sumbatov ist in Monaco? Ich strebte ebenfalls dorthin, aber als ich mein Geld und meine Ressourcen zählte, zog ich doch vor, zu Hause zu bleiben.

Vergiß nicht, daß du mir deine Photographie noch nicht geschickt hast. Ich brauche sie mit Unterschrift nicht auf der Rückseite, sondern auf dem Bild – das ist für die Bibliothek von Taganrog.

Also, bleib gesund. Grüß Ekaterina Nikolaevna. Gorev oder Karpov werden dir wahrscheinlich schreiben. Antworte ihnen, was du willst, ohne Rücksicht auf meine Interessen zu nehmen; die Alexandrinka lockt mich nicht, und wenn sie mir 20 Tausend einbrächte.

Ich drücke dir die Hand. *Dein A. Čechov.*

837) AN A. L. VIŠNEVSKIJ JALTA, 17. 3. 1900

17. M.

Lieber Landsmann, Ihr Telegramm habe ich bekommen und seinen Inhalt Novikov übermittelt. Ich habe mich mit dem Elektro-Ingenieur bekanntgemacht, und der hat mir das kategorische

Versprechen gegeben, daß es bis Ostern *unbedingt* elektrisches Licht geben werde. Ich freue mich, ich freue mich vor allem meinetwegen, denn Sie alle zu sehen, und dann noch im vollen Bühnenbild, bei elektrischem Licht – das ist ein Traum, an dessen Verwirklichung ich, zugegeben, bis in letzter Zeit nicht geglaubt habe; und auch jetzt erzittere ich noch bei jedem Klingeln des Telephons: ich denke, es kommt ein Telegramm aus Moskau, das die Vorstellungen absagt...

Gestern hat sich die Fürstin Barjatinskaja die Adresse von Vladimir Ivanovič geholt, sie will ihn und Alekseev bitten, zugunsten ihres Sanatoriums eine Vorstellung zu geben. Wenn Sie beschließen sollten, zugunsten von irgend jemand zu spielen, dann spielen Sie zugunsten der »Fürsorge für eintreffende Kranke«, die *schrecklich* dringend Geld braucht. Die Barjatinskaja hat viel Geld, sie bekommt Unterstützung von der Regierung und den Adeligen, die Fürsorge dagegen hat nichts und niemanden, außer mir und noch zwei, drei kleinen Leuten.

Ich fange Mäuse und kann voller Stolz behaupten: Wir haben keine Mäuse mehr! Zumindest habe ich bereits seit zwei Tagen keine mehr gefangen.

Ich habe Sazonov gesehen, es regnet. Bleiben Sie gesund und glücklich. *Ihr A. Čechov.*

838) AN O. L. KNIPPER JALTA, 26. 3. 1900

26. März.

Aus Ihrem Brief, liebe Schauspielerin, weht einen die schwarze Melancholie an; Sie sind düster, sind furchtbar unglücklich, aber das ist doch, wie man meinen sollte, nicht für lange, denn bald, sehr bald werden Sie im Eisenbahnwagen sitzen und mit großem Appetit essen. Das ist schön, daß Sie früher als die anderen kommen, mit Maša, wir werden also doch Zeit finden zum Reden, zum Bummeln, zum Irgendwohinfahren, zum Essen und Trinken. Nur bitte bringen Sie Višnevskij nicht mit, er folgt uns sonst auf Schritt und Tritt und wird uns nicht zu Wort kommen lassen; er wird uns nicht leben lassen, sondern die ganze Zeit aus dem »Onkel Vanja« rezitieren.

Ein neues Stück habe ich nicht, die Zeitungen lügen. Überhaupt haben die Zeitungen nie die Wahrheit über mich geschrieben. Wenn ich ein Stück begonnen hätte, dann hätte ich es natürlich zuerst Ihnen gesagt.

Bei uns ist Wind, der Frühling hat noch nicht richtig angefangen, aber wir gehen bereits ohne Galoschen und mit Hut. Bald, in ein paar Tagen werden die Tulpen aufblühen. Mein Garten ist schön, aber es ist alles unaufgeräumt, schmutzig, ein Dilettantengarten.

Gorkij ist hier. Er lobt Sie und Ihr Theater sehr. Ich werde ihn mit Ihnen bekanntmachen.

Horch! Es ist jemand gekommen. Ein Gast tritt ein. Auf Wiedersehen, Schauspielerin! *Ihr A. Čechov.*

839) AN M. O. MENŠIKOV JALTA, 26. 3. 1900

26. März.

Lieber Michail Osipovič, in Jalta gibt es keine psychiatrischen Anstalten, ich habe auch noch nie gehört, daß einer der hiesigen Ärzte oder Hotelbesitzer Geisteskranke aufgenommen hätte. Mir fällt an der gesamten Südküste keine einzige Wohnung ein, die die Familie Vengerov in dem Sinne zufriedenstellen könnte, in dem Sie schreiben, d. h. daß der behandelnde Arzt ein guter und feinfühliger Mensch sein, daß die Wohnung billig sein sollte usw. Einen tuberkulösen Geisteskranken hierherzuschicken halte ich für ein mühevolles, kompliziertes und nutzloses Unterfangen; die Ärzte bei Ihnen im Norden schicken ihn hierher, weil sie mit den hiesigen Bedingungen nicht bekannt sind und aus genau demselben Grunde, aus dem dauernd Schwerstkranke hierhergeschickt werden, die hier sehr bald sterben, in erbärmlicher Umgebung, fern der Heimat, in Einsamkeit... (Diese Ärzte bereiten mir beinahe täglich Überraschungen, ich kann Ihnen viel erzählen, wenn wir uns wiedersehen.) Wenn der Prozeß in den

Lungen eben erst begonnen hat, so hat es Sinn, den Patienten im Herbst oder Winter hierherzuschicken, aber einen unheilbar Kranken zu schicken, und noch dazu in den Sommermonaten, wenn es hier heiß und stickig ist wie in einem Backofen, und wenn es in Rußland so schön ist, – das ist meines Erachtens gegen alle Medizin, das bedeutet nur, sich des Patienten ganz einfach zu entledigen.

Die hiesigen Geisteskranken schickt man nach Simferopol, wo es eine besondere Anstalt gibt. Wenn die Ärzte darauf bestehen sollten, V. hierher zu schicken, dann kann man nur eines von beidem tun: entweder ihn in Simferopol unterzubringen oder irgendwo in der Nähe von Jalta eine Villa für ihn zu mieten. Letzteres ist für wenig Geld unmöglich, denn dazu bräuchte man Dienstboten, eine Krankenschwester usw. Ich sage – Villa, weil in Familienpensionen, in Hotels, in Privatwohnungen Schwerkranke hier *nicht* aufgenommen werden.

Überhaupt und nebenbei gesagt ist hier, in dem berühmten und gepriesenen russischen Kurort, dem einzigen, den wir haben, für die Krankenfürsorge noch *nichts* getan worden, und der Russe hat noch nicht einmal den Finger gerührt, um irgendetwas zu tun.

Das Manuskript von Voskresenskij habe ich bekommen, danke für Ihre Bemühungen.

In Jalta will der Frühling einfach noch nicht beginnen, wie es sich gehört: mal ist es kalt, mal warm. Die Natur ist irgendwie unschlüssig. Ich würde mit Vergnügen von hier ausreißen.

Bleiben Sie gesund, ich drücke Ihnen fest die Hand.

Ihr A. Čechov.

Haben Sie den »Sokrates« gelesen?

840) AN M. P. ČECHOVA JALTA, 26. 3. 1900

Liebe Maša, wenn du nach Jalta kommst, denk vor allem daran, daß es seit Anbruch des warmen Wetters in Jalta keinerlei Zakuski mehr gibt, weder Kaviar noch Oliven noch Schinken, nicht einmal Halva für Mutter. Bring von alledem fünf Pud mit. Bring oder schick mit den Sachen auch meinen Zylinder, Waschseife, meinen Überwurf.

Neuigkeiten gibt es keine, Wasser aus der Wasserleitung ebensowenig. Die Gäste haben mich total erschöpft. Gestern, am 25. März, kamen sie ununterbrochen den ganzen Tag; lauter Ärzte aus Moskau und aus der Provinz, die mir Briefe schicken, mich bitten, Quartier zu suchen, zu »arrangieren«, als sei ich ein Kommissionär! Mutter ist gesund. Bleib du auch gesund, komm bald.

Dein Antoine.

Kauf mir bei Šanks in dem englischen Geschäft ein Paar Hosenträger – bretelles, die einfachen, nicht fürs Veloziped.

841) AN E.P. KARPOV JALTA, 20. 4. 1900

20. April 1900.

Lieber Evtichij Pavlovič, verzeihen Sie, ich habe Ihren Brief so lange nicht beantwortet. Der Grund dafür – meine Reise nach Sevastopol und dann der Aufenthalt des Künstlerischen Theaters in Jalta. Ich habe mit V.I. Nemirovič-Dančenko über »Onkel Vanja« gesprochen, er versichert mich, daß ich ihm dieses Stück vor über zwei Jahren nicht nur für Moskau gegeben hätte, sondern überhaupt. Ob das Künstlerische Theater einmal nach Petersburg reisen wird, weiß ich nicht, aber wenn, dann wird mein Stück höchstens 2–3mal gespielt werden – und dann tritt wieder Stille ein. Wie Sie sehen, habe ich kein Glück mit meinen Stükken, das sollte ich mir schließlich und endlich eingestehen und mich damit abfinden. Als ich meine Stücke an das Künstlerische Theater gab, hatte ich doch keineswegs gedacht, daß es einmal in Petersburg spielen könnte, das ist mir nicht im Traum eingefallen. Wie dem auch sei, ich bitte um Entschuldigung, lieber Evtichij Pavlovič, und um Nachsicht für meine ungewollten Fehler, die mir vielleicht deshalb unterlaufen sind, weil ich jetzt bereits das dritte Jahr fern der Hauptstadt und fern von den Menschen lebe, mit denen ich arbeite.

Ich wünsche Ihnen alles Gute. Wenn Nemirovič-Dančenko seine Pläne ändern sollte, werde ich Sie sofort darüber benachrichtigen. *Ihr A. Čechov.*

842) AN V. A. GOLCEV JALTA, 29. 4. 1900

Verzeih, lieber Viktor Aleksandrovič, ich habe dir lange nicht geschrieben; die Gründe dafür – Krankheiten und Schauspieler. In der Osterwoche kam das Künstlertheater, es spielte die »Möwe« und »Onkel Vanja«, und die zwei Wochen vergingen wie im Rausch. Kurz vor Ostern hatte ich starke Blutungen (Hämorrhoiden), die mich bis heute noch nicht wieder haben zu mir kommen lassen. Wir sehen uns bald, ich komme Anfang Mai nach Moskau. Sei nicht böse, mein Lieber, nimm es mir nicht übel; ich fürchte dauernd, du könntest mir böse sein für mein Schweigen. Nun, Gott ist gnädig. *Dein A. Čechov.*

29. April.

843) AN O. L. KNIPPER JALTA, 20. 5. 1900

20. Mai 1900.

Liebe, entzückende Schauspielerin, seien Sie gegrüßt! Wie geht es Ihnen? Wie fühlen Sie sich? Ich war, während der Fahrt nach Jalta, sehr krank. Ich hatte schon in Moskau starke Kopfschmerzen, Fieber – das habe ich Ihnen schändlicherweise verheimlicht, jetzt ist alles gut.

Wie geht es Levitan? Die Ungewißheit quält mich schrecklich. Wenn Sie etwas hören, schreiben Sie mir bitte.

Bleiben Sie gesund, glücklich. Ich habe erfahren, daß Maša Ihnen einen Brief schreibt, – da habe ich mich beeilt, diese wenigen Zeilen zu schreiben. *Ihr A. Čechov.*

844) AN M.O. MENŠIKOV JALTA, 13. 6. 1900

13. Juni 1900.

Lieber Michail Osipovič, wo stecken Sie? Sie schrieben, daß Sie kämen, und ich habe Sie zum 10. Mai erwartet, bin dann zweimal aus Jalta weggefahren und zurückgekehrt, aber Sie waren immer noch nicht da. Jetzt greife ich, ohne daß Sie gekommen wären, zur Feder und schreibe sogar mit einer gewissen Unruhe. Hat Krankheit Sie zurückgehalten, war es die »Nedelja«? Was ist geschehen? Schreiben Sie bitte, ob ich auf Sie warten soll, und überhaupt, wann Sie auf die Krim kommen und ob Sie zu kommen gedenken.

Jetzt will ich Ihren Brief beantworten, der bereits über einen Monat auf meinem Tisch liegt. Vor allem: V.S. Tjufjaeva ist eine sehr gutherzige und nette Dame, nur hätte sie nicht für mich eintreten sollen, sondern für den Stud. Vengerov, und sie hätte Ihnen nicht den Gedanken suggerieren sollen, als hätten Sie mich belästigt. Ich habe Ihren Brief gelesen und nur die Hände zusammengeschlagen. Daß Sie sich wegen des Stud. Vengerov an mich gewandt haben, ist eine normale, alltägliche Sache, soweit mir bekannt ist, wußten Sie niemanden, an den Sie sich hätten wenden können, und es wäre kränkend gewesen, wenn Sie sich nicht an mich gewandt hätten, sondern an irgend jemand anderen, den Sie nicht kennen, und der kein Arzt ist, nebenbei bemerkt.

Zweitens, wegen des Porträts. Richten Sie Lidija Ivanovna aus, daß ich ihr ein Photo schicken werde, ganz bestimmt, nur nicht, ehe ich es nicht selbst von dem Photographen bekommen habe. Ich habe zur Zeit kein einziges Photo, und sich jetzt an den Photographen zu wenden, ist ein wenig unbequem, denn zur Zeit ist in Jalta Saison, die Photographen haben furchtbar viel Arbeit, und mir gibt man die Photos gratis, unentgeltlich.

Also, bis September oder spätestens – bis Oktober!

Wie geht es Ihnen? Wie der »Nedelja«?

Schreiben Sie mir bitte, wenn Sie überhaupt zum Schreiben aufgelegt sind.

Auf der Krim leben und keine Briefe von guten Menschen bekommen – das ist langweilig, ach, wie langweilig! Und sei es kurz, aber schreiben Sie.

Ich drücke Ihnen fest die Hand und sende tausend herzliche Wünsche. *Ihr A. Čechov.*

845) AN MAKSIM GORKIJ JALTA, 7. 7. 1900

7. Juli 1900.

Lieber Aleksej Maksimovič, heute habe ich einen Brief von Kapitolina Valerianovna Nazarjeva (einer Verehrerin von Ihnen, die in den »Birževyja ved.« unter dem Pseudonym »N. Levin« schreibt) bekommen. Sie fragt, wo Sie seien, und bittet um ein Bild von Ihnen, um es in den »Sočinenija« – der Zeitschrift Jasinksijs – zu veröffentlichen. D. h. sie bittet nicht mich, sondern Sie. Ihre Adresse: Petersburg, Nadeždinskaja 11, Whn. 11, Zweimal elf. Na!

Dann habe ich, als Antwort auf meine Absage, einen langen Brief von Melšin bekommen. Einen langen und wenig überzeugenden Brief, aber ich weiß dennoch nicht, was ich tun soll – ihm noch einmal einen Brief schreiben, oder nicht.

Und wie geht es Ihnen? Ihren Brief habe ich kurz nach Ihrer Abreise aus Jalta bekommen, Neues gab es da noch nicht bei Ihnen, aber jetzt, nehme ich an, haben Sie einen ganzen Haufen von Neuigkeiten, höchst interessanten. Ist die Heuernte vorüber? Haben Sie das Stück geschrieben? Schreiben Sie, schreiben und schreiben Sie, schreiben Sie ganz normal, einfach – und ein großes Lob wird Ihnen zuteil! Wie versprochen, schicken Sie es mir; ich werde es lesen und Ihnen in aller Offenheit meine Meinung schreiben, und Wörter, die für die Bühne unpassend sind, unterstreiche ich mit Bleistift.

Ich werde alles erfüllen, nur schreiben Sie bitte, verlieren Sie keine Zeit und nicht die Laune.

Eben hat mir die Dame aus Nižnij, Anna Inozemceva, den ersten Band ihrer Werke gebracht (»Gesammelte Werke«, erster

Band) – und ist weggefahren, ohne mir guten Tag zu sagen. Mit Bild. Das Buch ist in Nižnij-Novgorod gedruckt, darum nenne ich sie die Dame aus Nižnij.

Oh weh! – zu Ihnen kommen kann ich nicht, denn ich muß nach Paris, ich muß nach Moskau, um mich operieren zu lassen (Hämorrhoiden), ich muß in Jalta bleiben, um zu schreiben, ich muß verreisen, irgendwohin weit weg und auf lange... Neuigkeiten gibt es in Jalta keine. Es ist heiß, aber nicht sehr. Die Meinen sind in Gurzuf, ich lebe in Jalta allein. Sredin ist gesund, aber er war krank, ernstlich krank. Wir haben uns zwei Tage lang große Sorgen gemacht, wollten Anatolij herbeizitieren, aber dann ging alles gut, alles ist wieder, wie es war.

Schreiben Sie mir über dies und das, wie es Ihnen geht, was Sie schreiben. Wenn ich nicht in Jalta sein sollte, so wird man mir Ihren Brief, auch Ihr Stück, dorthin nachschicken, wo ich gerade bin. Machen Sie sich darüber keine Sorgen, es wird alles heil und unversehrt ankommen. Sehr wahrscheinlich werde ich bis zum 5.–10. August zu Hause sitzen.

An Ekaterina Pavlovna meine besten Grüße, und Ihren Maksimka segne ich mit beiden Händen und küsse ihn. Bei uns ist alles wohlauf. Als ich Sie begleitete, war ich ein bißchen krank, aber jetzt ist alles gut.

Also, bleiben Sie gesund, glücklich, und der Himmel beschütze Sie. *Ihr A. Čechov.*

846) AN MAKSIM GORKIJ JALTA, 12. 7. 1900

12. Juli.

Lieber Aleksej Maksimovič, Ihre Einladung nach China hat mich erstaunt. Und das Stück? Was macht das Stück? Sie haben es also fertig? Wie dem auch sei, nach China zu fahren, ist es schon zu spät, denn der Krieg geht offenbar seinem Ende entgegen. Und ich könnte auch nur als Arzt dorthinfahren. Als Militärarzt. Wenn der Krieg länger dauert, dann werde ich fahren, aber vorläufig sitze ich und schreibe vor mich hin.

Haben Sie meinen Brief bekommen? Der Nazarjeva geantwortet? Bei uns gibt es nichts Neues, nur unerträgliche Hitze und Schwüle.

An Ekaterina Pavlovna und Maksim beste Grüße. Bleiben Sie gesund und glücklich. *Ihr A. Čechov.*

847) AN A. L. VIŠNEVSKIJ JALTA, 5. 8. 1900

5. Aug. 1900.

Mein lieber Landsmann Aleksandr Leonidovič, vielen, vielen Dank für Ihren Brief und überhaupt für Ihre Güte. Bald werden wir uns wohl wiedersehen, denn ich gehe die ganze Zeit auf und ab und denke an Moskau und ans Wegfahren. Ich habe schreckliche, verzweifelte Sehnsucht.

An dem Stück schreibe ich, ich habe schon viel geschrieben, aber bevor ich nicht in Moskau bin, kann ich nichts darüber sagen. Vielleicht wird gar kein Stück daraus, sondern nur ein langweiliger Unsinn von der Krim. Es heißt »Drei Schwestern« (wie Sie bereits wissen), für Sie bereite ich die Rolle eines Gymnasialinspektors vor, des Mannes einer der Schwestern. Sie werden Uniform tragen und einen Orden am Hals.

Wenn das Stück in dieser Saison nicht passen sollte, dann werde ich es für die nächste umarbeiten.

Ich beneide Sie, daß Sie oft dort sind, wo ich bereits seit sechs Jahren nicht war, d. h. im Bad. Ich bin ganz mit Fischschuppen bedeckt, zugewachsen, ich gehe ohne Kleider und schreie mit wilder Stimme; die Damen haben Angst vor mir.

Es wird erzählt, Sie heirateten die R. Ist das wahr? Wenn ja, dann gratuliere ich von Herzen. Sie ist eine gute Schauspielerin.

Wenn ich nach Moskau komme, laden Sie mich zu sich ein. Meine Schwester schreibt, Sie hätten eine sehr schöne Wohnung, und wenn Sie wirklich zufrieden sind und sich wohl fühlen, dann freue ich mich und beneide Sie. Bleiben Sie gesund, Landsmann, fröhlich, munter, arbeiten Sie gut, mit Vergnügen und vergessen Sie nicht Ihren *A. Čechov.*

848) AN O.L. KNIPPER JALTA, 9. 8. 1900

9. Aug.

Meine liebe Olja, meine Freude, sei gegrüßt! Heute habe ich deinen Brief bekommen, den ersten seit deiner Abreise, ich habe ihn gelesen, habe ihn noch einmal gelesen, und jetzt schreibe ich dir, meine Schauspielerin. Nachdem ich dich zum Bahnhof begleitet hatte, bin ich ins Hotel Kist gefahren, habe dort übernachtet; am nächsten Tag bin ich, aus Langeweile und weil ich nichts Bessres zu tun wußte, nach Balaklava gefahren. Dort habe ich mich dauernd vor den Damen versteckt, die mich erkannten und mir Ovationen bereiten wollten, ich habe dort übernachtet und bin am Morgen des drauffolgenden Tages mit der »Tavel« nach Jalta gefahren. Es war teuflischer Seegang. Jetzt sitze ich in Jalta, sehne mich, bin böse, schmachte. Gestern war Alekseev bei mir – wir sprachen über das Stück, ich gab ihm mein Wort und versprach, das Stück spätestens bis Anfang September abzuschließen. Siehst du, was für ein kluges Kind ich bin.

Mir ist immer, als ginge gleich die Tür auf und du kämst herein. Aber du kommst nicht herein, du bist jetzt auf den Proben oder im Merzljakovskij per., fern von Jalta und mir.

Leb wohl, die Mächte des Himmels, die Schutzengel mögen dich beschützen. Leb wohl, gutes Mädchen. *Dein Antonio.*

849) AN O.L. KNIPPER JALTA, 13. 8. 1900

Liebe, prächtige, großartige Schauspielerin, ich bin gesund, munter, denke an dich, träume und sehne mich nach dir, weil du nicht hier bist. Gestern und vorgestern war ich in Gurzuf, jetzt sitze ich wieder in Jalta, in meinem Gefängnis. Es weht ein grimmiger Wind, das Schiff verkehrt nicht, zu hoher Seegang, die Menschen ertrinken, es will und will nicht regnen, alles ist verdorrt, alles welkt, – mit einem Wort, nach deiner Abreise ist es hier ganz schlimm geworden. Ohne dich werde ich mich aufhängen.

Bleib gesund und glücklich, mein gutes Deutschenkind. Blas

nicht Trübsal, schlaf fest und schreib mir so oft wie möglich.

Ich küsse dich, fest, fest, vierhundertmal.

13. Aug. *Dein Antonio.*

850) AN O. L. KNIPPER JALTA, 14. 8. 1900

Mein Liebes, ich weiß nicht, wann ich nach Moskau komme, – ich weiß es nicht, weil ich, stell dir vor, zur Zeit an dem Stück schreibe. Ich schreibe kein Stück, sondern irgendein Durcheinander. Viele handelnde Personen – möglich, daß ich mich verheddere und aufhören werde zu schreiben.

Die gelben Stiefel, nach denen du fragst, sind nicht geputzt worden seit dem Tag, an dem ich dich begleitet habe. Mich putzt auch keiner. Ich laufe ganz verstaubt herum, in Sack und Asche.

Sonja und Volodja sind noch bei uns. Das Wetter ist miserabel, trocken, der Wind hört nicht auf. Mir ist nicht froh zumute, weil es langweilig ist.

Bleib gesund, liebes Deutschenkind, sei mir nicht böse, betrüg mich nicht. Ich küsse dich fest. *Dein Antonio.*

14. Aug.

851) AN O. L. KNIPPER JALTA, 18. 8. 1900

18. Aug.

Meine Liebste, ich antworte auf die Fragen, die mir aus deinem Brief entgegenspringen. Ich arbeite nicht in Gurzuf, sondern in Jalta, und ich werde grausam gestört, widerwärtig und gemein gestört. Das Stück sitzt mir im Kopf, es ist bereits gegossen, aufgerichtet, es will zu Papier, aber kaum greife ich zum Papier, da geht die Tür auf, und herein kriecht irgendein Rüssel. Ich weiß nicht, was daraus wird, aber der Anfang ist ganz gut geworden, glatt, glaube ich.

Ob wir uns wiedersehen? Ja, wir werden uns wiedersehen. Wann? In den ersten Tagen des September, aller Wahrscheinlichkeit nach. Ich habe Sehnsucht und ärgere mich. Geld geht verteufelt viel drauf, ich ruiniere mich, ich fliege durch den Schornstein. Heute weht ein grimmiger Wind, Sturm, die Bäume verdorren.

Ein Kranich ist weggeflogen.

Ja, meine liebe Schauspielerin, mit welch kälberhafter Begeisterung würde ich jetzt übers Feld laufen, am Waldrand entlang, am Fluß, an der Herde. Komisch zu sagen, aber ich habe doch seit zwei Jahren kein Gras mehr gesehen. Mein Herz, ich habe Sehnsucht!

Maša fährt morgen.

Bleib gesund. Alekseevs und M-me Nemirovič sehe ich nicht.

Dein Antonio.

Višnevskij schreibt mir nicht. Er ist anscheinend böse. Dafür schreibe ich ihm eine schlechte Rolle.

852) AN O.L. KNIPPER JALTA, 20. 8. 1900

20. Aug.

Meine Liebe, was soll das heißen?!! Du schreibst, du hättest von mir bislang nur einen einzigen Brief bekommen, dabei schreibe ich dir jeden oder fast jeden Tag! Was hat das zu bedeuten? Meine Briefe sind nie verlorengegangen.

Gestern war ich im Garten, um ein wenig auszuruhen, und plötzlich – oh Entsetzen! – kommt eine Dame in Grau auf mich zu: Ekaterina Nikolaevna! Sie hat mir mit verschiedenerlei Unsinn die Ohren vollgeredet und gab mir, unter anderem, zu verstehen, daß man sie nur von eins bis drei erreichen könne. Als würde das nicht schon reichen! Sie verabschiedete sich, kam dann nach kurzer Zeit wieder und sagte, daß man sie nur zwischen eins und drei erreichen könne. Die Ärmste, sie hat Angst, ich könnte ihr auf die Nerven fallen.

Das Stück ist angefangen, wie mir scheint, ist der Anfang ganz gut, aber er läßt mich auf einmal kalt, er ist mir zu banal – und jetzt weiß ich nicht, was ich tun soll. Ein Stück muß man doch in einem Zug schreiben, ohne Pause, und der heutige Morgen ist der erste, an dem ich allein bin und mich niemand stört. Na, ist im übrigen auch egal.

Onkel Saša sollte man verheiraten.

Wenn ich komme, gehen wir dann wieder nach Petrovskoe-Razumovskoe? Aber nur, wenn es für einen ganzen Tag ist und das Wetter sehr schön ist, herbstlich, und wenn du nicht Trübsal bläst und nicht jeden Augenblick sagst, du müßtest zur Probe.

Ek. Nik. hat mir insgeheim gesagt, daß ihr Mann, d.h. Vl. Iv. für zwei Wochen hierherkomme, um zu arbeiten. Gegen Ende des Monats. Dann reiße ich aus nach Gurzuf, um nicht zu stören.

In Jalta ist es schon Herbst. Also, mein Liebes, bleib gesund und schreib, schreib, solang es dir nicht auf die Nerven fällt. Leb wohl, mein Herz, mein Engel, schönes Deutschenkind. Ohne dich langweile ich mich höllisch. *Dein Antonio.*

853) AN O. L. KNIPPER JALTA, 23. 8. 1900

23. Aug.

Mein Liebes, sei gegrüßt! In deinem Brief bist du böse, daß ich dir so wenig schreibe. Aber dafür schreibe ich dir doch oft!

Gestern war Alekseev bei mir. Er saß bis 9 Uhr abends, dann gingen wir (oder, genauer, ich führte ihn) ins Mädchengymnasium, zur Direktorin. In dem Gymnasium gibt es eine hübsche kleine Ungarin, die sehr komisch russisch spricht, sie spielte Harfe und brachte uns zum Lachen. Wir saßen bis 12 Uhr.

Heute ging ich in Geschäften in die Stadt, traf dort Veročka und nahm sie mit zu uns nach Hause zum Essen. Diese Veročka ist aus Charkov gekommen. Eine reiche Braut. Siehst du, was ich für ein Don-Juan bin!

Ich schreibe an dem Stück, aber fürchte, daß es langweilig wird. Ich werde es schreiben und, wenn es mir nicht gefällt, weglegen, verstecken bis nächstes Jahr oder bis zu dem Augenblick, wo ich wieder Lust bekomme, es zu schreiben. Wenn eine Saison ohne Stück von mir abläuft, ist das nicht schlimm. Aber wir werden darüber reden, wenn ich in Moskau bin.

Und noch immer kein Regen. Bei uns auf dem Hof wird eine Scheune gebaut. Der Kranich hat Sehnsucht. Ich liebe dich.

Kommst du auf den Bahnhof mich abholen? Und wo soll ich absteigen? In welchem Hotel – einem bequemen, nahegelegenen und nicht zu teuren? Denk darüber nach und schreib mir, meine Liebe.

Bei uns zu Hause ist es still, friedlich, mit Mutter lebe ich in Eintracht, zanke mich nicht mit ihr.

Du gehst mit Višnevskij in die Operette? Hm...

Schreib mir öfter, sei nicht so geizig. Ich werde dich dafür belohnen, ich werde dich voll Ingrimm lieben wie ein Araber. Leb wohl, Olja, bleib gesund und fröhlich. Vergiß mich nicht, schreib und denk öfter an deinen *Antoine.*

854) AN V.F. KOMISSARŽEVSKAJA JALTA, 25. 8. 1900

25. August.

Sie sind mir böse, Vera Fëdorovna? Aber was tun! Die Zeit unserer Mißerfolge und Mißverständnisse dauert offenbar an; ich war zweimal täglich beim Photographen, und jedesmal wurde mir gesagt: noch nicht fertig! Heute schließlich ist mir der Geduldsfaden gerissen, und ich habe ihm zwei Aufnahmen entrissen – sie sind noch nicht aufgezogen, nicht retuschiert, – ich schicke sie Ihnen. Diese Aufnahmen sind noch nicht fertig, bedenken Sie das, d.h. beurteilen Sie sie nicht allzu streng. Ihnen obliegt es, sich genau anzusehen und mir dann zu schreiben, wieviel von welchen Abzügen ich Ihnen schicken soll. Wenn Ihnen beide Sorten gefallen, schicke ich beide, sofern Sie das wünschen, – in mehreren Exemplaren. Auf Ihrer Photographie, nebenbei bemerkt, sehen Sie traurig aus, so traurig!

Boborykins Aufsatz, sein Gespräch mit dem Papst, ist in der »Russkaja mysl« veröffentlicht, Juni 1900.

Mit welchem Vergnügen ich jetzt in zivilisierte Länder führe, nach Petersburg zum Beispiel, um dort zu leben und mich auszulüften. Ich fühle, daß ich hier nicht lebe, sondern einschlafe oder mich immer weiter entferne, irgendwohin, unaufhaltsam, unwiederbringlich, wie ein Luftballon. Aber das Stück schreibe ich trotzdem, ich werde es wahrscheinlich im September abschließen und Ihnen dann schicken. Im September werde ich nach Moskau fahren, dann ins Ausland – für lange.

In Jalta ist es kalt, das Meer ist böse! Bleiben Sie gesund und glücklich, Gott beschütze Sie. Seien Sie mir nicht böse!

Ihr A. Čechov.

855) AN O. L. KNIPPER JALTA, 30. 8. 1900

30. Au.

Meine liebe Olja, ich bin gesund und munter, was ich auch dir, Schauspielerin, wünsche. Ich schreibe dir nicht, weil ich zur Zeit an dem Stück schreibe. Wenn es auch ein bißchen langweilig wird, es ist, glaube ich, trotzdem ganz gut, geistig. Ich schreibe langsam – wider Erwarten. Wenn das Stück sich nicht eintanzt, wie es sich gehört, dann verschiebe ich es auf nächstes Jahr. Aber trotzdem werde ich es, so oder anders, jetzt abschließen.

Ach, wie man mich stört, wenn du nur wüßtest!!! Leute abweisen kann ich nicht, das geht über meine Kräfte.

In Moskau ist es kalt? Oh je, das ist nicht gut.

Also, bleib gesund. Du bist beleidigt, daß ich dich in einigen Briefen nicht mit deinem Namen anrede. Ehrenwort, das war keine Absicht. *Dein Antoine.*

Ich küsse dich zwanzigmal.

Ich war ein bißchen krank, jetzt ist es wieder gut, ich bin wieder fröhlich.

856) AN O. L. KNIPPER JALTA, 5. 9. 1900

5. Sept. 1900.

Mein Liebes, mein Engel, ich schreibe dir nicht, aber sei mir nicht böse, üb Nachsicht mit den menschlichen Schwächen. Ich habe die ganze Zeit an dem Stück gesessen, habe mehr überlegt als geschrieben, aber trotzdem kam es mir so vor, als hätte ich gearbeitet und als sei mir nicht nach Briefen. Ich schreibe an dem Stück, aber ohne Eile, und es ist durchaus möglich, daß ich nach Moskau komme, ohne es fertig zu haben; es hat viele handelnde Personen, es ist eng darin, ich fürchte, es wird unklar oder blaß, und deshalb wäre es meiner Meinung nach besser, es auf nächste Saison zu verschieben. A propos, ich habe nur den »Ivanov« bei Korš gleich nach der Niederschrift aufführen lassen, die anderen Stücke haben noch lange bei mir gelegen, bis Vlad. Ivanovič kam, so daß ich Zeit hatte, alle möglichen Korrekturen vorzunehmen.

Ich habe Gäste: die Direktorin des Gymnasiums und zwei Mädchen. Ich schreibe mit Unterbrechungen. Heute habe ich zwei mir bekannte Fräuleins zum Dampfer begleitet und sah – oh weh! – Ekaterina Nikolaevna, die nach Moskau abreiste. Sie war kalt zu mir wie eine Grabplatte im Herbst! Und ich war wohl auch nicht sonderlich herzlich.

Natürlich schicke ich ein Telegramm, komm mich unbedingt abholen, unbedingt! Ich komme mit dem Schnellzug – morgens. Ich werde kommen und mich noch am selben Tag an das Stück setzen. Aber wo soll ich absteigen? In der Ml. Dmitrovka gibt es weder Tisch noch Bett, ich muß im Hotel absteigen. Ich bleibe nicht lange in Moskau.

Es gibt und gibt keinen Regen in Jalta. Die Bäume verdorren, das Gras ist längst verdorrt; der Wind weht täglich. Es ist kalt.

Schreib mir oft, deine Briefe freuen mich jedesmal und heben meine Stimmung, die fast jeden Tag trocken und hart ist wie der Erdboden auf der Krim. Sei mir nicht böse, meine Liebe.

Die Gäste gehen, ich gehe sie begleiten. *Dein Antoine.*

857) AN O. L. KNIPPER JALTA, 6. 9. 1900

6. Sept.

Meine liebe Olja, mein Engel, ich habe sehr, sehr, sehr große Sehnsucht nach dir. Ich werde kommen, wenn die Proben für dich zu Ende sind und die Vorstellungen beginnen, wenn es in Moskau schon kalt ist, d.h. nach dem 20. September.

Jetzt sitze ich zu Hause, und mir scheint*, ich schreibe.

Also bleib gesund, mein Weiblein. *Dein Antoine.*

* ich sage »scheint«, weil man manchen Tag am Tisch sitzt und sitzt, herumgeht, herumgeht, überlegt, überlegt, sich dann in den Sessel setzt und nach der Zeitung greift oder anfängt, an dies und das zu denken, liebes Weibchen!

Schreib!

858) AN MAKSIM GORKIJ JALTA, 8. 9. 1900

8. September 1900

Also, lieber Aleksej Maksimovič, ich schicke Ihnen einen Brief, den ich gestern bekam; offensichtlich betrifft er Sie und ist hauptsächlich Ihretwegen geschickt worden.

Eben habe ich in der Zeitung gelesen, daß Sie ein Stück schreiben. Schreiben, schreiben, schreiben Sie! Das muß sein. Wenn es durchfällt, ist das nicht schlimm. Der Mißerfolg wird schnell vergessen, dagegen kann ein Erfolg, und sei er noch so unbedeutend, dem Theater überaus großen Nutzen bringen.

Wenn Sie mir schreiben, so werde ich Ihren Brief noch hier bekommen. Ich fahre von hier, von Jalta, frühestens am 22. Sept. weg. Ich fahre nach Moskau, und wenn es dort zu kalt wird, dann ins Ausland.

Das Telegramm habe ich bekommen, merci.

Sehen Sie zu, sowie ich nach Moskau komme, werde ich Ihnen ein Telegramm schicken; kommen Sie dann, wir werden miteinander schwatzen, kreuz und quer durch Moskau fahren.

Ihr A. Čechov.

Grüßen Sie Ihre Frau und sagen Sie, daß ich ihr eine Photographie von mir, eine gute, aus Moskau schicken werde oder aus dem Ausland.

859) AN O.L. KNIPPER JALTA, 8. 9. 1900

8. Sept.

Du schreibst: »Ach, für mich ist das alles so verworren, so verworren ...« Das ist gut so, meine liebe Schauspielerin, sehr gut sogar! Das bedeutet, daß du eine Philosophin bist, eine denkende Frau.

Es ist also wärmer geworden? Wie dem auch sei, am 20. September fahre ich nach Moskau und werde dort bis zum 1. Oktober bleiben. Die ganzen Tage werde ich im Hotel sitzen und an dem Stück schreiben. Schreiben oder ins Reine schreiben? Ich weiß es nicht, mein liebes Weibchen. Irgendwie hat eine meiner Heldinnen angefangen zu lahmen, ich kann ihr einfach nicht helfen und ärgere mich.

Eben habe ich von Marks einen Brief bekommen: er schreibt, meine Stücke würden in 10 Tagen erscheinen.

Ich fürchte, du wirst enttäuscht sein von mir. Mir gehen die Haare aus, schrecklich, so sehr, daß ich, paß nur auf, binnen einer Woche ein kahlköpfiger Großvater sein werde. Das kommt offenbar von dem Friseur. Seit ich mir die Haare habe schneiden lassen, werde ich kahl.

Schreibt Gorkij nun an einem Stück oder nicht? Woher stammt die Nachricht aus den »Novosti dnja«, der Titel »Drei Schwestern« sei ungeeignet? So ein Quatsch! Vielleicht eignet er sich ja auch nicht, aber ich habe nie daran gedacht, ihn zu ändern.

Ich habe schreckliche Sehnsucht. Verstehst du? Schreckliche. Ich ernähre mich ausschließlich von Suppe. An den Abenden ist es kalt, ich sitze zu Hause. Schöne Fräuleins gibt es keine. Das Geld wird immer weniger und weniger, der Bart immer grauer ...

Mein Herz, ich küsse dir das Händchen – das rechte und das

linke. Bleib gesund und blas nicht Trübsal, denke nicht, es sei für dich alles verworren.

Auf Wiedersehen, meine gute Olja, Krokodil meines Herzens!

Dein Antoine.

860) AN V. F. KOMISSARŽEVSKAJA JALTA, 13. 9. 1900

13. September 1900.

Ich bin die ganzen Tage krank, liebe Vera Fëdorovna, Fieber, der Kopf brummt und die Stimmung ist miserabel. Schon den sechsten Tag verlasse ich das Haus nicht und tue nichts. Das Stück, das längst angefangen ist, liegt auf dem Tisch und wartet vergebens darauf, daß ich mich wieder an den Tisch setze und weiterschreibe. Und aller Wahrscheinlichkeit nach werde ich mich bald wieder daranbegeben, aber wann ich damit fertigwerde, wie ich damit fertigwerde – ich kann es einfach noch nicht sagen. Auf jeden Fall wird es kein Stück, das sich für ein Benefiz eignet, und Sie werden es wohl kaum für Ihr Benefiz inszenieren wollen. Übrigens darüber später, aller Wahrscheinlichkeit nach im Oktober, wenn ich mit dem Stück fertig sein und es Ihnen zur Ansicht schicken werde.

Wenn ich das Haus wieder verlassen kann, werde ich zu dem Photographen gehen und veranlassen, daß man Ihnen je ein halbes Dtzd. Bilder schickt. Und Sie schicken mir bitte, ohne einen Augenblick zu zögern, Ihr Porträt, nur eine Petersburger Arbeit, keine andere. Die hiesige, Jaltaer Produktion mag ich nicht.

Wenn Sie Marija Iljinišna schreiben, so schreiben Sie ihr, daß ich sie sehr grüßen lasse und daß ich ihr, wenn ich aus meinem Halbschlaf erwache, ganz bestimmt schreiben und ganz bestimmt nach Izberdej kommen werde (so heißt, glaube ich, die Station?). Ich finde sie sehr sympathisch. Und ich muß oft daran denken, wie sie damals auf Rattenjagd ging.

Sie schreiben, Sie seien in eine neue Wohnung umgezogen, schreiben aber Ihre neue Adresse nicht. Das ist nicht schön, gnädige Frau.

Am 1. Oktober – so denke ich zumindest – werde ich ins Ausland fahren, obwohl es mich gar nicht dorthin zieht. Wegen des Stücks machen Sie sich also keine Sorgen, ich werde es sofort schicken, sobald ich es abgeschlossen habe, ich werde es keinen Tag länger bei mir behalten.

Bleiben Sie gesund und glücklich, Gott und die himmlischen Heerscharen mögen Sie beschützen. Ich habe Ihnen kein Telegramm geschickt, verzeihen Sie, weil es ein Stück noch nicht gibt, es ist nicht fertig. *Ihr A. Čechov.*

In Jalta ist das Theater abgebrannt. Es war hier vollkommen überflüssig, nebenbei bemerkt.

861) AN JU. O. GRJUNBERG JALTA, 13. 9. 1900

13. September 1900.

Sehr geehrter

Julij Osipovič!

Mein Stück »Drei Schwestern«, von dem Sie schreiben, ist kaum angefangen, und wann es abgeschlossen werden wird, kann ich nicht genau sagen. Wie dem auch sei, veröffentlichen werde ich es erst nach einer Reihe von Korrekturen, d. h. erst nachdem es auf der Bühne gespielt worden ist, und das wird wahrscheinlich nicht vor Weihnachten der Fall sein. Außerdem wird es, bevor es in dem Sammelband erscheint, in einer Zeitschrift veröffentlicht, der ich es bereits zugesagt habe.

Gestern habe ich 25 Expl. meines Buches »Novellen und Erzählungen« bekommen und benütze die Gelegenheit, Ihnen dafür zu danken.

Ich wünsche Ihnen alles Gute. *Ihr ergebener A. Čechov.*

Bis zum 1. Oktober werde ich in Jalta bleiben. Ich schreibe dies für den Fall, daß Sie mir Korrekturen schicken wollen.

862) AN O. L. KNIPPER JALTA, 15. 9. 1900

15. September 1900.

Weißt du was, Liebe? Das Theater, in dem du in Jalta gespielt hast, ist abgebrannt. Es ist nachts abgebrannt, vor einigen Tagen, aber ich habe die Ruine nicht gesehen, weil ich krank und nicht in der Stadt war. Was es sonst noch Neues gibt? Nichts sonst.

Aus den Zeitungen erfuhr ich, daß die Vorstellungen bei euch am 20. September beginnen, und daß Gorkij ein Stück geschrieben haben soll. Paß auf, schreib mir unbedingt, wie »Schneeflöckchen« bei euch ankommt, schreib, wie das Stück von Gorkij ist, wenn er tatsächlich eins geschrieben hat. Dieser Mensch ist mir sehr, sehr sympathisch, und daß die Zeitungen über ihn schreiben, und seis auch aller möglicher Unsinn, freut und interessiert mich. Was mein eigenes Stück betrifft, so wird es früher oder später fertig werden, im September oder Oktober oder auch erst November, aber ob ich mich dazu entschließe, es noch in dieser Saison aufführen zu lassen – dies, mein liebes Weiblein, ist ungewiß. Ich werde mich vielleicht nicht dazu entschließen, erstens, weil das Stück noch nicht ganz fertig ist, – soll es noch eine Zeitlang liegen, und zweitens muß ich unbedingt auf den Proben sein, unbedingt! Vier tragende Frauenrollen, vier junge intellektuelle Frauen kann ich Alekseev doch nicht allein überlassen, bei all meiner Achtung vor seiner Begabung und seinem Verständnis. Ich muß wenigstens mit einem Auge die Proben gesehen haben.

Die Krankheit hat mich aufgehalten, jetzt bin ich zu faul, mich an das Stück zu setzen. Nun ja, macht nichts.

Gestern kam nach der Direktorin M-me Bonnier, zum Abendessen.

Schreib mir noch einen interessanten Brief. Fahr noch einmal auf die Sperlingsberge und schreib. Du bist mein kluges Kind. Nur schreib lang, damit zwei Marken auf dem Briefcouvert sind. Übrigens, dir ist jetzt nicht nach Schreiben; erstens hast du viel zu tun, und zweitens bist du meiner bereits entwöhnt. Es stimmt doch? Du bist höllisch kalt, wie das einer Schauspielerin übrigens

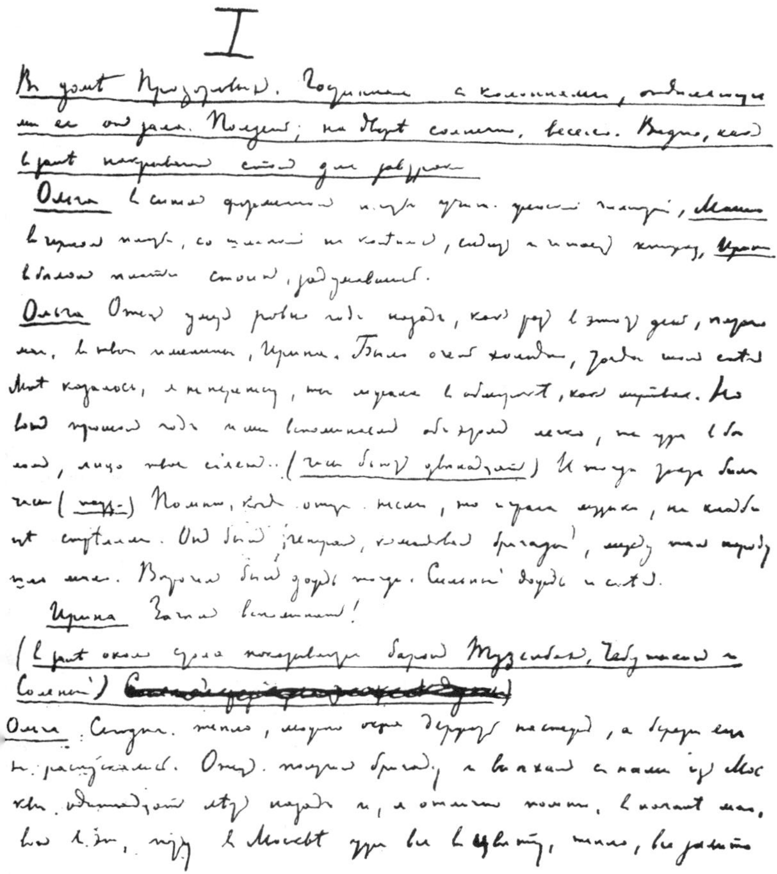

I

В доме Прозоровых. Гостиная с колоннами, за которыми виден зал. Полдень; на дворе солнечно, весело. Видно, как в зале накрывают стол для завтрака.

Ольга в синем форменном платье учительницы женской гимназии, Маша в черном платье, со шляпкой на коленях, сидит и читает книжку, Ирина в белом платье стоит, задумавшись.

Ольга. Отец умер ровно год назад, как раз в этот день, пятого мая, в твои именины, Ирина. Было очень холодно, тогда шел снег. Мне казалось, я не переживу, ты лежала в обмороке, как мертвая. Но вот прошел год, и мы вспоминаем об этом легко, ты уже в белом, лицо твое сияет... (Часы бьют двенадцать) И тогда также били часы. (Пауза) Помню, когда отца несли, то играла музыка, на кладбище стреляли. Он был генерал, командовал бригадой, между тем народу шло мало. Впрочем, был дождь тогда. Сильный дождь и снег.

Ирина. Зачем вспоминать!

(В зале около стола показываются барон Тузенбах, Чебутыкин и Соленый) [illegible]

Ольга. Сегодня тепло, можно окна держать настежь, а березы еще не распускались. Отец получил бригаду и выехал с нами из Москвы одиннадцать лет назад, и, я отлично помню, в начале мая, вот в эту пору в Москве уже все в цвету, тепло, все залито

»Drei Schwestern«.
Erste Seite des Manuskripts in der überarbeiteten Fassung, 1900.

auch ansteht. Sei nicht böse, Liebes, ich sage das nur so, beiläufig.

Kein Regen, kein Wasser, die Pflanzen gehen zugrunde. Es ist wieder warmgeworden. Heute gehe ich wahrscheinlich in die Stadt. Du schreibst nichts über deine Gesundheit. Wie fühlst du dich? Gut? Bist du dicker oder schlanker geworden? Schreib über alles.

Ich küsse dich fest, bis zur Ohnmacht, bis zum Wahnsinn. Vergiß nicht deinen *Ant.*

863) AN O. L. KNIPPER JALTA, 22. 9. 1900

22. Sept. 1900.

Mein Liebes, Olja, Liebste, sei gegrüßt! Wie geht es dir? Ich habe dir schon lange, schon lange nicht geschrieben. Mich plagt deshalb ein bißchen das Gewissen, obgleich ich nicht so schuldig bin, wie es vielleicht den Anschein haben mag. Ich habe keine Lust zu schreiben, und worüber sollte ich auch schreiben? Über mein Leben auf der Krim? Ich habe keine Lust zu schreiben, sondern mit dir zu reden, zu reden, sogar zu schweigen, aber nur mit dir. Morgen fährt Mutter nach Moskau, vielleicht fahre ich auch bald, obwohl absolut nicht einzusehen ist, wozu ich dorthinfahren soll. Wozu? Um dich zu sehen und wegzufahren? Wie interessant. Um einen Blick auf die Theaterleute zu werfen und wieder wegzufahren.

Ich werde nach Paris fahren, und dann wahrscheinlich nach Nizza, und von Nizza nach Afrika, wenn dort nicht die Pest ist. Überhaupt muß ich, so oder anders, diesen Winter überleben oder, genauer, überstehen.

Von Maša habe ich schon seit über einem Monat keinen Brief bekommen. Weshalb schreibt sie nicht? Sag ihr, sie solle wenigstens einmal pro Woche schreiben. Wenn ich ins Ausland fahre, werden mir die Briefe von der hiesigen Post nachgeschickt.

Madame Bonnier ist fast jeden Tag bei mir. Bist du nicht eifersüchtig?

Also, ich habe dir zum Beginn der Saison zu gratulieren. Du hast doch mindestens schon in den »Einsamen« gespielt? Ich gratuliere dir, liebes Herz, ich wünsche dir vollen Erfolg, wünsche dir gute Arbeit, damit du müde wirst und zugleich Genuß verspürst. Und vor allem, daß ihr ordentliche Stücke bekommt, in denen zu spielen interessant ist.

Du bist mir böse, Herz? Was soll ich machen! Es ist zu dunkel zum Schreiben, meine Kerzen brennen schlecht. Mein Liebes, ich küsse dich fest, leb wohl, bleib gesund und fröhlich! Denk oft an mich. Du schreibst mir selten, das erkläre ich damit, daß ich dir schon auf die Nerven falle, daß andere dir jetzt den Hof machen. Ja nun? Richtig so, Frauchen!

Ich küss dir das Händchen. *Dein Antonio.*

864) AN O.L. KNIPPER JALTA, 27. 9. 1900

27. Sept. 1900.

Mein Liebes, Olja, meine prächtige Schauspielerin, warum dieser Ton, diese klägliche, säuerliche Stimmung? Bin tatsächlich ich daran schuld? Also verzeih, meine Liebe, Gute, sei mir nicht böse, ich bin nicht so schuldig, wie dein Argwohn es dir einsagt. Ich habe mich bis jetzt noch nicht nach Moskau aufgerafft, weil ich krank war, andere Gründe gab es nicht, ich versichere dich, Liebe, mit meinem Ehrenwort. Ehrenwort! Glaubst du mir nicht?

Bis zum 10. Oktober werde ich noch in Jalta bleiben, arbeiten, dann komme ich nach Moskau oder fahre, je nach meinem Gesundheitszustand, ins Ausland. Auf jeden Fall werde ich dir schreiben.

Weder von meinem Bruder Ivan noch von meiner Schwester Maša bekomme ich Briefe. Offenbar sind sie mir böse, aber weshalb – ich weiß es nicht.

Gestern war ich bei Sredin, habe viele Gäste bei ihm angetroffen, lauter Unbekannte. Seine Tochter hat Chlorose, aber ins Gymnasium geht sie trotzdem. Er selbst hat Rheumatismus.

Und sieh zu, schreib mir ausführlich, wie »Schneeflöckchen« gelaufen ist, überhaupt, wie die ersten Vorstellungen waren, wie die Stimmung ist bei euch, wie das Publikum usw. usf. Bei dir ist es doch etwas anderes: du hast Stoff für Briefe, haufenweise, ich dagegen habe nichts, außer dem einen vielleicht: ich habe heute zwei Mäuse gefangen.

In Jalta noch immer kein Regen. Es ist überall knochentrokken. Die armen Bäume, besonders die, die diesseits in den Bergen stehen, den ganzen Sommer haben sie keinen einzigen Tropfen Wasser abbekommen, und jetzt stehen sie da, vergilbt; so ist es auch, wenn Menschen ihr Leben lang keinen einzigen Tropfen Glück abbekommen. Das muß wohl so sein.

Du schreibst: »Du hast ein liebendes, zärtliches Herz, warum verhärtest du es so?« Wann hätte ich das je getan? Und worin eigentlich soll sich diese Härte geäußert haben? Mein Herz hat dich immer geliebt und war immer zärtlich zu dir, und ich habe dir das auch nie, nie, nie verheimlicht, und du bezichtigst mich der Härte, einfach so.

Deinem Brief im ganzen nach zu urteilen, willst und erwartest du irgendeine Erklärung, irgendein langes Gespräch – mit ernsten Gesichtern, mit ernsten Folgen; und ich weiß nicht, was ich dir sagen soll, außer dem einen, was ich dir schon 10000mal gesagt habe und dir, wahrscheinlich, noch lange sagen werde, d.i. daß ich dich liebe – und weiter nichts. Wenn wir jetzt nicht zusammensind, so sind daran nicht du und nicht ich schuld, sondern der Dämon, der mir Bazillen eingehaucht hat und dir die Liebe zur Kunst.

Leb wohl, leb wohl, liebes Weiblein, die heiligen Engel mögen dich beschützen. Sei mir nicht böse, Liebste, sei nicht traurig, sei ein kluges Kind.

Was gibt es Neues im Theater? Schreib, bitte.

Dein Antonio.

865) AN O. L. KNIPPER JALTA, 28. 9. 1900

28. Au.

Meine liebe Olja, heute habe ich dir ein Telegramm geschickt, in dem ich schrieb, daß ich wahrscheinlich im Oktober nach Moskau käme. Wenn ich komme, dann am 10. Oktober oder um den 10., nicht früher, ich bleibe fünf Tage in Moskau und fahre dann ins Ausland. Auf jeden Fall gebe ich dir noch telegraphisch Nachricht. Ich weiß nicht, ob nach dem 4. Oktober die Schnellzüge noch fahren, erkundige dich, damit niemand umsonst zum Bahnhof fährt.

Ich las heute die ersten Rezensionen zu »Schneeflöckchen«, es gefällt nur am Anfang, dann langweilt es als Unterhaltung. Ich bin der Meinung, daß euer Theater nur moderne Stücke aufführen sollte, nichts anderes! Ihr müßt das moderne Leben behandeln, dasjenige, das die Intelligenz lebt und das keine Behandlung erfährt in den anderen Theatern, wegen deren absoluter Unintelligenz und, teilweise, Unbegabtheit.

Ich bekomme von niemandem Briefe. Nemirovič ist anscheinend böse, er hat mir die ganze Zeit keine einzige Zeile geschrieben. Die Verwandten schreiben ebenfalls nicht. Wie waren die »Einsamen«? Wohl besser als »Schneeflöckchen«.

Also, bleib gesund und glücklich. Ach, was du für eine Rolle in den »Drei Schwestern« hast! Was für eine Rolle! Wenn du mir zehn Rubel gibst, bekommst du die Rolle, sonst gebe ich sie einer anderen Schauspielerin. Für diese Saison werde ich die »Drei Schwestern« nicht hergeben, das Stück soll noch eine Zeitlang liegen, schwitzen oder, wie die Köchinnen sagen, wenn sie die Pirogge auf den Tisch bringen, – sich verpusten.

Neues gibt es nicht. *Ganz dein Antoine.*

866) AN O. L. KNIPPER JALTA, 4. 10. 1900

4. Okt. 1900.

Meine Liebe, wenn ich fahre, dann frühestens am 12. Oktober. Ich werde telegraphieren, ganz bestimmt. Mit dem Stück hat es eine kleine Verzögerung gegeben, ich habe zehn Tage oder länger nicht daran gearbeitet, denn ich war krank und es ist mir ein bißchen auf die Nerven gefallen, so daß ich nicht mehr weiß, was ich dir darüber schreiben soll. Ich hatte Influenza, Halsschmerzen, heftigen Husten; sobald ich das Haus verließ, bekam ich Kopfschmerzen, aber jetzt geht es in Richtung Besserung, ich verlasse bereits wieder das Haus. Wie dem auch sei, das Stück werde ich schreiben, aber gespielt werden sollte es in dieser Saison nicht mehr.

Überleg, in welchem Hotel oder in welchem möblierten Zimmer ich absteigen könnte. Überleg dir das! Ich möchte ein Zimmer, wo es einem nicht schlecht wird, wenn man über den Korridor geht, wo es nicht riecht. In Moskau werde ich wahrscheinlich mein neues Stück ins reine schreiben. Von Moskau fahre ich nach Paris.

Also, bleib gesund, mein goldenes, reizendes Mädchen. Spiel schön, und denk manchmal an mich.

Neuigkeiten gibt es keine. Ich wiederhole, bleib gesund, blas nicht Trübsal. *Dein Antonio.*

867) AN O. L. KNIPPER JALTA, 7. 10. 1900

Ganz bestimmt 21.

868) AN E. JA. ČECHOVA JALTA, 9. 10. 1900

Liebe Mama, ich bin gesund und munter, was ich auch Ihnen wünsche. In Jalta gibt es keinerlei Neuigkeiten, das Wetter ist nach wie vor warm, sommerlich. Es hat geregnet, aber wenig. Die Chrysanthemen blühen wundervoll, dem Kranich und dem Hund geht es gut. Babuška und Arsenij schwelgen in Seligkeit. Grüßen Sie Vanja und Familie und Maša.

Ich wünsche Ihnen alles Gute. *Ihr A. Čechov.*

9. Okt.

869) AN O. L. KNIPPER JALTA, 14. 10. 1900

14. Okt.

Liebe, ich komme am 23. Oktober in Moskau an, um 5 U. 30 abends, – Schnellzüge fahren doch keine mehr. Wenn du an dem Abend spielst, komm nicht an den Bahnhof.

Das Wetter in Jalta ist wunderbar, so war es nicht ein einziges Mal, als du da warst. Alles blüht, die Bäume sind grün, die Sonne scheint und wärmt wie im Sommer, es ist nicht heiß. Gestern und vorgestern hat es geregnet, wie wild geregnet, heute scheint wieder die Sonne. Siehst du, wie gut es mir geht. Frag nicht nach dem Stück, in diesem Jahr wird es doch nicht mehr gespielt.

Von Moskau fahre ich ins Ausland. Du schreibst, »Schneeflöckchen« ginge dir auf die Nerven, und fragst: »Triumphierst du?« Weshalb sollte ich triumphieren? Ich schrieb, dieses Stück sei nichts für euer Theater, eure Sache sei es nicht, solche Stücke zu spielen, selbst wenn es ein Riesenerfolg würde, wäre ich gegen seine Inszenierung bei euch. Eure Sache sind Stücke wie die »Einsamen«, das ist der Typ, an den ihr euch halten müßt, selbst wenn sie, d. h. die »Einsamen«, ein Mißerfolg würden.

Bleib gesund, mein Herz! Auf Wiedersehen! Ich esse wieder Fleisch, ich habe die Fasten beendet. Mein Magen protestiert, aber ich esse es dennoch, beharrlich, und finde nicht, daß das sehr gut ist.

Am 23. komme ich ins Theater, unbedingt.

Dein Antonio.

870) AN MAKSIM GORKIJ JALTA, 16. 10. 1900

16. Okt.

Lieber Aleksej Maksimovič, ich schicke Ihnen den Danilin. Wenn Sie ihn gelesen haben, schicken Sie ihn an die Adresse: »Taganrog, Städtische Bibliothek«. Und unter die Adresse setzen Sie: »von A. Čechov«.

Nun denn, mein Herr, am 21. dieses Monats fahre ich nach Moskau und von dort ins Ausland. Stellen Sie sich vor, ich habe ein Stück geschrieben. Aber da es jetzt noch nicht gespielt werden wird, sondern erst nächste Saison, habe ich es noch nicht ins Reine geschrieben. Soll es noch etwas liegenbleiben. Es ist mir entsetzlich schwergefallen, die »Drei Schwestern« zu schreiben. Es hat doch drei Heldinnen, jede mußte etwas Eigenes sein, und alle drei – Generalstöchter! Das Stück spielt in einer Provinzstadt, ähnlich Perm, das Milieu – Offiziere, Artillerie.

Das Wetter in Jalta ist wunderbar, frisch, meine Gesundheit hat sich gebessert. Nach Moskau zu fahren habe ich gar keine Lust, so gut ist es zu arbeiten und so angenehm, im Hinterausgang kein Jucken mehr zu verspüren, das ich den ganzen Sommer über hatte. Ich huste sogar nicht mehr und esse sogar bereits Fleisch. Ich lebe allein, vollkommen allein. Meine Mutter ist in Moskau.

Ich danke Ihnen für die Briefe, mein Lieber, vielen Dank. Ich habe sie alle zweimal gelesen. Grüßen Sie Ihre Frau und Maksimka, einen herzlichen Gruß. Also, auf Wiedersehen in Moskau. Ich hoffe, Sie legen mich nicht rein, wir sehen uns.

Gott beschütze Sie! *Ihr A. Čechov.*

871) AN L.V. SREDIN MOSKAU, 1. 11. 1900

Lieber Leonid Valentinovič, ich schicke Ihnen das curriculum vitae der Heilgehilfin Medvedkina, die eine Stelle haben möchte in Jalta oder irgendwo an der Südküste. Geben Sie dieses Papier A.N. Aleksin.

Ich bin in Moskau, und es ist ungewiß, wann ich mich von hier losreißen kann. Das Wetter ist anständig, Frost, aber nicht mehr als 3 Grad, es ist still. Gorkij ist hier. Wir sind fast jeden Tag im Künstlertheater, und jedesmal mit Trara, wie man sagen kann, denn das Publikum bereitet uns Ovationen, als wären wir serbische Freiwillige. Morgen gehen wir beide zu Vasnecov. Und so weiter, und so fort – mit einem Wort, ich habe mich noch nicht an die Arbeit gesetzt, und wann ich das tue, weiß ich nicht.

Neuigkeiten gibt es keine, außer der einen, die Sie bereits kennen, den Studenten Sinani betreffend, den wir vorgestern beerdigt haben. Der Junge ist an Melancholie zugrundegegangen.

Vorgestern war ich bei der Knipper und habe dort Nadežda Ivanovna gesehen. Es geht ihr gut, sie hat grüßen lassen.

Also, bleiben Sie gesund und wohlauf, die Engel des Himmels mögen Sie beschützen. Einen herzlichen Gruß auch an Ihre ganze Familie, Ihr freundliches Haus, das ich so liebe. Meine Adresse: Malaja Dmitrovka, Hs. Šeškov. Ich umarme und küsse Sie fest. *Ihr A. Čechov.*

1. Okt.

872) AN A. F. MARKS MOSKAU, 10. 11. 1900

10. November 1900.

Sehr geehrter

Adolf Fëdorovič!

Seien Sie so gut, veranlassen Sie, daß mir die Druckerei den III. Band meiner Werke schickt, und sei es in den Fahnen. Für die Erfüllung dieser Bitte wäre ich Ihnen sehr verbunden.

Meine Adresse: Moskau, M. Dmitrovka, Hs. Šeškov.

Der Tod Ihres nächsten Mitarbeiters Julij Osipovič, den ich hoch geachtet habe, stellt für alle, die ihn näher kannten, einen unersetzlichen Verlust dar, und ich benütze die Gelegenheit, Ihnen mein Mitgefühl auszudrücken.

In aufrichtiger Hochachtung *A. Čechov.*

873) AN V. A. GOLCEV MOSKAU, 10. 11. 1900

Lieber Viktor Aleksandrovič, ich bin nicht weggefahren!!! Ich war ein bißchen krank, jetzt sitze ich und schreibe das Stück ab. Wenn du nicht am Sonnabend oder Sonntag zu uns kommst, werde ich am Montag in der Redaktion sein. Wir haben geschäftlich zu reden.

Bleib gesund, mein Lieber. *Dein A. Čechov.*

11. November.

874) AN V.F. KOMISSARŽEVSKAJA MOSKAU, 13. 11. 1900

13. November.

Liebe Vera Fëdorovna, auf Ihren Brief hatte ich mündlich antworten wollen, da ich fest damit gerechnet hatte, nach Petersburg zu kommen, aber allerlei Umstände haben mich nicht fortgelassen, weshalb ich Ihnen jetzt also schreibe. Die »Drei Schwestern« sind bereits fertig, aber ihre Zukunft, zumindest die allernächste, liegt für mich im Dunkel der Ungewißheit. Das Stück ist langweilig geworden, zäh, unangenehm; ich sage – unangenehm, denn es hat zum Beispiel 4 Heldinnen, und die Stimmung ist angeblich düsterer als düster.

Ihren Schauspielern würde es ganz und gar nicht gefallen, wenn ich es ans Alexandratheater schicken würde. Aber wie dem auch sei, ich werde es Ihnen schicken. Lesen Sie es und entscheiden Sie, ob es sich lohnt, im Sommer damit auf Gastspielreise zu gehen. Zur Zeit wird es im Künstlertheater gelesen (ein Exemplar – mehr gibt es nicht), danach werde ich es mir holen und noch einmal ins Reine schreiben, und dann werden wir einige Exemplare drucken, von denen ich mich beeilen werde, Ihnen eines zu schicken.

Aber wie schön wäre es, wenn es mir gelänge, mich wenigstens für einen Tag freizumachen für Petersburg. Hier ist es wie in der Katorga: tagsüber trete ich von früh bis spät das Rad, d.h. laufe von Besuch zu Besuch, nachts schlafe ich wie erschlagen. Ich bin vollkommen gesund hier angekommen, jetzt huste ich wieder, ärgere mich und bin, angeblich, ganz vergilbt. Ich bin sehr traurig, daß Sie krank und schlechter Stimmung sind. Ich habe Marija Iljinišna gesehen, sie ist wahrscheinlich bereits bei Ihnen, und Ihnen ist leichter und, vielleicht, sogar schon wieder gut, was ich Ihnen wünsche und Ihnen aus reinem Herzen immer wünschen werde. Also, mein Stück wird im Künstlertheater gelesen, dann werde ich es abschreiben, dann drucken lassen und Ihnen schikken, und ich werde mir Mühe geben, daß dies alles noch vor Anfang Dezember geschieht. Das Stück ist kompliziert wie ein Roman, und die Stimmung, angeblich, mörderisch.

Ich küsse Ihnen fest beide Hände – die eine und die andere, und grüße Sie herzlich. Die Engel des Himmels mögen Sie beschützen. *Herzlich Ihr A. Čechov.*

875) AN V. A. SEROV MOSKAU, 15. 11. 1900

Sehr geehrter Valentin Aleksandrovič, ich bin all diese Tage krank, habe starke Kopfschmerzen und habe Sie deshalb bis heute noch nicht besucht. Wenn ich es jetzt, im November, nicht vermag, Sie zu besuchen, wollen Sie mir dann nicht gestatten, Sie im Frühjahr zu besuchen, Anfang April, wenn ich, aller Wahrscheinlichkeit nach, wieder in Moskau sein werde? Dann würde ich Ihnen so viel Zeit widmen, wie Sie wollen, und seien es drei Wochen.

Ich wünsche Ihnen alles Gute. Ich freue mich sehr, daß das Schicksal mir Gelegenheit gegeben hat, Sie kennenzulernen, – das war seit langem mein Wunsch. Ich drücke Ihnen fest die Hand.

In aufrichtiger Hochachtung *A. Čechov.*

15. November.

876) AN A. S. SUVORIN MOSKAU, 16. 11. 1900

16. November.

Tverskaja, »Dresden«.

Aus der Zeitung erfuhr ich, daß Nastja geheiratet hat. Ich gratuliere Ihnen, Anna Ivanovna und Nastja, wünsche von Herzen und von ganzer Seele Glück. Ihrer Familie bin ich beinahe wie meiner eigenen verbunden, und an die Aufrichtigkeit meines Wunsches können Sie glauben.

Ich bin in Moskau. Ich war gesund, sehr sogar, jetzt dagegen habe ich wieder zu husten angefangen. Es wird Zeit wegzufahren. Wenn Sie mir telegraphieren, daß Sie jetzt oder in einer Woche nach Moskau kommen, so werde ich nicht wegfahren, sondern auf Sie warten. Ich würde Sie sehr gern sehen. Ich wollte zwei, drei Tage zu Ihnen nach Petersburg kommen, aber der Husten hielt mich zurück.

Neuigkeiten gibt es keine. Ich habe ein Stück »Drei Schwestern« geschrieben und es bereits dem Künstlertheater gegeben. Ich schreibe Novellen – mit einem Wort, es ist alles beim alten.

Sie hörten, ich würde heiraten? Das stimmt nicht. Ich fahre nach Afrika, zu den Krokodilen.

Also, ich werde auf ein Telegramm von Ihnen warten. Ich wünsche Ihnen alles Gute, drücke Ihnen fest die Hand.

Ihr A. Čechov.

Seit gestern habe ich starke Kopfschmerzen, Schnupfen, Husten, aber dennoch gefällt mir Moskau sehr, sehr. Eine schöne Stadt.

Das, was im »Novoe vremja« über Gorkij und über mich geschrieben wird, ist nicht wahr, auch wenn es von Augenzeugen geschrieben ist. Sie schreiben, Gorkij habe sich mit irgendeiner Rede ans Publikum gewandt; nichts dergleichen ist in meiner Gegenwart geschehen.

877) AN A.F. MARKS MOSKAU, 10. 12. 1900

10. Dez. 1900.

Sehr geehrter

Adolf Fëdorovič!

Die Zehntausend Rubel à conto der vereinbarten Zahlung habe ich heute bekommen und sage Ihnen meinen herzlichen Dank. Die Quittung lege ich bei. Die restlichen 15 Tausend bitte ich ergebenst, auf den Namen meiner Schwester M.P. Čechova zu überweisen an die Adresse: Moskau, Ml. Dmitrovka, Hs. Šeškov, an Marija Pavlovna Čechova.

Die Erzählung »Im Frühling« habe ich vor sehr langer Zeit geschrieben und in den dritten Band meiner Werke in Ihrem Verlag aufgenommen. Für die »Niva« werde ich ganz bestimmt eine Erzählung schicken.

Morgen fahre ich. Aus Nizza werde ich Ihnen meine Adresse

schicken, einstweilen würde ich Sie, im Bedarfsfalle, bitten, Briefe nach Moskau zu schicken oder Nice, post. rest.

In aufrichtiger Hochachtung *A. Čechov.*

Gleichzeitig schicke ich Ihnen mein Stück »Die Hochzeit«, das ich vor langer Zeit geschrieben und jetzt korrigiert habe.

878) AN O. L. KNIPPER BREST, 11. 12. 1900

11. Dezember, 4 Uhr nachmittags.

Ich nähere mich Brest. Alles bestens. Sonne noch keine. Ich wünsche Gesundheit und alles, alles, alles Beste! *A. Čechov.*

Grüße an alle.

879) AN O. L. KNIPPER NIZZA, 15. 12. 1900

15. Dez. am anderen Tag.

Meine Liebe, so merkwürdig es auch ist, aber ich fühle mich, als wäre ich vom Mond gefallen. Es ist warm, die Sonne scheint, was sie kann, im Mantel ist einem heiß, alle gehen in Sommerkleidern. Die Fenster in meinem Zimmer stehen sperrangelweit offen, und mein Herz steht ebenfalls sperrangelweit offen. Ich schreibe mein Stück ab und staune, wie ich dieses Ding habe schreiben können, und wozu. Ach, mein liebes Herz, warum bist du nicht hier? Du könntest dich umsehn, dich erholen, dir die Straßensänger und -musikanten anhören, die dauernd in den Hof kommen, und vor allem – dich sonnen.

Gleich gehe ich ans Meer, ich werde dort sitzen und Zeitungen lesen, und dann, wieder zu Hause, mit dem Abschreiben anfangen – und morgen schicke ich Nemirovič schon den III. Akt, und übermorgen den IV. oder beide zusammen. Im III. Akt habe ich einiges geändert, einiges hinzugefügt, aber nur sehr wenig.

Mein Herz, schick mir deine Photographie hierher. Sei so lieb, schick sie mir.

Wir haben viele Fliegen.

Ich begegne vielen Russen. Sie sind hier irgendwie plattgedrückt, als seien sie von irgendetwas unterdrückt oder schämten sich ihres Müßiggangs. Und der schreit zum Himmel.

Ich umarme dich fest, küsse dich tausendmal. Ich warte voller Ungeduld auf einen Brief, einen langen Brief. Ich verneige mich bis zur Erde *Dein Antoine.*

Gestern war ich auf der Post und habe nichts gefunden. Bleib gesund, mein Kindchen. Ich liebe dich sehr.

880) AN O. L. KNIPPER NIZZA, 17. 12. 1900

17. Dez.

Sonntag. Datum habe ich vergessen.

Ich bin jetzt schon die dritte Nacht in Nizza, und von dir noch keine einzige Zeile. Was soll dieser Traum bedeuten? Wie befehlen Sie dies zu verstehen? Meine liebe Olja, sei nicht faul, mein Engel, schreib deinem alten Mann öfter. Hier in Nizza ist es großartig, das Wetter wunderbar. Nach Jalta kommen einem die hiesige Natur und das hiesige Wetter einfach paradiesisch vor. Ich habe mir einen Sommermantel gekauft und stolziere darin herum. Gestern habe ich den III. Akt des Stücks nach Moskau geschickt, und morgen schicke ich den IV. Im III. habe ich einiges geändert, im IV. dagegen große Veränderungen vorgenommen. Du hast viel mehr Text bekommen. (Du mußt sagen: ich danke ...) Und du schreib mir dafür, wie die Proben laufen, was sich so tut, schreib mir alles. Wenn du mir nicht schreibst, dann habe ich auch keine Lust zu schreiben. Basta! Das ist der letzte Brief.

Heute war der Maler Jakobi bei mir. Vorgestern traf ich Maksim Kovalevksij – eine Moskauer Berühmtheit, ich bin von ihm eingeladen worden und werde bald zu ihm zum Essen fahren, auf sein Sommerhaus in Beaulieu. Bald werde ich nach Monte Carlo fahren, um Roulette zu spielen.

Schreib mir, mein Herz, sei nicht faul. Du hast einen Haufen Briefe von mir, und ich – keinen einzigen. Womit habe ich dich so erzürnt?

Ist Maša abgereist?

Sag Višnevskij meine Adresse, wenn er sie will: 9, rue Gounod, Nice (oder »Pension Russe«, Nice).

Hier gibt es viel zu essen. Nach dem Essen muß man schlafen oder nichts tun, und das ist nicht gut. Ich werde meine Lebensweise ändern müssen, weniger essen.

Die Leute in unserer Pension sind Russen, und noch dazu sehr langweilige. Und immer mehr Damen.

Ich küsse dich fest und umarme mein liebes Weibchen. Vergiß mich nicht. Denk wenigstens einmal in der Woche an mich. Ich umarme dich noch einmal, und nochmal.

Dein Antoine.

Wenn du Lev Antonovič siehst, richte ihm aus, daß ich jetzt nicht nach Afrika fahren, sondern arbeiten werde. Sag ihm, Algier und Ägypten hätte ich auf nächstes Jahr verschoben.

881) AN V. I. NEMIROVIČ-DANČENKO NIZZA, 18. 12. 1900

18. Dez. 1900.

Verzeih, lieber Vladimir Ivanovič, ich habe mich um einen Tag verspätet. Aber das macht nichts.

Im III. Akt sind die letzten Worte, die Solënyj sagt: *(mit einem Blick auf Tuzenbach)* »Putt, putt, putt...«

Setz das hinzu, bitte.

Was gibt es Neues? Ich habe noch keinen einzigen Brief aus Rußland bekommen.

Bleib gesund und glücklich. Alles Gute, das Beste.

Dein A. Čechov.

Grüße an alle!

882) AN O. L. KNIPPER NIZZA, 21. 12. 1900

21. Dez. 1900.

Pension Russe, Nice oder: 9 rue Gounod, Nice.

Eben habe ich deinen Brief bekommen, meine liebe kleine Schauspielerin. Maša sollte Marks telegraphieren, daß ich ihm rechtzeitig geschrieben hätte, sie aber vergessen habe, meinen Brief abzuschicken. Außer dem Brief waren da noch zwei Streifbandsendungen. Das ist keine Nachlässigkeit, das ist einfach eine Schweinerei. In Nizza ist es mit einem Mal kaltgeworden, es reißt mich überall – deswegen schimpfe ich auch in dem Brief. Ich habe Rückenschmerzen. Aber ich bin die ganze Zeit im Sommermantel gegangen.

Das Stück ist bereits abgeschlossen und abgeschickt. Für dich habe ich, besonders im IV. Akt, viel hinzugefügt. Siehst du, für dich ist mir nichts zu schade, gib dir Mühe.

Schreib, was auf den Proben geschieht, ob es nicht irgendwelche Mißverständnisse gibt, ist alles verständlich? Kommt Nemirovič nach Nizza? Wenn ja, wann?

Ich esse in großer Gesellschaft, fast lauter Frauen – und alles Mordemondien. Und alles Russinnen. In Monte Carlo war ich noch nicht.

Sind Mutter und Maša nach Jalta gefahren? Von ihnen – keine einzige Zeile, die ganze Zeit.

Meine kleine Ballerina, ich habe große Sehnsucht nach dir, und wenn du anfängst, zu Omon zu gehen und mich zu vergessen, dann werde ich Mönch. Geh nicht zu Omon, Kindchen.

Ich habe hier zwei Zimmer: ein großes, und ein kleineres. Das Bett ist so, daß du, wenn du dich hineinlegst, unwillkürlich lächelst; wunderbar weich und breit. Ich spreche ein bißchen französisch, rufe mir nach und nach ins Gedächtnis, was ich gewußt und vergessen hatte. Ich sehe dich oft im Traum, und wenn ich die Augen schließe, dann auch im Wachzustand. Du bist für mich eine außergewöhnliche Frau. Bleib gesund, mein Herz. Der Schöpfer beschütze dich. Sei ein kluges Kind, arbeite, und komm im Frühling hierher. Ich muß dir was ins Ohr sagen.

Briefumschlag, in dem Čechov aus Nizza den IV. Akt der »Drei Schwestern« an V. I. Nemirovič-Dančenko schickte.

Ich küsse dich fest, umarme dich und küsse dich noch einmal.
Dein Antoine.

Beschreib wenigstens eine Probe.

Glückliche Feiertage! Bei uns hier ist schon Neujahr, schon der 3. Januar. Bald ist hier Frühling.

883) AN O. L. KNIPPER NIZZA, 26. 12. 1900

26. Dez.

Liebe Schauspielerin, dieser Brief kommt zu Neujahr bei dir an; also: Glückliches Neues Jahr! Ich küsse dich, wenn du willst, tausendmal und wünsche dir, daß alles in Erfüllung geht, was du willst. Und daß du so lieb und gut und großartig bleibst, wie du bisher warst.

Aber was macht deine Gesundheit? Die letzten beiden, mit Bleistift geschriebenen Briefe haben mich erschreckt, und obwohl ich deine Milz nicht abgeklopft habe, fürchte ich, du hast leichten Unterleibstyphus, und das würde bedeuten, daß du mindestens einen Monat nicht ins Theater gehen darfst, daß meine Stücke nicht gespielt werden und ich daher gezwungen sein werde Roulette zu spielen. Aber bist du gesund? Ja? Na sehr schön, mein Herz. Ich baue auf dich.

Von Maša kein Sterbenswörtchen. Ich werde Sredin schreiben, soll er mir wenigstens zwei Worte schreiben, wie es Mutter geht.

Hier, stell dir vor, ist es auf einmal kaltgeworden wie nie zuvor. Es ist richtiger Frost. In Marseille liegt bergeweise der Schnee, und hier sind die Blüten binnen einer Nacht abgefallen, und ich gehe im Herbstmantel! In den Zeitungen Klagen über die ungewöhnliche Kälte. Das ist widerwärtig, ich fürchte, ich verfalle in Maulhenkolie. Gestern war ich in Mentone, bei der Schwester von Nemirovič: sie hat die Schwindsucht und wird bald sterben. Vladimir Ivanovič wird erwartet und ... oh weh! – Ekaterina Nik. Nicht umsonst ist der Himmel so trüb und langweilig! Ich werde also wieder dieses Lachen hören müssen. Liebe kleine Schauspielerin, ich umarme und küsse dich; aber wenn du dich meiner entwöhnst und aufhörst zu schreiben, dann fahre ich nach Australien oder irgendwohin weit weg. Niemand schreibt mir, außer dir allein. Ich bin vergessen.

Grüß Onkel Saša und Nik. Nik. Ich küsse dich.

Dein Antoine.

884) AN O. L. KNIPPER NIZZA, 26. 12. 1900

26. Dez. 1900. abends.

Schauspielerin, was machst du dir für Sorgen? Ich habe heute dein Telegramm bekommen und lange nicht gewußt, was ich dir darauf antworten soll. Gesund wie ein Stier, ja? Das wäre doch peinlich. Aber wie ist deine Gesundheit? Sitzt du immer noch zu Hause, oder gehst du schon wieder ins Theater? Mein gutes Herz, nicht krank zu sein ist natürlich unmöglich, aber es ist besser, nicht krank zu sein. Wenn du fern von mir bist, kommen mir immer weiß der Teufel was für Gedanken, und manchmal habe ich sogar Angst. Sei nicht krank, wenn ich nicht da bin, Liebste, sei ein kluges Kind.

Heute war ich in Monte Carlo, ich habe 295 Franken gewonnen. Aus Mentone habe ich ein Telegramm von Nemirovič bekommen; morgen werden wir uns sehen. Ich habe mir einen neuen Hut gekauft. Was sonst noch? Hast du die Rolle in der neuen Fassung bekommen?

Du schreibst, du hättest mir zwei Briefe geschickt, – offenbar welche, die auf meinen Namen in Moskau angekommen sind. Wenn du sie geschickt hast, damit du es weißt: ich habe sie nicht bekommen. Den Zeitungen nach zu urteilen, ist es in Jalta jetzt kalt, stürmisch, frostig; Mutter dürfte es dort sehr langweilig und stumpfsinnig haben.

Dein letzter Brief rührt mich sehr, er ist so poetisch geschrieben. Du mein kluges Kind, wir sollten noch fünf Jahre zusammenbleiben, und dann soll uns meinetwegen das Alter schnappen: dann hätten wir doch wirklich Erinnerungen. Du bist guter Laune, die brauchst du auch, werd nur nicht kleinmütig, mein Mädchen.

Ich küsse dich fest, obwohl es dir offensichtlich schon auf die Nerven fällt. Oder nicht? Dann umarme ich dich fest, halte dich so, umarmt, 20 Minuten lang fest und küsse dich ganz fest. Schreib, wie die Proben laufen, welcher Akt gerade dran ist usw. Überhaupt, wie läuft die Sache, sollte man das Stück nicht auf nächste Saison verschieben.

Wie soll ich Telegramme an dich adressieren? Mechtcherinoff – c'est long et incommode. Geht nicht einfach: Olga Knipper, Mersliakovsky, Moscou. Die Postboten wissen doch, wo du wohnst. Also, auf Wiedersehen! Schreib, sonst verhau ich dich. *Dein Antoine.*

885) AN O. L. KNIPPER MONTE CARLO, 26. 12. 1900

Salue ma belle Antoine.

886) AN O. L. KNIPPER NIZZA, 30. 12. 1900

30. Dez. 1900.

Liebe Schauspielerin, heute ist ein ganz sommerlicher, bezaubernder Tag, und ich will ihn damit beginnen, daß ich diesen Brief schreibe. Deine letzten Briefe sind ein wenig düster; aber das macht nichts, das hält nicht vor. Sei vor allem nicht krank, meine Freude. Gestern haben Nemirovič und ich bei Kovalevskij in Beaulieu gegessen; er, d. h. Nemirovič, fühlt sich offenbar nicht schlecht und stolziert mit einer rotweißgestreiften Krawatte umher; sein Nachtgespenst hatte er zu Hause gelassen. Gestern habe ich einen Brief von Višnevskij bekommen. Er schreibt, daß er in der Generalprobe in den ersten beiden Akten großartig war. Von Maša oder Mutter habe ich bisher keine Briefe bekommen und werde natürlich auch keine bekommen. Ich habe an einen Arzt in Jalta geschrieben, ihn gebeten, mir zu schreiben, in welchem Zustand sich mein Haus befindet. Ich werde zu Hause nicht verwöhnt, meine Liebe! Glaube bloß nicht, ich sei ein undankbares Vieh. Kennst du die Änderungen, die ich in den Akten III und IV vorgenommen habe? Und kennst du den II. Akt? Hat man die Rollen für euch exzerpiert? Oder lest ihr immer noch nach den alten Rollenbüchern? Višnevskij schrieb, daß Sanin Solënyj spiele, und Kačalov Veršinin. Letzterer wäre nicht schlecht, und wenn Sanin nicht übertrieben grob spielt, ist er genau richtig.

Ich habe schon Sehnsucht nach Rußland. Soll ich nicht im Februar nach Hause kommen? Was meinst du, mein Engel?

Ich küsse dich fest, innig. Umarme dich. *Dein Antoine.*

Hier werden bald die Aprikosen blühen.

887) AN DAS MOSKAUER KÜNSTLERTHEATER NIZZA, 1. 1. 1901

Votre ami devoué envoie souhaits sincères. Soyez heureux. Tchechoff.

888) AN O. L. KNIPPER NIZZA, 1. 1. 1901

Félicite maman, oncle, Nicolacha, actrissa. Souhaite bonheur, argent, gloire. Tchechoff.

889) AN O. L. KNIPPER NIZZA, 2. 1. 1901

2. Jan. 1901.

Bist du jetzt deprimiert, mein Herz, oder fröhlich? Sei nicht deprimiert, mein Liebes, leb, arbeite und schreib öfter deinem Starez Antonij. Ich habe schon lange keine Briefe mehr von dir bekommen, wenn ich den Brief vom 12. Dez. nicht rechne, den ich heute bekam, in dem du schreibst, wie du geweint hast, als ich wegfuhr. Was ist das übrigens für ein wundervoller Brief! Den hast nicht du geschrieben, sondern jemand anderes auf deine Bitte. Ein erstaunlicher Brief.

Nemirovič kommt nicht zu mir. Vorgestern hatte ich ihm ein Telegramm geschickt mit der Bitte, »seul« zu mir zu kommen – das ist wohl auch der Grund, oder, wie die Seminaristen sagen, der Grundt. Dabei müßte ich ihn sehen, mit ihm sprechen über den Brief, den ich von Alekseev bekommen habe. Heute sitze ich den ganzen Tag zu Hause, wie gestern auch. Ich gehe nicht aus. Der Grund: ich bin von einer hochgestellten Persönlichkeit zum Essen eingeladen, habe abgesagt, krankheitshalber. Ich habe keinen Frack und auch keine Lust. Heute war der Moskauer Maklakov bei mir. Was sonst noch? Nichts weiter.

Beschreib mir wenigstens eine Probe der »Drei Schwestern«. Muß nicht noch etwas eingefügt oder etwas weggenommen werden? Spielst du gut, mein Herz? Oh je, paß ja auf! Mach in keinem Akt ein trauriges Gesicht. Ein zorniges, ja, aber kein trauriges. Menschen, die seit langem einen Kummer mit sich herumtragen und an ihn gewöhnt sind, pfeifen nur vor sich hin und werden oft nachdenklich. So wirst auch du auf der Bühne ziemlich oft nachdenklich während der Gespräche. Verstehst du?

Natürlich verstehst du, denn du bist ein kluges Kind. Habe ich dir in dem Brief ein glückliches Neues Jahr gewünscht? Nein? Ich küsse dir beide Hände, alle 10 Finger, die Stirn und wünsche dir Glück und Frieden und möglichst viel Liebe, damit sie noch möglichst lange anhält, so an die 15 Jahre. Was meinst du, kann es solch eine Liebe geben? Bei mir ja, aber nicht bei dir. Ich umarme dich, wie dem auch sein mag... *Dein Toto.*

Schick mir manchmal irgendeine Zeitung (außer den »Russk. vedom.«), kleb eine 2-Kop.-Marke drauf.

Ich habe ein Glückwunschtelegramm aus Kiev bekommen von Solovcov.

890) AN K.S. STANISLAVSKIJ NIZZA, 2. 1. 1901

2. Jan. 1901.

Sehr geehrter Konstantin Sergeevič, Ihren Brief, den Sie vor dem 23. Dez. abgeschickt hatten, habe ich erst gestern bekommen. Auf dem Briefcouvert stand keine Adresse, und der Brief ist, den Poststempeln nach zu schließen, erst am 25. Dezember aus Moskau abgegangen – die Verspätung war also begründet.

Ich wünsche Ihnen ein glückliches Neues Jahr und, wenn man darauf hoffen darf, Glück zu dem neuen Theater, das Sie in Kürze zu bauen beginnen. Und ich wünsche Ihnen fünf großartige neue Stücke. Was das alte Stück betrifft, die »Drei Schwestern«, so darf es auf gar keinen Fall auf dem Abend der Gräfin vorgetragen werden. Ich flehe Sie an, bei Gott dem Schöpfer, tun

Sie das auf gar keinen Fall, unter keinen Umständen, Sie würden mir damit sonst nicht wenig Kummer bereiten.

Den IV. Akt habe ich längst abgeschickt, noch vor Weihnachten, auf den Namen von Vladimir Ivanovič. Ich habe viele Änderungen vorgenommen. Sie schreiben, daß Nataša im III. Akt, während sie nachts das Haus abgeht, die Lichter löscht und unter den Möbeln nach Dieben sucht. Mir scheint aber, es wäre besser, wenn sie über die Bühne ginge, in einer geraden Linie, ohne irgendetwas oder irgendwen zu beachten, à la Lady Macbeth, mit einer Kerze – das ist kürzer und schrecklicher.

Marija Petrovna wünsche ich ein glückliches Neues Jahr und sende ihr meinen herzlichen Gruß und meine besten Wünsche, vor allem – Gesundheit.

Ich danke Ihnen von ganzem Herzen für Ihren Brief, der mich so gefreut hat. Ich drücke Ihnen fest die Hand.

Ihr A. Čechov.

891) AN A. L. VIŠNEVSKIJ NIZZA, 6. I. 1901

Lieber Aleksandr Leonidovič, 9 rue Gounod oder Pension Russe – es ist vollkommen egal. Ich wünsche Ihnen ein glückliches Neues Jahr, wünsche Ihnen viel Geld, Ruhm und eine schöne Braut. Frack tragen Sie nur im I. Akt; was das Portepee betrifft (den schwarzen Lacklederriemen), so haben Sie vollkommen recht. Zumindest bis zum IV. Akt müssen Sie die Uniform tragen, die vor 1900 getragen wurde.

Was gibt es Neues? Was gibt es Schönes? Hier ist es warm, es ist richtiger Sommer, aber im Februar werde ich mich wahrscheinlich schon wieder nach Rußland zurückbewegen.

Bleiben Sie gesund und glücklich. Ich wünsche Ihnen alles sehr Gute. *Ihr A. Čechov.*

6. Jan. 1901.

892) AN O. L. KNIPPER NIZZA, 6. 1. 1901

6. Jan. 1901.

Mein liebes, durchtriebenes Mädchen, ich habe schon seit langem keine Briefe mehr von dir bekommen; offenbar willst du nichts mehr mit mir zu tun haben. Ich habe übrigens alle deine Briefe bekommen, die du abgeschickt hast; besonders garantieren kann man für diejenigen, auf denen meine vollständige Adresse stand, die ohne Adresse hatten sämtlich große Verspätung, weil sie zuvor an Čertkov gegangen sind; aber ich habe sie alle bekommen, ausnahmslos.

Mein Liebes, in der Pension Russe bin ich mit meinen Beobachtungen am Ende, ich möchte jetzt in ein anderes Hotel ziehen, in irgendein anderes ebenfalls belebtes und vielbesuchtes. Sowie ich umgezogen bin, telegraphiere ich. Hier, in der Pension Russe, habe ich Professoren aus Kiev studiert – man möchte gleich wieder eine Komödie schreiben! Und was für kleinliche Frauen, ach, mein Herz, was für kleinliche Frauen! Eine von ihnen hat 45 Gewinnlose, sie lebt hier, weil sie nichts Besseres zu tun hat, sie ißt und trinkt nur und ist oft in Monte Carlo, wo sie ängstlich spielt, und am Tag vor dem 6. Januar fährt sie nicht zum Spielen, weil morgen Feiertag ist! Wieviel russisches Geld hier zum Teufel geht, besonders in Monte Carlo!

Von Maša habe ich endlich einen Brief bekommen. Meiner Mutter werde ich jetzt alle drei Tage schreiben, damit sie sich nicht langweilt. Gestern habe ich Višnevskij geschrieben und ihn im Brief mit Aleksandr Leontjevič angeredet – so heißt hier ein russischer Arzt, der gerade bei mir war, als ich den Brief schrieb.

Wie laufen die »Drei Schwestern«? Kein Hund schreibt mir darüber. Du schreibst ebenfalls nicht, und ich bin dir böse deswegen. Nemirovič war in Mentone, hat dort majestätisch im Hôtel Prince de Galles gewohnt, hat majestätisch niemanden und nichts gesehen und reist heute ab; seine kluge und erfindungsreiche Gattin bleibt hier. Ich habe die beiden selten gesehen.

Du schreibst mir nicht. Wenn du dich in irgendjemanden verliebt hast, dann schreib es mir, damit ich mich nicht weiter unterstehe, dich in Gedanken zu küssen und sogar zu umarmen, wie ich das jetzt tue. Also, mein Herz, leb wohl, auf Wiedersehen! Leb, mein Dummchen, hoffe auf Gott. Zweifle nicht.

Dein Antoine.

893) AN O. L. KNIPPER NIZZA, 11. 1. 1901

11. Jan. 1901.

Grausame, hartherzige Frau, hundert Jahre ist es her, seit ich den letzten Brief von dir bekommen habe. Was soll das heißen? Die Briefe werden mir jetzt pünktlich zugestellt, und wenn ich keine bekomme, so bist allein du daran schuld, du Treulose.

In ein paar Tagen, wenn das Meer nicht so stürmisch ist wie jetzt, werde ich nach Afrika reisen. Meine Adresse bleibt dieselbe, d. h. Nice, 9 rue Gounod, und hier wird man auch wissen, wo ich bin. In Afrika bleibe ich nicht lange, ein, zwei Wochen.

Die ganze Zeit ist hier wunderbares Sommerwetter, es ist warm, herrlich, Blumen, Damen, Fahrräder, aber – oh weh! – all das ist nur Oleographie und kein Bild, für mich zumindest.

Schreib, Hund! Rothaariger Hund! Mir keine Briefe zu schreiben – das ist eine solche Gemeinheit von dir! Wenn du wenigstens schriebst, was mit den »Drei Schwestern« ist. Du hast mir noch nichts geschrieben über das Stück, außer, daß du auf der Probe warst oder daß heute keine Probe war. Ich werde dich ganz bestimmt verhauen, hols der Teufel.

Ist Maša in Moskau angekommen?

Die Tage werden länger, bald ist Frühling, meine prächtige, gute Schauspielerin, bald sehen wir uns wieder. Schreib, Liebste, ich flehe dich an. *Dein Toto.*

894) AN O. L. KNIPPER NIZZA, 14. 1. 1901

14. Jan.

Liebe Schauspielerin, ich mache mir Sorgen. Erstens hast du geschrieben, du seist krank, und zweitens habe ich in den »Russk. ved.« gelesen, daß der »Onkel Vanja« abgesetzt wird. Warum, warum spielst du, Dummchen, wenn du tatsächlich krank bist? Warum paßt du nicht auf dich auf, sondern springst herum und gehst nicht vor 7 Uhr morgens schlafen? Oh, wie ich dich jetzt in die Pfoten nehmen sollte! Deine Briefe bekomme ich pünktlich, ich lese sie zwei-, dreimal. Warum schreibst du nichts über die »Drei Schwestern«? Wie läuft das Stück? Du hast nur über Mejerchold und Sanin geschrieben, aber allgemein über das Stück ganz und gar nichts, und ich hege allmählich den Verdacht, daß mein Stück im Begriff ist durchzufallen. Auch als ich hier Nemirovič-Dančenko traf und mit ihm sprach, war ich sehr beklommen und hatte den Eindruck, daß das Stück ganz bestimmt durchfallen und ich nie wieder etwas für das Künstlertheater schreiben würde.

Ich war ein bißchen krank, jetzt ist alles gut, alles steht bestens. Ich möchte mit Kovalevskij nach Algier, und wahrscheinlich werde ich am 21. Januar dorthin fahren. Zur Zeit ist das Meer stürmisch, wir müssen warten. Meine Adresse bleibt wie bisher, d. h. 9 rue Gounod, Nice. Vom Dampfer und aus Algier werde ich dir schreiben, mein Herz, fast jeden Tag, und du lies es und denk dann wenigstens manchmal an mich. Wenn du krank wirst, Ehrenwort, dann lasse ich mich von dir scheiden, und bis zur Scheidung werde ich dich verhauen, daß du noch eine ganze Woche danach mit einem blauen Auge herumläufst.

Der Sekretär des Konsulats ist zu Besuch gekommen – er hat mich beim Schreiben gestört. Während er da war, habe ich deinen Brief bekommen. Ich bekomme alle deine Briefe überaus pünktlich, du schreibst nur nicht alle 2 Tage, sondern ein bißchen seltener, mein Herz. Na, Gott sei mit dir.

Blumen habe ich Marija Fëdorovna keine geschickt, aber ich würde es mit Vergnügen tun, wenn ich sicher wäre, daß sie nicht erfrören. Und dir würde ich auch welche schicken. Meine Seele hat Rost angesetzt. Mein Liebes, bleib gesund, arbeite, versaure nicht, sitz nicht zu lange bei fremden Leuten herum, schreib mir öfter und ausführlicher.

Ich küsse dich fest.

Dein Toto, Arzt i. R. und Provinzdramatiker.

895) AN I. A. TICHOMIROV NIZZA, 14. 1. 1901

14. Jan. 1901.

Sehr geehrter Ioasaf Aleksandrovič, eben habe ich Ihren Brief bekommen, Sie haben mir eine große Freude gemacht, ich danke Ihnen vielmals. Hier die Antworten auf Ihre Fragen:

1) Irina weiß nicht, daß Tuzenbach zum Duell geht, aber sie vermutet, daß gestern etwas Schlimmes geschehen ist, was ernste und böse Folgen haben könnte. Und wenn eine Frau etwas vermutet, dann sagt sie: »Ich habe es gewußt, ich habe es gewußt.«

2) Čebutykin singt nur die Worte: »Wolln Sie nicht die Dattel haben…« Das sind Worte aus einer Operette, die irgendwann einmal in der Eremitage gegeben wurde. An den Titel erinnere ich mich nicht, erkundigen könnten Sie sich, wenn Sie wollen, bei dem Architekten Šechtel (eigenes Haus, an der Kirche des hl. Ermolaj). Mehr sollte Čebutykin nicht singen, sonst wird sein Abgang zu lang.

3) Tatsächlich glaubt Solënyj, er sei Lermontov ähnlich; aber er ist ihm natürlich nicht ähnlich – es ist komisch, auch nur daran zu denken… Sich schminken muß er wie Lermontov. Die Ähnlichkeit mit Lermontov ist riesengroß, aber nur nach Ansicht von Solënyj.

Verzeihen Sie ich weiß nicht, ob ich Ihnen das Richtige geantwortet, ob ich Sie befriedigt habe… In meinem Leben gibt es nichts Neues, alles geht seinen alten Gang. Ich komme wahrscheinlich früher als geplant zurück, und es ist sehr gut möglich, daß ich im März schon wieder zu Hause bin, d. h. in Jalta.

Niemand schreibt mir etwas über das Stück, Vladimir Ivanovič hat, während er hier war, geschwiegen, und ich hatte den Eindruck, das Stück ginge allen auf die Nerven und werde keinen Erfolg haben. Ihr Brief, ich danke Ihnen, hat meine Melancholie ein bißchen durchgeschüttelt. Bleiben Sie gesund, grüßen Sie Ihre Schwester. Ich wünsche Ihnen Gesundheit und alles Gute.

Ihr A. Čechov.

896) AN K. S. STANISLAVSKIJ NIZZA, 15. 1. 1901

15. Jan. 1901.

Sehr geehrter Konstantin Sergeevič, ich danke Ihnen vielmals für den Brief. Natürlich haben Sie tausendmal recht, der Körper Tuzenbachs sollte auf keinen Fall gezeigt werden; ich hatte das selbst gespürt, als ich es schrieb, und habe mit Ihnen auch darüber gesprochen, wenn Sie sich erinnern. Daß der Schluß an den »Onkel Vanja« erinnert, ist nicht so schlimm. »Onkel Vanja« ist doch mein Stück, kein fremdes, und wenn man in seinen Werken an sich selbst erinnert, dann soll das sogar so sein. Den Satz »Wolln Sie nicht die Dattel haben« spricht Čebutykin nicht, er singt ihn. Das ist aus einer Operette, aber aus welcher, weiß ich nicht mehr, und wenn Sie mich totschlagen. Erkundigen können Sie sich bei dem Architekten F. O. Šechtel, im eigenen Haus, an der Kirche des hl. Ermolaj, Sadovaja.

Ich danke Ihnen vielmals, daß Sie geschrieben haben. Ich grüße Marija Petrovna und alle Schauspieler, wünsche alles Gute. Bleiben Sie gesund und wohlauf. *Ihr A. Čechov.*

897) AN A. L. VIŠNEVSKIJ NIZZA, 17. 1. 1901

Lieber Aleksandr Leonidovič, ich danke Ihnen vielmals für Brief und Glückwunsch. Im III. Akt können Sie natürlich in der Uniformjacke auftreten, ja; aber warum betreten Sie im II. Akt den Salon im Pelzmantel? Übrigens, vielleicht ergibt es sich gerade so. Wie Sie meinen.

Ich bin gesund und munter, was ich auch Ihnen wünsche. Vergessen Sie den Autor nicht, schreiben Sie ihm wenigstens manchmal, teilen Sie ihm die Neuigkeiten mit. Ich habe heute Namenstag, aber davon weiß in Nizza niemand etwas, und ich bin zufrieden, bin zufrieden, bin zufrieden. Ich wünsche Ihnen Gesundheit und Erfolge. Und trotzdem würde es Ihnen nicht schaden zu heiraten – eine Blondine von hohem Wuchs, üppig, rosig, die Bliny backen kann, sehr schmackhafte, und die um 8 Uhr zu Bett geht. Ich drücke Ihnen die Hand. *Ihr A. Čechov.*

898) AN O.L. KNIPPER NIZZA, 17. I. 1901

17. Jan.

Mein Herz, sei unbesorgt, ich bekomme deine Briefe pünktlich und bin bereit, jede Wette einzugehen – es ist kein einziger verlorengegangen. Ich danke dir, lieber Hund. Und wenn ich, wie du schreibst, in letzter Zeit von dir nur kurze Briefe bekomme und auch sie nur selten, dann – soll es eben so sein. Du hast tatsächlich viel Arbeit, obwohl man meinen sollte, das Stück wird in dieser Saison nicht gespielt werden, es wird nur in Petersburg gespielt.

Wieso fragst du mich wegen der Photographie des Lelj? Steck sie in ein Couvert und schick sie. Und wann bekomme ich eine Photographie von dir?

Jetzt bin ich vollkommen gesund. Wir schicken uns an, nach Algier zu fahren, werden aber nicht so bald fahren, weil das Meer unruhig ist. Heute ist zum Beispiel Sturm. Und es kommen auch ziemlich viele Leute zu mir, sie stören und reizen mich ziemlich; heute saßen sie von 5 Uhr abends bis 11½ bei mir herum. Ich kann nicht arbeiten, mehr und mehr vor Ärger. Ich möchte von Algier aus direkt nach Jalta fahren.

Mein Herz, ich habe doch heute Namenstag. Hier weiß das niemand, zum Glück. Wenn Maša kommt, dann sag ihr, daß aus Petersburg von Marks die Summe Geldes an sie geschickt wird, die sie in Empfang nehmen möge.

Ich grüße dich sehr, küsse, umarme dich und grüße dich noch einmal sehr. *Dein Starez Antonij.*

Was soll ich dir mitbringen? Oder schicken?

Natürlich muß der dritte Akt still geführt werden, damit man spürt, daß die Menschen erschöpft sind, daß sie schlafen wollen... Was denn für ein Lärm? Wann hinter der Bühne geläutet werden soll, ist angegeben.

899) AN O. L. KNIPPER NIZZA, 20. 1. 1901

Santé merveilleuse.

900) AN O. L. KNIPPER NIZZA, 20. 1. 1901

20. Jan. 1901.

Liebe Schauspielerin, Ausbeuterin meiner Seele, warum hast du mir ein Telegramm geschickt? Da hättest du besser etwas über dich telegraphiert, als aus so einem läppischen Anlaß. Nun, wie gehen die »Drei Schwestern«? Den Briefen nach zu urteilen, schwatzt ihr alle einen unerhörten Unsinn zusammen. Im III. Akt Lärm... Warum Lärm? Der Lärm ist nur in der Ferne, hinter der Bühne, es ist ein dumpfer, undeutlicher Lärm, hier auf der Bühne sind alle erschöpft, schlafen beinahe... Wenn ihr den III. Akt verderbt, ist das Stück durchgefallen, und mich wird man auf meine alten Tage auszischen. Dich lobt Alekseev in seinen Briefen sehr, Višnevskij desgleichen. Und ich, obwohl ich es nicht sehe, lobe dich ebenfalls. Veršinin sagt »tram-tram-tram« in Form einer Frage, und du in Form der Antwort, und dir kommt das als so etwas Originelles vor, daß du dieses »tram-tram« mit einem Lächeln sagst... Du könntest »tram-tram« sagen – und in Lachen ausbrechen, aber nicht laut, sondern nur so, ganz leicht. Ein Gesicht wie im »Onkel Vanja« brauchst du dabei nicht zu machen, sondern du solltest jünger und lebhafter sein. Denk daran, daß du lachlustig bist, boshaft. Also, ich hoffe auf dich, mein Herz, du bist eine gute Schauspielerin.

Ich habe damals doch gesagt, daß man die Leiche Tuzenbachs bei euch nicht über die Bühne tragen könne, und Alekseev hatte darauf bestanden, daß es ohne die Leiche nicht gehe. Ich habe ihm geschrieben, daß man die Leiche nicht vorbeitragen solle, ich weiß nicht, ob er meinen Brief bekommen hat.

Wenn das Stück durchfällt, dann fahre ich nach Monte Carlo und verspiele dort Kopf und Kragen.

Mich zieht es bereits fort aus Nizza, ich möchte wegfahren. Aber wohin? Nach Afrika ist zur Zeit unmöglich, weil das Meer stürmisch ist, und nach Jalta habe ich keine Lust. Bestimmt werde ich jedenfalls im Februar schon in Jalta sein, und im April – in Moskau, bei meinem Hund. Und dann von Moskau fahren wir zusammen irgendwohin.

Neues gibt es bei mir absolut nichts. Bleib gesund, mein Herz, schreckliche Schauspielerin, vergiß mich nicht und lieb mich wenigstens ein bißchen, wenigstens für eine Kopeke.

Ich küsse und umarme dich. Wünsche dir Glück. Und 400 R. sind tatsächlich ein bißchen wenig, du hast weit mehr verdient.

Also, bleib gesund. *Dein Starez Antonij.*

901) AN O.L. KNIPPER NIZZA, 21. 1. 1901

Sonntag.

Mein Liebes, Mašas Beichte im III. Akt ist ganz und gar keine Beichte, sondern nur ein offenes Gespräch. Führ es nervös, aber nicht verzweifelt, schrei nicht, lächle wenigstens manchmal und führ es vor allem so, daß man die Erschöpfung der Nacht spürt. Und daß man spürt, daß du klüger bist als deine Schwestern, dich zumindest für klüger hältst. Was das »tram-tam-tam« betrifft, mach es, wie du meinst. Du bist doch meine Vernünftige.

Gestern habe ich dir ein Telegramm geschickt. Hast du es bekommen?

Ich schreibe, natürlich, aber ohne jede Lust. Mir scheint, mich haben die »Drei Schwestern« ermüdet, oder ich habe das Schreiben einfach satt, ich bin altgeworden. Ich weiß es nicht. Ich sollte fünf Jahre lang nichts schreiben, fünf Jahre lang reisen, zurückkommen und mich dann hinsetzen. Also – die »Drei Schwestern«

werden in dieser Saison in Moskau nicht gespielt? Wollt ihr sie zuerst in Petersburg spielen?

Übrigens, behalte vor Augen, daß ihr in Petersburg keinen Erfolg haben werdet. Das ist natürlich ein Glück, denn nach eurer Petersburgreise werdet ihr nie wieder reisen, sondern in Zukunft in Moskau bleiben. Auf Gastspielreise zu gehen, das ist nicht eure Sache. In Petersburg werdet ihr volles Haus haben, aber Erfolg – keinen Tropfen, entschuldige bitte.

Bleib gesund, liebe kleine Gattin. Ich bleibe dein dich liebender *Toto, Mitglied der Akademie.*

902) AN O. L. KNIPPER NIZZA, 24. I. 1901

24. Jan. 1901.

Mein Herz, bemerkenswerte Frau, ich bin noch immer nicht nach Algier gefahren, weil das Meer stürmisch ist und meine Compagnons es ablehnen zu fahren. Es wird damit enden, daß ich drauf pfeife und zu mir nach Jalta fahre. Dort ist übrigens schönes Wetter, wie man mir schreibt, und dort ist übrigens meine Mutter jetzt allein.

Ich schicke dir eine Photographie von mir.

Ich habe einen Brief von M.F. Željabužskaja bekommen, sie dankt für die Blumen, die ich ihr nicht geschickt habe. Ich habe von dir die Nachricht bekommen, daß ihr im III. Akt Irina untergehakt führt... Wozu das? Paßt das etwa zu deiner Stimmung? Du sollst den Divan nicht verlassen. Kann Irina etwa nicht allein gehen? Was sind das für Neuigkeiten? Der Oberst hat mir einen langen Brief geschickt, er beklagt sich über Fedotik, Rodė und Solënyj; er beklagt sich über Veršinin, über dessen unsittliches Auftreten; er wird doch wohl eine fremde Frau nicht vom rechten Wege abbringen! Ich glaube jedoch, daß dieser Oberst das erfüllt hat, worum ich ihn gebeten hatte, d. h. die Offiziere werden wie Offiziere gekleidet sein. Die drei Schwestern und Nataša lobt er übrigens sehr. Er lobt auch Tuzenbach.

Ich küsse dich fest und umarme dich fest. Man ruft zum Essen.

Der Konsul ist gekommen und rät davon ab, nach Algier zu fahren. Er sagt, jetzt sei die Zeit des Mistral. Ich bin vollkommen gesund, huste nicht, aber die Langeweile ist furchtbar. Ich langweile mich ohne Moskau, ohne dich, du mein Hund.

Also, ich küsse dich. *Der Mönchspriester Antonij.*

903) AN A. L. VIŠNEVSKIJ NIZZA, 25. 1. 1901

Lieber Aleksandr Leonidovič, vor dem Satz: »Die Hauptsache in jedem Leben – ist seine Form« – fügen Sie bitte die Worte ein: »Unser Direktor sagt immer«.

Alle äußern sich sehr positiv, sogar begeistert über Ihr Spiel. Wie geht es Ihnen? Was gibt es Neues?

Ich drücke Ihnen die Hand. *Ihr A. Čechov.*

Donnerstag.

904) AN M. F. ANDREEVA NIZZA, 26. 1. 1901

26. Jan. 1901.

Liebe Marija Fëdorovna, ich habe Ihnen keine Blumen geschickt, aber bitte, es möge so sein, als hätte ich Ihnen welche geschickt, sonst wären meine Verlegenheit und mein Kummer maßlos. Ihr Brief hat mir solch eine Freude bereitet, daß ich es Ihnen gar nicht sagen kann. Ich danke Ihnen vielmals, unbändig, und zählen Sie mich jetzt zu Ihren zahlungsunfähigen Schuldnern.

Sie schreiben, ich hätte Sie während meines letzten Aufenthalts betrübt, weil ich angeblich Angst gehabt hätte, offen mit Ihnen über die »Drei Schwestern« zu sprechen usw. usf. Gott bewahre! Ich hatte keine Angst, offen mit Ihnen zu sprechen, sondern Angst, Sie zu stören, und habe mir extra Mühe gegeben zu schweigen und mich, soweit möglich, zurückgehalten, um Sie nicht bei Ihrer Arbeit zu stören. Wenn ich in Moskau wäre, dann hätte ich frühestens nach der zehnten Probe angefangen, meine Anmerkungen zu machen, und auch das nur in Kleinigkeiten. Man schreibt mir aus Moskau, Sie seien in den »Drei Schwestern« hervorragend, Sie spielten geradezu wundervoll, und darüber bin ich froh, sehr, sehr froh, Gott schenke Ihnen Gesundheit! Zählen Sie mich zu Ihren Schuldnern, und Schluß.

Heute fahre ich nach Algier, ich werde dort ein, zwei Wochen bleiben, und dann nach Rußland. Daß Sie in Petersburg spielen werden, bedaure ich sehr, weil ich Petersburg nicht liebe und vom dortigen Geschmack nicht viel halte. Ich grüße vielmals Andrej Alekseevič; und auch die Kinder. Bleiben Sie gesund, die Engel des Himmels mögen Sie beschützen.

Ihr ergebener A. Čechov.

905) AN M. P. ČECHOVA NIZZA, 26. 1. 1901

Liebe Maša, ich fahre nicht nach Algier, sondern nach Italien. Meine Adresse: Naples, poste. rest., d.h. Neapel, postlagernd.

Bleib gesund. In Italien werde ich mich ein, zwei Wochen herumtreiben, und dann auf die Krim. Neuigkeiten keine.

Gruß an Efim Zinovjevič und Evdokija Isaakovna.

Freitag. *Dein A. Čechov.*

906) AN O. L. KNIPPER PISA, 28. 1. 1901

Sonntag.

Ich schreibe dir dies aus Pisa, mein Herz. Von hier fahre ich nach Florenz, dann nach Rom, dann nach Neapel, wo ich deine Briefe bekommen werde, die man mir aus Nizza nachschickt. Meine Adresse für Briefe und Telegramme: Naples, post. rest.

Ist mein Stück gespielt worden oder nicht? Ich weiß nichts.

Aus Florenz werde ich dir einen längeren Brief schreiben, bis dahin leb wohl. Ich küsse dich fest, fest und umarme dich. Wenn ihr nach Petersburg fahrt, schreib. Zu den Fasten bin ich bereits wieder zu Hause, in Jalta. Ich fahre von Italien wahrscheinlich übers Meer, an Korfu vorbei.

Mein liebes Herz, ich küsse dich noch einmal.

Dein Antonio.

907) AN O. L. KNIPPER FLORENZ, 29. 1. 1901

Montag.

Mein Herz, ich schreibe dir aus Florenz, wo ich wahrscheinlich ein, zwei Tage bleiben werde. Ich muß nämlich sagen, es ist hier wunderschön. Wer nicht in Italien gewesen ist, der hat noch nicht gelebt. Aber in meinem Zimmer ist eine Kälte, daß ich am liebsten den Pelz anziehen würde, wenn ich nur einen hätte.

Sind die »Drei Schwestern« schon gelaufen? Hast du schlechte Laune? Mein Herz, das sind alles Lappalien, es ist alles egal.

Ich würde Maša schreiben, wenn ich ihre Adresse hätte. Sie ist doch, wie du schreibst, umgezogen. Ich hoffe, daß ich in 5–7 Tagen in Neapel post. rest. Briefe von dir finde; ohne sie, d. h. ohne Briefe ist es schon sehr traurig.

Gestern war ich im Theater in einem neuen Stück, einem sehr, sehr langweiligen. Mitgespielt hat Frau Orlova, die russische Nihilistin, in die sich ein junger Mann verliebte, aber ich habe ihren Auftritt nicht mehr miterlebt, ich bin rausgegangen aus dem Theater. Heute ist »Doktor Stockmann«, da gehe ich unbedingt hin und schreibe dir dann.

Das Hotelzimmer, ein sehr schönes, kostet hier 3 Franken, das Essen ist ebenfalls billig, und den Wein zum Essen gibt es umsonst. Im Theater Routine, die Schauspieler nicht übel; die Zuschauer behalten den Hut auf.

Also dann, bleib gesund, mein Engel, mein liebes Herz, meine Wunderbare. Ich küsse und umarme dich fest.

Dein Antonio.

908) AN A.F. MARKS ROM, 2. 2. 1901

2. Februar 1901. Rom.

Sehr geehrter

Adolf Fëdorovič!

Die fünfzehntausend hat meine Schwester bekommen, wie sie mir bereits schrieb und wofür ich Ihnen meinen Dank sage. Die zwei Exemplare der »Stücke«, die Sie am 13. Januar abgeschickt hatten, habe ich erst heute bekommen, wofür ich Ihnen herzlich danke, und möchte Sie bitten, noch 8 Exemplare zu schicken an die Adresse: Jalta. Um den 20. Februar denke ich bereits wieder in Jalta zu sein, wohin ich Sie bitten möchte, die Post zu adressieren. Von dort, d. h. aus Jalta, werde ich Ihnen den Inhalt des IV. Bandes mitteilen, vorher kann ich dies nicht, denn die von Ihnen bestätigte Liste der Werke, die in diesen Band aufgenommen werden sollen, befindet sich bei mir zu Hause. Die Erzählung »Diebe« hatte ich Ihnen zusammen mit anderen Werken geschickt, und es wäre schade, wenn Sie sie nicht fänden, denn das war ein unicum. Übrigens glaube ich, sie ist bereits in der Druckerei gesetzt und mir von Ihnen bereits einmal geschickt worden, – und wenn es so ist, dann werde ich sie Ihnen schicken, denn die Fahnenexemplare habe ich vollständig.

Das Stück »Drei Schwestern« wird im Februar oder März in der »Russkaja mysl« veröffentlicht, wonach es Ihnen geschickt werden wird.

Ich wünsche Ihnen alles Gute und bitte Sie, die Versicherung meiner aufrichtigen Hochachtung entgegenzunehmen.

A. Čechov.

909) AN O.L. KNIPPER ROM, 4. 2. 1901

Rome, le 4 Fevral 1901.

Mein liebes Herz, ich bin immer noch in Rom. Von hier fahre ich nach Neapel, von Neapel auf die Insel Korfu, allerdings nur, wenn sich herausstellt, daß in Konstantinopel nicht die Pest ist; andernfalls fahre ich über Wien nach Rußland.

Es ist miserabel zu schreiben, schlechtes Licht und viel Schatten auf dem Papier. Gestern habe ich aus Neapel ein Telegramm von Nemirovič bekommen mit der Nachricht, daß die »Drei Schwestern« gespielt worden sind. Seinen Worten zufolge sind die Frauenrollen hervorragend gespielt worden. Jetzt warte ich auf einen Brief von dir.

Heute habe ich aus Lyon einen Brief von Lev Antonovič bekommen, aus Nervi ein Telegramm von Miroljubov. Heute habe ich mit einer russischen Familie und zwei Fräuleins das alte Rom besichtigt. Geführt hat uns Prof. Modestov, und die Fräuleins waren sehr nett. Ich habe Maša einen Schirm gekauft, aber ich glaube, einen schlechten. Auch Tücher habe ich gekauft, aber ebenfalls keine anständigen. Rom ist nicht Paris.

Das Wetter hier ist kalt. Nach Neapel fahre ich morgen und werde dort fünf oder vier Tage bleiben. Deine Briefe werden mir aus Nizza nachgeschickt, mein liebes Mädchen, kein einziger ist verlorengegangen. Also, im Februar werde ich bereits wieder in Jalta sein; dort werde ich schreiben, viel schreiben, bis zu unserem Wiedersehen, dann fahren wir gemeinsam irgendwohin. Ja?

Ich küsse dich fest. Bleib gesund, sei nicht traurig.

Dein Ant.

910) AN V. M. LAVROV ROM, 7. 2. 1901

Lieber Vukol, die Fahnen der »Drei Schwestern« erreichten mich in Rom. Da wir bereits den 7. Februar haben, wird das Stück wohl kaum mehr zum Februarheft zurechtkommen. Heute fahre ich nach Jalta, von wo ich es schicken werde, laß du mir einstweilen die »handelnden Personen« schicken, die nicht bei den Fahnen sind und die ich auch nicht habe. In Jalta werde ich in 4–5 Tagen sein, d. i. um den 12. Febr.

Ich wünsche dir Gesundheit und Frieden. Ich drücke dir fest die Hand und bleibe dein dich liebender *A. Čechov.*

7. Febr.

911) AN O.L. KNIPPER ROM, 7. 2. 1901

Rome, 20. Febr. (7. Febr.) 1901.

Meine Liebe, in ein, zwei Stunden fahre ich nach Norden, nach Rußland. Es ist mir hier zu kalt, es schneit, so daß ich überhaupt keine Lust habe, nach Neapel zu fahren. Also, schreib mir jetzt nach Jalta.

Von dir habe ich keinen einzigen Brief über die Vorstellung der »Drei Schwestern« bekommen, dabei heißt es in dem Telegramm im »Novoe vremja«, du hättest am besten von allen gespielt, hättest dich ausgezeichnet. Schreib mir ausführlich nach Jalta, schreib, mein Herz, ich flehe dich an.

Es ist schwer zu schreiben, das elektrische Licht ist miserabel.

Also, ich umarme und küsse dich fest. Vergiß mich nicht. Niemand liebt dich so wie ich. *Dein Antonio.*

Schreib jetzt nach Jalta.

912) AN O.L. KNIPPER JALTA, 19. 2. 1901

Erwarte ausführliches Telegramm, bin gesund, verliebt, sehne mich nach Hund. Schicke Briefe. Was machen Geschäfte, Gesundheit, Stimmung? *Čechov.*

913) AN O.L. KNIPPER JALTA, 20. 2. 1901

20. Febr. 1901.

Mein liebes, mein wunderbares Mütterchen, ich umarme und küsse dich innig. Vierzehn Tage lang bin ich unterwegs gewesen, habe keine Briefe bekommen, dachte, du liebtest mich nicht mehr, und auf einmal bricht es über mich herein – aus Moskau, aus Piter, aus dem Ausland. Ich bin deshalb so früh aus Italien abgereist, weil es dort jetzt schneit und kalt ist und weil es auf einmal langweilig wurde ohne Briefe von dir, und vor Ungewißheit. Über die »Drei Schwestern« habe ich doch erst hier, in Jalta, gehört, nach Italien drang davon kaum etwas, fast nichts. Es sieht nach Mißerfolg aus, weil alle, die Zeitung gelesen haben, kleinlaut werden und weil Maša in ihren Briefen des Lobes voll ist. Nun, ist ja egal.

Du fragst, wann wir uns wiedersehen. Zu Ostern. Wo? In Moskau. Wohin fahren? Ich weiß es nicht, wir werden es gemeinsam entscheiden, mein bemerkenswertes kluges Kind, herrliche kleine Jüdin.

In Jalta ist es warm, das Wetter ist schön, in den Zimmern ist es gemütlich, aber im Ganzen langweilig. Bunin ist hier, der mich glücklicherweise jeden Tag besuchen kommt. Miroljubov ist auch hier. Nadežda Ivanovna war da. Sie hört schlechter. Sredin sieht vollkommen gesund aus. Altšuller ist dickergeworden.

Also, mein Herz, ich muß zum Essen kommen. Morgen schreibe ich dir wieder, und sei es nach dem Abendessen. Der Schöpfer beschütze dich. Schreib ausführlich, wie es in Petersburg geht. Weshalb schreibt Višnevskij mir nicht?

Ich küsse dich noch einmal. *Dein Mönchspriester Antonij.*

914) AN O. L. KNIPPER JALTA, 22. 2. 1901

22. Febr. 1901

Mein liebes Herz, wie geht es dir in Petersburg? Ich glaube, diese Stadt wird euch allen bald auf die Nerven gehen mit ihrer Kälte, ihrer Hohlheit, und du, Ärmste, wirst Sehnsucht bekommen. Gestern bekam ich von Nemirovič ein Telegramm, daß die »Einsamen« keinen Erfolg hatten – es geht also schon los. Wie auch immer, ich glaube, nach Petersburg werdet ihr nie wieder reisen.

Hier ist das Wetter nicht kalt, aber grau, schmutzig, langweilig. Die Leute grau, träge, das Essen zu Hause schmeckt nicht. Die »Russkaja mysl« hat die »Drei Schwestern« ohne meine Korrekturen veröffentlicht, und Lavrov, der Redakteur, sagt zu seiner Rechtfertigung, Nemirovič habe das Stück »verbessert« ... also, mein Herz, vorläufig ist alles uninteressant, und wenn das Denken an dich nicht wäre, würde ich wieder ins Ausland fahren.

Wenn die Sonne scheint, werde ich anfangen, im Garten zu arbeiten. Zur Zeit ist es grau und naß. Die Bäume werden in diesem Jahr gut wachsen, weil sie schon einen Sommer hinter sich haben und angewachsen sind.

Warum schreibst du mir nicht? Hier habe ich bis jetzt von dir erst einen Brief und ein Telegramm bekommen. Du bist fröhlich, und Gott sei dafür gedankt, mein Herz. Man darf nicht sauer werden.

Anscheinend geht euer Abonnement bis in die vierte Fastenwoche. Und was dann? Kommt ihr nach Moskau zurück? Schreib, Liebste.

Ich umarme und küsse dich fest, schrecklich fest. Ich möchte mit dir reden, oder genauer, mich mit dir unterhalten. Nun denn, leb wohl, auf Wiedersehen. Schreib mir doch, sei nicht faul.

Dein Mönchspriester Antonij.

915) AN M. P. ČECHOV JALTA, 22. 2. 1901

22. Febr. 1901.

Lieber Michel, ich bin aus dem Ausland zurück und kann jetzt deinen Brief beantworten. Daß du in Petersburg leben wirst, ist natürlich sehr schön und erlösend, aber was die Arbeit bei Suvorin betrifft, kann ich dir nichts Bestimmtes sagen, obwohl ich sehr lange darüber nachgedacht habe. Natürlich würde ich an deiner Stelle eine Arbeit in der Druckerei vorziehen, die Zeitung würde ich links liegen lassen. Das »Novoe vremja« genießt gegenwärtig einen sehr schlechten Ruf, dort arbeiten ausschließlich satte und zufriedene Leute (ausgenommen Aleksandr, der nichts sieht), Suvorin ist verlogen, furchtbar verlogen, besonders in den sogenannten offenen Augenblicken, d.h. er meint es vielleicht ehrlich, aber man kann unmöglich garantieren, daß er nicht eine halbe Stunde später genau im entgegengesetzten Sinne handelt. Wie dem auch sein mag, das ist keine leichte Sache, Gott möge dir helfen, meine Ratschläge können dir wohl kaum irgendeine Hilfe sein. Wenn du bei Suvorin arbeitest, verlier keinen Tag lang aus dem Auge, daß es sehr leicht ist, wieder wegzugehen von ihm, und halte dir deshalb eine Staatsstelle warm oder werde Rechtsanwalt.

Bei Suvorin gibt es einen guten Menschen – das ist Tyčinkin, zumindest war er ein guter Mensch. Seine Söhne, d.h. die Suvorins, sind nichtswürdig in jeder Beziehung. Anna Ivanovna ist ebenfalls klein geworden. Nastja und Borja sind anscheinend gute Menschen. Gut war auch Kolomnin, aber er ist vor kurzem gestorben.

Bleib gesund und wohlauf. Schreib mir, was du machst und wie es dir geht. Olga Germanovna und die Kinder werden es in Petersburg gut haben, besser als in Jaroslavl.

Schreib mir Einzelheiten, wenn es schon welche geben sollte. Mutter geht es gut. *Dein A. Čechov.*

916) AN O.L. KNIPPER JALTA, 26. 2. 1901

Liebes, heute ist schon der 26. Febr., und keine, keine Briefe von dir! Wieso nicht? Gibt es nichts zu schreiben, oder hat Petersburg mit seinen Zeitungen dir das Leben so sauer gemacht, daß du auch mit mir nichts mehr zu tun haben willst? Nicht doch, Herz, das ist alles Unsinn. Ich lese nur »Novoe vremja« und »Peterb. gazeta« und bin nicht empört, weil ich längst wußte, daß es so kommen würde. Vom »Novoe vremja« war und ist nichts anderes zu erwarten als Gemeinheiten, und in der »Peterburg. gazeta« schreibt Kugel, der dir nie verzeihen wird, daß du die Elena Andreevna spielst – die Rolle für Frau Cholmskaja, eine sehr unbegabte Schauspielerin, seine Geliebte. Ich habe von Posse ein Telegramm bekommen, darüber, daß ihr alle traurig seid. Pfeif drauf, meine Gute, pfeif auf alle diese Rezensionen und sei nicht traurig.

Willst du nicht mit Maša in der Karwoche nach Jalta kommen, und wir fahren dann zusammen nach Moskau zurück? Was meinst du? Überleg es dir, meine Freude.

Ich war krank, habe gehustet usw., jetzt ist mir besser, heute bin ich schon wieder spazierengegangen, war an der Uferpromenade.

Am 28. Febr. feiert das »Novoe vremja« Jubiläum. Ich habe Angst, daß man Suvorin einen Skandal macht. Mir tut es nicht um das »Novoe vremja« leid, sondern um die, die den Skandal machen.

Willst du mir noch lange nicht schreiben? Einen Monat? Ein Jahr?

Ich küsse dich fest, fest, meine Gute. Der Herr segne dich.

Dein Mönchspriester Antonij.

917) AN O. L. KNIPPER JALTA, 1. 3. 1901

1. März.

Meine Liebe, lies keine Zeitungen, lies sie überhaupt nicht, sonst siechst du mir noch ganz dahin. Eine Lehre für die Zukunft: hör auf den alten Mönchspriester. Ich habe dir doch gesagt, dich versichert, daß es in Petersburg Mißhelligkeiten geben würde, – ihr hättet drauf hören sollen. Wie dem auch sei, euer Theater wird nie wieder nach Piter fahren – und Gott sei gedankt.

Ich persönlich werde das Theater ganz aufgeben, ich werde nie wieder fürs Theater schreiben. Für das Theater schreiben kann man in Deutschland, in Schweden, sogar in Spanien, aber nicht in Rußland, wo Theaterautoren mißachtet werden, wo man mit den Hufen nach ihnen ausschlägt und ihnen weder Erfolg noch Mißerfolg verzeiht. Dich beschimpfen sie jetzt zum ersten Mal im Leben, darum bist du noch so empfindlich, doch das vergeht mit der Zeit, man gewöhnt sich daran. Aber stell dir vor, wie herrlich, wie wundervoll sich Sanin jetzt fühlt! Wahrscheinlich schleppt er alle Rezensionen in der Tasche mit sich herum, zieht die Augenbrauen hoch, ganz hoch …

Und hier ist so schönes Wetter, es ist warm, sonnig, die Aprikosen und Mandelbäume blühen. In der Karwoche erwarte ich dich, meine arme beschimpfte Schauspielerin, ich erwarte dich, erwarte dich, behalt das im Auge.

Ich habe dir im Februar vom 20. bis zum 28. fünf Briefe und drei Telegramme geschickt; ich habe dich gebeten, mir ein Telegramm zu schicken, aber – kein Wort zur Antwort.

Von der Javorskaja habe ich ein Telegramm zum »Onkel Vanja« bekommen.

Schreib, bis wann ihr in Piter bleibt. Schreib, Schauspielerin.

Ich bin gesund – Ehrenwort.

Ich umarme dich. *Dein Mönchspriester.*

918) AN V. A. POSSE JALTA, 3. 3. 1901

3. März 1901.

Jalta.

Lieber Vladimir Aleksandrovič, ich danke Ihnen vielmals für das Telegramm und überhaupt dafür, daß Sie mich nicht vergessen haben. Der Dank kommt ein bißchen spät, aber besser spät als nie, wie kluge Leute sagen. Seien Sie so gut, denken Sie daran, daß ich einsam bin, daß ich in der Wüste lebe, erbarmen Sie sich und schreiben Sie mir, erstens, was es Neues gibt in der zivilisierten Welt, zweitens, wo Gorkij zur Zeit ist, wohin ich ihm schreiben kann, und drittens, wollen Sie nicht nach Jalta kommen um sich zu erholen?

Eine Erzählung schicke ich Ihnen ganz bestimmt. Die »Drei« von Gorkij im Jan.-Heft haben mir außerordentlich gut gefallen im Ton. Die Dirnen sind falsch, solche gibt es gar nicht, und solche Gespräche gibt es auch nie, aber es ist trotzdem angenehm zu lesen. Im Dezemberheft hat es mir nicht so gefallen, man spürte eine Gespanntheit. Und Gorkij sollte nicht mit so ernstem Gesicht schaffen (er schreibt nicht, er schafft), er sollte lockerer sein, ein bißchen von oben herab.

Also, der Einsiedler erwartet von Ihnen einen ausführlichen Brief. Seien Sie nicht faul, bitte.

Ich habe grausamen Husten, schon 5–6 Tage lang, aber im allgemeinen ist meine Gesundheit gut, es wäre eine Sünde zu klagen.

Bleiben Sie gesund und munter, vergessen Sie nicht Ihren

A. Čechov.

919) AN M.P. ČECHOV JALTA, 5. 3. 1901

5. März.

Lieber Michel, das, was mein Ivanov zu Doktor Lvov sagt, sagt ein müdegewordener, abgetragener Mensch; im Gegenteil, der Mensch muß beständig aus seiner Muschel wenn schon nicht herauskriechen, so doch herausschauen, und er muß sich sein ganzes Leben lang etwas einfallen lassen, sonst wird das kein Leben, sondern eine Heiligenlegende. Gegen ein Leben in Petersburg habe ich nichts, das ist eine schöne Stadt, an die man sich leicht gewöhnen kann, wie an Moskau; die Frage ist nur, wo man arbeitet. Ich war in meinem Brief gegen die Suvorinsche Zeitung; dort kann man nur Belletristik veröffentlichen, und auch das nur, wenn man sich weit abseits hält. In der Druckerei arbeiten – das ist ganz etwas anderes; seine Druckerei ist sehr gut in jeder Beziehung. Aber am besten wäre, in Petersburg irgendeine Stelle zu haben, bei irgendeinem Departement, und sich abends mit Literatur zu beschäftigen. Kropotov ist grob, aber behalt im Auge, daß Suvorin noch gröber ist, und ausschließlich für ihn zu arbeiten, das ist noch viel schlimmer, als in Černigov oder Bobrujsk zu arbeiten. Wie wäre es so: bis zum Essen irgendwo in einem Departement, und abends bei ihm in der Druckerei (wie Tyčinkin, der Gymnasiallehrer ist) – das wäre gut.

Man stört mich beim Schreiben, alles kommt zu mir gelaufen. Grüß Olga Germanovna und die Kinderlein, wünsche ihnen von mir alles Gute. Bleib gesund; alles wird sich finden, natürlich, und alles wird gut werden.

Mutter geht es gut. Neuigkeiten gibt es keine.

Dein A. Čechov.

Wenn du freie Zeit hast, schreib mir, ich werde dir antworten.

920) AN O. L. KNIPPER JALTA, 7. 3. 1901

7. März 1901.

Ich habe einen anonymen Brief bekommen, daß du dich in Piter bis über beide Ohren in jemanden verliebt hättest. Ich hatte auch selbst schon längst den Verdacht, du kleine Jüdin, Geizkragen. Mich liebst du eben nicht mehr, wahrscheinlich, weil ich kein sparsamer Mensch bin und dich gebeten hatte, dich meinetwegen zu ruinieren und ein, zwei Telegramme zu schicken... Nun ja! So muß es wohl sein, aber ich liebe dich immer noch aus alter Gewohnheit und schreibe dir, siehst du, auf was für Papier?

Geizkragen, warum hast du mir nicht geschrieben, daß du die 4. Woche in Petersb. bleibst und nicht nach Moskau fährst? Ich habe dauernd auf dich gewartet und dir nicht geschrieben, weil ich annahm, du kämst nach Hause.

Ich bin munter und, wie es scheint, gesund, obwohl ich immer noch wie wild huste. Ich arbeite im Garten, wo bereits die Bäumen blühen; das Wetter ist wunderbar, so wunderbar wie deine Briefe, die jetzt aus dem Ausland kommen. Die letzten Briefe – aus Neapel. Ach, was bist du prächtig, was bist du klug, mein Herz! Ich lese jeden Brief dreimal – das ist das minimum. Also, ich arbeite im Garten, am Schreibtisch geht die Arbeit zäh; ich habe keine Lust etwas zu tun, lese Korrektur und bin froh, daß darüber die Zeit vergeht. In Jalta bin ich selten, es zieht mich nicht dorthin, dafür sitzen die Jaltaer lange bei mir, so daß ich jedesmal schlechte Laune bekomme und mir zu schwören beginne, wieder wegzufahren oder zu heiraten, damit meine Frau sie, d. h. die Gäste wegjagt. Sobald ich aus dem Gouv. Ekaterinoslav die Scheidung erhalte, werde ich wieder heiraten. Gestatten Sie mir, um Ihre Hand anzuhalten.

Ich habe dir aus dem Ausland Parfum mitgebracht, sehr gutes. Komm und hol es dir in der Karwoche. Komm unbedingt, meine Liebe, Gute, Herrliche; wenn du nicht kommst, würdest du mich sehr betrüben, mir das Dasein vergiften. Ich habe schon angefangen auf dich zu warten, ich zähle die Tage und Stunden. Es macht nichts, daß du dich in einen anderen verliebt hast und mich schon betrogen hast, ich verzeihe dir, nur komm, bitte. Hörst du, Hund? Ich liebe dich doch, damit du es weißt, es fällt mir schon schwer, ohne dich zu leben. Wenn bei euch im Theater für Ostern irgendwelche Proben geplant sind, dann sag Nemirov., das sei eine Gemeinheit und Schweinerei.

Eben bin ich hinuntergegangen, habe dort Tee getrunken und Kringel gegessen. Ich habe einen Brief aus Petersburg bekommen von dem Akademiemitglied Kondakov. Er war in den »Drei Schwestern« – und ist unbeschreiblich begeistert. Du hast mir nichts geschrieben von den Festessen, die man für euch gegeben hat, schreib mir doch wenigstens jetzt, wenigstens im Namen unserer Freundschaft. Ich bin ein Freund von dir, ein großer Freund, du Hund.

Heute habe ich von Solovcov aus Kiev ein langes Telegramm bekommen, darüber, daß in Kiev die »Drei Schwestern« gespielt worden seien, ein riesiger, schrecklicher Erfolg usw. Das nächste Stück, das ich schreiben werde, wird unbedingt komisch, sehr komisch, zumindest im Plan.

Also, bleib gesund, mein Weiblein, bleib fröhlich, sei nicht deprimiert, sei nicht traurig. Nun bin auch ich von der Javorskaja für würdig befunden worden: ich habe von ihr ein Telegramm zum »Onkel Vanja« bekommen! Zu euch ins Theater ist sie doch immer wie eine Sarah Bernhardt gekommen, die nichts anderes hatte als den aufrichtigen Wunsch, die ganze Truppe mit ihrer Anwesenheit zu beglücken. Und du hättest dich beinahe mit ihr geprügelt!

Ich küsse dich achtzehnmal und umarme dich fest. Denk dran, daß ich dich erwarte. Denk dran!

Dein Mönchspriester Antonij.

921) AN A.F. MARKS JALTA, 11. 3. 1901

11. März 1901.
Jalta.
Sehr geehrter
Adolf Fëdorovič!

Die 812 R. 50 K. für mein Stück »Drei Schwestern« habe ich erhalten, den Vertrag schicke ich Ihnen unterschrieben zurück und sage Ihnen meinen herzlichen Dank.

Die Korrekturen der letzten Bogen des IV. Bandes habe ich Ihnen vor einigen Tagen geschickt; die mittleren Bogen, d.h. den Schluß der »Steppe«, die Erzählung »Im Sumpf« und den Anfang des »Geheimrats« habe ich nicht lesen können, da ich sie nicht bekommen habe.

Der »Reisende I. Klasse« muß in den IV. Band, unabhängig von der Erzählung »Diebe«; nur muß er in der Korrektur beträchtlich überarbeitet werden. Er kann auch in die zweite Auflage des II. Bandes aufgenommen werden, wenn Sie es wünschen, – mir ist das gleichgültig. Den »Reisenden I. Klasse« habe ich bei mir, ich werde ihn Ihnen morgen schicken.

Ich wünsche Ihnen alles Gute und danke Ihnen nochmals.

Ihr aufrichtig ergebener *A. Čechov.*

Ich habe den »Reisenden I. Klasse« in Fahnensatz, ich schicke ihn Ihnen in korrigierter Gestalt.

922) AN A.L. VIŠNEVSKIJ JALTA, 12. 3. 1901

Lieber Aleksandr Leonidovič, schreiben Sie, wie Sie sich fühlen und überhaupt, was es Neues gibt. Sie haben die Pflicht, mir lange Briefe zu schreiben, weil Sie mein Landsmann sind.

Ich wünsche Ihnen alles Gute und drücke Ihnen fest die Hand.

12. März 1901. *Ihr A. Čechov.*
Jalta.

Umschlag der Erstausgabe der »Drei Schwestern« im Verlag A.F. Marks, Petersburg 1901, mit den Porträts der Hauptdarsteller.
Von links nach rechts: M.G. Savickaja (Olga), O.L. Knipper (Maša), M.F. Andreeva (Irina); unten: V.V. Lužskij (Andrej).

923) AN O.L. KNIPPER JALTA, 16. 3. 1901

16. März.

Mein Liebes, sei gegrüßt! Nach Moskau werde ich unbedingt kommen, aber ob ich in diesem Jahr nach Schweden fahre, – ich weiß nicht. Das Herumfahren geht mir dermaßen auf die Nerven, und meine Gesundheit wird anscheinend ganz und gar greisenhaft – so daß du in mir keinen Gatten bekommen wirst, sondern ein Großväterchen, nebenbei gesagt. Ich grabe jetzt tagelang im Garten, das Wetter ist wunderbar, warm, alles steht in Blüte, die Vögel singen, ich habe keine Gäste, es ist einfach kein Leben, sondern das Paradies. Die Literatur habe ich ganz aufgegeben, und wenn ich dich heirate, dann werde ich dir befehlen, das Theater aufzugeben, und wir werden zusammenleben wie Plantagenbesitzer. Du willst nicht? Na schön, dann spiel noch fünf Jährchen, dann werden wir weitersehen.

Heute bekomme ich auf einmal den »Russkij invalid«, eine militärische Fachzeitung, und auf einmal ist darin eine Besprechung der »Drei Schwestern«. Nummer 56, vom 11. März. Alles in Ordnung, sie ist positiv und findet, was die militärische Seite angeht, keine Fehler.

Schreib mir, mein gutes Herz, deine Briefe bereiten mir Freude. Du betrügst mich, weil du, wie du schreibst, ein Mensch und eine Frau bist, na schön, betrüg mich, nur bleib ein so guter, prächtiger Mensch, wie du bist. Ich bin ein altes Männchen, mich muß man betrügen, das verstehe ich sehr wohl, und wenn ich irgendwann einmal aus Versehen dich betrügen sollte, dann wirst du entschuldigen, denn du weißt ja, Alter schützt vor Torheit nicht. Nicht wahr?

Siehst du die Avilova? Hast du dich mit der Čjumina angefreundet? Sicher hast du insgeheim angefangen, Novellen und Romane zu schreiben. Wenn ich das erfahre, dann leb wohl, dann lasse ich mich scheiden.

Von der Ernennung Pčelnikovs habe ich in den Zeitungen gelesen, mich über Pčelnikov gewundert, daß es ihn nicht anwidert, diese merkwürdige Pflicht zu übernehmen. Aber »Doktor

Stockmann« wird man euch wohl kaum aus dem Repertoire nehmen, das ist doch ein konservatives Stück.

Obwohl ich die Literatur aufgegeben habe, schreibe ich dennoch manchmal aus alter Gewohnheit das eine oder andere. Zur Zeit schreibe ich eine Erzählung mit dem Titel »Der Bischof« – ein Sujet, das mir schon seit fünfzehn Jahren im Schädel sitzt.

Ich umarme dich hundertmal, Verräterin, küsse dich fest. Schreib, schreib, meine Freude, sonst werde ich dich, wenn wir verheiratet sind, durchprügeln. *Dein Starez Antonij.*

924) AN MAKSIM GORKIJ JALTA, 18. 3. 1901

18. März 1901.

Lieber Aleksej Maksimovič, wo stecken Sie, ich warte seit langem auf einen Brief von Ihnen, auf einen langen nach Möglichkeit, und nie bekomme ich ihn. Ihre »Drei« lese ich mit großem Vergnügen – merken Sie sich das – mit riesengroßem Vergnügen.

Bei Ihnen wird jetzt bald Frühling, echter, russischer, bei uns steht der Krim-Frühling schon in voller Blüte; der hiesige Frühling ist wie eine schöne Tatarin – man kann sich an ihr freuen, lieben kann man sie nicht.

Ich hörte, Sie seien in Petersburg und danach in Moskau bekümmert gewesen. Schreiben Sie, worum es geht; ich weiß wenig, fast nichts, wie es sich auch gehört für einen Russen, der in Tatarien lebt, ahne aber sehr viel.

Also, lassen Sie mich auf Ihren Brief warten.

Grüßen Sie Ihre Frau, ihr und Maksimka wünsche ich alles Gute, vor allem – Gesundheit.

Bleiben Sie gesund. *Ihr A. Čechov.*

925) AN A. L. VIŠNEVSKIJ JALTA, 23. 3. 1901

23. März 1901.

Sie sollten mir nicht böse sein, lieber Aleksandr Leonidovič, wegen der Photographien habe ich Ihnen geschrieben und herzlich gedankt, wenn Sie meinen Brief nicht bekommen haben, so bin nicht ich daran schuld.

Sie schrieben mir einmal, daß Sie nach Jalta kämen. Haben Sie es sich nicht anders überlegt? In Jalta ist schon vollkommener Frühling, alle Bäume stehen in Blüte, vieles ist bereits verblüht (darunter auch ich), die Sonne wärmt wie im Sommer.

In meinem privaten Leben gibt es keinerlei Neuigkeiten, und Interessantes gibt es, offenbar, auch nicht. Kaum ist man morgens aufgewacht, aufgestanden, schon bricht der Abend herein, wo man sich wieder hinlegen muß, und so vergeht tagaus tagein unser Altmännerleben.

Ich möchte schrecklich gern die »Drei Schwestern« sehen. Sie haben jetzt keine Spielstätte, sonst käme ich bestimmt im April und würde alle Darsteller und die Direktion drum betteln, mir wenigstens einen Akt zu zeigen.

Ich danke Ihnen für den Brief und die Photographien, für die ich Ihnen bereits gedankt habe und die mir sehr gefallen haben. Bleiben Sie gesund, Gott beschütze Sie. *Ihr A. Čechov.*

926) AN O. L. KNIPPER JALTA, 26. 3. 1901

Bin gesund, komme nach Ostern, Gruß. Erwarte Briefe.

Antonio.

927) AN O. L. KNIPPER JALTA, 27. 3. 1901

Bin glücklich, erwarte dich, Frühlingswetter, Dampfer Freitag, Sonntag. *Antoine.*

928) AN O. L. KNIPPER JALTA, 17. 4. 1901

17. April.

Eben habe ich ein großes Plakat geschickt bekommen: mein »Onkel Vanja« hat in Prag furore gemacht. Mein Herz, in Jalta regnet es jeden Tag, es ist feucht, bald ist es hier wie in Vologda.

Von der vielen Feuchtigkeit sind meine Tulpen ganz groß geworden.

Was tust du in Moskau? Schreib, Kindchen, sei nicht faul. Ohne dich und ohne Briefe von dir langweile ich mich.

Heute habe ich O. R. empfangen.

Bald, bald sehen wir uns wieder, fahren nach Petrovsko-Razumovskoe, gehen in die Kneipe, mit einem Wort, schwelgen in Seligkeit. Dein Bild in der »Niva« ist sehr schön, du siehst gut aus.

Die Rosen blühen noch nicht, sie werden es aber bald. Nach dem vielen Regen sind meine Pflanzen üppig gewachsen. Auch heute ist es bewölkt.

Auf Wiedersehen, Hund! Leb wohl, Hund! Ich streichle und küsse dich. *Dein in die Knipšic verliebter Dummkopf.*

929) AN O. L. KNIPPER JALTA, 22. 4. 1901

22. April 1901.

Meine liebe, herrliche Knipšic, ich habe dich nicht zurückgehalten, weil ich es in Jalta widerwärtig finde und weil ich dachte, daß ich dich sowieso bald in Freiheit wiedersehen würde. Wie dem auch sei, du bist zu Unrecht böse, mein Herz. Ich habe keinerlei Hintergedanken, ich sage dir alles, was ich denke.

Anfang Mai, in den ersten Maitagen komme ich nach Moskau, wir werden uns, wenn es möglich ist, trauen lassen und dann an die Volga fahren, oder wir fahren zuerst an die Volga und lassen uns dann trauen – ganz wie es angenehmer ist für dich. Wir nehmen in Jaroslavl oder in Rybinsk den Dampfer und fahren nach Astrachan, von dort nach Baku, von Baku nach Batum. Oder willst du das nicht? Es ginge auch so: die Sev. Dvina entlang nach Archangelsk, auf die Solovki-Inseln. Wohin du willst, dorthin fahren wir. Danach werde ich den ganzen Winter oder einen großen Teil des Winters in Moskau verbringen, mit dir in einer Wohnung. Wenn ich nur nicht krankwerde, gesundbleibe. Mein Husten nimmt mir jede Energie, ich denke träge an die Zukunft und schreibe ohne jede Lust. Denk du an die Zukunft, sei du die Herrin im Haus, was du mir sagst, das werde ich tun, sonst werden wir nicht leben, sondern das Leben je Stunde eßlöffelweise schlucken.

Du sitzt also zur Zeit ohne Rolle da? Sehr angenehm. Heute hat man mir eine Besprechung der »Drei Schwestern« aus der Revue Blanc. geschickt. Man hat mir Tolstojs Antwort auf den Beschluß des Synod. geschickt. Man hat mir den Almanach »Blumen des Nordens« mit einer Erzählung von mir geschickt. Von Bruder Ivan habe ich einen Brief bekommen; er schreibt, er sei krank. Von der Truppe des »Olympia« aus Petersburg habe ich ein Telegramm bekommen – sie bitten um die Genehmigung, die »Drei Schwestern« aufzuführen. Heute regnet es, es weht ein verzweiflungsvoller Wind, aber es ist warm und angenehm draußen. Der Hund Kaštanka, den du in deinem Brief Ryžij nennst, hat einen Hufschlag vors Bein abbekommen, ich muß mich jetzt darum kümmern, Verbände anlegen, und rieche schon ganz nach Jodoform.

Du hast auf meinem Tisch einen Rubel vergessen. Fräulein Vaseljeva, die du kennengelernt hast, bläst weiter Trübsal und ißt nicht.

Višnevskij habe ich keine traurigen Briefe geschrieben.

Was werde ich bei euch im Theater sehen? Welche Proben? Proben wovon? »Michael Kramer«? Die »Wildente«? Minutenweise überkommt mich das starke Verlangen, für das Künstl. Theater ein Vaudeville in 4 Akten oder eine Komödie zu schreiben. Und ich werde es auch tun, wenn mich nichts daran hindert, aber dem Theater werde ich das Stück nicht vor Ende 1903 geben.

Ich werde dir ein Telegramm schicken, sag niemandem etwas und komm allein an den Bahnhof. Hörst du? Also, auf Wiedersehen, mein Herz, mein liebes Mädchen. Sei nicht traurig und denk nicht Gott weiß was; Ehrenwort, ich habe nichts, was ich auch nur für eine Minute vor dir geheimhalten würde. Sei gut, sei nicht böse.

Ich küsse dich fest, Hund. *Dein Antoine.*

930) AN O. L. KNIPPER JALTA, 26. 4. 1901

Donnerstag.

Hund Olka! Ich komme in den ersten Maitagen. Sobald du das Telegramm bekommst, begib dich ins Hotel »Dresden« und frag, ob Zimmer 45 frei ist, d. h. mit anderen Worten, miete irgendein billiges Zimmerchen.

Ich sehe oft Nemirovič, er ist sehr nett, tut nicht wichtig; seine Gattin habe ich noch nicht gesehen. Ich komme vor allem deshalb nach Moskau, um zu bummeln und mich sattzuessen. Wir werden nach Petrovsko-Razumovkoe fahren, nach Zvenigorod, wir werden überall hinfahren, wenn nur das Wetter schön ist. Wenn du einverstanden bist, mit mir an die Volga zu fahren, werden wir Sterlet essen.

Kuprin ist offenbar verliebt, verzaubert. Er hat sich in ein riesengroßes, vor Gesundheit strotzendes Weib verliebt, das du kennst und das du mir rätst zu heiraten.

Wenn du mir dein Wort gibst, daß keine Menschenseele in Moskau etwas von unserer Heirat erfährt, bevor sie vollzogen ist, – dann lasse ich mich noch am Tag meiner Ankunft mit dir trauen. Ich habe aus irgendeinem Grunde schreckliche Angst vor der Trauung und den Glückwünschen, und dem Sekt, den man in der Hand halten und dabei ein unbestimmtes Lächeln aufsetzen muß. Und aus der Kirche nicht nach Hause, sondern direkt nach Zvenigorod. Oder wir lassen uns in Zvenigorod trauen. Überleg es dir, überlegs dir, mein Herz! Du bist doch, wie ich gehört habe, ein kluges Kind.

Das Wetter in Jalta ist miserabel. Ein heftiger Wind. Die Rosen blühen, aber noch nicht sehr; sie werden erst noch üppig blühen. Die Schwertlilien sind großartig.

Bei mir ist alles in Ordnung, alles, außer einer Lappalie – der Gesundheit.

Gorkij ist nicht verbannt, sondern verhaftet worden; er wird in Nižnij gefangengehalten. Posse ist ebenfalls verhaftet.

Ich umarme dich, Olka. *Dein Antoine.*

931) AN O.L. KNIPPER JALTA, 2. 5. 1901

2. Mai.

Mein liebes Herz, ich habe in Foros nur ein Mal übernachtet, habe mich gelangweilt und bin krankgeworden. Und ausgerechnet heute ist es kalt, bewölkt. Ich sitze in meinem Arbeitszimmer ohne auszugehen und befasse mich, in Ermangelung anderer Beschäftigungen, ausschließlich damit, daß ich nachdenke und huste. Sei mir nicht böse, Herzchen, für so ein Benehmen, bestraf mich nicht mit finsteren Gedanken. Bald, bald werden wir uns wiedersehen. Ich werde aus Jalta am 5. Mai oder, spätestens, – am 10. abreisen, je nach dem Wetter. Dann werden wir an die Volga fahren, mit einem Wort, alles tun, was du dir nur wünschst. Ich bin in deiner Gewalt.

Wenn du irgendwann Višnevskij heiraten solltest, dann nicht aus Liebe, sondern aus Berechnung. Du meinst, das ist ein hübscher Kerl, und wirst ihn heiraten. Offenbar rechnet er darauf, daß du bald Witwe wirst, aber sag ihm, daß ich, euch zum Ärger, ein Testament hinterlassen werde, in dem ich dir verbiete zu heiraten.

Herzchen, Olja, meine Wunderbare, wie dem auch sein mag, wir werden uns bald wiedersehen, über alles werden wir reden. Jetzt ist Abend, und mir geht es besser als heute morgen und den Tag über. In Moskau ankommen werde ich wahrscheinlich morgens, denn am 4. Mai beginnt der Kurierzug wieder zu fahren. Ich werde telegraphieren.

Benimm dich gut. Wenn es ein kalter Mai werden sollte, fahren wir in den ersten Junitagen an die Volga. Von Jaroslavl? Warum nicht von Nižnij aus? Die guten Dampfer fahren erst ab Nižnij, – glaube ich wenigstens. Nun denn, über all das, wenn wir uns sehen.

Auf Wiedersehen, Hund! *Dein Ant.*

Kuprin, nach dem du fragst, übernachtet in der eigenen Wohnung, wohnt aber bei uns. Die Vasiljeva reist morgen ab, Arsenij bürstet täglich die Jacketts, Kaštanka wird wieder gesund, ich esse mit Appetit, nur heute ohne Appetit – das sind die Antworten auf deine Fragen. Was die Großfürstin betrifft, so richte ihr aus, daß ich nicht zu ihr kommen könne und daß sie mich nie zu Gesicht bekommen werde; wenn es jedoch irgendeinen Skandal geben sollte, zum Beispiel mit dem Paß, dann werde ich dich zu ihr schicken.

932) AN O. L. KNIPPER JALTA, 6. 5. 1901

Komme wahrscheinlich Freitag, gesund.

933) AN O. L. KNIPPER JALTA, 9. 5. 1901

Komme Freitag bestimmt, unbedingt. Sobakin.

934) AN E. JA. ČECHOVA MOSKAU, 12. 5. 1901

Liebe Mama, ich bin in Moskau angekommen, alle sind gesund, das Wetter ist herrlich, warm. Sagen Sie Arsenij, er solle die Birke einmal wöchentlich gießen, den Eukalyptus (er steht neben den Chrysanthemen und Kamelien) jeden zweiten Tag. Er soll nichts beschneiden. Ich bin in der Tverskaja im Hotel »Dresden« abgestiegen. O. R. Vasiljeva, Ihre Freundin, soll ebenfalls hier sein. Maša wird sehr bald nach Jalta kommen; über die Pilze habe ich mit ihr gesprochen. Ihren Regenschirm habe ich zur Reparatur gegeben. Mein Husten hat sich gebessert. Grüßen Sie Varvara Konstantinovna und die jungen Damen, Marjuška und Arsenij und bleiben Sie gesund und wohlauf. *Ihr A. Čechov.*

12. Mai.

935) AN M. P. ČECHOVA MOSKAU, 20. 5. 1901

Sonntag.

Liebe Maša, N. I. Vinogradov war bei mir in deiner Angelegenheit. Er hat viel und unverständlich geredet, und ich habe nur das eine verstanden: wenn du möchtest, so kannst du die 3. Klasse behalten, denn die Solovjëva braucht sie nicht und dich zu kränken besteht kein Grund, denn du bist eine großartige Lehrerin. Du mußt eine Erklärung oder ein Gesuch dieser Art schreiben: »Wenn sich, wie ich gehört habe, die Situation der Solovjëva geändert hat, so bitte ich ergebenst, mir den Unterricht in der III. Klasse zu lassen ...« Ich glaube, ich schreibe verständlich. Vinogradov war ausschließlich deshalb bei mir, um sich lobend über dich zu äußern, und ich war froh, daß der Portier ihn eingelassen hat.

Also, ich war bei Doktor Ščurovskij. Er hat eine Dämpfung links und rechts festgestellt, rechts ein großes Stück unter dem Schulterblatt, und mir verordnet, unverzüglich eine Kumys-Kur im Gouvernement Ufa zu machen, und sollte ich den Kumys nicht vertragen, dann – in die Schweiz zu fahren. Die langweilige und unbequeme Kumys-Kur dauert zwei Monate. Ich weiß nicht mehr, was ich machen soll, allein zu fahren ist langweilig, und irgendjemanden mitzunehmen, wäre egoistisch und darum unangenehm. Ich möchte heiraten, und habe die Dokumente nicht bei mir, sie sind alle in Jalta, im Schreibtisch. Der Arm tut nicht mehr weh.

Das beiliegende Dokument ist mir aus Jalta geschickt worden, ich schicke es jetzt zurück; sag Arsenij, er möge die Bücher abholen. Das Geld für den Transport ist bezahlt.

Gorkij haben sie entlassen, er ist frei, gesund. Wenn ihr Geld braucht, dann hol aus dem linken oberen Schubfach das Scheckheft der Ges. für wechselseitigen Kredit und schicke mir 2–3 Blatt; ich unterschreibe und schicke sie dir zurück. Von V. I. Čaleeva habe ich erst gestern einen Brief bekommen, in Moskau; sag ihr, sie möge das Buch V. K. Charkeevič übergeben. Ich antworte ihr nicht selbst, weil sie ihre Adresse nicht geschrieben hat.

Grüß Mamaša, Babuška und Arsenij, bleib gesund. Das Wetter hier ist wunderbar. Nachts Regen, tagsüber heiß. Ich werde noch mehr schreiben. Meine Adresse – »Dresden«, zu deiner Information.

Dein Anton.

Einen herzlichen Gruß an A. I. Kuprin.

936) AN A. F. MARKS MOSKAU, 24. 5. 1901

24. Mai 1901.

Sehr geehrter

Adolf Fëdorovič!

Ich schicke Ihnen die Korrektur und bitte zu entschuldigen, daß ich damit um einige Tage zu spät komme. Die Sache ist die, daß mir die Druckerei die Korrektur nicht ans »Dresden« geschickt hatte, wo ich wohne, sondern an die vorjährige Adresse, dann an meine Schwester, die verreist ist. Die Korrektur hat mich nur durch Zufall erreicht.

Morgen fahre ich zur Kumys-Kur, zu der mich die Ärzte schicken und wo ich wahrscheinlich mindestens zwei Monate bleiben werde. Meine Adresse werde ich Ihnen morgen schicken.

Ich wünsche Ihnen alles Gute und bleibe in aufrichtiger Hochachtung Ihr ergebener *A. Čechov.*

937) AN E. JA. ČECHOVA MOSKAU, 25. 5. 1901

Liebe Mama, ich bitte um Ihren Segen, ich heirate. Alles wird beim Alten bleiben. Ich fahre zur Kumys-Kur. Adresse: Aksënovo, Samaro-Zlatoustovskaja. Gesundheit besser. *Anton.*

938) AN MAKSIM GORKIJ PJANYJ BOR, 28. 5. 1901

28. Mai.

Pjanyj Bor.

Lieber Aleksej Maksimovič, ich bin der Teufel weiß wo, in Pjanyj Bor und werde hier bis 5 Uhr morgens sitzen, und jetzt ist erst Mittag!! Dolgopolov hat Fahrkarten bis Pjanyj Bor gelöst, er hätte nur bis Kazan lösen müssen, und hier hätte man den Dampfer nehmen können, der nach Ufa geht. Ich sitze an der Anlegestelle, in der Menge, nebenan hustet und spuckt ein Schwindsüchtiger auf den Boden, es regnet – mit einem Wort, das werde ich Dolgopolov nie verzeihen.

Schreiben Sie mir doch nach Aksënovo, wie Ihre Geschäfte gehen, wie Ekaterina Pavlovna sich fühlt.

Meine Gattin läßt Sie herzlich grüßen.

Hier zu sitzen, in Pjanyj Bor – oh, das ist entsetzlich, das ist etwas wie meine Reise durch Sibirien... Tagsüber geht es ja noch, aber was sich hier nachts abspielen wird!

Ihr A. Čechov.

939) AN M. P. ČECHOVA AKSËNOVO, 4. 6. 1901

4. Juni

Liebe Maša, dein Brief, in dem du mir abrätst zu heiraten, ist mir gestern aus Moskau nachgeschickt worden. Ich weiß nicht, ob ich einen Fehler begangen habe oder nicht, aber geheiratet habe ich vor allem aus der Überlegung, daß ich erstens über 40 Jahre alt bin, zweitens Olga aus guter Familie ist und daß ich drittens, wenn es nötig werden sollte, mich von ihr zu trennen, mich unverzüglich wieder von ihr trennen werde, als hätte ich nie geheiratet; sie ist doch ein selbständiger Mensch und lebt von ihren eigenen Mitteln. Wichtig ist weiter die Überlegung, daß sich durch diese Heirat weder meine Lebensweise noch die derjenigen, die um mich herum gelebt haben und leben, auch nur im geringsten verändert. Alles, absolut alles bleibt, wie es war, und ich werde wie früher allein in Jalta leben.

Dein Wunsch, hierher ins Gouv. Ufa zu kommen, hat mich sehr gefreut. Wenn du dich tatsächlich entschlossen hast und hierher kämst, dann wäre das wunderbar. Komm in den ersten Julitagen hierher; wir werden hier leben, Kumys trinken und dann zusammen Volga abwärts nach Novorossijsk fahren, von dort nach Jalta. Man fährt hierher am besten über Moskau, Nižnij und Samara. Das ist weiter, aber im Endeffekt ist es doch um einen oder zwei oder sogar drei Tage kürzer. Als ich der Knipšic sagte, daß du kämst, hat sie sich sehr gefreut. Heute ist sie nach

Ufa gefahren, um einzukaufen. Hier ist es ein bißchen langweilig, aber der Kumys schmeckt gut, es ist heiß und das Essen nicht übel. In ein paar Tagen fahren wir zum Angeln.

Ich schicke dir einen Scheck über 500 R. Wenn dir das zu viel Geld ist und du es nicht zu Hause haben möchtest, dann bring einen Teil auf die Staatl. Bank, auf deinen Namen. Wie man das macht, sagt dir Sinani. Wenn du kommst, nimm hundert Rubel plus Fahrgeld mit; ich habe Geld, ich gebe dir welches für die Rückfahrt.

Die Adresse für Telegramme: Aksënovo Čechov. Wenn du dich entschließt zu kommen, dann telegraphier das eine Wort: komme.

Bei A.I. Čechova lebt hier ein Mädchen von 17 Jahren, die Tochter der verstorbenen Liza; anscheinend ein sehr gutes Mädchen.

Wenn du das Telegramm »Aksënovo Čechov« aufgibst, dann mach unten auf dem Telegramm einen Strich und schreib darunter: Samaro-Zlatoustenskaja.

So: ———

Samaro-Zlatoustenskaja.

Am unteren Rand.

Der Kumys verdirbt mir den Magen nicht. Offenbar vertrage ich ihn gut.

Einen herzlichen Gruß an Mamaša. Übermittle Varvara Konstantinovna, daß ich ihr für das Telegramm danke. Also, bleib gesund und ruhig. Schreib öfter, bitte. *Dein Anton.*

940) AN MAKSIM GORKIJ AKSËNOVO, 8. 6. 1901.

8. Juni 1901.

Seien Sie gegrüßt, lieber Aleksej Maksimovič! Ich lebe in Aksënovo, trinke Kumys und habe schon 8 Pfund zugenommen. Ich wiederhole nochmals meine Adresse: Aksënovo, Gouv. Ufa. Ein sattes, aber langweiliges Leben.

In ein paar Tagen kommt der Schriftsteller Ivan Ščeglov (Leontjev) nach Nižnij, der Sie aller Wahrscheinlichkeit nach aufsuchen wird, um Sie zu sehen. Er hatte mich um Ihre Adresse gebeten, ich habe sie ihm geschickt. Er ist ein Mensch mit großen Absonderlichkeiten, aber ein sehr guter Kerl, und außerdem ein armer Schlucker.

Meine Frau läßt Sie und Ekaterina Pavlovna grüßen und fleht Sie an zu schreiben, wie es Ihnen geht und was Sie bekommen haben – Junge oder Mädchen. Ich sende einen Gruß und verneige mich tief. Wo sind Sie zur Zeit? Schicken Sie Ihre Adresse, wenn Sie umgezogen sind.

Schicken Sie Ihr Stück, wenigstens einen Teil, wir warten mit großer Ungeduld. Schicken Sie mir irgendein Buch zum Lesen, hier gibt es fast nichts, es ist einfach schlimm! Und kann man nicht für einen Monat das »Nižegorodskij listok« abonnieren?

Sagen Sie L.V. Sredin, der zu Ihnen kommen will, er solle auf keinen Fall über Pjanyj Bor fahren, sondern den Weg über Samara nehmen. Sagen Sie ihm, daß wir ihn voll Ungeduld erwarten, auch wenn wir wissen, daß es ihm hier nicht gefallen wird. Soll er es ausprobieren; wenn es nicht nach seinem Geschmack ist, kann er immer noch wegfahren. Ein Quartier steht schon für ihn bereit.

Der Kumys ist nicht widerwärtig, man kann ihn trinken, widerwärtig ist, daß man so viel davon trinken muß.

Ich drücke Ihnen die Hand und küsse Sie, mein Lieber. Bleiben Sie gesund und ruhig. *Ihr A. Čechov.*

941) AN A.F. KONI — AKSËNOVO, 12. 6. 1901

12. Juni 1901.
Aksënovo, G. Ufa.

Tatsächlich, sehr geehrter Anatolij Fëdorovič, die Photographie, die ich soeben bekommen habe, hat große Ähnlichkeit, sie gehört zu den gelungenen. Ich danke Ihnen herzlich sowohl für die Photographie als auch für den Glückwunsch zu meiner Heirat, wie überhaupt dafür, daß Sie sich meiner erinnert und mir geschrieben haben. Hier in der Kumys-Kur, herrscht furchtbare Langeweile, die Zeitungen sind alle alt, wie vom vergangenen Jahr, die Leute sind uninteressant, ringsumher Baškiren, und wenn die Natur nicht wäre, wenn es kein Angeln und keine Briefe gäbe, dann würde ich wahrscheinlich von hier fliehen.

In der letzten Zeit in Jalta habe ich stark gehustet und hatte wahrscheinlich auch Fieber. In Moskau hat Doktor Ščurovskij – ein sehr guter Arzt – beträchtliche Verschlechterungen bei mir festgestellt; früher hatte ich eine Dämpfung nur in den Lungenspitzen, jetzt sitzt sie auch vorn unter dem Schlüsselbein, und hinten umfaßt sie die obere Hälfte des Schulterblatts. Das hat mich ein bißchen irritiert, ich habe flugs geheiratet und bin zur Kumys-Kur gefahren. Jetzt geht es mir gut, ich habe 8 Pfund zugenommen, ich weiß nur nicht wovon, vom Kumys oder vom Heiraten. Der Husten hat fast aufgehört.

Olga sendet Ihnen einen Gruß und dankt herzlich.

Sehen Sie sie sich nächstes Jahr bitte in der »Möwe« an (die nach Petersburg kommt), da ist sie sehr gut, wie mir scheint.

Ich wünsche Ihnen von ganzem Herzen Gesundheit und alles Gute.

Ihr aufrichtig ergebener *A. Čechov.*

942) AN MAKSIM GORKIJ AKSËNOVO, 18. 6. 1901

18. Juni 1901.

Lieber Aleksej Maksimovič, Marks schreibt mir: »Ich würde gern das Eigentumsrecht an den Werken M. Gorkijs erwerben, bin aber leider mit A. M. Peškov persönlich nicht bekannt. Ich muß mich daher mit der Bitte um Ihre liebenswürdige Unterstützung an Sie wenden: könnten Sie es nicht ermöglichen, A. M. Peškov meinen Vorschlag zu übermitteln und mir auf diese Weise helfen, in Verhandlungen mit ihm zu treten? Für den Fall, daß A. M. Peškov geneigt ist, meinen Vorschlag anzunehmen, – möchte er mir dann nicht seine Bedingungen nennen?«

Antworten Sie mir, ich schreibe ihm dann.

Schreiben Sie, wie es Ihnen geht, wo Sie sind und wie es Ekaterina Pavlovna geht. Olga sendet Ihnen einen Gruß und alle guten Wünsche.

Bleiben Sie gesund, der Himmel beschütze Sie.

Ihr A. Čechov.

943) AN AL. P. ČECHOV AKSËNOVO, 21. 6. 1901

21. Juni.

Vater, erklär mir, aus welchen Gründen du mir nicht schreibst? Bist du böse?

Ich bin gegenwärtig auf Kumys-Kur, meine Adresse (bis zum 10. Juli): Aksënovo, Gouv. Ufa. Nach dem 10. wieder die frühere, d. h. Jalta.

Ich bin schuldig vor dir: ich habe dich nicht um Erlaubnis und Segen gebeten. Ich habe doch, gewissermaßen, geheiratet!

Bleib gesund und schreib, bitte. Wo steckt Miša zur Zeit, und wenn er in Petersburg ist, was macht er? Sag ihm, er solle mir schreiben.

Grüße die Familie. *Dein Kumys-Bruder Antoine.*

NB. Das hier ist schließlich nicht England!

944) AN A. F. MARKS JALTA, 9. 7. 1901

9. Juli 1901.
Jalta.
Sehr geehrter
Adolf Fëdorovič!

Ich befinde mich gegenwärtig in Jalta und werde hier, aller Wahrscheinlichkeit nach, bis September bleiben.

Die Erzählung »Gute Menschen« nehmen Sie bitte in Band VI auf, »Die Erzählung des Obergärtners« – in Band VIII, »Auf See« – in Band IX, »Bei Bekannten« – Band X. Die Erzählung »Eine Begegnung« wird, wie ich Ihnen früher bereits geschrieben habe, nicht in meine gesammelten Werke aufgenommen; sie gefällt mir nicht.

Heute bekam ich die Antwort von A. M. Peškov-Gorkij. Er bittet mich, Ihnen zu schreiben, daß seine Werke bei der Firma »Znanie« verlegt werden, mit der er vollauf zufrieden ist und mit der er nicht zu brechen wünscht, da ihm das unangenehm wäre.

Heute bekam ich auch die VII. Lieferung der »Toten Seelen«, wofür ich Ihnen meinen herzlichen Dank sage.

Gestatten Sie mir, Ihnen alles Gute zu wünschen und in aufrichtiger Hochachtung zu verbleiben.

Ihr ergebener A. Čechov.

945) AN MAKSIM GORKIJ JALTA, 24. 7. 1901

24. Juli 1901.

Verzeihen Sie, lieber Aleksej Maksimovič, ich habe Ihnen so lange nicht geschrieben, Ihren Brief beantwortet aus einem legitimen, wenn auch schlimmen Grunde – ich war krank! In Aksënovo fühlte ich mich recht gut, sehr sogar, hier dagegen, in Jalta, fing ich an zu husten usw. usf., magerte ab und bin anscheinend zu nichts Gutem mehr zu gebrauchen. In Ihrem letzten Brief gibt es einen Punkt, auf den Sie wahrscheinlich Antwort erwartet haben, und zwar meine Werke und Marks betreffend. Sie schreiben: zurückkaufen. Aber wie? Das Geld habe ich bereits alles bekommen und bereits fast alles verbraucht, mir 75 Tsd. leihen kann ich nirgends, weil niemand sie mir geben würde. Und ich habe auch nicht den Wunsch, diese Sache einzufädeln, zu kämpfen, mich abzuplagen, ich habe weder den Wunsch noch die Energie, und auch nicht den Glauben daran, daß dies wirklich notwendig wäre.

Ich lese für Marks Korrektur, manches arbeite ich ganz neu um. Der Husten will anscheinend nachlassen. Meine Gattin hat sich als sehr gute, sehr besorgte Frau erwiesen, es geht mir gut.

Im September werde ich nach Moskau fahren und dort bis Mitte November bleiben, wenn das Wetter es gestattet, und danach auf die Krim oder irgendwohin ins Ausland. Ich möchte Sie sehr, sehr gern sehen, sehr gern! Schreiben Sie, wohin Sie fahren, wo Sie bis zum Herbst und im Herbst sein werden und ob es nicht eine Gelegenheit geben wird, daß wir uns sehen.

Und wann schicken Sie mir den Schluß der »Drei«? Sie haben ihn mir versprochen, vergessen Sie es nicht! Der Onkel meiner Olja, ein Deutscher, Arzt, der alle modernen Schriftsteller haßt, darunter auch Lev Tolstoj, ist von den »Drei« auf einmal ganz begeistert und rühmt Sie überall. Wo steckt Skitalec? Das ist ein wunderbarer Schriftsteller, es wäre ärgerlich und traurig, wenn er verkäme.

Schreiben Sie mir wenigstens eine Zeile, lieber Mensch, seien Sie nicht faul. Einen Gruß an Ihre Frau und die Kinder, Gott schenke ihnen alles Gute.

In Jalta ist wunderbares Wetter, es regnet.

Ich drücke Ihnen fest die Hand und wünsche Ihnen alles Gute, vor allem – Erfolg und Gesundheit. Ich umarme Sie.

Ihr A. Čechov.

946) AN M.P. ČECHOVA JALTA, 3. 8. 1901

An Marija Pavlovna Čechova.

Liebe Maša, ich vermache dir zur lebenslänglichen Nutzung mein Haus in Jalta, das Geld und die Einkünfte aus den dramatischen Werken, meiner Frau Olga Leonardovna das Haus in Gurzuf und fünftausend Rubel. Die Immobilien kannst du, wenn du es wünschst, verkaufen. Gib unserem Bruder Aleksandr dreitausend, Ivan – fünftausend und Michail – dreitausend, Aleksej Dolženko eintausend und Elena Čechova (Lelja), wenn sie heiratet, eintausend Rubel. Nach deinem Tod und Mutters Tod geht alles, was da ist, mit Ausnahme der Einkünfte aus den Stücken, in die Verfügungsgewalt der Stadtverwaltung von Taganrog zu Zwecken der Volksbildung über, die Einkünfte aus den Stücken an unseren Bruder Ivan, und nach seinem, Ivans, Tod an die Stadtverwaltung Taganrog zu ebendiesen Zwecken der Volksbildung. Ich habe den Bauern des Dorfs Melichovo einhundert Rubel versprochen – zur Bezahlung der Chaussee; ebenfalls versprochen habe ich Gavriil Alekseevič Charčenko (Charkov, Moskalevka, eigenes Haus), für seine älteste Tochter das Gymnasium zu bezahlen, bis sie vom Schulgeld befreit wird. Hilf den Armen. Sorge für Mutter. Lebt in Frieden. *Anton Čechov.*

3. August 1901.

947) AN O. L. KNIPPER JALTA, 23. 8. 1901

23. Aug.

Mein Herz, nimm für den beiliegenden Wechsel bei der Staatlichen Bank 800 R. in Empfang, schreib dann an Aleksej Alekseevič Dolženko, Moskau, Antropovy Jamy, Voskresenskij prozed, Hs. Rodionov, Whn. 1 – schreib, wann er dich antreffen kann, um welche Uhrzeit, und händige ihm dann, wenn er bei dir erscheint, diese 800 Rubel aus. Er ist mein Cousin, Sohn meiner Tante, der Schwester meiner Mutter, ein sehr guter Mensch, darum sei freundlich zu ihm. An Feiertagen ist er nach dem Essen frei, bestell ihn darum am besten dann.

Arsenij ist endlich gekommen. Der Kranich hat aus diesem Grund einen ungewöhnlichen Schrei ausgestoßen. Maša ist aus dem Krankenhaus zurück. Das Leben kommt anscheinend wieder ins Geleise, obwohl meine Kleider übrigens schon seit drei Tagen nicht ausgebürstet worden sind. Auch die Stiefel sind nicht geputzt; gleich werde ich Arsenij rufen und sie ihm zum Putzen geben.

Das Wetter ist auch heute schön. Gestern war Saša Sredin mit seiner Frau da, es war auch Madame Bonnier da, mit der ich offenbar einen kleinen Roman anfangen werde.

Ich lese, in Moskau sei es kalt? Ist das wahr?

Also, mein Kindchen, sei freundlich zu Alëša, wie zu einem Verwandten; ich wiederhole, er ist ein guter Junge. Ich küsse dich fest, umarme dich, küsse dich wieder. Ich sehne mich schrecklich nach dir, mein Engel, mein Herz.

Dieses Porträt hat die Chotjaincëva einmal gemacht.

Alle diese Tage, seit unserer Trennung, habe ich keinen einzigen Brief von dir bekommen. Was bedeutet dieser Traum?

Ich segne dich, meine gute Hälfte. Grüß Mama, die Onkels, deinen Bruder und alle. *Dein Ant.*

948) AN O. L. KNIPPER JALTA, 24. 8. 1901

24. Aug.

Mein liebes Herzchen, ich habe von dir zwei Postkarten und einen Brief bekommen, ich danke dir! Du bist eine liebe, gute Frau, ich liebe dich und liebe dich. Ich habe seit heute Morgen Kopfschmerzen, er schmerzt nicht, er brummt, und dabei habe ich von morgens bis abends (dasselbe wie gestern) Gäste, einen nach dem andern. Ich kann nicht arbeiten. Von den angenehmen waren unter anderen Doroševič da und ein Arzt, ein gewisser Reformatskij, aus Piter.

Die Teppiche decken bereits meinen Boden. Es ist gemütlich geworden. Die Öfen werden überholt. Nachdem wir gemeinsam die Rosen begossen haben, blühen sie ganz üppig.

Ich komme im September nach Moskau, wenn du schreibst. Ohne dich ist mir sehr langweilig. Ich habe mich an dich gewöhnt wie ein kleiner Junge, und ohne dich ist mir ungemütlich und kalt.

Die Direktorin und Manefa sind gekommen. Es regnet. Die neue Köchin Maša, die Polin, bereitet sehr gutes Essen. Seit drei Tagen essen wir bereits vollkommen menschlich. In meinem Zimmer wird aufgeräumt, die Kleider von Arsenij heute ausgebürstet. Gestern war die Tatarinova bei uns – habe ich dir das geschrieben?

Du schreibst: »Es tut mir in der Seele weh, wenn ich an deinen stillen Kummer denke, der dir anscheinend so tief im Herzen sitzt.« Was ist das für ein Unsinn, Liebes! Weder hatte noch habe ich irgendeinen Kummer, ich fühle mich ganz leidlich, und wenn du bei mir bist, dann sogar sehr gut.

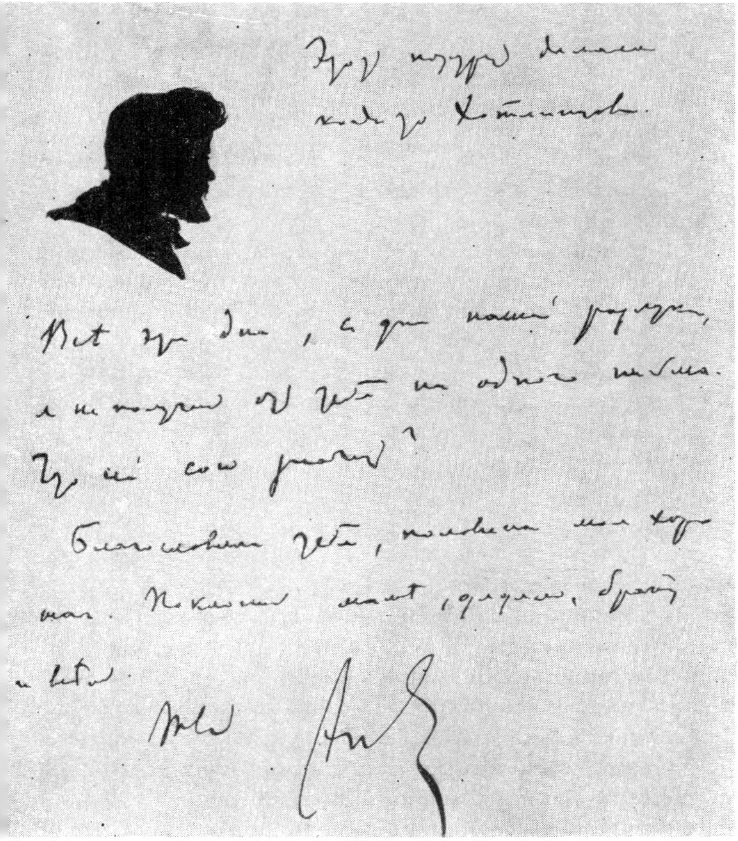

Brief Čechovs an O.L. Knipper vom 23. August 1901 (vgl. Brief Nr. 947). Links oben Schattenriß von Čechov: »Dieses Porträt hat die Chotjaincëva einmal gemacht.«

Schreib, wie man dich im Theater empfangen hat, welche Stücke gespielt werden, welche in Vorbereitung sind, was du bis zum 15. September dort zu tun hast. Schreib lang, sei nicht faul. Ich schreibe dir lang, aber meine Handschrift ist klein und darum sieht es so kurz aus.

Es war kühl, jetzt wird es anscheinend wieder wärmer. Es ist still, herrlich, die Rosen blühen üppig, mit einem Wort, kein Leben, sondern das Paradies.

Ich umarme meine liebe Frau, küsse und segne sie und bitte sie nachdrücklich, nicht zu vergessen mir zu schreiben und oft an mich zu denken. Wenn ich komme, werde ich dich eine Stunde lang ununterbrochen küssen, dann fahre ich ins Bad und zum Friseur, dann zum Essen, dann ist Abend, dann schlafen. Ja? Mein Herz! Was für ein abscheuliches Bild von dir »Otdych« gebracht hat! Oh je, oh je!

Ich küsse dir beide Pfötchen. *Dein Ant.*

949) AN O. L. KNIPPER JALTA, 1. 9. 1901

1. September 1901.

Lieber Hund, du schreibst mir jeden Tag, ich liebe und lobpreise dich dafür – verfahr auch in Zukunft so. Sei ein kluges Kind, bitte Vl. Iv. Nemirovič, mir die Möglichkeit zu geben, sein Stück schon jetzt kennenzulernen. Er soll es abschreiben lassen und mir unverzüglich schicken, ich werde es mit großer Aufmerksamkeit, mit Interesse und riesengroßem Vergnügen lesen. Ich hoffe, er wird mir diese Bitte nicht abschlagen.

Schick mir deine Adresse. Spiridonovka, Hs. Bojcov – ist sie das?

Ich werde jeden Tag ausgebürstet, aber nicht so wie zu deiner Zeit... Arsenij tut es, wenn ich aus der Stadt zurückbin; ich muß die Kleider (das Jackett) ausziehen und ihm geben, das ist lästig und geschieht deshalb nicht jeden Tag.

Ich lese Turgenev. Gestern habe ich einen sehr interessanten Vortrag von Mečnikov, »Die Flora unseres Körpers«, gelesen –

darüber, weshalb wir nicht hundert Jahre alt werden. Sehr interessant. Unsere Urenkel werden 200 Jahre lang leben und mit 70–80 Jahren noch jung sein.

»Salammbô« habe ich den Sredins gegeben. Noch etwas? Du hast einen schmackhaften Salat gegessen, ich habe Appetit darauf bekommen, so schmackhaft hast du geschrieben.

Deine Mama hat sich also mit Nemirovič versöhnt? Sie hat also keine Angst mehr um ihre Tochter?

Den Bast für die Bäume habe ich bekommen. Danke! Ich wickle jetzt die Bäume für den ganzen Winter. Ich habe noch Rosen bestellt, sehr schöne, hochwachsende. Ich habe zwei japanische Pflaumenbäume bestellt.

Višnevskij sag, daß ich mit der Absicht aus Jalta komme, in Moskau an den Proben zu den »Drei Schwestern« teilzunehmen, d.h. ich werde schon um den 16. in eurer Gegend sein, gnädige Frau. Wenn es keine Proben gibt, werde ich mir die »Drei Schwestern« nicht anschauen. Muß ich ein Deckbett nach Moskau mitbringen? Ein Kopfkissen? Schreib, was ich mitbringen soll.

Also, ich küsse dich. Benimm dich gut.

Dein strenger Ehemann Antonio.

950) AN O.L. KNIPPER JALTA, 3. 9. 1901

3. Sept.

Olka, liebe, sei gegrüßt! Gestern habe ich dir nicht geschrieben, weil ich erstens viele Gäste hatte und zweitens keine Zeit hatte, ich habe gesessen und an der Erzählung geschrieben, nachdem die Gäste gegangen waren.

Ich danke dir, meine Freude, Mutter hat sich sehr über deinen Brief gefreut; sie hat ihn gelesen und dann mir gegeben, damit ich ihn ihr vorlese, und hat dich lange gelobt. Das, was du über deine Eifersucht schreibst, ist vielleicht begründet, aber du bist eine kluge Frau, du hast ein so gutes Herz, daß all das, was du über deine angebliche Eifersucht schreibst, irgendwie nicht paßt zu deiner Persönlichkeit. Du schreibst, Maša werde sich nie an dich gewöhnen usw. usf. Was ist das alles für ein Unsinn! Du übertreibst dauernd, denkst dummes Zeug, und ich habe Angst, du könntest dich – das wär was! – mit Maša zerstreiten. Und ich sage dir: hab Geduld und schweig nur ein Jahr, nur ein Jahr, und danach wird alles klar für dich sein. Was immer man auch zu dir sagen mag, was immer du für Eindrücke haben magst, schweig und schweig. Für jemanden, der geheiratet hat, liegen in der ersten Zeit im Verzicht auf Widerstand alle Annehmlichkeiten des Lebens. Hör auf mich, mein Herz, sei klug!

Ich komme, wenn du mir schreibst, aber jedenfalls spätestens am 15. September. Bis dahin – meinetwegen, aber länger auszuhalten habe ich nicht die Absicht. Bleiben werde ich in Moskau bis Dezember, bis du mich fortjagst.

Deutschenkind, schick mir Nemirovičs Stück! Ich bringe es unversehrt zurück. Ich werde es aufmerksam lesen.

Ich bringe nur sehr wenig Kleider mit, den Rest kaufe ich mir in Moskau. Warme Wäsche kaufe ich mir, einen Mantel, ein Plaid und Galoschen nehme ich mit (ich komme im alten Mantel). Mit einem Wort, ich gebe mir Mühe, mit wenig Gepäck zu reisen.

Für die Kleider lasse ich einen riesigen Schrank machen – für mich und meine Gattin. Meine Gattin ist sehr böse, man muß ihr das Leben so bequem machen wie möglich.

Gestern habe ich mir den Kopf mit Spiritus gewaschen.

Ich küsse und umarme mein altes Frauchen. Gott beschütze dich. Noch ein bißchen – dann sehen wir uns wieder. Schreib, schreib, mein Herz, schreib! Außer dir werde ich niemanden mehr lieben, keine einzige Frau.

Bleib gesund und fröhlich! *Dein Ehemann Anton.*

951) AN I. A. BUNIN JALTA, 11. 9. 1901

Morgen am Mittwoch kann ich nicht nach Gurzuf fahren, denn ich muß um ein Uhr nach Gaspra zu Lev Tolstoj. Das muß sein.

Einzelheiten erfahren Sie, wenn Sie zu mir nach Autka kommen. *Ihr A. Čechov.*

11. Sept.

952) AN V. A. ŠČUROVSKIJ MOSKAU, 18. 9. 1901

18. September 1901.

Sehr geehrter

Vladimir Andreevič!

Seien Sie so gut mir mitzuteilen, wann Sie mich empfangen können. Ich möchte Ihnen etwas vom Kumys erzählen und muß mit Ihnen über L. N. Tolstoj sprechen, den ich neulich vor meiner Abreise von der Krim gesehen habe. Meine Adresse: Spiridonovka, Hs. Bojcov.

Ich wünsche Ihnen alles Gute.

Ihr aufrichtig ergebener *A. Čechov.*

953) AN MAKSIM GORKIJ MOSKAU, 24. 9. 1901

24. Sept. 1901.

Lieber Aleksej Maksimovič, ich bin in Moskau und habe Ihren Brief hier, in Moskau bekommen. Meine Adresse: Spiridonovka, Hs. Bojcov. Vor meiner Abreise aus Jalta war ich bei Lev Nik., habe ihn besucht; die Krim gefällt ihm schrecklich gut, sie erweckt Freude in ihm, rein kindliche Freude, aber sein Gesundheitszustand hat mir nicht gefallen. Er ist sehr altgeworden, und seine Hauptkrankheit ist – das Alter, das sich seiner bereits bemächtigt hat. Im Oktober werde ich wieder in Jalta sein, und wenn man Sie dorthin entlassen würde, so wäre das wunderschön. In Jalta sind im Winter wenig Leute, niemand fällt einem auf die Nerven, hindert einen am Arbeiten – das zum ersten, und zweitens langweilt sich Lev Nik. spürbar ohne Menschen, wir könnten ihn besuchen.

Beenden Sie das Stück, mein Lieber. Sie fühlen, daß es Ihnen mißlingt, aber glauben Sie Ihrem Gefühl nicht, es trügt. Stücke gefallen einem gewöhnlich nicht, während man sie schreibt, und gefallen einem auch danach nicht; also sollen es die anderen beurteilen und darüber entscheiden. Nur geben Sie es niemandem zu lesen, niemandem, sondern schicken Sie es direkt nach Moskau – an Nemirovič, oder an mich, damit ich es ans Künstlertheater weiterleite. Sodann, wenn etwas nicht stimmt, so kann man es noch während der Proben verändern; sogar noch am Abend vor der Premiere.

Haben Sie nicht den Schluß der »Drei«?

Ich schicke Ihnen einen völlig unnötigen Brief. Genauso einen habe ich bekommen.

Der Herr sei mit Ihnen. Bleiben Sie gesund und, sofern dies in Ihrer Situation als Bürger von Arzamas möglich ist, – glücklich. Grüße an Ekaterina Pavlovna und an die Kinder.

Ihr A. Čechov.

Schreiben Sie, bitte.

954) AN L. V. SREDIN MOSKAU, 24. 9. 1901

24. Sept. 1901.

*Spiridonovka, Hs. Bojcov.

Lieber Leonid Valentinovič, heute habe ich an Gorkij geschrieben, und gestern einen Brief von ihm bekommen, in dem er von Arzamas und seiner Absicht schreibt, im Winter nach Jalta zu kommen, worum er bereits nachgesucht hat. Er ist unter anderem dabei, sein Stück abzuschließen, und verspricht, es Ende September nach Moskau zu schicken. Über seine Gesundheit klagt er nicht. Wahrscheinlich werde ich bald einen weiteren Brief von ihm bekommen – dann werde ich Ihnen schreiben. »Die Wildente« eignet sich, wie sich herausgestellt hat, nicht für die Bühne des Künstlertheaters. Es war schlaff, uninteressant und schwach. Dafür gehen die »Drei Schwestern« großartig, mit Glanz, sie gehen weit besser als das Stück geschrieben ist. Ich habe ein bißchen Regie geführt, habe als Autor dem einen und anderen Anregungen gegeben, und das Stück läuft jetzt, wie mir gesagt wird, besser als in der vergangenen Saison. In der Theaterwelt nichts Neues; über den Bau eines Theaters wird nur geredet, aber gebaut wird es wahrscheinlich nicht. Stanislavskij-Alekseev ist krank, schweigt die ganze Zeit, ist langweilig, Nemirovič ist böse. »Kramer« wird noch nicht so bald gespielt, wahrscheinlich erst, wenn ich nicht mehr da bin.

Das Wetter in Moskau ist großartig: warm und trocken. Ich war krank, als ich aus Jalta abreiste, jetzt fühle ich mich recht gut, dem Himmel sei Dank.

Olga läßt Sie und Sofja Petrovna grüßen, sie trägt mir auf Ihnen zu schreiben, daß sie Sie beide sehr möge und daß sie es sehr gut habe auf dieser Welt. Ich grüße ebenfalls – Sie und Sofja Petrovna, Anatolij und Zina. Übermitteln Sie Aleksandr Valentinovič, daß ich mich sehr bei ihm entschuldige; ich hatte in den letzten Tagen absolut keine Zeit, ich war ein bißchen krank, und konnte deshalb nicht zu ihm gehen, obwohl es nötig gewesen wäre. Sagen Sie ihm, daß ich bald wiederkäme und mich bemühen werde, meine Schuld zu sühnen.

Das Künstlertheater hat volles Haus, aber die Stimmung ist nicht gut.

Ich danke Ihnen vielmals für den Brief, dafür, daß Sie an mich gedacht haben. Wenn Sie irgendetwas über Tolstoj Lev hören, dann schreiben Sie bitte. Ich glaube, seine Gesundheit muß sich jetzt bessern, nicht anders. Aber das weiß Gott allein. Und schreiben Sie mir auch ein Wort über Ihre eigene Gesundheit.

Verzeihen Sie die Kleckse. *Ihr A. Čechov.*

* »Bolšaja« – dieses Wort ist nicht nötig.

955) AN A. E. ROZINER MOSKAU, 18. 10. 1901

18. Oktober 1901.

Sehr geehrter Herr!

Seien Sie so gut, veranlassen Sie, daß in den VII. Band nicht nur die »Drei Schwestern« aufgenommen werden, sondern auch das

Vaudeville »Die Hochzeit«, das sich bei Adolf Fëdorovič befindet.

Die »Drei Schwestern« setzen Sie ans Ende des VII. Bandes, und die »Hochzeit« nach dem Stück »Tragöde wider Willen«. In der Buchausgabe der »Drei Schwestern« sind viele Druckfehler gemacht worden, ich bitte Sie daher, mir die Fahnen zu schicken, desgleichen die Fahnen von der »Hochzeit«.

Die Erzählung »Die Gattin« kann nicht in Band IX aufgenommen werden, weil sie im selben Ton ist wie »Ariadna«. Heben Sie sie auf für Band X, oder wenn Band IX nicht dick genug ist, setzen Sie sie in Band IX, nur ganz ans Ende.

Ich wünsche Ihnen alles Gute.

Mit vorzüglicher Hochachtung habe ich die Ehre zu verbleiben *A. Čechov.*

956) AN V.S. MIROLJUBOV MOSKAU, 19. 10. 1901

19. Okt. 1901.

Lieber Viktor Sergeevič, seien Sie gegrüßt! Ihren Brief habe ich bekommen, vielen Dank. Ich bin gegenwärtig in Moskau, kommende Woche aber, wahrscheinlich am Mittwoch, fahre ich nach Jalta, wo ich den ganzen Winter über bleiben werde. Und ich werde den ganzen Winter über arbeiten.

Verzeihen Sie, mein Lieber, ich habe Ihnen die Erzählung bis heute noch nicht geschickt. Das kommt, weil ich die Arbeit unterbrochen habe, und es ist mir immer schwergefallen, etwas einmal Abgebrochenes abzuschließen.

Wenn ich nach Hause komme, werde ich von vorn anfangen und sie Ihnen schicken, seien Sie unbesorgt!

Kommen Sie nicht nach Jalta?

Meine Frau, an die ich gewöhnt bin, an der ich hänge, bleibt allein in Moskau, und ich fahre einsam und allein weg. Sie weint, aber ich lasse sie die Bühne nicht aufgeben. Mit einem Wort, ein schönes Durcheinander. Bleiben Sie gesund, mein Lieber. Schreiben Sie mir öfter. *Ihr A. Čechov.*

Gorkij ist in Nižnij, es geht ihm gut. Er hat ein Stück geschickt fürs Künstlertheater. Neu ist an diesem Stück nichts, aber es ist ein gutes Stück.

Moskau. Spiridonovka, Hs. Bojcov.

957) AN MAKSIM GORKIJ MOSKAU, 22. 10. 1901

22. Okt. 1901.

Lieber Aleksej Maksimovič, fünf Tage sind es nun schon, daß ich Ihr Stück gelesen habe, ich habe Ihnen aus dem Grunde bisher noch nicht geschrieben, weil ich einfach den vierten Akt nicht bekommen konnte, ich habe die ganze Zeit gewartet – vergebens. Also, ich habe nur drei Akte gelesen, aber ich glaube, das genügt, um das Stück zu beurteilen. Es ist, wie ich nicht anders erwartet hatte, sehr gut, ein echter Gorkij, originell, sehr interessant, und wenn ich beginnen sollte, von seinen Mängeln zu sprechen, so habe ich bisher nur einen einzigen bemerkt, einen Mangel irreparabel wie die roten Haare eines Rothaarigen – das ist die konservative Form. Neue, originelle Menschen lassen Sie neue Lieder singen nach Noten, die abgenutzt wirken, Sie haben vier Akte, die hand. Personen predigen Moral, man verspürt Angst vor Längen usw. usf. Aber all dies ist nicht wichtig, und all dies versinkt, sozusagen, in den Qualitäten des Stücks. Perčichin – wie lebendig er ist! Seine Tochter ist bezaubernd, Tatjana und Pëtr – ebenfalls, ihre Mutter ist eine großartige alte Frau. Die zentrale Gestalt des Stücks, Nil, ist kraftvoll gemacht, außerordentlich interessant! Mit einem Wort, das Stück nimmt einen vom ersten Akt an gefangen. Nur bewahre Gott Sie davor, erlauben Sie niemandem außer Artëm, den Perčichin zu spielen, und Nil soll unbedingt Alekseev-Stanislavskij selbst spielen. Diese beiden Gestalten werden genau das bewirken, was nötig ist. Pëtr – Mejerchold. Nur muß man die Rolle Nils, eine wunderbare Rolle, zwei-, dreimal so lang machen, mit ihr muß das Stück aufhören, sie muß zur Hauptrolle gemacht werden. Nur stellen Sie ihn nicht in Gegensatz zu Pëtr und Tatjana, er soll etwas für sich sein, und sie etwas für sich, alle sind wundervolle, vortreffliche Menschen, unabhängig voneinander. Wenn Nil versucht, sich über Pëtr und Tatjana zu stellen, und von sich sagt, er sei ein Prachtkerl, dann geht ein Element verloren, das unseren anständigen, arbeitenden Menschen so sehr eignet, das Element der Bescheidenheit. Er prahlt, er streitet, aber man sieht doch auch ohnedies, was für ein Mensch er ist. Soll er fröhlich sein, soll er die ganzen vier Akte über scherzen, soll er viel essen nach der Arbeit – das genügt bereits, um das Publikum in seine Gewalt zu bekommen. Pëtr ist, ich wiederhole es, gut. Sie haben wahrscheinlich selbst den Verdacht, daß er gut sei. Tatjana ist ebenfalls eine abgeschlossene Person, nur ist nötig, 1) daß sie tatsächlich Lehrerin ist, Kinder unterrichtet, aus der Schule kommt, mit Lehrbüchern und Schulheften zu tun hat, und 2) sollte im 1. und 2. Akt bereits gesagt werden, daß sie bereits einmal versucht habe sich zu vergiften; dann, nach dieser Anspielung, käme die Vergiftung im 3. Akt nicht unerwartet und wäre angebracht. Teterev redet zu viel, solche Menschen darf man nur in kleinen Portionen zeigen, unter anderem, denn wie dem auch sei, diese Menschen sind trotz allem nur Episodenfiguren – im Leben wie auf der Bühne. Elena lassen Sie im 1. Akt mit allen anderen essen, soll sie dasitzen und scherzen, – sonst hat sie sehr wenig, und ist nicht klar. Ihre Aussprache mit Pëtr ist ein bißchen schroff; auf der Bühne wird das zu erhaben. Machen Sie aus ihr eine leidenschaftliche Frau, wenn schon keine liebende, so doch eine, die sich leicht verliebt.

Bis zur Aufführung ist noch viel Zeit, Sie werden Ihr Stück noch zehnmal korrigieren können. Wie schade, daß ich wegfahre! Ich würde auf den Proben zu Ihrem Stück sitzen und Ihnen alles schreiben, was nötig wäre.

Am Freitag fahre ich nach Jalta. Bleiben Sie gesund und Gott beschütze Sie. Herzliche Grüße an Ekaterina Pavlovna und die Kinder. Ich drücke Ihnen fest die Hand und umarme Sie.

Ihr A. Čechov.

Anhang

Editorische Notiz

Der vorliegende Band enthält Briefe Čechovs aus der Zeit von September 1897 bis Oktober 1901.

In diese Zeit fallen der erste Winteraufenthalt Čechovs in Südfrankreich, die Affäre Dreyfus, über der Čechov mit seinem Freund und Verleger A. S. Suvorin bricht, die Gründung des Künstlertheaters in Moskau, der Tod von Čechovs Vater, die Bekanntschaft mit Maksim Gorkij, Čechovs Übersiedlung nach Jalta, die Premiere der ›Möwe‹ am Künstlertheater, Čechovs Vertrag mit dem Petersburger Verleger A. F. Marks, der die Rechte am Gesamtwerk Čechovs erwirbt, Premiere des ›Onkel Vanja‹ am Künstlertheater, Čechovs Wahl zum Mitglied der Akademie der Wissenschaften, die Uraufführung der ›Drei Schwestern‹ am Künstlertheater während des zweiten Winteraufenthaltes Čechovs in Nizza, die Heirat mit O. L. Knipper.

Von den ca. 1380 bekanntgewordenen Briefen, Telegrammen und Postkarten Čechovs enthält der vorliegende Band 334, also ein knappes Viertel.

Zum Vergleich wurden bei der Auswahl folgende Ausgaben herbeigezogen:

Anton Chekhov, Letters on the short story, the drama, and the other literary topics, selected and edited by Louis S. Friedland, New York, Dover publications, 1966 (Nachdruck einer Ausgabe von 1924);

Anton Tschechow, Briefe 1879–1904, herausgegeben von Gerhard Dick, Berlin, Rütten & Loening, 1968;

Anton Chekhov, Letters of, Selection, commentary and introduction by Simon Karlinsky, London, The Bodley Head, 1973;

Letters of Anton Chekhov, Selected and edited by Avraham Yarmolinsky, New York, Viking Press, 1973.

Prinzip der vorgelegten Auswahl war, nicht nur die ›großen‹ und z. T. bereits bekannten Briefe Čechovs, seine grundsätzlichen Äußerungen über Literatur, Gesellschaft und Politik zu dokumentieren, sondern Zusammenhänge, Abläufe und Entwicklungen, soweit sie sich in Čechovs Briefen niederschlagen, erkennbar bleiben zu lassen, damit der Leser sie auch ohne ausführlichere Kommentare selbst nachvollziehen kann. Das bedeutete auch, in der Korrespondenz mit den einzelnen Briefpartnern nach Möglichkeit keine allzu großen Lücken entstehen zu lassen, zumindest solange der betreffende Kontakt für Čechov biographisch und/oder literarisch lebendig war.

Zu den Prinzipien dieser Ausgabe gehörte ferner, die Briefe ungekürzt vorzulegen und nicht, wie in den Ausgaben von Friedland und Yarmolinsky, nur die ›bedeutenden Stellen‹ zu zitieren. Dies stieß insofern auf Schwierigkeiten, als es bis heute noch keine russische Čechov-Ausgabe gibt, die an bestimmten Briefstellen nicht purgierend eingegriffen hätte; auch die neueste, 1974 begonnene historisch-kritische Čechov-Gesamtausgabe setzt, vor allem in Briefen Čechovs an seinen Bruder Aleksandr, an Lejkin, an Suvorin, aber auch später in denen an O. L. Knipper, dort wo Čechov gelegentlich ›obszöne‹ Wörter gebraucht, eckige Klammern und drei Pünktchen.

Übersetzt wurde nach der Ausgabe: Anton Čechov, Polnoe sobranie sočinenij i pisem, Moskau, OGIZ, 1944–1951. Nachdem die 1974 begonnene und auf 30 Bände berechnete Gesamtausgabe bislang (Mai 1979) erst bis 1897 reicht, wurden folgende Editionen hinzugezogen:

Anton Čechov, Sobranie sočinenij v dvenadcati tomach, Moskau, Chudožestvennaja literatura, 1960–1964; 12 Bände, davon 2 Bände Briefe;

Literaturnoe nasledstvo, Band 68: Čechov. Moskau, Izd. Akademii nauk, 1960;

Literaturnoe nasledstvo, Band 87: Iz istorii literaturnoj i obščestvennoj mysli 1860–1890-ych godov (Aus der Geschichte des literarischen und gesellschaftlichen Denkens der 1860er–1890er Jahre). Moskau, Nauka, 1977.

Die Anmerkungen stützen sich im wesentlichen auf die zitierten Gesamtausgaben; hinzugezogen wurden zusätzlich folgende Editionen:

Čechov v vospominanijach sovremennikov (Čechov in Erinnerungen von Zeitgenossen), Moskau, Goslitizdat, 2. Aufl. 1954;

M. P. Čechov, Vokrug Čechova (Rund um Čechov), Moskau-Leningrad, Academia, 1933, 2. Aufl. 1960;

N. I. Gitovič, Letopis' žizni i tvorčestva A. P. Čechova (Chronik zu Leben und Werk von A. P. Čechov), Moskau, Goslitizdat Chudožestvennoj literatury, 1955;

K. S. Stanislavskij, Moja žizn' v iskusstve (Mein Leben in der Kunst), Moskau, Iskusstvo, 1962;

I. Vinogradskaja, Žizn' i tvorčestvo K. S. Stanislavskogo (Leben und Werk Stanislavskijs), Chronik, Band I: 1863–1905, Moskau 1971;

K. S. Stanislawski, Briefe 1886–1938, herausgegeben von Heinz Hellmich, Berlin, Henschel Verlag, 1975;

Letopis' žizni i tvorčestva A. M. Gor'kogo (Chronik zu Leben und Werk M. Gorkijs), Band I: 1868–1907, Moskau, Izd. Akademii nauk 1958;

S. D. Baluchatyj, M. Gorkij i A. Čechov, Perepiska (Briefwechsel), Moskau-Leningrad, Izd. Akademii nauk, 1937;

Moskovskij chudožestvennyj teatr v illjustracijach i dokumentach

(Das Moskauer Künstlertheater in Illustrationen und Dokumenten), 1898–1938, Moskau 1938.

An Enzyklopädien und Nachschlagewerken hervorzuheben ist der große Ėnciklopedičeskij slovar', Petersburg 1890–1907, 82 Bände und 4 Supplementbände, erschienen im Verlag A.I. Efron.

Die Briefe sind auch in der vorliegenden Ausgabe numeriert. Im Briefkopf erscheint jeweils die fortlaufende Nummer, danach, versal, der Name des Adressaten und das aufgrund von Poststempeln eruierte Briefdatum, das nicht immer mit der Datierung Čechovs übereinstimmt. Es folgt, in Grundschrift, der Brieftext. Fremdsprachige Zitate innerhalb der Briefe erscheinen gesperrt, Hervorhebungen durch Čechov kursiv.

Die Anmerkungen enthalten neben der deutschen Numerierung, dem Briefdatum und dem Namen des Adressaten jeweils auch die Numerierung der russischen Ausgabe. Der Leser hat damit Gelegenheit, selbst zu verfolgen, wieviele Briefe zwischen Brief a und Brief b der deutschen Ausgabe ausgelassen worden sind.

Namen – von Briefadressaten wie Personen, die in Čechovs Briefen auftauchen – werden in der Regel nur einmal ausführlicher erklärt, und zwar dort, wo sie zum ersten Mal in Čechovs Briefen erscheinen. Ihre Identifikation und ihr Auffinden soll das Personenregister erleichtern, das in Band 5 dieser Ausgabe enthalten ist. Das Personenregister gibt auch, soweit feststellbar, Auskunft über die Zahl der Briefe, die zwischen Čechov und dem betreffenden Briefpartner gewechselt worden sind.

Band 5 enthält neben einem Werkregister ferner ein Verzeichnis der erwähnten Zeitschriftentitel und Verlagsnamen, eine Übersicht über die russischen Titel und Rangklassen, über russische Feiertage, Fasten und Kirchenfeste, die Erklärung der Transkription sowie der nichtübersetzten Ausdrücke.

Jedem Band beigegeben sind zwei Verzeichnisse der Adressaten – chronologisch und alphabetisch geordnet – sowie eine kurze Chronologie, die sich jedoch aus Umfangsgründen auf die wesentlichsten Daten aus Čechovs Leben beschränken muß.

Anmerkungen

1897

624) *5. 9. 1897 – M.P. Čechova.* 1979.
Die »Erzählungen« – A.P. Čechov, ›Erzählungen‹, Petersburg, A. S. Suvorin, ^{11}...3 1897.
die »Erzählungen« mit den »Bauern« – A. P. Čechov, ›Die Bauern. Mein Leben‹, Petersburg, A.S. Suvorin, 1897.
Jacques Merpert – Lektor für russische Literatur in Paris, den Čechov 1898 er in Paris persönlich kennenlernte.
Pavlovskij – Ivan Jakovlevič Pavlovskij, Frankreichkorrespondent des ›Novoe vremja‹.
Nastja – Tochter von A.S. und A.I. Suvorin.
danse du ventre – franz. ›Bauchtanz‹; die unterschiedlichen Artikel, mal maskulinum, mal femininum, so im russischen Original.
Lika – L.S. Mizinova.
Bagrinovskij – Michail Michajlovič, Jurist, Staatsanwalt.
pantalon – franz. ›lange Hosen‹.
am Arbat – redensartlich (vgl. dt. ›am Alexanderplatz‹): ›am Hintern‹; Arbat: Platz in Moskau.

625) *9. 9. 1897 – A.I. Suvorinaa*982.
plage – franz. ›der Strand‹, im franz. feminin.
Borja – B.A. Suvorin, Sohn der Adressatin; ›Kontorja‹: Scherzreim.

626) *11. 9. 1897 – A. S. Suvorin.* 1986.
Sobolevskij – V.M. Sobolevskij.
die Morozova – Varvara Alekseevna Morozova, Ehefrau von V.M. Sobolevskij.
Plage – im Russischen als Maskulinum behandelt.
service – franz. ›Bedienung‹.
rouge et blanc – franz. ›rot und weiß‹.
schwer bist du, Krone Monomachs – im übertragenen Sinn ›ich führe ein Leben wie ein Fürst/ein König‹, wie ›Gott in Frankreich‹; geht zurück auf ein Zitat aus der klassischen Tragödie ›Boris Godunov‹ von A.S. Puškin.
Poljakov – Moskauer Bankier.
Anna Ivanovna – A.I. Suvorina.

627) *17. 9. 1897 – A.A. Chotjaincëva.* 1990.
reiche [...] – sehr wahrscheinlich: Juden. In der Ausgabe 1944–1951 hatte die Redaktion dieses Wort konsequent getilgt, in der 1974 begonnenen Ausgabe (den ersten sechs Bänden) sind entsprechende Tilgungen rückgängig gemacht worden; zum Vorschein kommen Ausdrücke wie ›die Schmuuls‹, ›kleine Juden‹ u.a.
Adelaiden – ›aufgedonnerte, herausgeputzte Damen‹, vgl. Am. zu Nr. 654.
K. Makovskij – Konstantin Egorovič, 1839–1915, bekannter russischer Genremaler.

628) *18. 9. 1897 – L.S. Mizinova.* 1991.
Sašečka File – für A.I. Sumbatov-Južin; ›file‹: das Filet.
Volodja mit dem Backenbart – Vladimir Ivanovič Nemirovič-Dančenko.
Ihre Freundin, die... V. A. Ėberle.
Dr. Florinskij – Vasilij Markovič, 1833–1899, Arzt und Schriftsteller, Bekannter Čechovs, Autor eines ›Hausbuchs der Medizin‹, 1890; auch als Archäologe tätig, am Aufbau der Universität Tomsk wesentlich beteiligt.
Maša – M.P. Čechova.
V. A. – V.A. Golcev.

629) *21. 9. 1897 – A.S. Suvorin.* 1994
morgen... nach Nizza – Čechov fuhr am 22. 9.
Das Geld schmilzt... – schon am 14. 9. hatte Čechov in einem Brief an Golcev um Überweisung von 1000 Rubel gebeten.
Das Telegramm zum »Ivanov« – Suvorin hatte Čechov telegraphisch gratuliert zur erfolgreichen Wiederaufnahme des ›Ivanovs‹ am Alexandratheater in Petersburg am 17. 9. 1897.

630) *22. 9. 1897 – L.S. Mizinova.* 1995.
Nice, Pension Russe – in der rue Gounod Nr. 9; Näheres vgl. Nr. 631.
Helsingfors – Hotel in Moskau.

631) *1. 10. 1897 – A.S. Suvorin.* 2003.
Gorev – F.P. Gorev, Schauspieler.
habe Maksim Kovalevskij kennengelernt – Maksim Maksimovič Kovalevskij, 1851–1916, Jurist, Historiker, Soziologe, 1887 als Professor der Moskauer Universität suspendiert, lebte in Paris, wo er eine Hochschule für Sozialwissenschaften begründet hatte, und in Beaulieu nahe Nizza. Čechov lernte ihn am Tage seiner Ankunft in Nizza, dem 23. September, kennen.

der Maler Jakobi – Valerian Ivanovič, 1834–1902, russischer Maler, Historienmaler; Čechov schon am 29. 9. an M.P. Čechova: ›Jakobi schimpft auf alle; alle sind für ihn Schufte und Gauner; es ist komisch, wenn er redet.‹

Grigorovič – D.V. Grigorovič.

Ajvazovskij – I.K. Ajvazovskij.

Stasov – Vladimir Vasiljevič Stasov, 1824–1906, Kunst- und Musikkritiker, Archäologe, eine der Autoritäten der damaligen Kunstkritik.

Die Morozova – V.A. Morozova.

»Figaro« – bürgerliche Pariser Tageszeitung.

Langweilig ohne Zeitungen und Briefe ... – Čechov beklagte sich mehrfach darüber, daß man ihn vergessen habe, vor allem von zu Hause bekomme er überhaupt keine Post.

632) *6. 10. 1897 – M.P. Čechova.* 2009.

schicke Aleksandr ... – Al.P. Čechov.

das Geld für den »Ivanov« – vgl. Nr. 629 und Anm.

das Geld für Oktober – den monatlichen Vorschuß vom Verlag Suvorin auf die Bucherlöse.

die Vollmacht schicke ich ... – mit einem Brief vom 7. 10. 1897.

Egoryšev – Bauunternehmer, vermutlich aus der Umgebung Melichovo.

633) *6. 10. 1897 – L.A. Avilova.* 2011.

Potapenko – I.N. Potapenko, Schriftsteller.

634) *17. 10. 1897 – V.M. Sobolevskij.* 2020.

eine Erzählung – ›In der Heimat‹, erschienen in den ›Russkie vedomosti‹ vom 16. 11. 1897, vgl. detebe Nr. 50/XVI.

papier écolier – französisch, ›Schreibpapier‹.

Golcev – V. A. Golcev, für die ›Russkaja mysl‹.

wie zu Ihrer Zeit – der Adressat war Anfang Oktober abgereist. Čechovs Brief Nr. 1 an ihn ist wahrscheinlich verloren, Brief Nr. 2 datiert vom 7. 10.

Vera Dm. – Vera Dmitrievna, Besitzerin der ›Pension Russe‹.

Jurasov – Nikolaj Ivanovič Jurasov, russischer Vizekonsul, lebte in Mentone.

Vas. Nemirovič-Dančenko – Vasilij Ivanovič Nemirovič-Dančenko, Bruder des Dramatikers Vladimir Ivanovič N.-D.

Varvara Alekseevna – V.A. Morozova.

635) *24. 10. 1897 – V.M. Sobolevskij.* – 2025.

Chef des Eichamts – wahrscheinlich Nikolaj Vasiljevič Kulakov, Direktor des Eichamts Petersburg.

Kuzma Prutkov – Pseudonym, unter dem der Dichter und Dramatiker A. K. Tolstoj (1817–1875) gemeinsam mit seinen Vettern A. M. und V. M. Žemčužnikov Satiren in den Zeitschriften ›Sovremennik‹, ›Iskra‹ u. a. publizierten. Tolstoj war zwischen 1836 und 1855 Beamter bei Hofe gewesen.
schicke noch eine Erzählung – ›Der Petschenege‹, erschienen in den ›Russkie vedomosti‹ vom 2. 11. 1897, vgl. detebe Nr. 50/XVI.
Varvara Alekseevna – V. A. Morozova.

636) *27. 10. 1897 – M. P. Čechova.* 2028.
Monsieur... sämtliche französischen Ausdrücke im Orig. französisch geschrieben.
Ich schreibe ein bißchen... – vermutlich an der Erzählung ›Auf dem Wagen‹, die Čechov am 20. 11. an Sobolevskij schickte und die am 21. 12. 1897 in den ›Russkie vedomosti‹ erschien, vgl. detebe Nr. 50/XVI.
Marija Timofeevna – M. T. Drozdova, geb. Udodova.

637) *1. 11. 184597 – A. S. Suvorin.* 2033.
die Zeitschrift »Chirurgija« – vgl. Nr. 574, 578, 579.
Vitte – S. Ju. Vitte, Finanzminister.
2 Erzählungen geschrieben – ›In der Heimat‹ und ›Der Pečenege‹, vgl. Nr. 634, 635.
Michail Alekseevič – M. A. Suvorin, Sohn Suvorins aus erster Ehe.

638) *3. 11. 1897 – L. A. Avilova.* 2036.
Ihre »Vergessenen Briefe« – Erzählung der Adressatin, die Čechov vermutlich im Manuskript gelesen hatte.
zwei Erzählungen... – vgl. Nr. 634, 635.

639) *7. 11. 1897 – M. G. Večeslov.* LN 67.
in toto – latein. ›zur Gänze‹, ›im ganzen‹, ›ganz‹.
haben die Konvention nicht – Rußland war der Berner Konvention v. 1886 nicht beigetreten, in der ›die Vertragsstaaten einen internationalen Verband zum Schutze von Werken der Litteratur und Kunst, die Union internationale pour la protection des œuvres littéraires et artistiques mit dem Inhalt bilden, daß die Angehörigen eines Vertragsstaates in jedem anderen Vertragsstaate bezüglich ihrer Urheberrechte an Werken der Litteratur und Kunst gleichen Schutz wie die Einheimischen genießen... unter der Voraussetzung, daß ihre Werke in einem der Unionsländer herausgegeben werden‹ (Brockhaus, 1901).
Das bedeutete für Rußland, daß in Rußland jedes lit. Werk honorarfrei ins Russische übersetzt werden konnte, daß aber auch jeder russische Autor in andere Sprachen übersetzt werden konnte, ohne daß für den

ausländischen Verleger die Pflicht bestanden hätte, dafür Honorar zu zahlen.

640) *10. 11. 1897 – A. I. Suvorina.* 2042.
Konst. Sem. – K. S. Tyčinkin.

641) *12. 11. 1897 – M. P. Čechova.* 2044.
Levitan – I. I. Levitan.
Olga Petrovna – O. P. Kundasova.
Ladyženskij – Vladimir Nikolaevič Ladyženskij, geb. 1859, Zemstvoangestellter, Schriftsteller.
Für den »Ivanov« – vgl. Nr. 629 und Anm.
Vorsitzender geworden? – es handelt sich vermutlich um die Zemstvo-Wahlen im Kreis Serpuchov (lt. Ausgabe 1944–1951); möglicherweise auch um Neuwahlen in der Dramatischen Gesellschaft.
bei O. P. – O. P. Kundasova.
Makarovsches Wörterbuch – gemeint ist das ›Vollständige Französisch-Russische Wörterbuch‹ von N. P. Makarov, Petersburg 1893.

642) *20. 11. 1897 – V. M. Sobolevskij.* 2046.
Zlatovratskij – N. N. Zlatovratskij, Schriftsteller; Sobolevskij hatte Čechov mitgeteilt, daß am 16. 11. das 30jährige Jubiläum (der literarischen Tätigkeit) Zlatovratskijs gefeiert werden würde.

643) *24. 11. 1897 – A. S. Suvorin.* 2049.
Charles Baïhaut – 1835–1917, französischer Politiker, 1886 Minister für öffentliche Arbeiten, war 1893 im Zusammenhang mit dem Panamaskandal zu fünf Jahren Gefängnis verurteilt worden. Seine ›Impressions cellulaires‹ (Eindrücke aus der Zelle) werden von Čechov auch in den ›Drei Schwestern‹ erwähnt, vgl. Veršinin im II. Akt, detebe Nr. 50/VI.
wie Sie das früher einmal ... – z. B. mit dem Roman ›Der Schüler‹ von Paul Bourget, vgl. Nr. 212, 214 f.
»L'Aurore« – ›Das Morgenrot‹, Pariser Tageszeitung, begründet von George Clémenceau, den Positionen der Radikalsozialisten nahe.
Rochefort – Henri Rochefort, 1830–1913, franz. Politiker und Publizist, der in der Affäre Dreyfus auf den er Seite der Militärs und der Monarchisten stand.
»La libre parole« – ›Das freie Wort‹, Zeitung Rocheforts.
Nemirovič abgereist – vgl. Nr. 642.
Kondratjev – I. M. Kondratjev, Sekär der Dramatischen Gesellschaft; an ihn hatte Čechov am 6. 10. 1897 geschrieben und ihm mitgeteilt, er

habe den ›Tragöden wider Willen‹ für zwei Jahre an das Theater des Lit.-Artistischen Zirkels gegeben.

»Tragöde wider Willen« – Einakter, vgl. detebe Nr. 50/VIII; in seinem Antwortbrief schlug Suvorin den Schauspieler Orlenev vor, den Čechov am 16. 12. als für diese Rolle zu jung ablehnte.

Michajlov bei Ihnen... am Theater des Lit.-Artist. Zirkels, Petersburg.

644) *26. 11. 1897 – A. A. Chotjaincëva.* 2052.

Nemirovič – Vasilij Iv. Nemirovič-Dančenko. Čechov am 25. 11. an M. P. Čechova: ›Ich habe Nachricht bekommen, daß die Chotjaincëva in Paris sei.‹

junge Baronesse – L. Deršau.

Braz – I. Ė. Braz.

645) *4. 12. 1897 – V. M. Sobolevskij.* 2056.

im Januar... nach Algier – die Reise nach Afrika, die Čechov zusammen mit M. M. Kovalevskij unternehmen wollte, kam wegen Erkrankung Kavalevskijs nicht zustande.

Frau Šanjavskaja – L. A. Šanjavskaja, Lidija Alekseevna, Frau des Generals Al. L. Šanjavskij, der in Moskau eine Volkshochschule gebaut und diese der Stadt Moskau geschenkt hatte.

studiere die Affäre Dreyfus – vgl. Nr. 660.

hl. Barbara – meint Namenstag von Varvara Alekseevna Morozova, der Ehefrau des Adressaten.

Varja – Varvara V. Sobolevskaja, Tochter des Adressaten.

646) *14. 12. 1897 – A. S. Suvorin* 2064.

Doktor Ljubimov – ungeklärt.

crescendo – italien. ›stärker werdend‹, sich verstärkend.

Jean Ščeglov – ›diese Feuilletons‹ meint eine Auseinandersetzung zwischen I. L. Leontjev-Ščeglov und dem Repertoirekomitee der Kaiserlichen Theater; am 10. 12. 1897 im ›Novoe vremja‹: ›Ein letztes Wort (an die Adresse des Literaturkomitees)‹.

zum Tode Daudets – Alphonse Daudet war am 4. (16.) Dezember 1897 gestorben.

Lev Tolstoj – L. N. Tolstoj.

Boborykin – P. D. Boborykin.

647) *17. 12. 1897 – Al. P. Čechov.* 2074.

»Platon Andreič« – Schwank in einem Akt von Al. P. Čechov.

A. Sedoj – Pseudonym Aleksandrs, wörtlich ›Der Graue‹, ›Grau‹; vgl. dazu die Anspielung auf die grauen Haare.

V. Tichonov – V. A. Tichonov.

648) *18. 12. 1897 – I. N. Potapenko.* 2075.
dein letztes Feuilleton – im ›Novoe vremja‹ vom 14. 12. hatte Potapenko unter seinem Pseudonym ›Fingal‹ eine Glosse geschrieben, dem Roman ›Unser täglich Brot (Wahrheitsgetreue Geschichte vom Elend eines Dorflehrers)‹ von F.F. Tiščenko gewidmet, der im Oktoberheft der Zeitschrift ›Russkoe obozrenie‹ zusammen mit einem wohlwollenden Brief von L.N. Tolstoj abgedruckt worden war; Potapenko hatte angemerkt, daß ›die dicke Zeitschrift um jeden Preis den Namen Tolstojs an sich binden und der junge Autor auf Nummer Sicher hat gehen wollen, d.h. unbedingt um jeden Preis hat bemerkt werden wollen‹.
dieser T. – F.F. Tiščenko.
Bolš. Mosk. Gostinica – ›Bolšaja Moskovskaja Gostinica‹, Grandhotel Moskau, in dem Čechov abzusteigen pflegte, wenn er von Melichovo nach Moskau kam.
L.N. – Lev Nikolaevič Tolstoj.

649) *23. 12. 1897 – M.P. Čechova.* 2079.
Antokolskij – Mark Matveevič, 1843–1902, Bildhauer.
Giršman – Leonard-Leopold Leonidovič, 1834 geb., Augenarzt, Prof. an der Universität Charkov; vgl. auch Nr. 652.
für »Cosmopolis« – schrieb Čechov die Erzählung ›Bei Bekannten‹, vgl. detebe Nr. 50/XVI; die Erzählung erschien im Februarheft 1898, Čechov schickte sie am 3. 1. 1898 an F. D. Batjuškov, vgl. weiter Nr. 657.

650) *27. 12. 1897 – L.S. Mizinova.* 2083.
Ihre Idee . . . – am 18. 12. hatte L. S. Mizinova an Čechov geschrieben: ›Ich habe mich nun doch entschlossen, den Gesang nicht aufzugeben, und um eine Möglichkeit zu finden, mich damit zu befassen, will ich, wenn ich von der Bank Geld bekomme, ein kleines Atelier aufmachen, das mir die Möglichkeit gibt zu existieren, bis ich ausgelernt habe.‹
Varja – V.A. Ėberle.
Savva Ivanovič – S.I. Mamontov, 1841–1918, Großindustrieller, Mäzen, Gründer eines privaten Opernhauses in Moskau, an dem die Opern von Rimskij-Korsakov, Borodin, Serov, Musorgskij uraufgeführt wurden und Sänger wie Šaljapin auftraten.
Pavlovskaja – E.K. Pavlovskaja, Schauspielerin, Sopranistin am Bolšoj Theater in Moskau.
Rachat-Lukum – orientalische Süßigkeit.

651) *28. 12. 1897 – Al. P. Čechov.* 2085.
»Spiridon Matveič« – verballhornt der Titel des Einakters von Al. P. Če-

chov (Platon Andreič), vgl. Nr. 647. Das Stück wurde im Dezember am Theater Suvorins gespielt, vgl. Nr. 653, 656.
Dr. Valter – Vladimir Grigorjevič Valter, Arzt.
A rivederč! – italien. ›a rivederci‹ (auf Wiedersehen), russ. transkribiert.

1898

652) *4. 1. 1898 – A.S. Suvorin.* 2092.
(a. St.) – ›alten Stils‹ im Gegensatz zum sog. neuen, in Westeuropa gebräuchlichen Kalender, was eine Differenz von 12 Tagen bedeutete. Čechov behielt während seines gesamten Aufenthalts in Nizza den russischen Kalender bei.
die Affäre Dreyfus – ›Dreyfus, Alfred, ehemaliger franz. Offizier, geb. 9. Okt. 1859 in Mühlhausen i. E., aus einer jüdisch-elsässischen Familie stammend, trat 1878 in die franz. Artillerie ein und wurde 1893 als Hauptmann zum Großen Generalstab kommandiert. Im Dezember 1894 wurde er, trotzdem er seine Unschuld beteuerte, wegen Verrats militär. Geheimnisse kriegsgerichtlich zur Degradation und lebenslänglicher Deportation verurteilt und nach der Teufelsinsel an der Küste von Cayenne verbannt. Allerlei Unregelmäßigkeiten, die, wie bekannt wurde, bei dem Prozeß vorgekommen waren, ließen alsbald Zweifel an D.' Schuld entstehen, und seine Verwandten und Freunde, darunter besonders der Senator Scheurer-Kestner und Zola, veranstalteten seit 1897 eine großartige Agitation zu gunsten einer Revision seines Prozesses, fanden aber in der Militärpartei die erbittertsten Gegner, so daß sich ganz Frankreich in zwei Lager spaltete. (S. Frankreich, Geschichte). Dennoch gelang es den Freunden D.' im Okt. 1898 durchzusetzen, daß der Prozeß dem Kassationshof überwiesen wurde, der das erste Urteil annullierte und die Sache 3. Juni 1899 einem Kriegsgericht in Rennes zur Revision übertrug. D., der während der letzten Zeit seiner Gefangenschaft auf der Teufelsinsel überaus hart behandelt worden war, wurde nach Rennes zurückgebracht und dort von neuem vor ein Kriegsgericht gestellt. Der Prozeß, dessen Ausgang mit ungeheurer Spannung erwartet wurde, fand vom 7. Aug. bis 9. Sept. 1899 statt und endete mit D.' abermaliger Verurteilung; doch wurden ihm mildernde Umstände gewährt, und die Dauer der Haft, zu der er verurteilt wurde, auf das gesetzlich zulässige Minimum von 10 Jahren festgesetzt. Wenige Tage darauf, am 21. Sept., wurde er von dem Präsidenten der Republik völlig begnadigt.‹ (Brockhaus, 14. Aufl. Leipzig, 1901). Endgültig rehabilitiert wurde Dreyfus erst 1906. Im Stichwort ›Frankreich‹:

›Eine Angelegenheit, die sich durch die damit verbundenen Umstände und durch das Licht, das sie auf die herrschenden Kreise der dritten Republik warf, ähnlich wie die Panamaangelegenheit zu einer polit. Frage ersten Ranges gestaltete, war der Prozeß des jüd. Hauptmanns Dreyfus, der 1894 wegen Spionage zu Degradation und lebenslänglicher Deportation verurteilt worden war. Bald aber tauchten Zweifel an der Schuld des Dreyfus auf, besonders nachdem sich 1897 der Senator Scheurer-Kestner, der Schriftsteller Zola und der Bruder des Verurteilten zu seinen Anwälten gemacht und als den wahren Schuldigen den Major Esterházy bezeichnet hatten. Die Kammern, in denen im Dezember von den Freunden Dreyfus' die Revision seines Prozesses angeregt wurde, verhielten sich ebenso wie das Ministerium durchaus ablehnend und schenkten den Versicherungen des Generalstabs, daß Dreyfus zu Recht verurteilt sei, unbedingten Glauben, besonders nachdem Esterházy, gegen den eine Untersuchung eingeleitet wurde, am 11. Jan. 1898 vom Kriegsgericht freigesprochen war. Dennoch ruhten die Dreyfusfreunde nicht, und als Zola in einem offenen Brief die Richter Esterházys beschuldigte, diesen auf Befehl ihrer Vorgesetzten freigesprochen zu haben, richtete sich die volle Wut der Militärpartei und der Antisemiten gegen ihn und suchte die ganze Angelegenheit zu einer Bewegung gegen die Juden und die Protestanten auszubeuten. In einem Aufsehen erregenden Prozeß wurde Zola am 23. Febr., und als er Revision einlegte, wieder am 18. Juli zu einem Jahr Gefängnis verurteilt.‹

Zur Affäre Dreyfus vgl. ausführlich Nr. 660.

der ich zum Syndikat gehöre – ironisiert die Behauptung der chauvinistisch-antisemitischen Presse in Frankreich, wonach alle Sympathisanten Zolas zu einem jüdischen ›Syndikat‹ gehörten und von diesem ›Syndikat‹ gekauft, bestochen worden seien.

Giršman – vgl. auch Nr. 649.

eine russische Malerin, die ... – A. A. Chotjaincëva hatte Ende 1897 ihren Besuch in Nizza angekündigt und war um die Jahreswende gekommen.

L. N.s Aufsatz über die Kunst – ›Was ist Kunst?‹ von L. N. Tolstoj, vgl. Nr. 609.

653) *4. 1. 1898 – Al. P. Čechov.* 2093.

dein Vaudeville – ›Platon Andreič‹, vgl. Nr. 647, 651; Aleksandr hatte am 30. 12. mitgeteilt, sein Einakter sei, trotz Erfolg, nur einmal gespielt und gleich nach der Uraufführung wieder abgesetzt worden. Vgl. auch Nr. 656.

P. I. Vukov – Pavel Ivanovič Vukov, Assistent des Klassenlehrers am Gymnasium Taganrog.

654) *9. 1. 1898 – M. P. Čechova.* 2097.
von Kovalevskij – M.M. Kovalevskij, der an Gelenkrheumatismus erkrankt war; vgl. auch Nr. 658.
von Adelaida – A. Šatilova, Frau des Direktors des Kadettenkorps. ›Adelaiden‹ nannte Čechov, lt. Mitteilung seiner Schwester, aufgedonnerte Damen mit Lorgnon, wobei an A. Šatilova als Grundtyp gedacht war.
Hast du von der Žitkova die Handschuhe ... – am 6. 1. schrieb Čechov an M. P. Čechova: ›Eine gewisse Marija Antonovna Žitkova (oder Židkova), Kaufmannsfrau, ist heute nach Moskau gefahren, und ich habe ihr die Handschuhe für dich und noch ein paar Kleinigkeiten mitgegeben. Sie wohnt‹ usw.
Die Erzählungen von Tichonov – V. A. Tichonov, ›Zerbrochene Götzenbilder. Novellen und Erzählungen‹. Petersburg 1898, mit persönlicher Widmung des Autors.
A. A. Chotjaincëva ist immer noch hier ... – Čechovs erster Brief aus Nizza an A. A. Chotjaincëva: 21. 1. 1898.
Was macht Lika ... – vgl. Nr. 650.

655) *19. 1. 1898 – V. M. Sobolevskij.* 2104.

656) *19. 1. 1898 – E. Z. Konovicer.* 2106.
bei Korš – am Moskauer Privattheater F. A. Korš.
Benefiz von Čarskij – V. V. Čarskij.
Evdokija Isaakovna – E. I. Konovicer, Ehefrau des Adressaten.

657) *23. 1. 1898 – F. D. Batjuškov.* 2110.
schicke Ihnen die Korrekturen – der Erzählung ›Bei Bekannten‹; Čechov am 19. 1. 1898 an Batjuškov: ›Die Korrektur habe ich heute am 19. Jan. um 6 1/2 Uhr abends bekommen. Ich werde sie in 3 Tagen zurückschicken – und Ihnen dann ausführlich schreiben, einstweilen erlauben Sie mir, Ihnen alles Gute zu wünschen und die Hand zu drücken. In aufrichtiger Hochachtung A. Čechov. 19. Jan.‹
Die Sonderdrucke ... – am 15. 1. 1898 hatte Batjuškov an Čechov geschrieben, er habe vor ein paar Tagen einen Vortrag über Čechovs ›Bauern‹ im Shakespeare-Kreis von Spasovič gehalten. ›Ich habe das Problem weiter gefaßt: »Balzac, Sie und Korolenko über die Bauern«. Ich werde den Vortrag in der Fastenzeit öffentlich halten und ihn dann um Ostern drucken.‹ Batjuškovs Aufsatz erschien 1899 in dem Almanach ›Dem Andenken Belinskijs‹ unter dem Titel ›Ein halbes Jahrhundert danach. Balzac, Anton Čechov und Vladimir Korolenko über die Bauern.‹
von seinen Protestbriefen ... – vgl. Anm. Nr. 652; über die Affäre Dreyfus ausführlich Nr. 660.

Das »Novoe vremja« ... – widerwärtig – vgl. Nr. 658.

658) *27. 1. 1898 – A.S. Suvorin.* 2115.
der Maler – I.Ė. Braz.
den Tretjakov extra... – P.M. Tretjakov. Čechov am 24. 1. 1898 an M.P. Čechova: ›Braz schreibt: »Tretjakov war bei mir, das Porträt hat ihm gefallen, aber da ich ihm kategorisch erklärte, daß ich mit dem Porträt unzufrieden sei und Ihren Vorschlag anzunehmen gedächte, Sie noch einmal zu malen, im Ausland, war er einverstanden, mir meine Auslagen zu erstatten.« Er kommt nach Paris und wird mich in Paris malen. Uff!‹
Čechov am 24. 1. an I.Ė. Braz: er möge nach Nizza kommen, Čechov sei aber grundsätzlich auch bereit, nach Paris zu fahren, nur müsse er am 20. 4. zu Hause sein, was bedeute, daß er Paris am 11./12. 4. verlassen müsse. Čechov erneuerte die Einladung nach Nizza am 8. 2. 1898.

659) *2. 2. 1898 – an A.A. Chotjaincëva.* 2119.
die liebe Puppe, die Murzaki – Bekannte Čechovs aus der Pension Russe in Nizza.
die Baronessen – Mutter und Tochter Deršau.
Le rire – ›Das Lachen‹, französische humoristische Zeitschrift.

660) *6. 2. 1898 – A.S. Suvorin.* 2123.
des »N.v.« – des ›Novoe vremja‹; die beanstandete Anzeige erschien dort am 31. 1. 1898; die Erzählung ›Bei Bekannten‹ erschien im Februarheft der Zeitschrift ›Cosmopolis‹.
ärgerten sich über Zola – E. Zola hatte am 1. 1. 1898 (westlichen Kalenders), nach dem Freispruch Esterházys, in der Zeitung ›L'Aurore‹ sein berühmtes ›J'accuse‹ (Ich klage an) veröffentlicht, einen Offenen Brief an den Präsidenten Faure, in dem er ›die Höchstkommandierenden des franz. Heers in der Angelegenheit des wegen Spionage verurteilten Hauptmanns Dreyfus der Parteilichkeit beschuldigt und behauptet, die Militärrichter hätten den eigentlichen Schuldigen, den Major Esterházy, auf Befehl ihrer Vorgesetzten freigesprochen‹ (Brockhaus, 14. Aufl. 1903).
die Degradation Dreyfus' – hatte am 5. 1. 1895 stattgefunden.
Démange – Anwalt, Verteidiger von A. Dreyfus.
Sandher – franz. Generalstabsoffizier, Leiter der Abteilung Spionageabwehr beim franz. Kriegsministerium.
Paty de Clam – Offizier beim franz. Generalstab, der die Voruntersuchung gegen Dreyfus durchgeführt hatte; Zola nannte ihn den ›Hauptschuldigen‹ an der ›diabolischen Vorbereitung‹ eines ›schrecklichen

Justizirrtums‹, der mittels Drohungen und Provokationen das Schuldbekenntnis Dreyfus' erpreßt habe.

Tausch – deutscher Major, Chef der Geheimpolizei in Berlin.

Picquart – Marie-George, 1854–1914, Generalstabsoffizier, Nachfolger Sandhers im Amt des Chefs der Spionageabwehr; ihm war ein Telegramm eines deutschen Agenten, adressiert an Major Esterházy, in die Hände gefallen, das diesen als den eigentlichen Verräter franz. Militärgeheimnisse an Deutschland entlarvte. Picquart, der seinen Vorgesetzten davon Meldung gemacht hatte, wurde nach dem Freispruch Esterházys verhaftet und des Landes verwiesen.

aufgrund eines Geheimdokuments – ein Brief mit Randbemerkungen des deutschen Kaisers Wilhelm II., der als Belastungsmaterial gegen Dreyfus benützt wurde und dem Verteidiger Dreyfus', Démange, nicht vorgelegt worden war.

Drumont – Edouard Drumont, 1844–1917, französischer Journalist, Publizist, schrieb in Rocheforts Zeitung ›La libre parole‹.

das Syndikat – vgl. Nr. 652.

dieser Esterházy – Ferdinand Walsin, 1847–1923, Major der franz. Armee, der eigentliche Verräter in der Affäre Dreyfus, der aber von den Militärs gedeckt wurde und sich später ins Ausland absetzen konnte.

Duellant im Stil des Turgenevschen – ›Der Duellant‹, frühe Erzählung von I. S. Turgenev (veröffentlicht 1847), eine Erzählung, die Čechov später bei der Figur Solënyjs in den ›Drei Schwestern‹ mitbeeinflußt haben dürfte.

Die Schlägerei vor der Kammer – zwischen Sozialisten und Rechten während einer Rede des sozialistischen Abgeordneten Jaurès am 22. 1. 1898.

sowohl der Brief Zolas ... – vgl. oben.

Scheurer-Kestner – Auguste, 1833–1899, französischer Politiker, Chemiker, gebürtiger Elsässer, Vize-Präsident des Senats, Gegner der Boulangisten. ›Spielte eine hervorragende Rolle bei der Klärung der Wahrheit in der Affäre Dreyfus: seine offene Erklärung für eine notwendige Revision des Prozesses hinterließ, angesichts seiner makellosen Reputation, einen gewaltigen Eindruck in der öffentlichen Meinung Frankreichs.‹ (Enzyklop. Wörterbuch, Brockhaus/Efron, 1903).

Zola ist kein Voltaire – Anspielung auf Voltaires Eintreten für den Hugenotten Jean Calas, der 1762 zu Unrecht verurteilt und hingerichtet worden war wegen Mordes an seinem Sohn, der angeblich zum Katholizismus habe übertreten wollen; Voltaire hatte eine Revision des Prozesses erreicht, Calas wurde posthum 1765 für unschuldig erklärt.

Korolenko – V. G. Korolenko, der im Sommer 1896 als Verteidiger einer Gruppe votjakischer Bauern aus Multan aufgetreten war, die man heidnischer Menschenopfer beschuldigt hatte und die infolge des Eintretens Korolenkos in dem Prozeß freigesprochen wurden.

Doktor Haas – vgl. Anm. Nr. 584.

Brief Bjoernstjernes – Brief von Bjœrnstjerne Bjœrnson an E. Zola, in dem B. Zola für dessen Eintreten für Dreyfus gratuliert; dieser Brief war in der Zeitung ›Novosti und birževaja gazeta‹ vom 24. 1. 1898 abgedruckt worden; in derselben Zeitung war auch ein Aufsatz ›Zola‹ von I.P. Zakrevskij erschienen; Ignatij Platonovič Zakrevskij, 1839–1906, Justizbeamter, Senator, wurde suspendiert wegen eines Offenen Briefs an die ›Times‹ in Sachen Dreyfus.

die Duse – Eleonora Duse; wann und in welchen Rollen die Duse in Nizza auftreten sollte, geht aus Čechovs Briefen nicht hervor.

661) *23. 2. 1898 – Al.P. Čechov.* 2129.

Die Regierung... – Scherz; meint die Staats- bzw. Kaiserlichen Theater. Der ›Ivanov‹ wurde in der Spielzeit 1897/98 am Alexandra-Theater gespielt, vgl. Nr. 629.

Choleva – N.I., einer der Direktoren des Lit.-Artist. Zirkels in Petersburg, Leiter der Repertoire-Abteilung, der Position des Chefdramaturgen vergleichbar.

Domaševa – Marija Petrovna, Schauspielerin, 1895–1898 am Theater Suvorins, danach am Alexandra-Theater.

Periostitis – mediz. griech. ›Knochenhautentzündung‹.

in meinem »Typhus« – Erzählung aus dem Jahr 1887, vgl. detebe Nr. 50/XIII.

Miša – Michail P. Čechov.

mit dem Alten Briefe gewechselt... vgl. Nr. 660, den einzigen Brief, in dem Čechov ausführlich auf die Affäre Dreyfus eingeht.

honorarfrei einen Roman – nämlich Zolas Roman ›Paris‹, der 1897/98 in Fortsetzungen im ›Novoe vremja‹ erschien. Zum Stichwort ›honorarfrei‹ vgl. Anm. Nr. 639 über die Berner Konvention.

N.A. – Natalja Aleksandrovna, Ehefrau des Adressaten.

L'homme de lettres – im Orig. franz. ›Schriftsteller‹, ›Literat‹.

662) *9. 3. 1898 – P.F. Iordanov.* 2137.

M. Kovalevskijs »Ursprung...« – ›Der Ursprung der modernen Demokratie‹, 1. Band 1895, erschienen im Verlag Soldatenkov.

Gippius »Spiegel«... – ›Spiegel‹, Erzählung von Z.N. Gippius, Petersburg 1898.

der dritte Band von »Alexander...« – von N.K. Šilder, vgl. Nr. 612.

Potapenko und Sumbatov sind hier – A.I. Sumbatov-Južin kam am 23. 2. 1898, I.N. Potapenko am 2. 3. nach Nizza. (So Čechov an seine Schwester am 24. 2. bzw. 3. 3. 1898.)

663) *22. 3. 1898 – M.P. Čechova.* 2146.
schreib an Barskov – Jakov Lazarevič Barskov, 1863–1937, Pädagoge, Historiker, in den 90er Jahren Redakteur der Kinderzeitschrift ›Detskij otdych‹.
Komissarov – ungeklärt, um wen es sich handelt.
»D. o.« – ›Detskij otdych‹, Monatszeitschrift für Kinder, herausgegeben von A.I. Mamontov (1895 bis 1899), erschien seit 1881 in Moskau.
Braz arbeitet... – I. Ė. Braz, vgl. Brief und Anmerkung Nr. 658; Braz war am 14. 3. in Nizza angekommen.
Potapenko hat verloren – I.N. Potapenko. Čechov am 4. 3. an M. P. Čechova: ›Južin ist gekommen, um beim Roulette einige Hunderttausend zu gewinnen; Potapenko ist gekommen, um eine Million zu gewinnen... Sie spielen Tag für Tag, aber bis zur Million ist es noch weit, sehr weit.‹
Am 10. 3. an seine Schwester: ›Južin hat 15 Tsd. verloren, zu allem Unglück kam M. File hierher, die uns alle mit ihrem Gerede in Trübsinn versetzte. Beide Files fahren übermorgen weg.‹
A.I. Sumbatov-Južin verließ Nizza am 12., Potapenko am 28. 3.
mit seiner Mašečka – Marija Nikolaevna Sumbatova, Frau A.I. Sumbatov-Južins.
Boborykin – P.D. Boborykin.

664) *3. 4. 1898 – A.A. Chotjaincëva.* 2153.

665) *6. 4. 1898 – A.S. Suvorin.* 2157.
fahre nach Paris... Čechov kam am 14. 4. in Begleitung von M.M. Kovalevskij nach Paris.
H. Vendôme – Hotel in Paris, in dem Čechov und Suvorin im September 1897 gewohnt hatten; Čechov wohnte April 1898 in Paris im Hôtel Dijon in der rue Canmartin.

666) *15. 4. 1898 – M.P. Čechova.* 2159.
Adresse: Monsieur... – im Orig. franz., desgl. weiter unten.
Freundin Junoševa – E.I. Junoševa.
war bei der Malerin – A.A. Chotjaincëva.
Vagankovo – Stadtteil von Moskau.
Perepletčikov – Vasilij Vasiljevič Perepletčikov, 1863–1918, russ. Maler, Landschaftsmaler.
auf Tolstoj schimpfte – aller Wahrscheinlichkeit nach auf das Pamphlet ›Was ist Kunst?‹ von L.N. Tolstoj.

667) *15. 4. 1898 – M.P. Čechova.* 2162.
meine Stücke – Stücke, Petersburg, A.S.Suvorin, 1897.

I. Pavlovski – im Original französisch, meint Ivan Jakovlevič Pavlovskij, den Frankreichkorrespondenten des ›Novoe vremja‹.

668) *21. 4. 1898 – P.F. Iordanov.* 2166.
außer Antokolskij – Mark Matveevič, Bildhauer. Das Denkmal für Peter I. in Taganrog wurde dann doch von Antokolskij entworfen.
Bernštam – Leopold Adolfovič, 1859–1939, Bildhauer.
Peter – Peter I. Alekseevič, 1672–1725, der Große, Kaiser von Rußland.
Begegnung zwischen Peter und Louis XV. – im Jahre 1717 war Peter I. nach Paris gereist, um ›den Abschluß des Nordischen Krieges zu beschleunigen und die Eheschließung seine achtjährigen Tochter Elisabeth mit dem damals siebenjährigen König von Frankreich, Ludwig XV., in die Wege zu leiten‹ (V. Ključevskij, Geschichte Rußlands), d.h. um sich Frankreich zum Verbündeten zu machen.
die Affäre Dreyfus – vgl. Nr. 652, 660.
Cazimir-Perrier – Jean-Paul-Pierre, 1847–1907, französischer Politiker, 1894–1895 Präsident der Republik.
Lazare – Bernard Lazare, 1865–1903, französischer Publizist, Autor der 1896 in Brüssel erschienenen Broschüre ›La vérité sur l'affaire Dreyfus‹, die den Anstoß für das Revisionsverfahren gegeben hatte.

669) *28. 4. 1898 – Al.P. Čechov.* 2174.
nur dir und Potapenko – Čechovs Brief an I.N. Potapenko ist nicht überliefert.
komme ohne S. – ohne A.S. Suvorin. Čechov reiste am 2. 5. aus Paris ab, kam am 4. 5. in Petersburg an, in Melichovo war er am 5. 5.

670) *6. 5. 1898 – A.I. Sumbatov-Južin.* 2175.
Brief von Vl. Iv.... – vom 25. 4. 1898, in dem Nemirovič-Dančenko Čechov die Gründung des Moskauer Künstlertheaters mitteilt und ihn um Aufführungsgenehmigung für die ›Möwe‹ bittet; dieses Stück ergreife ihn in besonderem Maße, ›und ich bin bereit, mich bei allem, was du willst, dafür zu verbürgen, daß diese verborgenen Dramen und Tragödien in jeder einzelnen Figur des Stückes bei einer gekonnten, nicht banalen, außerordentlich gewissenhaften Inszenierung auch den Zuschauersaal ergreifen würden. Vielleicht wird das Stück nicht zu Beifallsstürmen hinreißen, aber daß seine Inszenierung mit frischen Talenten, Talenten, die von Routine frei sind, ein Triumph der Kunst werden könne – dafür verbürge ich mich. Es hängt jetzt an deiner Genehmigung...‹
Čechovs Antwortbrief an Nemirovič-Dančenko ist nicht erhalten; aus den Erinnerungen von V.I. Nemirovič-Dančenko geht aber hervor, daß Čechov die Genehmigung verweigerte: ›Er schrieb, daß er die mit

dem Theater verbundenen Aufregungen nicht mehr erleben wolle, die ihm so viele Schmerzen bereitet hätten, wiederholte abermals, daß er kein Dramatiker sei, daß es weit bessere Dramatiker gebe usw.‹

671) *16. 5. 1898 – V. I. Nemirovič-Dančenko.* 2177.
Du schreibst... – in seinem Brief an Čechov vom 12. 5. 1898, in dem Nemirovič-Dančenko auf der Aufführungsgenehmigung für die ›Möwe‹ insistiert hatte. ›Wenn du sie nicht erteilst, so erschlägst du mich, denn die »Möwe« ist das einzige Stück, das mich als Regisseur ergreift, und du bist der einzige moderne Schriftsteller, der von großem Interesse ist für ein Theater mit einem musterhaften Repertoire... Wenn du willst, komme ich vor den Proben zu dir, um mit dir über die »Möwe« und meinen Aufführungsplan zu verhandeln...‹
für das Vergnügen... – Nemirovič-Dančenko faßte diesen Satz als Genehmigung der Aufführung auf. In seinem Antwortbrief vom 31. 5. schrieb er: ›Ich werde die »Möwe« also inszenieren... Weil ich unbedingt zu dir kommen werde, erwarte mich zwischen dem 1. und 10. Juli.‹
Ekaterina Nikolaevna – Ehefrau des Adressaten.

672) *16. 5. 1898 – E. M. Šavrova.* 2179.
mit Examina... – als Kurator der Dorfschulen in Talež und Novoselki.
Ihre Schwester – O. M. Šavrova, Schauspielerin.

673) *6. 6. 1898 – V. A. Golcev.* 2187.
die Erzählung... eignet sich nicht – die Erzählung ›Ionyč‹, die danach in den ›Monatsbeilagen zur »Niva«‹, Nr. 9, 1898, veröffentlicht wurde. Vgl. auch detebe Nr. 50/XVI.
eine andere Erzählung – ›Der Mensch im Futteral‹, vgl. detebe Nr. 50/XVI, erschienen in der ›Russkaja mysl‹, Heft VII (Juli), 1898.

674) *12. 6. 1898 – A. S. Suvorin.* 2189.
»Le Rire« – ›Das Lachen‹, franz. humoristische Zeitschrift.
das Buch von Art Roë – Pseudonym des franz. Militärschriftstellers Patrice Mahon, den Čechov in Paris kennengelernt hatte. Mahon schenkte Čechov zwei Bücher: 1) ›Papa Félix (Trois grenadiers de l'an 8)‹, Paris o. J., und 2) ›Mon régiment russe‹, Paris 1899. Beide Bücher mit Widmung im Čechov-Museum Taganrog.
averse... – franz. ›averse‹: Platzregen; ›pluie‹: Regen, ›ondée›: bewölkt, ›couvert‹: bedeckt.
beau – franz. ›schön‹.
eine Novelle und eine Erzählung – ›Ionyč‹ und ›Der Mensch im Futteral‹, vgl. Nr. 673.

Jakovlev – Anatolij Sergeevič, Schriftsteller, Beamter.
Kammerherr S.P. Jakovlev – Sergej Pavlovič, Typograph in Moskau.
Sobolevskij – V.M. Sobolevskij.
mit dem Titel »Kleinkram« – ist nicht erschienen; daraus wurde schließlich Band I der ›Gesammelten Werke‹ bei A.F. Marks, vgl. weiter Nr. 691 sowie Briefe ab Januar 1899.
Vlad. Nemirovič-Dančenko... – das Künstlerisch-Allgemein zugängliche Theater, das später in das Moskauer Künstlertheater umbenannt wurde; vgl. dazu auch Nr. 670, 671.

675) *6. 7. 1898 – A.I. Sumbatov-Južin.* 2200.
Danke für den Brief... – vom 30. 6., in dem Sumbatov Čechov auf sein Gut Pokrovskoe im Gouvernement Orël eingeladen hatte.
Trebuny – die von Sumbatov genannte Eisenbahnstation, bis zu der man, um nach Pokrovskoe zu kommen, fahren mußte.
eine Erzählung für die »Niva«... – vgl. Nr. 673.
schreibe an einer dritten – die Erzählung ›Stachelbeeren‹ oder ›Von der Liebe‹; beide erschienen im Augustheft der ›Russkaja mysl‹, 1898. Vgl. detebe Nr. 50/XVI.
Aquarium... – Restaurant in Moskau.
Eremitage – Restaurant in Moskau, Trubnaja ploščad; ›mit Konzertgarten‹ (Baedeker). In der Eremitage spielte in den ersten Jahren das Künstlertheater.
Šechtel – F.O. Šechtel; ›über den Klub‹: Čechov am 13. 3. 1898 aus Nizza an seine Schwester: ›In Moskau wird ein literarisch-künstlerischer Klub eröffnet. Ich bin Gründungsmitglied.‹
Suvorins Moskauer Feuilletonist – N.M. Ežov.
T. Ščepkina-Kupernik – T.L. Ščepkina-Kupernik, war vom 5.–7. 7. in Melichovo gewesen.
I. Pavlovskij – I. Ja. Pavlovskij, Paris-Korrespondent des ›Novoe vremja‹, kam am 4. und fuhr am 7. 7. weiter.
Neuritis – medizin. griech.-latein. ›Nervenentzündung‹.

676) *10. 7. 1898. – L.A. Avilova.* 2202.
schreibe das eine und andere... – vgl. Nr. 673, 675.
wie Sie wissen, hätte man mich beinahe nicht... – am 31. 10. 1897 war Čechov in den ›Verband für gegenseitige Hilfe russischer Schriftsteller und Gelehrten‹ gewählt worden. Am 27. 4. 1898 notierte Suvorin in seinem Tagebuch: ›Paris... Čechov ist hier... Er erzählte, daß Korolenko ihn überzeugt habe, sich in den Schriftstellerverband wählen zu lassen, und gesagt habe, das sei nur eine Formalität. Wie sich herausstellte, gab es in diesem Verband einige Mitglieder, die sagten, man solle Čechov wegen der »Bauern« nicht wählen, wo er angeblich die

Bauern nicht dergestalt dargestellt habe, wie es dem radikalen Prinzip entspricht... »Man hätte mich beinahe nicht gewählt«, – sagte Čechov.‹

in einem meiner Briefe... kritisiert – vgl. Nr. 638, am 3. 11. 1897.

677) *23./27. 7. 1898 – L.A. Avilova.* 2213.

habe so viele Gäste... – im Juli in Melichovo: der Priester Nekrasov, die Lehrer A.A. Michajlov und K. I. Archangelskij, I.Ja.Pavlovskij, M.T. Drozdova, Michail P. Čechov, T.L. Ščepkina-Kupernik u. a.

meine kleinen Erzählungen aus den »Oskolki« – vgl. Nr. 674; der Band ist bei I.D. Sytin nicht erschienen, die Vorarbeiten dazu kamen Čechov beim ersten Band der ›Gesammelten Werke‹ im Verlag A.F. Marks zugute. Vgl. weiter Nr. 684.

muß für das Augustheft... – die Erzählungen ›Stachelbeeren‹ und ›Von der Liebe‹.

678) *28. 7. 1898 – V.A. Golcev.* 2214.

zwei Erzählungen... – ›Stachelbeeren‹, ›Von der Liebe‹, erschienen in Heft VIII (August) 1898.

nach Tver – vgl. Nr. 681.

letzten Brief (die 300) – vgl. die ›Honorarerhöhung‹, Nr. 677.

679) *29. 7. 1898 – Jacques Merpert.* 2215.

den Atlas – ›Atlas Larousse illustré‹, um den Čechov den Adressaten in einem Brief vom 6. 7. 1898 gebeten hatte. In Paris hatte Čechov die ersten 21 Lieferungen erworben und bat jetzt um die Fortsetzungen.

meine Stücke... – Antwort auf den Brief vom 22. 7., in dem Merpert Čechov um einige Einakter bat, die man in Paris inszenieren wollte; Čechov schickte den 1897 bei A.S. Suvorin erschienenen Stückeband.

an den einen oder anderen Kollegen – Čechov schrieb in diesem Sinne am 7. 8. an I.L. Leontjev-Ščeglov, am 9. 8. an V.V. Bilibin.

Gnedič – P.P. Gnedič. An ihn schrieb Čechov am 9. 6. 1898.

680) *30. 7. 1898 – Al.P. Čechov.* 2217.

der Gogolsche Mižuev – Gestalt aus dem Roman ›Die toten Seelen‹ von N.V. Gogol.

mein Judol – vgl. Nr. 171. Kirchenslavisches Wort, ›das Thal‹, in Zusammensetzung mit Tränen: das Jammerthal; übertragen: ›die Erde‹, die ›irdische Welt‹ (nach Pavlovskij); wahrscheinlicher: für ›Idol‹, ›Ideal‹.

Verhalten des »Novoe vremja« – zur Affäre Dreyfus vgl. Nr. 652,660. Meint hier die Artikel vom 26. und 29. 7., Kommentare zum Beschluß der Strafkammer gegen den Offizier Picquart bzw. zur Zurückwei-

sung der Beschwerde von Zolas Anwalt durch das Kassationsgericht.
Insel in Finnland... – auf der eine Heilstätte für Alkoholiker eingerichtet werden sollte, vgl. Nr. 701.

681) *30. 7. 1898 – V.I. Nemirovič-Dančenko.* 2216.
Sonntag mittag fahre ich... – ins Gouvernement Tver auf das Gut der V.A. Morozova, der Frau V.M. Sobolevskijs; am 6. 8. kehrte Čechov von dort zurück.

682) *10. 8. 1898 – R.I. Sementkovskij.* 2226.
A.F. Marks – Herausgeber der Zeitschrift ›Niva‹ sowie der monatlichen Literaturbeilagen zur ›Niva‹, Petersburg. Ab 1899 Verleger Čechovs, vgl. Nr. 713f.
nach Petersburg kommen – Čechov fuhr im Herbst 1898 nicht nach Petersburg, er fuhr am 9. 9. nach Moskau und von dort am 15. weiter nach Sevastopol.

683) *23. 8. 1898 – P.A. Sergeenko.* 2232.
am 28. August – dem Geburtstag von L.N. Tolstoj, der 1898 70 Jahre alt wurde. Čechovs Antwort auf den entsprechenden Vorschlag von P.A. Sergeenko vom 17. 8. Vgl. auch Nr. 684.
Grigorovič – D.V. Grigorovič.

684) *24. 8. 1898 – A.S. Suvorin.* 2233.
Sytin... – I.D. Sytin; die erwähnte Ausgabe kam nicht zustande, weder bei Sytin noch bei Suvorin, nachdem Čechov im Januar 1899 mit dem Petersburger Verleger A.F. Marks in Verhandlungen trat.
F.I. Kolesov – Direktor der Suvorinschen Buchhandlungen.
mit der Nikolaj-Eisenbahn – Nikolaj- oder Petersburger Eisenbahn, die Strecke Petersburg-Moskau, die nach dem Zaren Nikolaus benannt war.
eine weitere neue Schule – die Zemstvoschule in Melichovo, Čechovs dritte Schule (nach den Dorfschulen von Talež und Novoselki).
Menšikov war bei mir – M.O. Menšikov, war am 22. 8. in Melichovo.
L.N. – L.N. Tolstoj.

685) *2. 9. 1898 – V.S. Miroljubov.* 2240.
Ihr Telegramm – vom 1. 9. 1898: ›Erwarten Sie. Telegraphieren Ankunft Haus Jarcev, Sredin Miroljubov. Zimmer vorhanden.‹
Jarcev – Grigorij Fëdorovič, 1858–1918, Maler, lebte in Jalta.
Sergej Filippov – Sergej Nikolaevič Filippov, 1863–1910, Theaterrezensent und Schriftsteller.

Leonid Valentinovič – L.V. Sredin, 1860–1909, Arzt, der krankheitshalber in Jalta lebte.

686) *8. 9. 1898 – V.I. Nemirovič-Dančenko.* 2244.
im Hause Batjuškov – ungeklärt; Čechov fuhr am 9. 9. nach Moskau.
fahre dann weiter auf die Krim – am 15. 9. Vorher besuchte Čechov am 9. 9. eine Abendprobe der ›Möwe‹ in den Probenräumen des Künstlertheaters (Jagdklub), sah den ersten und Anfang des zweiten Akts, besuchte außerdem eine Probe des ›Zar Fëdor Ioannovič‹ von A.K. Tolstoj im Gebäude der Eremitage am 14. 9. Vgl. Nr. 689.

687) *21. 9. 1898 – L.S. Mizinova.* 2256.
Šaljapin – F.I. Šaljapin, 1873–1938, Opernsänger, 1896–1899 am Opernhaus Mamontov in Moskau, dann am Bolšoj Theater.
S. Rožanskij – A.V. Rožanskij-Sekar, 1863–1952, Sänger, Tenor, trat seit 1896 am Operntheater S.I. Mamontov in Moskau auf.
Nemirovič und Stanislavskij – Vladimir Ivanovič Nemirovič-Dančenko und Konstantin Sergeevič Alekseev (Stanislavskij), vgl. Nr. 670, 671.

688) *27. 9. 1898 – M.P. Čechova.* 2263.
Sinani – I.A. Sinani, gest. 1917, Buchhändler in Jalta.
Alupka, Foros – Orte auf der Krim, südwestlich von Jalta: ›von Sevastopol nach Jalta‹: ›Vom Bajdartor führt die Straße in großen Kehren hinab, an einer 1892 erbauten griech.-kath. Kirche vorüber (Inneres sehenswert); r. das Landgut Foros. 3 W. jenseits des Bajdartores durch einen 50 m langen Felsentunnel; r. das Meer und das Kap Sary (86 m), der südlichste Punkt der Krim, l. wildzerklüftete, steil aufsteigende Kalkfelsen. – 55 W. Kekeneiz (Poststation), wo der etwas breitere Küstensaum eine üppige Vegetation sich entfalten läßt: große Nußbäume stehen in der Nähe der Straße und die Abhänge sind mit Haselnußsträuchern bedeckt. In den Wäldern wechseln Eichen und Buchen von kräftigstem Wuchs mit Terebinthen und Pinien, Zypressen und Lorbeer mit Granat-, Maulbeer und Feigenbäumen. Hier beginnen auch die Weinberge der Südküste.‹
›Alupka. – Gasthäuser: Rossija, Franzija, Dolgov. Zahlreiche Logierhäuser (nicht billig). Steiniger Badegrund. Das Schloß (Inneres nicht sehenswert) wurde 1837 nach Plänen des englischen Architekten Blore im gotisch-maurischen Stil, mit einem Aufwand von fast 3 Mill. R., für den Fürsten Voroncov erbaut. In der Mitte der Südfassade eine große Bogenöffnung maurischen Stils; gegenüber führt eine breite Treppe, mit sechs Marmorlöwen, in den unteren Teil des Parks (hart am Meer der Ajvazovskij-Felsen). Der größte Teil des prächtigen

Parks zieht sich oberhalb des Schlosses die Berge hinauf. Mehrere Pavillons, eine Orangerie, eine Moschee‹ usw. ›Oberhalb des Schlosses ragt der Ai Petri.‹ (Baedeker, Rußland).

Saklja – tatarische Hütte; ›Hütte der Bergbewohner am Kaukasus‹ (Pavlovskij).

689) *8. 10. 1898 – A.S. Suvorin.* 2274.

las eine Notiz ... – meint vermutlich die Notiz im ›Novoe vremja‹ vom 1. 10. 1898, wo in der Rubrik ›Theater und Musik‹ Gerüchte dementiert wurden, wonach das Moskauer Künstlerisch-Allgemeinzugängliche Theater Moskau für die Fastenzeit nach Petersburg ins Theater des Lit.-Artist. Zirkels zu einem Gastspiel eingeladen worden sei. U.a. hieß es in dieser Notiz, daß ›Hr.Suvorin nicht nur keine Einladung ausgesprochen, sondern nicht im mindesten daran gedacht‹ habe, eine Einladung auszusprechen, daß ferner ›Hr. Suvorin allen Grund dazu‹ habe, ›die Truppe des Literarisch-Artistischen Zirkels jedem anderen Privattheater vorzuziehen‹.

»Fëdor Ioannovič« – historisches Drama von A.K. Tolstoj, Eröffnungsvorstellung des Künstlertheaters in Moskau.

Vor meiner Abreise – am 14. 9. 1898 in Moskau.

Irina – aus dem ›Fëdor Ioannovič‹, der am Künstlertheater in folgender Besetzung gespielt wurde:

Irina – O.L. Knipper.
Fëdor – I.M. Moskvin.
Godunov – A.L. Višnevskij.
Šujskij – V.V. Lužskij.
der Alte (Sekira) bzw. Bogdan Krjukov – A.R. Artëm.

V. und N. Kolomnin – Vera Alekseevna und Nadežda Alekseevna K., die Töchter von A.P. Kolomnin.

Karazin – Nikolaj Nikolaevič, 1842–1908, Maler, Illustrator und ethnographischer Schriftsteller.

690) *14. 10. 1898 – M.P. Čechova.* 2280.

Dein Telegramm ... – vom Tode des Vaters, Pavel Egorovič Čechov, am 12. 10. 1898. Čechov telegraphierte am 14. 10. nach Hause: ›Vater das Himmelreich ewige Ruhe traurig tief betrübt schreibt Einzelheiten bin vollkommen gesund keine Sorge paßt auf Mutter auf – Anton.‹

Scherereien – Über die Todesumstände von P.E. Čechov vgl. Nr. 693.

Sinani – I.A. Sinani.

keine Nachrichten, nichts – vgl. Nr. 691.

Kučukoj – Gut in der Nähe von Jalta, die Beschreibung vgl. Nr. 688.

mit seinem Tagebuch – während der ganzen Jahre in Melichovo hatte Pavel Egorovič Čechov über alle Ereignisse minutiös Tagebuch geführt,

Ankunft und Abreise jedes Besuchers notiert, Familienfeste festgehalten usw.; das ›Melichovo-Tagebuch‹ des P. E. Čechov ist, für die entsprechenden Jahre, neben den Briefen Čechovs, eine der wichtigsten biographischen Quellen.

691) *17. 10. 1898 – A. S. Suvorin.* 2282.

meinr 6 – starb am 12. 10. 1898, vgl. auch Nr. 693.

Vera und Nadežda Alekseevna – V. A. und N. A. Kolomnina; vgl. weiter unten ›die jungen Damen Kolomnin‹, die 17 Verst von Jalta entfernt in Alupka lebten.

Aus den Zeitungen erfuhr ich ... – ›bei Ihnen‹: das Stück wurde Oktober 1898 in Petersburg am (Suvorinschen) Theater des Artist.-Literarischen Zirkels, in Moskau als Eröffnungsvorstellung des neugegründeten Künstlertheaters aufgeführt.

Ihre »Tatjana Repina« – Drama in 5 Akten von A. S. Suvorin, an dessen Moskauer Inszenierung Čechov Ende 1888 aktiv mitgewirkt hatte, vgl. Briefe Band 1.

Die Muster ... – für die neue, zwischen Suvorin und Čechov verabredete Ausgabe der ›Gesammelten Werke‹ Čechovs. Vgl. Nr. 684. Am 27. 10. schrieb Čechov an Suvorin: ›Ich werde mich nicht sonderlich auf den Umfang des Buchs versteifen, mir ist nur der »Typ« der Ausgabe wichtig, die äußere Gestalt des Bandes, die so sein sollte, daß man sie beibehalten kann bis ans Ende meiner Tage, auch wenn ich noch 64 Jahre lang leben sollte. Um keine besondere Verwirrung unter meinen Werken anzurichten, wäre ich damit einverstanden, daß der zweite Band »Bunte Erzählungen« hieße, der dritte »In der Dämmerung«, der vierte – »Erzählungen«, der fünfte – »Mürrische Menschen« usw. In den ersten würde ich die humoristischen Erzählungen nehmen (die ich bereits durch Kolomnins an Sie geschickt habe), später folgende Bücher würde ich einfach nennen: der und der Band, »Erzählungen« (und in Klammern die Titel der Erzählungen). Was meinen Sie dazu? Im Falle einer großen Novelle oder eines Romans würde ich den Band Novelle nennen ... Auf diese Weise könnte man Einbußen vermeiden, wie mir scheint. Nur sollte man sich beeilen, während Konstantin Semënovič Tyčinkin mir offenbar die versprochenen Schrift- und Papiermuster noch lange, sehr lange nicht zu schicken gedenkt.‹

Das Material für den ersten Band – s. o.

692) *21. 10. 1898 – V. I. Nemirovič-Dančenko.* 2288.

Dein Telegramm – Beileidstelegramm vom 17. 10. 1898 zum Tode von Čechovs Vater, namens der Gruppe der Schauspieler des Künstlertheaters, unterschrieben von Nemirovič-Dančenko.

Konstantin Sergeevič – K. S. Stanislavskij (Alekseev).

das Gut, von dem Sinani sprach... – Kučukoj, vgl. Nr. 688.
warte auf »Antigone« – des Sophokles, die am Künstlertheater vorbereitet wurde; wozu Čechov sie haben wollte, ist ungeklärt.
Ekaterina Nikolaevna – E.N. Nemirovič-Dančenko, Ehefrau des Adressaten.
die Roksanova – Marija Ljudomirovna, 1874–1958, Schauspielerin am Künstlertheater von 1898–1902, spielte in der ›Möwe‹ die Rolle der Nina Zarečnaja.
Višnevskij – Aleksandr Leonidovič, 1861–1943, Schauspieler am Künstlertheater seit 1898, spielte in der ›Möwe‹ den Doktor Dorn, im ›Onkel Vanja‹ die Titelrolle (Vojnickij), den Lehrer Kulygin in den ›Drei Schwestern‹.
an Sumbatov – A.I. Sumbatov-Južin.

693) *24. 10. 1898 – L.S. Mizinova.* 2292.

694) *25. 10. 1898 – M.P. Čechov.* 2296.
O. G. – Olga Germanovna, Ehefrau des Adressaten.
Peše – Kassierer aus Jalta.
Ilovajskaja – Kapitolina Michajlovna, auch ›Ekaterina die Große‹ genannt, vgl. Čechov am 23. 10. 1898 an E.M. Šavrova: ›Heute ziehe ich um ins Hs. Ilovajskaja. Ich habe sie, d.h. M-me Ilovajskaja, 1892 kennengelernt, in Chrenovo, wo ihr Mann die Pferde verwaltete, und jetzt begegneten wir einander wie alte Bekannte. Man sagt, man äße sehr gut bei ihr, und das ist so etwas Angenehmes!‹ Vgl. auch Nr. 374.
M-me Šavrova – O.M. Šavrova.
Aša – Anna Michajlovna, Schwester von E.M. Šavrova.
Grundstück in Autka – nahe Jalta, erste Erwähnung des Grundstücks, auf dem im Jahr 1899 Čechovs Haus gebaut wurde. Vgl. Čechov am 30. 10. 1898: ›Das Grundstück ist gekauft, der Kaufvertrag geschlossen, wir treten dem Bauen näher und Maša zeichnet bereits an dem Plan. Wir haben uns so entschlossen: den Sommer werden wir in Melichovo verbringen, wie immer, überwintern werden Mutter und ich in Jalta, wo es den Winter über sehr angenehm ist zu leben.‹
Die 5 Tsd. aus Piter – vgl. Nr. 691.

695) *26. 10. 1898 – M.P. Čechov.* 2298.
kam... meine Postkarte – vgl. Nr. 694.
Vitte – Ivan Germanovič, 1854–1905, Chirurg am Städt. Krankenhaus Serpuchov, Bekannter Čechovs.
Kovrejn – Ivan Kornilovič, Zemstvoarzt im Dorf Chatun, Kreis Serpuchov.
Sidorov – ungeklärt.

Vasilij Ivanovič – V.I. Fëdorov, Buchhalter bei der Zemstvoverwaltung von Serpuchov.

Morgen kommt Maša – M.P. Čechova traf am 27. 10. in Jalta ein, sie blieb bis Anfang November (Čechovs erster Brief aus Jalta an sie, nach ihrem Besuch, datiert vom 6. 11. 1898).

Ein Ergebnis der Gespräche zwischen A.P. und M.P. Čechova teilt Čechov am 9. 11. 1898 in einem Brief an I.I. Gorbunov-Posadov mit:

›Ich dachte, daß Mutter und Schwester nun nicht mehr in Melichovo würden leben wollen, oder sich zumindest sehr unwohl dort fühlen würden, und ich hatte mir bereits überlegt, ob man das Gut nicht verkaufen solle; aber dann kam meine Schwester nach Jalta, wir begannen zu beratschlagen, und ich stellte fest, wie sehr wir uns inzwischen an Melichovo gewöhnt haben und wie schwer es wäre, Abschied von ihm zu nehmen. Wir beschlossen, es nicht zu verkaufen.‹ Vgl. auch Nr. 697, 699.

Fürst Urusov – A.I. Urusov.

Olga Germanovna – O.G. Čechova.

Ženja – Evgenija Michajlovna Čechova, geb. 1898, Tochter M.P. Čechovs.

Mein »Onkel Vanja« . . . – wurde in der Provinz aufgrund der Stückeausgabe bei Suvorin, 1897, gespielt; an A.S. Suvorin am 27. 10.: ›in jeder Stadt mehrere Male. In Odessa ist er im Herbst dreimal gespielt worden, er wird in Charkov gespielt usw.‹ In Saratov 1898. 1898 inszenierte den ›Onkel Vanja‹ in Kiev auch das Theater N.N. Solovcov. Die Uraufführung des ›Onkel Vanja‹ hatte 1897 in Rostov-am-Don stattgefunden in der Regie von N.N. Sinelnikov.

Novo-Devičje – Kloster und Friedhof in Moskau, außerhalb des Stadtzentrums gelegen.

Dr. Borodulin – Vasilij Andreevič, Arzt in Jalta.

696) *29. 10. 1898 – Jacques Merpert.* 2301.

alles sehr gut . . . – meint den ersten Teil eines Manuskripts von J. Merpert über F.M. Dostoevskij, das Merpert Čechov zur Lektüre und Korrektur geschickt hatte (Čechov hatte ihn am 15. 10. 1898 dazu aufgefordert); die letzten beiden Drittel schickte Merpert am 3. und 12. 11. 1898.

Belinskij – V.G. Belinskij.

Puškin – A.S. Puškin.

Nekrasov – N.A. Nekrasov.

Ivan Jakovlevič – I.Ja. Pavlovskij.

Puškin – Čechov schickte Merpert die Puškin-Werkausgabe des Verlags Pavlenkov.

697) *12. 11. 1898 – V. I. Nemirovič-Dančenko.* 2313.

Lužskij nicht den Sorin – V.V. Lužskij, Schauspieler des Moskauer Künstlertheaters seit 1898, spielte in der ›Möwe‹, um deren Besetzung es hier geht, den Sorin.

Višnevskij – A. L. Višnevskij.

Ilovajskaja – K. M. Ilovajskaja.

Darskij – Michail Egorovič Darskij (Šavrov), 1865–1930, Schauspieler, 1898/99 am Moskauer Künstlertheater.

698) *16. 11. 1898 – Maksim Gorkij.* 2321.

Ihren Brief – der erste Brief Gorkijs an Čechov datiert von Ende Oktober/Anfang November 1898.

die Bücher – ›Skizzen und Erzählungen‹, Bde. I und II, Petersburg 1898. Gorkij begann seinen Brief an Čechov: ›V. S. Miroljubov hat mir mitgeteilt, Sie hätten den Wunsch geäußert, meine Bücher zu bekommen. Ich schicke sie Ihnen und nutze die Gelegenheit, Ihnen zu schreiben, Anton Pavlovič.‹

»Jahrmarkt in Goltva« – in Band II der o.e. Gorkij-Ausgabe.

und Miroljubov – Gorkij hatte, bevor er sich an Čechov wandte, an V. S. Miroljubov geschrieben, er habe gehört, Čechov halte sich zur Zeit in Jalta auf, und gebeten, ihm einen Gruß auszurichten.

699) *16. 11. 1898 – A. S. Suvorin.* 2323.

Konstantin Semënovič – K. S. Tyčinkin, Chef der Suvorinschen Druckerei.

ein Nikon, der... – Patriarch Nikon (Nikita Minov), 1605–1681, Reformator der Russisch-orthodoxen Kirche; die von Nikon durchgesetzte Reform der Kirchenbücher und Riten führte zum Schisma, zu der Abspaltung der Altgläubigen.

Puškarëv – Nikolaj Lukič, Lyriker, Dramatiker, 1841–1906, Herausgeber der Zeitschriften ›Svet i teni‹, ›Mirskoj tolk‹, ›Evropejskaja biblioteka‹, an denen Čechov in den 80er Jahren mitgearbeitet hatte.

als ich Ihre Rezension las... – ›Theaternotizen‹ von Suvorin im ›Novoe vremja‹ vom 7. 11. 1898, einen Verriß des Stückes ›Solomonija und Elena‹, das am 5. 11. 1898 am Alexandratheater in Petersburg Premiere hatte.

Iv. Iv. Ščukin – Ivan Ivanovič, 1862–1908, Philologe, Professor, einer der Begründer der Russischen Hochschule in Paris.

Tochter Ajvazovskijs – Tochter des Malers I. K. Ajvazovskij.

700) *26. 11. 1898 – M. O. Menšikov.* 2331.

schicke eine Erzählung – ›Auf der Dienstreise‹, erschienen in den ›Knižki Nedeli‹ Nr. 1 (Januar) 1899, vgl. detebe Nr. 50/XVI.

Frau eines Generals – ungeklärt.
Ihren Aufsatz – ungeklärt.

701) *28. 11. 1898 – Al. P. Čechov.* 2333.
Tyčinkin – K.S. Tyčinkin.
Maša war in Jalta – vom 27. 10. bis Anfang November, vgl. Anm. Nr. 695.
finnische Insel – vgl. Band III, Nr. 612.
in der Affäre Dreyfus – vgl. Nr. 652,660; inzwischen war der Generalstabsoffizier Picquart seinerseits vor ein Militärgericht gestellt worden, nachdem er von dem Esterházy belastenden Brief Meldung gemacht hatte. Aus diesem Anlaß erschienen im ›Novoe vremja‹ vom 20. 11. ein ›Kleiner Brief‹ Suvorins, am 21. 11. eine gehässige Notiz über Sympathiekundgebungen und Demonstrationen zugunsten Picquarts in Frankreich.

702) *29. 11. 1898 – A.S. Suvorin.* 2334.
Koršs Schwager – Vladimir Michajlovič Sablin, Schwager des Moskauer Theaterdirektors F.A. Korš.
Hauptmann – Gerhart Hauptmann, ›Fuhrmann Henschel‹ wurde am 5. 11. 1898 am Deutschen Theater Berlin uraufgeführt, russische Übersetzung noch 1898; 1899 wurde das Stück allein in Moskau an drei Theatern gespielt: am Künstlertheandater, im Kleinen Theater und bei F.A. Korš.
»Russischer Kalender«, »Ganz Rußland« – jährliche Periodika des Verlags A.S. Suvorin.
was derzeit in Frankreich geschieht – meint die Affäre Dreyfus, vgl. Nr. 652, 660 und 701.
Rochefort – Henri Rochefort, franz Publizist, einer der wütendsten Gegner Zolas in der Affäre Dreyfus; vgl. Nr. 643.

703) *29. 11. 1898 – V.A. Golcev.* – 2335.
hatte euch meine Erzählung geschickt– am 14. 11. schickte Čechov an die ›Russkaja mysl‹ die Erzählung ›Ein Fall aus der Praxis‹ mit der Bemerkung ›wenn ihr wollt, fürs Dezemberheft‹; sie erschien im Dezemberheft 1898, vgl. detebe Nr. 50/XVI.
Die Bücher von der … – die Gesellschaft für Alphabetisierung wollte zwei Čechov-Erzählungen, ›Träume‹ und ›Zu Weihnachten‹, herausbringen; er habe davon gelesen, schrieb Čechov am 24. 10. 1898 an Golcev.
für Sachalin – für ›Die Insel Sachalin‹, die im Verlag der ›Russkaja mysl‹ erschienen war; Čechovs Frage bezieht sich wohl auch auf die neue, im Verlag Suvorin geplante Gesamtausgabe. Vgl. dazu weiter Nr. 713f.

704) *3. 12. 1898 – Maksim Gorkij.* 2341.
Ihr letzter Brief – Brief Gorkijs, geschrieben zwischen dem 20. und 30. 11. 1898, in dem Gorkij schrieb, er habe in Nižnij Novgorod neulich den ›Onkel Vanja‹ gesehen und ›geweint wie ein altes Weib, obwohl ich durchaus kein nervöser Mensch bin, kam betäubt nach Hause, durchgerüttelt von Ihrem Stück, habe Ihnen einen Brief geschrieben und – ihn zerrissen. Man kann nicht schön und klar sagen, was dieses Stück im Herzen hervorruft, aber ich hatte, während ich seine Helden sah, das Gefühl, als zersägte man mich mit einer stumpfen Säge.‹ usw. Vgl. Gorkij, Briefe, Berlin (Aufbau Verlag) 1960.
»Onkel Vanja« ist vor langer, sehr langer Zeit... – vgl. Nr. 573 und Anm.
»In der Steppe«, »Malva« – Erzählungen Gorkijs in dem Sammelband ›Skizzen und Erzählungen‹, Band II, Petersburg 1898.
»Die Holzflößer« – ›Skizzen und Erzählungen‹, Band I, Petersburg 1898.
Korolenko – V.G. Korolenko.
Potapenko – I.N. Potapenko.
Mamin – D.N. Mamin-Sibirjak.
Ėrtel – A.I. Ėrtel.

705) *6. 12. 1898 – M.P. Čechova.* 2346.
Varv. Konst. – Varvara Konstantinovna Charkeevič, gest. 1932, Direktorin des Mädchengymnasiums in Jalta, Bekannte Čechovs, vgl. weiter unten ›V.K.‹
Tupikov – Nikolaj Michajlovič, Lehrer am Jaltaer Gymnasium.
deinen Brief... – M.P. Čechova überlegte eine Zeitlang, ob sie ganz nach Jalta ziehen, ihre Stelle am Gymnasium Rževskaja in Moskau aufgeben und sich in Jalta eine Anstellung suchen solle.
Manefa –. .N. Charkeevič, Schwägerin v. V. K. Charkeevič.
Malkiels – Marija und Sofja Samojlovna Malkiel, Bekannte der FamilČechov in Moskau; S.S. Malkiel – Kinderschriftstellerin.
Južins – A.I. Sumbatov-Južin und Frau.
Vanja – I.P. Čechov, im Brief vom 4. 12. 1898 an ihn.

706) *8. 12. 1898 – M.P. Čechova.* 2349.
habe Kučukoj gekauft – vgl. Nr. 688.
belle vue – franz. ›Schöne Sicht‹, ›Schöne Aussicht‹.
Vanja, Miša – die beiden jüngeren Brüder Čechovs, Ivan und Michail P. Čechov.
In Autka die Arbeiten... – Grundstück nahe Jalta, das Čechov gekauft hatte, um dort zu bauen, heute das Čechov-Haus in Jalta. Čechovs Haus entwarf der Architekt Šapovalov, vgl. u.
eine Erzählung an die »Nedelja« – vgl. Nr. 700.

Meine Wirtin – K. M. Ilovajskaja.
Simferopol – Hauptstadt des Gouv. Taurien im Zentrum der Krim, 61 000 Einwohner.
Šapovalov – Lev Nikolaevič, 1871–1957, Architekt, der das Čechovsche Haus in Autka (Jalta) baute.

707) *10. 12. 1898 – V. A. Golcev.* 2353.
500 R. – für die Erzählung im Dezemberheft, den ›Fall aus der Praxis‹.

708) *15. 12. 1898. – M. P. Čechova.* 2359.
Wenn Vanja kommt... – Ivan P. Čechov kam die Weihnachtsfeiertage über nach Jalta.

709) *17. 12. 1898 – M. P. Čechova.* 2361.
um Tsd. Vorschuß gebeten – bei A. S. Suvorin, vgl. Nr. 691.
Levitan – I. I. Levitan.
S. T. Morozov – Savva Timofeevič, 1862–1905, Großindustrieller, einer der Direktoren des Moskauer Künstlertheaters.
eine Erzählung an die »Russk. vedomosti« – ›Das neue Landhaus‹, dort erschienen am 3. 1. 1899, vgl. detebe Nr. 50/XVI.
»Semja« – ›Die Familie‹, illustrierte Zeitschrift, erschien in Moskau seit 15. 11. 1892, herausgegeben von A. Ja. Lipskerov, seit 1897 von N. E. Ėfros geleitet. Čechov gab an diese Zeitschrift die Erzählung ›Dušečka‹, die in Nr. 1 (Januar) 1899 erschien; vgl. detebe Nr. 50/XVI.
Aša Š. – A. M. Šavrova.
in Moskau die »Möwe« – die ›Möwe‹-Premiere am Moskauer Künstlertheater vom 17. 12. 1898; das Stück wurde, in der Regie von K. S. Stanislavskij und V. I. Nemirovič-Dančenko, in dieser Besetzung gespielt:

Arkadina – O. L. Knipper.
Treplëv – V. Ė. Mejerchold (Meyerhold).
Sorin – V. V. Lužskij.
Nina Zarečnaja – M. L. Roksanova.
Šamraev – A. R. Artëm.
Polina Andreevna – E. M. Raevskaja.
Maša – M. P. Lilina.
Trigorin – K. S. Stanislavskij.
Dorn – A. L. Višnevskij.
Medvedenko – I. A. Tichomirov.
Jakov – Andreev.

Čechov sah die Inszenierung, die zu einem triumphalen Erfolg wurde, erst am 1. 5. 1899 in einer eigens für ihn angesetzten Sondervorstellung. Vgl. auch Nr. 710, Anm.

L. F. Rževskaja – Besitzerin eines Privatgymnasiums in Moskau, an dem M. P. Čechova als Lehrerin angestellt war.
Nikolaj Ėfros – N. E. Ėfros.
Sonja – Sofja V. Čechova, Schwägerin Čechovs, Frau von I. P. Čechov.
Batekin – V. I. Čechov, Sohn von Čechovs Bruder Ivan. Čechov nannte seinen Neffen im Scherz so, nach einem Jungen an Ivans Schule, der sich besonders durch seinen Dickkopf auszeichnete.

710) *19. 12. 1898 – A. L. Višnevskij.* 2366.
nicht in der »Möwe« zu sein... – vgl. Nr. 709.
Die Telegramme – das erste Telegramm, abgeschickt in der Nacht vom 17. auf den 18. 12., unterzeichnet von V. I. Nemirovič-Dančenko, Stanislavskij, O. L. Knipper und anderen Schauspielern, lautete: ›Haben eben die »Möwe« gespielt. Kolossaler Erfolg. Vom ersten Akt an hat das Stück dermaßen eingeschlagen, daß danach eine Reihe von Triumphen folgte. Endlos Vorhänge. Meine Erklärung nach drittem Akt, daß Autor abwesend sei, forderte Publikum dir ein Telegramm zu schicken. Wir sind wahnsinnig vor Glück.‹
Am andern Tag schickte Nemirovič-Dančenko ein zweites Telegramm: ›Alle Zeitungen nennen mit erstaunlicher Einmütigkeit Erfolg der »Möwe« glänzend rauschend gewaltig. Rezensionen des Stücks begeistert. Für unser Theater überwiegt Erfolg der »Möwe« Erfolg »Fëdors«. Bin glücklich wie bei Inszenierungen eigener Stücke nie gewesen.‹
Glückwunschtelegramme bekam Čechov u. a. auch von N. E. Ėfros, T. L. Ščepkina-Kupernik.

711) *26. 12. 1898 – A. L. Višnevskij.* 2372.
für Ihr Telegramm – vom 19. 12. über den Erfolg der ›Möwe‹.
mein Bruder Ivan... – am 19. 12.
Brief von Vladimir Ivanovič – Vl. I. Nemirovič-Dančenko, in dem dieser den Erfolg der ›Möwe‹ ausführlich und in Einzelheiten beschreibt.
Kramsakov – Ivan Fëdorovič, Lehrer am Taganroger Gymnasium in den Fächern Arithmethik und Geographie.

712) *26. 12. 1898 – E. M. Šavrova.* 2374.
beide Bücher – die Novelle von S. Kovalevskaja, ›Die Nihilistin‹, die die Adressatin aus Wien mitgebracht hatte; das Buch war 1892 auf russisch in Genf erschienen, 2. Aufl. 1895; in Rußland verboten. Das andere Buch: Almanach mit dem Titel ›Das Blut des zerrissenen Herzens‹.
eine der Darstellerinnen – O. L. Knipper, die die Arkadina spielte; die ›Möwe‹ wurde daraufhin für einige Zeit abgesetzt.

1899

713) *1. 1. 1899 – P. A. Sergeenko.* 2385.

anstelle von Büchern – Sergeenko hatte Čechov gebeten, seine eigenen Werke an die neu eröffnete Stadtbibliothek von Kolomna zu schicken; wenn, schrieb S., ›deine Werke in Jalta nicht zu bekommen sind, schick wenigstens eins mit Autogramm, und wegen der anderen schreib einen Zettel an die Buchhandlung des »Novoe vremja«.‹

Jetzt zu Marks – Adolf Fëdorovič Marks, 1836–1904, Petersburger Verleger, Herausgeber der Zeitschrift ›Niva‹ und der monatlichen Literaturbeilagen zur ›Niva‹. P. A. Sergeenko hatte Čechov das Angebot von Marks übermittelt, die Urheberrechte am Gesamtwerk Čechovs zu erwerben, um eine Gesamtausgabe Čechovs herauszubringen. (So Čechov an seine Schwester am 27. 1. 1899, vgl. Anm. Nr. 719.) Zu dem Plan einer Gesamtausgabe (und neuen Redaktion der frühen Arbeiten) hatte Čechov L. N. Tolstoj ermuntert, vgl. dazu auch Brief Nr. 699; Tolstoj veröffentlichte 1899 in der ›Niva‹ seinen Roman ›Auferstehung‹ und hatte bei einer persönlichen Begegnung mit Marks eine Čechov-Gesamtausgabe angeregt.

Vukov – Pavel Ivanovič, Assistent des Klassenlehrers am Gymnasium in Taganrog während der Schulzeit der Gebrüder Čechov.

A. F. Djakonov – Aleksandr Fëdorovič, Gymnasialinspektor in Taganrog.

Višneveckij – A. L. Višnevskij, sein bürgerlicher Name.

714) *3. 1. 1899 – V. I. Nemirovič-Dančenko.* 2387.

715) *3. 1. 1899 – Maksim Gorkij.* 2388.

nicht von Grobheiten geschrieben ... – vgl. Nr. 704.

Sie sind Autodidakt? – Gorkij hatte geschrieben: ›Ich bin Autodidakt, 30 Jahre alt.‹

erstes Heft der wiedererweckten »Žizn« – politisch-literarische Zeitschrift, erschien 1897–1901 in Petersburg (danach in London und Genf), Organ der ›legalen Marxisten‹ ab 1898, unter der Redaktion von V. A. Posse; an der Redaktion des literarischen Teils nahm Gorkij wesentlichen Anteil. Die Zeitschrift, ursprünglich eine Vierteljahresschrift, erschien ab April 1899 monatlich; das Heft, von dem hier die Rede ist, erschien am 25. 12. 1898.

Erzählung von Čirikov – ›Die Ausländer‹, von Evgenij Nikolaevič Čirikov, 1864–1932.

die von Veresaev – ›Das Ende des Andrej Ivanovič‹, von Vikentij Vikentjevič Veresaev, eigtl. Smidovič, 1867–1945, Schriftsteller, Arzt; die genannte Erzählung vergleicht Čechov mit Gorkijs ›Eheleuten Orlov‹.

716) *6. 1. 1899 – V.I. Nemirovič-Dančenko.* 2395.

Prusik – Borivoj, mit russifiziertem Vornamen Boris Fëdorovič Prusik, in Prag lebender Übersetzer Čechovs ins Čechische. Prusik hatte am 26. 12. 1898 geschrieben: ›Ich beeile mich, Ihnen mitzuteilen, daß es mir endlich gelungen ist, Ihre »Möwe« auf die Bühne des Theaters von Baron Švanda zu bringen. Es war ein Riesenerfolg, außergewöhnlich. Alle spielten mit Gefühl, vorzüglich.‹

einer Ihrer Freunde – meint A.S. Suvorin.

wie Arkaška sagt – in der klassischen Komödie ›Der Wald‹ von A.N. Ostrovskij; Arkadij Ščastlivcev, der Komiker, fahrender Provinzschauspieler.

717) *9. 1. 1899 – M.P. Čechova.* 2398.

zu Ivanenko – vermutlich A.I. Ivanenko.

der Architekt – L.N. Šapovalov.

sich um Giljarovskij und Legčiščevo ... – V.A. Giljarovskij war Kurator der Dorfschule von L. nahe Melichovo. Die Lehrerin dieser Schule hatte sich um Hilfe an M. P. Čechova gewandt, da sich die Schule in einem desolaten Zustand befände.

Aleksej Antonovič – Michajlov, A. A. Lehrer an der Schule von Novoselki.

Varenikov – I.A. Varenikov, Nachbar Čechovs in Melichovo.

Roman – Knecht der Familie Čechov auf dem Gut Melichovo.

habe ein Telegramm von Šaljapin bekommen – Telegramm vom 9. 1. 1899 mit folgendem Wortlaut: ›Habe gestern die Möwe gesehen und war ergriffen und fortgetragen in eine mir bisher unbekannte Welt Danke lieber Anton Pavlovič Danke Wieviel Inhalt hat dieser kleine Vogel Ehrlich von ganzem Herzen küsse ich den Schöpfer eines außergewöhnlichen Werks das vom Künstlerischen Theater erstaunlich gut inszeniert ist Fëdor Šaljapin.‹

Könntest das Gymnasium ganz aufgeben – vgl. Anm. Nr. 705.

Suvorin, vollständige Ausgabe – vgl. Nr. 699, Nr. 713.

Die Verhandlungen mit Marks – vgl. Nr. 713; die Verhandlungen mit A.F. Marks führte in Petersburg P.A. Sergeenko, vgl. Nr. 718f.

Die Zeitschriften für ausländische Literatur – ›Vestnik inostrannoj literatury‹ und ›Novyj žurnal inostrannoj literatury‹.

Autka – Grundstück bei Jalta, auf dem Čechov baute.

718) *16. 1. 1899 – P.A. Sergeenko.* 2402.

Möchte 75 000 ... – dieses Telegramm ist die Antwort auf P.A. Sergeenkos Telegramm vom 16. Januar 1899: ›Angeboten für Gesamtrechte fünfzigtausend bestehe auf 80 000; Drittel des Geldes möglich sofort, Rest in Raten. Bevollmächtigst du mich Verhandlungen zu führen und

Vertrag zu schließen? Hoffe durch Insistenz 10 000 rauszuschlagen. Kommst du, schickst du Vollmacht oder Bevollmächtigten? Razjezža-ja, zwanzig, Wohnung 38. Sergeenko.‹ Am 17. Januar telegraphierte P. A. Sergeenko an Čechov, ein Vorvertrag mit Marks sei unterschrieben.

Der Entwurf eines weiteren Telegramms mit dem Wortlaut: ›unterschriebener Vertrag besitzt sittliche Kraft, bestätigst du ihn?‹ trägt den handschriftlichen Vermerk von A. F. Marks: ›Abgesch. 17. 1. 1899.‹ Telegramm Sergeenkos vom 18. 1. 1899 an Čechov: ›Verhalten Alekseјs [A.S. Suvorins] hinhaltend, Abrechnung unmöglich, es eilt...‹

Telegraphiere an Suvorin – Čechovs Telegramm an Suvorin vgl. Nr. 719.

719) *16. 1. 1899 – A.S. Suvorin.* LN 87, 2.

Suvorin antwortete Čechov am selben Tag telegraphisch: ›Frage Eigentumsrecht nur an veröffentlichten Werken. Nicht wahr. Ich verstehe nicht, weshalb Sie es so eilig haben mit dem Eigentumsrecht, das noch steigen wird. Antworten Sie mir jedenfalls auf die erste Frage. Montag werde ich mit Kolesov verhandeln. Wägen Sie zuerst siebenmal ab. Ist Ihre Gesundheit etwa schlecht. Seit langem keine Briefe von Ihnen. Suvorin.‹

720) *17. 1. 1899 – A.S. Suvorin.* 2403.

nur nicht die Einkünfte aus den Stücken – vgl. Nr. 713; Čechov am 27. 1. an M.P. Čechova: ›Marks wollte zuerst, daß die Einkünfte aus den Stücken mir nur »zu Lebzeiten« gehören, aber ich habe auf den Erben bestanden. Er ist zäh, der Deutsche, aber ich bin es auch, ich habe, nach den Worten meiramnes Bevollmächtigten, Marks »in Verlegenheit gebracht« durch meine unangemessenen Forderungen. Man schreimir, es sei L. N. Tolstoj gewesen, der Marks davon überzeugt habe, meine Werke zu kaufen.‹

künftige Novellen – vgl. Nr. 721.

Lev Lvovič – L. L. Tolstoj, Sohn L. N. Tolstojs; die Erzählung war am 4. und 5. 1. 1899 im ›Novoe vremja‹ erschienen.

Mir, Obščina – terminus technicus der russischen Verwaltung, die ›Dorfgemeinde‹, mit der ›Bauernbefreiung‹ von 1861 zur gesetzlichen Institution erhoben, regelte den Gemeinbesitz der Bauern an dem ihnen zugeteilten Land und ersetzte den Gutsbesitzer als die für den Einzug der Steuern verantwortliche Instanz, die u. a. bewirkte, daß die Freizügigkeit der Bauern auch nach der Bauernbefreiung Fiktion blieb.

Ihr »Ehrenwort« – Komödie in vier Akten von A.S. Suvorin, als Einzelausgabe Petersburg 1895.

Lese die Korrektur des ersten Bandes – vgl. Nr. 699.

Kondakov – Nikodim Pavlovič, 1844–1925, Archäologe und Kunsthistoriker, ab 1898 ordentliches Mitglied der Akademie, Abteilung Russische Sprache und Literatur; Čechov hatte ihn 1898 in Jalta kennengelernt.

Ausrichtung der Puškinfeierlichkeiten – der 100. Geburtstag von A.S. Puškin wurde am 26. Mai (alten Stils) 1899 begangen, in Abwesenheit Čechovs, der sich zu dieser Zeit wieder in Melichovo aufhielt.

»Boris Godunov« – historische Tragödie von A.S. Puškin.

Kopie des Bildes von Naumov – A. A. Naumov, ›Puškins Duell‹, heute im Puškinmuseum Leningrad.

721) *19. 1. 1899 – A.S. Suvorin.* LN 87, 3.

meine Angelegenheiten in Ordnung bringen – A.S. Suvorin hatte am 18. 1. an Čechov folgendes Telegramm geschickt: ›Habe drei Stunden mit Pëtr Alekseevič [Sergeenko] gesessen. Marks zahlt 75 000. Tolstoj sagt, allein als Beilage zur »Niva« brächten Ihre Sachen 50 000. »Niva« kann in ein zwei Jahren gar nicht daran vorbei. Müßte Anlässe, Gründe kennen, die Sie dazu bringen, nicht nur Gegenwärtiges, sondern auch Zukünftiges zu verkaufen. Letzteres besonders schwer, das ist eine Art Kabbala. Zehn Bogen pro Jahr bringen Ihnen Fünftausend, er zahlt nicht einmal Fünftausend für ausschließliches Eigentumsrecht. Warten Sie mit Verkauf. Schreiben Sie mir, was Sie veranlaßt zu verkaufen. Ich weiß nicht, welche Summe Sie aus Ihren Schwierigkeiten bringen könnte, aber wenn Sie mit Zwanzigtausend auskommen können, ich schicke sie Ihnen sofort. Das kann ich und würde es von ganzem Herzen gern tun. Entscheiden Sie nicht zu schnell. Überlegen Sie. Alles Beste, lieber Anton Pavlovič. Suvorin.‹

722) *19. 1. 1899 – V.F. Komissarževskaja.* 2408.

habe nie eine Rezension geschrieben – V.F. Komissarževskaja hatte Čechov gebeten, im ›Novoe vremja‹ eine Rezension zu S.P. Nanjas Übersetzung von Nietzsches ›Also sprach Zarathustra‹ zu veröffentlichen, die 1899 in Petersburg erschienen und vom ›Vestnik Evropy‹ verrissen worden war.

Meine »Möwe« in Moskau... – Čechov am 18. 1. 1899 an seine Schwester: ›Višnevskij hat mich nach Moskau eingeladen, geschrieben, das Theater übernehme alle Reiseaufwendungen, – das ist alles sehr schön, aber ich werde wohl kaum jetzt nach Moskau kommen. Ich warte auf den Frühling. Ich las, die siebte Vorstellung der »Möwe« sei in überfülltem Theater gespielt worden. Elena Michajlovna Just schrieb, die Roksanova als Möwe habe ihr sehr gefallen.‹

M.I. Pisarev – Darsteller des Dorn in der ›Möwe‹-Inszenierung des Alexandratheaters Petersburg von 1897.

schreiben, Sie hätten Erfolg – V.F. Komissarževskaja war 1899 am Alexandratheater Petersburg engagiert.
entourage – franz. ›die Umgebung‹.

723) *20. 1. 1899 – M.P. Čechova.* 2412.
Ivan wird dir erzählt haben – die Bedingungen des Vertrags mit A.F. Marks hatte Čechov erstmals am 18. 1. 1899 seinem Bruder Ivan P. Čechov mitgeteilt: ›Die Verhandlungen mit Marks sind bereits weit gediehen, und ein Vorvertrag ist bereits unterschrieben. Was die Bedingungen angeht, die Marks anbietet, bekomme ich für das Eigentum an bereits veröffentlichten und meinen künftigen Werken 75 000 R. und danach, für jeden neuen Band von zwanzig Druckbogen Umfang – fünf Tausend. Das heißt, ich werde ganz normal in Zeitschriften und Zeitungen veröffentlichen, Honorar dafür bekommen, Erzählungsbände von mir herausgeben darf aber nur Marks, wobei er mir für jede 20 Bogen jedesmal 5 Tausend zahlen wird. Die Einkünfte aus den Stücken gehören mir. Die Sache ist noch nicht abgeschlossen, aber die Verhandlungen werden hartnäckig geführt, und es kann sehr gut sein, daß wenn du diesen Brief liest, ich bereits in die Sklaverei nach Ägypten verkauft sein werde. Dieser Verkauf hat zwei sehr gute Seiten: 1) bekomme ich auf einen Schlag 75 Tausend und 2) bin ich die Suvorinschen Unordentlichkeiten los. Alles ist noch geheim, teil es Maša mit und sag ihr, sie möge vorläufig mit niemandem darüber sprechen, damit es nicht in den »Kurjer« gelangt.‹
Am 20. 1. 1899 an I.P.Čechov: ›Ich habe telegraphisch versprochen, nicht älter als 80 Jahre zu werden.‹
Marfočka – Marfa Ivanovna Morozova, geborene Loboda, Tante Čechovs. Čechov beantwortete ihren Brief vom 17. 1. am 22. Januar 1899.

724) *20. 1. 1899 – P.A. Sergeenko.* 2417.
F.I. Kolesov – Direktor der Suvorinschen Buchhandlung.
Achmylov – A. K. Achmylov, Leiter der Petersburger Buchhandlung des ›Novoe vremja‹.
Im September (oder Oktober) – vgl. Nr. 691.
Volkova – Julija Vladimirovna, Buchhändlerin in Jalta.
Sytin – I.D. Sytin.
in irgendeinem Sammelband – in der Anthologie ›Goldene Ähren‹, Moskau, ›Posrednik‹.
Belinskij-Almanach – ›Dem Andenken an V.G. Belinskij‹, Moskau 1889.
I. V. Kljukin – Buchhändler in Moskau; am 27. 1. bestätigte Čechov in einem Brief an Sergeenko, Kljukin für eine Einzelausgabe der Erzählung keine Genehmigung gegeben zu haben; ›das ist solch ein Gauner!‹

M. Vasiljev, N.V. Nazarov – ungeklärt.
Rassochin – E.N. Rassochin, Theaterverleger in Moskau.
Almanach zugunsten der Armenier – ›Bruderhilfe für die in der Türkei verfolgten Armenier‹, 2. Aufl. Petersburg 1898.
Sytin, »Posrednik«... – am 20. 1. 1899 schrieb Čechov an I.I. Gorbunov-Posadov, um sich nach dem Verkaufsstand der Bücher im Verlag ›Posrednik‹ zu erkundigen, sowie an V.A.Golcev wegen der ›Insel Sachalin‹; ein Brief an Sytin in dieser Angelegenheit ist nicht bekannt.

725) *23. 1. 1899 – M.P. Čechova.* 2423.
Von Lika einen Brief... – den Čechov am 21. 1. beantwortet hatte.
Lavrov ist nach Jalta gekommen – V.M. Lavrov; Čechov am 20. 1. an Golcev: ›Morgen kommt Vukol mit seinen Nieren nach Jalta.‹
in meinem Brief an Mamaša – vom 23. 1. 1899.
von Sonja – Sofja V. Čechova, Schwägerin Čechovs, Frau seines Bruders Ivan.
Aleksej Dolženko – Čechovs Vetter mütterlicherseits.
Gruzinskij – A.S. Lazarev-Gruzinskij, dem Čechov am 24. 1. 1899 antwortete.

726) *27. 1. 1899 – Al.P. Čechov.* 2430.
es stimmt alles – Aleksandr hatte am 23. 1. von Gerüchten geschrieben, wonach Čechov mit seinem Gesamtwerk zu A.F. Marks überwechseln wolle; zuerst habe er es von Tyčinkin gehört, der der Meinung sei, 75 000 seien zu wenig; dann habe ihn Sergeenko aufgesucht und ihm von Verhandlungen mit A.F. Marks erzählt. Schließlich habe er gehört, daß ›der Alte‹ (Suvorin) Čechovs Werk gern selbst gekauft hätte, ›aber die Erben haben ihm eine solch hohe Summe nicht bewilligt. Es soll eine stürmische Szene gegeben haben. Jedenfalls ist er darüber unzufrieden, daß ihm das, was ihm direkt vor der Nase hing, durch die Lappen gegangen ist.‹
Neupokoev – A.I. Neupokoev, 1848–1906, Buchhalter, später Chef der Druckerei Suvorins.
hinter Alupka – meint das Grundstück Kučukoj.
belle vue, eine belle vue... – ›belle vue‹ im Orig. franz. ›Schöne Sicht, Aussicht‹, ›Schöner Blick‹.
Natalja Aleksandrovna – N.A. Čechova-Golden, Ehefrau Aleksandrs.
Tosja, Miša, Nikolaj – Aleksandr P. Čechovs Söhne Anton, Michail und Nikolaj A. Čechov.

727) *27. 1. 1899 – A.S. Suvorin.* 2431.
Sergeenko – P.A. Sergeenko, telegraphierte am 26. 1. 1899: ›Vertrag notariell unterschrieben, Geld nach Aufnahme des Konventionalpunkts,

der in der Vollmacht nicht enthalten. Telegraphiere unverzüglich an Suvorin und andere Verleger, weiteren Druck deiner Werke einzustellen angesichts Konventionalstrafe. Kopie des Vertrags schicke ich, keinerlei Abrechnungen vom »Novoe vremja« zu bekommen möglich.‹

mit einer Konventionalklausel – Punkt 8 des Vertrags zwischen A.F. Marks und A.P. Čechov: ›Dieser Vertrag tritt endgültig erst nach Zustellung einer Konventionalklausel in kraft, in der Čechov sich verpflichtet, an Marks eine Konventionalstrafe in Höhe von fünftausend Rubel für jeden Druckbogen seiner Werke ... zu zahlen für den Fall, daß er diese nicht an Marks übereignet, sondern sie auf andere Weise als in der in Punkt 1 dieses Vertrages festgelegten Weise nutzt‹ usw.

eine humoristische Erzählung – ›Dušečka‹, erschienen in der Zeitschrift ›Semja‹ Nr. 1, 1899.

L.N. Tolstoj – am 24. 1. hatte I.I. Gorbunov-Posadov an Čechov geschrieben: ›In Moskau las L.N. mir (und den anderen bei ihm versammelten Leuten), wundervoll, mit Begeisterung Ihre beiden neuen Erzählungen vor: »Auf der Dienstreise« und »Dušečka«. Beide sind sehr gut, besonders »Dušečka« ... L.N. ist von ihr begeistert. Er sagt ständig, das sei eine Perle, und Čechov ein großer-großer Schriftsteller. Er hat sie beinahe 4 Mal vorgelesen und jedesmal mit neuer Begeisterung.‹

Stasov – V.V. Stasov.

728) *27. 1. 1899 – Ju.O. Grjunberg.* 2429.

65 Erzählungen – auf dem Brief handschriftlicher Vermerk von A.F. Marks (in deutscher Sprache): ›6. III. 1899. Alle 65 Erzählungen an Druckerei.‹ und: ›Correctur bis 1. April.‹

729) *29. 1. 1899 – V.I. Nemirovič-Dančenko.* 2437.

Sohn des Schriftstellers Leskov – N.S. Leskov. Dieselbe Bitte richtete Čechov am 28. 1. 1899 an Aleksandr L. Višnevskij: Leskov mit Nemirovič-Dančenko bekanntzumachen.

Die Just schreibt – Zitat aus einem Brief von E.M. Šavrova-Just vom 23. 1. 1899.

j'en conviens – franz. ›ich gestehe‹, ›ich muß gestehen‹, ›zugeben‹.

Nikolaj Ėfros – N.E. Ėfros, Redakteur der Zeitschrift ›Semja‹, der Čechov trotz mehrfacher Aufforderung das Januarheft, in dem Čechovs Erzählung ›Dušečka‹ erschienen war, nicht schickte.

730) *31. 1. 1899 – P.A. Sergeenko.* 2441.

der Vertrag kam heute – der Vertrag zwischen Čechov und A.F. Marks, geschlossen am 26. Januar 1899 zwischen dem ›Erbadeligen Adolf Fë-

dorovič Marks und dem Bevollmächtigten des Arztes Anton Pavlovič Čechov‹ P. A. Sergeenko, legt fest:
1) Čechov tritt A.F. Marks die literarischen Eigentumsrechte an allen seinen Werken ab, allen unter dem Namen Čechov wie auch unter Pseudonym veröffentlichten Werken sowie denjenigen Werken, die er in den nächsten zwanzig Jahren veröffentlichen wird. Čechov behält das Recht der einmaligen Veröffentlichung dieser künftigen Werke in ›Periodika oder literarischen Almanachen mit wohltätigen Zwecken‹, danach gehen sie zur weiteren Nutzung an A.F. Marks.
2) Für das Eigentumsrecht an allen bisher veröffentlichten Werken erhält Čechov, vorbehaltlich der nachträglichen Zustellung einer Konventionalklausel (Punkt 8 des Vertrags) nach deren Zustellung der Vertrag erst in kraft tritt, insgesamt 75 000 Rubel, zahlbar:
20 000 R. bei Vertragsabschluß,
10 000 R. im Dezember 1899,
20 000 R. im Januar 1900,
10 000 R. im Dezember 1900,
15 000 R. im Januar des Jahres 1901.
3) Für künftige Werke erhält Čechov
a) in den ersten fünf Jahren nach Vertragsschluß, d.h. bis 26. 1. 1904 pro Druckbogen à 35 000 Buchstaben 250 Rubel,
b) vom 26. 1. 1904 bis 26. 1. 1909 pro Druckbogen 450 Rubel,
c) vom 26. 1. 1909 bis 26. 1. 1914 pro Bogen 600 Rubel und
d) vom 26. 1. 1914 bis 26. 1. 1919 – 850 Rubel.
4) vgl. Čechovs Zitat im Brief.
5) Čechov räumt Marks nach Ablauf des Vertrages (26. 1. 1919) ein Vorkaufsrecht ein.
6) Čechov versichert, keinem seiner früheren Verleger ein Recht zur weiteren Verbreitung seiner Werke eingeräumt zu haben.
7) vgl. Čechovs Zitat im Brief; er verpflichtet sich, die gesamten bisher veröffentlichten Arbeiten Marks innerhalb der nächsten 6 Monate nach Vertragsabschluß zu übergeben.
8) Čechov verpflichtet sich zur Zahlung einer Konventionalstrafe von 5000 Rubel pro Druckbogen für den Fall der Nichterfüllung des Vertrages, d.h. für den Fall der anderweitigen Nutzung als in Punkt 1) des Vertrages festgelegt, sowie für den Fall, daß er bereits veröffentlichte Werke Marks nicht vorlegt. Der Text des Punkts 8), den Čechov unterzeichnete, wird nicht mitgeteilt; Čechov schickte ihn am 16. 2. an A.F. Marks, vgl. Nr. 733.

731) *1. 2. 1899 – P.A. Sergeenko.* 2445.
ein Telegramm (oder, richtiger, zwei... – Čechovs Telegramme an Sergeenko vom 31. 1. sind nicht überliefert.

in dem Vertrag wird nichts gesagt... – vgl. Nr. 728.
Ein Vaudeville ist etwas... – Zitat aus der Komödie ›Verstand schafft Leiden‹ von A.S. Griboedov, Akt IV, Szene 6; die Worte Repetilovs hier in dem Sinn: Theaterstücke bringen Geld.
bei Čechovskij – Photograph in Moskau.
Marks das Material für den ersten Band – vgl. Nr. 726.
Die Katastrophe – ironisch: der Verkauf der Urheberrechte an A.F. Marks.
Epifanov – Sergej Alekseevič; Lyriker. Publizierte in den Zeitschriften ›Budilnik‹, ›Razvlečenie‹, ›Zritel‹; im Archiv Čechovs werden 11 Briefe Epifanovs an Čechov (1891, 1898–99) aufbewahrt, Briefe Čechovs an E. sind nicht überliefert.

732) *5. 2. 1899 – Al.P. Čechov.* 2453.
mein Märchen »Ein Märchen« – im ›Novoe vremja‹ vom 1. 1. 1888, vgl. detebe Nr. 50/XIV, unter dem Titel ›Die Macht des Bösen‹.
ein zweites... Märchen – gemeint ist ›Die Wette‹, erschienen am 1. 1. 1889, vgl. detebe Nr. 50/XIV.
»Lebensüberdruß« – im ›Novoe vremja‹ vom 31. 5. 1886, wurde nicht in die Marks-Ausgabe aufgenommen; vgl. detebe Nr. 50/XII, wie auch die Erzählungen ›Der Lehrer‹ (›Novoe vremja‹ vom 12. 7. 1886) und ›Schwere Naturen‹ (7. 10. 1886).
Tyčinkin – K.S. Tyčinkin.
Kritik an der »jungen« Redaktion – meint die Söhne Suvorins, Aleksej und Michail A. Suvorin.
Telegramme aus Paris – in den Januarausgaben des ›Novoe vremja‹ wurde in Form von ›Telegrammen aus Paris‹ ausführlich über Versuche berichtet, eine Revision der Verhandlung gegen Dreyfus zu vereiteln.
Aufsätze des... Ivanov – der Komponist und Musikkritiker des ›Novoe vremja‹, Michail Michajlovič Ivanov, 1849–1927, schrieb positiv über die Inszenierung seiner eigenen komischen Oper ›Zabava Putjatišna‹ in Moskau am 11. 1. und 1. 2. 1899 im ›Novoe vremja‹.
Die Denunziationen des Petersburgers – die ›Kleine Chronik‹, geführt von Vasilij Sergeevič Ljalin, 1854–1909, unter dem Pseudonym ›Der Petersburger‹; die Beiträge dieser Chronik trugen zuweilen den Charakter unverblümter Denunziation.
Amfiteatrovs Habichtsflüge – meint die Feuilletons von A.V. Amfiteatrov, die im ›Novoe vremja‹ unter dem Pseudonym ›Old Gentleman‹ erschienen, u.a. Angriffe auf die Polen am 24. 1. 1899.
Ihre Freunde, Jerusalemer Edelleute – meint: Juden; Redakteur des Moskauer ›Kurjer‹ war E.Z. Konovicer.
wie einst Jakob vor Laban – vgl. die Bibl. Geschichte, 1. Mose 31, 17f.

733) *5. 2. 1899 – L. A. Avilova.* 2454.

habe sogar vergessen, in welchem Jahr... – in der ›Peterburgskaja gazeta‹ hatte Čechov ab Juni 1885 regelmäßig wöchentlich publiziert, bis 1887.

eine Liste derjenigen Erzählungen – Čechov am 18. 2. 1899 an L. A. Avilova: ›Vor 2–3 Monaten habe ich eine Liste der Erzählungen zusammengestellt, die nicht abgeschrieben zu werden brauchen, und diese Liste nach Moskau geschickt. Jetzt verlange ich sie zurück, aber wenn man sie mir nicht in 5–6 Tagen zurückschickt, werde ich eine neue zusammenstellen und Ihnen schicken. Für Ihre Bereitschaft, mir zu helfen, und Ihren lieben, guten Brief danke ich Ihnen viel-, vielmals.‹

wie Puškin sagt, »mein Leben... – Zitat aus dem Gedicht ›Erinnerung‹ von A. S. Puškin, vgl. das Motto zu Kap. XVII in der Novelle ›Das Duell‹, detebe Nr. 50/XVII, dort zitiert in der Übersetzung von Martin Remané:

›Mein Leben lese ich mit Abscheu und voll Scham,
Vergieße bittre, heiße Reuetränen
Und fluche mir entsetzt in abgrundtiefem Gram...
Doch keine Schuld werd ich abwaschen können.‹

wie in Šklov – Šklov, Ortschaft im Gouv. Mogilev, am Dnepr gelegen, Kleinstadt mit rund 10 000 Einwohnern, 5 russ.-orthodoxen Kirchen, 1 röm.-kath. und 1 Synagoge, 2 Schulen, 2 Buchhandlungen, 2 Apotheken, 3 Ärzten, 1 jüdischen Schule, 1 Krankenhaus, 1 Post- und Fernmeldekontor, 2 Mühlen und bedeutendem Getreidehandel (nach Brockhaus/Efron, Enzyklop. Wörterbuch, Pbg. 1903).

734) *8. 2. 1899 – V. I. Nemirovič-Dančenko.* 2458.

von der Fedotova ausgebildet – G.N. Fedotova, Schauspielerin am Moskauer Kleinen Theater.

ingénue dramatique – Rolle, Fach am Theater: die Rolle des naiven jungen Mädchens.

ihre Schwester – O.P. Kundasova.

die Großen Fasten – d. i.: Ende der Spielzeit, der Theatersaison. Das Moskauer Künstlertheater plante für die Zeit danach eine Tournee durch den Süden des Reichs, die durch Odessa, Charkov und Kiev führen sollte.

schreibe nichts über den »Onkel Vanja« – vgl. Nr. 736.

porto-franco – italien., hier im Sinne von ›zur freien Verfügung‹, ›für frei‹.

735) *16. 2. 1899 – A. F. Marks.* 2468.

Ausgabe von »Kaštanka« – erschien bei A. F. Marks erst 1903, mit Illustrationen des Malers D. N. Kardovskij; zwischen 1892 und 1899 hatte die Einzelausgabe dieser Erzählung bei Suvorin insgesamt 7 Auflagen erlebt.

Material für den ersten Band – vgl. Nr. 728.

736) *20. 2. 1899 – A.M. Kondratjev.* 2476.

Mein Stück ... zur Verfügung – Kondratjev hatte als erster Regisseur des Kleinen Theaters und im Auftrag der Direktion um die Aufführungsgenehmigung gebeten. Die Aufführung scheiterte an der Forderung des Theater-Literatur-Komitees (in der Besetzung N.I. Storoženko, Al.N. Veselovskij und I.I. Ivanov) nach Änderung des Schlusses des III. Akts, den man für ›unnatürlich‹ befand. Čechov weigerte sich, diese Änderungen vorzunehmen.

Marija Vladimirovna – M.V. Kiselëva.

Saša hat geheiratet – A.A. Kiselëva, Tochter von A.S. und M.V. Kiselëv.

737) *22. 2. 1899 – I.I. Orlov.* 2478.

Ihr Freund Krutovskij – Vsevolod Michajlovič, Bruder des bekannten Arztes Vladimir M. Krutovskij.

zu den Damen – Frau und Schwägerin von S.Ja. Elpatjevskij in Jalta.

Vanderbilt – Cornelius, 1794–1877, amerikanischer Großkapitalist, der sein Vermögen (1877 geschätzt auf 100 Mill. Dollar) bei der Dampfschiffahrt und im Bau von Eisenbahnen gemacht hatte.

die restlichen 50 ... – vgl. Anm. Nr. 728.

eines meiner Stücke – meint ›Onkel Vanja‹, vgl. Nr. 736 und Anm.

Mein Telegramm, die Teufelsinsel betreffend – Telegramm Čechovs an V.I. Nemirovič-Dančenko, Antwort auf das Grußtelegramm, das Nemirovič-Dančenko im Namen der ›Möwe‹-Darsteller und des Premierenpublikums an Čechov geschickt hatte. Čechovs Antwort war am 20. 12. 1898 in den ›Novosti dnja‹ und am 22. 12. 1898 im ›Kurjer‹ veröffentlicht worden und hatte diesen Wortlaut:
›Übermitteln Sie allen bin unendlich und von ganzem Herzen dankbar Sitze in Jalta wie Dreyfus auf der Teufelsinsel Traurig nicht bei Ihnen zu sein Ihr Telegramm hat mich gesund und glücklich gemacht Čechov.‹

Altšuller – Isaak Naumovič, 1870–1943, Arzt, der Čechov in Jalta behandelte.

aus der Schrift – der hl. Schrift. ›Verlasset euch nicht auf Fürsten ...‹ – vgl. Psalm 146, 3, ergänze: ›die können ja nicht helfen.‹ Orlov hatte mitgeteilt, die Ärztekollegen des Kreises Serpuchov versammelten sich einmal monatlich beim Gouverneur, um dort Erfahrungen auszutauschen; man habe dort Statuten für eine ›Gesellschaft der Fürsorge für die sanitären und ökonomischen Bedürfnisse der Bevölkerung des

Reviers‹ ausgearbeitet, die man dem Innenminister vorgelegt, aber nicht genehmigt bekommen habe.

Katkov – Michail Nikiforovič, 1818–1887, konservativ-reaktionärer Publizist, Herausgeber und Redakteur der ›Moskovskie vedomosti‹.

Pobedonoscev – Konstantin Petrovič, 1827–1907, Oberstaatsanwalt des hl. Synod, Erzieher Alexander III. Berüchtigte ›graue Eminenz‹.

Vyšnegradskij – Ivan Alekseevič, 1831–1895, Mitglied des Staatsrats, 1888–1892 Finanzminister.

Intelligenz en masse – ›en masse‹ im Orig. franz.

Kovrejn – Ivan Kornilovič, Zemstvoarzt im Dorf Chatun, Kreis Serpuchov.

Kolcov – A.I. Kolcov, Arzt in Jalta, vgl. Nr. 745.

738) *25. 2. 1899 – A.F. Marks.* 2481.

...wird in Petersburg abgeschrieben – vgl. Nr. 730, 731.

Weiter an der »Niva« mitarbeiten – in der Zeitschrift ›Niva‹ erschien in den Jahren 1899 bis 1904 keine Erzählung Čechovs.

739) *26. 2. 1899 – L.A. Avilova.* 2484.

Hrn. Marks übergeben – vgl. Punkt 6 des Vertrags, Anm. Nr. 728.

Vor 5–6 Tagen – Brief an L.A. Avilova vom 18. 2. 1899.

Gorkij, Veresaev, Čirikov – vgl. Nr. 715.

kein Schreiben, sondern Gezwitscher – Spiel mit der semantischen Bedeutung des Namens Čirikov: ›čirikat'‹ – zwitschern.

740) *4. 3. 1899 – Al. P. Čechov.* 2488.

die 2 Märchen – vgl. Nr. 732.

auf die »Begegnung« – erschienen im ›Novoe vremja‹ vom 18. 3. 1887; die Erzählung ›Die Schwester‹: 22. 11. 1886 im ›Novoe vremja‹, in die Gesamtausgabe aufgenommen unter dem Titel ›Gute Menschen‹, vgl. detebe Nr. 50/XII.

Vom Alten bekomme ich Briefe... – meint A.S. Suvorin. Dieser hatte am 21. 2. 1899 im ›Novoe vremja‹ anläßlich des allgemeinen Studentenstreiks einen seiner ›Kleinen Briefe‹ veröffentlicht, in dem er die Studenten verurteilte und von der ›Großzügigkeit und Gnade des Zaren‹ gesprochen hatte, der eine Untersuchungskommission eingesetzt habe, um die Ursachen der studentischen Unzufriedenheit aufzuklären. Die Antwort der Studenten war der Aufruf zum Boykott der Zeitung, worüber Aleksandr seinen Bruder in einem Brief vom 26. 2. informiert hatte.

in dem Vertrag mit Marks – vgl. Anm. Nr. 728.

einen Monat her, seit ich Andreev... – Čechovs Brief an T.D. Andreev ist nicht bekannt.

741) *4. 3. 1899 – A.S. Suvorin.* 2489.
Akademiemitglied Kondakov – N.P. Kondakov.
Bilder von Vasnecov – Viktor Michajlovič Vasnecov, dessen Bilder ›Rekken‹, ›Ritter am Kreuzweg‹, ›Sirin und Alkonost‹ und ›Gamajun‹ auf der Ausstellung 1899 der Akademie der Künste zu sehen waren.
Über die Studentenunruhen – vgl. Anm. Nr. 740; 745.
Slučevskij – Konstantin Konstantinovič, 1837–1904, der als Liberaler in Černyševskijs Zeitschrift ›Sovremennik‹ begonnen hatte und nun den offiziösen ›Regierungsboten (Pravitelstvennyj vestnik)‹ redigierte.
den Brief von Michel Déline – am 26. 2. 1899 hatte der Moskauer ›Kurjer‹ ein Feuilleton von M. Déline aus dem ›Odesskij listok‹ nachgedruckt, das den Herausgeber des ›Novoe vremja‹, Suvorin, scharf angreift. Čechov am 2. 3. an seine Schwester M.P. Čechova: ›Der »Kurjer« hat mir eine große Sauerei angehängt. Er hat einen Brief des Scharlatans Michel Déline veröffentlicht, einen schurkischen Brief, in dem Déline zu beweisen versucht, was für ein Schuft und mieser Kerl Suvorin sei, und zum Beweis dafür meine Meinung anführt. Das ist weiß der Teufel was, eine unerhörte Taktlosigkeit. Man muß Déline kennen: was das für eine aufgeblasene Null ist! Das ist der Jude Aškinazi, der unter dem Pseudonym Michel Déline schreibt. A. A. Chotjaincëva hat ihn, glaube ich, bei mir in Jalta gesehen.‹ Aškinazi-Déline war Mitarbeiter der französischen Zeitung ›Temps‹, die Čechov ständig las.
ein Déroulède – Paul Déroulède, 1846–1914, franz. Lyriker, Chauvinist, Antisemit und Boulangist, glühender Anhänger des Revanchegedankens nach dem Krieg von 1870/71.
in der dritten Wocheori – der Fasten.

742) *9. 3. 1899 – L.A. Avilova.* 2499.
»Die Sündenböcke« – ›Die Sündenböcke‹ in der ›Peterburgskaja gazeta‹ vom 26. 8. 1885, ›Schläfrigkeit‹: 21. 1. 1885, ›Der Schriftsteller‹: 11. 11. 1885; vgl. detebe Nr. 50/XI.
An dem Schriftstellerkongreß ... – im Zusammenhang mit den Feierlichkeiten zum 100. Geburtstag von A.S. Puškin plante der Verband der gegenseitigen Hilfe der Schriftsteller einen Kongreß im Herbst 1899 in Petersburg zu folgenden Problemen: 1) Verbesserung des Verhältnisses zwischen literarischen Unternehmern und den Werktätigen im Druckgewerbe; 2) Sicherung der materiellen Situation der Schriftsteller; 3) Gegenwärtige Lage und Verbesserung der Situation der Presse und 4) Pressestatistik.
Melšin – Pëtr Filippovič Jakubovič, 1860–1911, Lyriker, der unter dem Pseudonym Melšin publizierte, Schriftsteller, Literaturkr ›itiker.
Gorkij gefällt mir sehr, aber ... – Arbeiten Gorkijs, die Čechov im Janu-

ar/Februar 1899 kennenlernen konnte: ›Kirilka‹, ›Über den Teufel‹ und die ersten beiden Kapitel des Romans ›Foma Gordeev‹ (alle im Januarheft der Zeitschrift ›Žizn‹), ›Kain und Artëm‹ (›Mir božij‹ Nr. 1/1899), ›Finogen Iljič‹ (in der Zeitschrift ›Žurnal dlja vsech‹).
Korolenko – V.G. Korolenko.
Suvorin tut mir leid – vgl. Nr. 40, 741; 745, 746; 749 und Anm.

743) *14. 3. 1899 – M.P. Čechova.* 2505.
Holzhaus... Čechov überlegte, sich in Moskau oder nächster Umgebung Moskaus ein Haus zu kaufen, ein Gedanke, der bald wieder verworfen wurde.
carte blanche – franz. im übertragenen Sinn: ›freie Hand‹, Blankovollmacht.
Efim Zinovjevič – E.Z. Konovicer, Redakteur des Moskauer ›Kurjer‹.
mit Vukol – V.M. Lavrov, der Jalta am 15. 3. verließ.

744) *17. 3. 1899 – P.A. Sergeenko.* 2507.
N.N. Juškova – Sergeenko hatte Čechov in einem Brief aus dem Dorf Panovo, Gouv. Kazan, gebeten, Spenden an diese beiden Adressen zu schicken, nachdem infolge einer Mißernte in diesem Gebiet Hunger herrsche und auf Privatinitiative Volksspeisung organisiert werden solle.
Marks – A.F. Marks, vgl. Nr. 738. Čechovs Bemerkung bezieht sich auf einen Brief von Marks, in dem dieser mitteilt, es habe sich herausgestellt, daß im Lager bei Suvorin noch einige Hundert Exemplare seiner Bücher lägen, die nicht mehr aufgebunden und von Suvorin verkauft werden dürften, andernfalls hätte Čechov Punkt 6 des Vertrages verletzt.

745) *18. 3. 1899 – I.I. Orlov.* 2509.
Kolcov – A.I. Kolcov, Arzt.
tres faciunt collegium – im russischen Original hierfür: ›der Kongreß beginnt‹, ›die Versammlung‹.
Endokarditis – griech.-mediz. Entzündung der Herzhaut.
Der heilige Elpatij – Sergej Jakovlevič Elpatjevskij.
Sinani – I.A. Sinani, Buchhändler in Jalta.

746) *29. 3. 1899 – A.I. Suvorina.* 2519.

747) *30. 3. 1899 – Al.P. Čechov.* 2520.
bin in finanziellen Schwierigkeiten – Čechov am 27. 3. 1899 an seine Schwester: ›Für den Hausbau habe ich bereits 2 Tausend gezahlt, ich zahle jeden Tag an irgendjemanden irgendetwas, und wieviel ich noch

auf meinem Konto habe, weiß ich nicht. Zehntausend wird man wohl abschreiben müssen.‹

Hinzukam die Überlegung, Melichovo zu verkaufen und stattdessen ein Haus in Moskau zu erwerben, vgl. Nr. 743, 747.

deinen Seefahrersohn – Aleksandr hatte mitgeteilt, er wolle seinen Sohn Nikolaj auf die Seefahrtsschule schicken und sich darüber mit Anton P. Čechov in Jalta unterhalten.

748) *16. 4. 1899 – L.A. Avilova.* 2536.

»Im Tiergarten« – ›Der Flüchtling‹, ›Überflüssige Menschen‹ – Erzählungen aus der ›Peterburgskaja gazeta‹.

Ein Haus werde ich nicht kaufen – vgl. Nr. 743, 747.

was im Verband geschehen ist – vgl. dazu Anm. Nr. 749.

749) *24. 4. 1899 – A.S. Suvorin.* 2542.

Sonderdruck (das Ehrengericht) – vgl. Nr. 748: ›was im Verband geschehen ist‹: Suvorins ›Kleine Briefe‹ im ›Novoe vremja‹ (vom 21. und 23. 2. 1899) zu den Studentenunruhen hatten allgemeine Empörung hervorgerufen. Das Komitee des Schriftstellerverbandes (›Verband zur gegenseitigen Hilfe der russischen Schriftsteller‹) hatte Suvorin daraufhin vor ein Ehrengericht zitiert, vor dem Suvorin jedoch nicht erschien. Der Briefwechsel zwischen Suvorin und dem Komitee des Verbandes wurde in Suvorins Druckerei gesetzt und als Privatdruck unter Bekannten Suvorins verbreitet, ein Exemplar hatte Suvorin an Čechov, offenbar aber erst am 23./24. April, geschickt.

Der Sammelband ›Literaturnoe nasledstvo‹ Nr. 87 (1977) veröffentlicht aus dem Archiv Suvorins drei Telegramme Čechovs an Suvorin, die auf diese Erklärung gegenüber dem Ehrengericht eingehen, dazu eine Tagebuchnotiz Suvorins vom 26. 4. 1899: ›Habe ihm meine Erklärung gegenüber dem Ehrengericht geschickt. Fand sie »wenig ausdrucksstark«.‹

Čechovs Telegramme:

26. 4. 1899: ›Erklärungen wenig ausdrucksstark. Muß vor allem Recht des Journalisten hervorheben, frei, ehrlich seine Meinung zu äußern. Ich persönlich gestehe dem Verband Recht breiter Beurteilung, Mißfallensbekundung, Protest zu, was immer Sie wollen, aber nicht das eines Gerichts, das ich im gegebenen Falle für Würde der Schriftsteller unangemessen und gefährlich halte. Čechov‹

26. 4. 1899: ›Sehr gut geschrieben, aber Überfülle Details zweiter Teil beeinträchtigt Ausdruckskraft, überdeckt ersten, der allgemeinen Gesichtspunkt behandelt Recht des Journalisten, seine Meinung frei zu äußern. Čechov‹

27. 4. 1899: ›Schöner Aufsatz für Zeitung, als Erklärung Richtern un-

befriedigend aus Gründen, dargelegt meinem letzten Brief. Sagen zum Schluß, obwohl Sie Gericht nicht anerkennen, aber Erklärung, weil Sie, Schriftsteller, Schriftstellern Recht breiter Beurteilung zugestehen, weil Ablehnung hochfahrendes Verhältnis zu Komitee darstellenden Schriftstellern nicht Ihr Charakter wäre, nicht Ihre Tradition. Letzte vierzehn Zeilen fallenlassen. Čechov.‹

übertriebene Aufmerksamkeit für Finnland – meint die Artikelfolge ›Finnische Notizen‹, die im April im ›Novoe vremja‹ veröffentlicht wurde, gezeichnet von ›S.K.‹

Deschanel und Gen. Bilderling – meint den Korrespondentenbericht von P. Vožin im ›Novoe vremja‹ vom 6. April (›Papierkrieg‹), in dem ein Gespräch zwischen dem franz. Präsidenten der Deputiertenkammer Paul Deschanel und General A.A. Bilderling geschildert wurde, das während der Trauerfeierlichkeiten für den verstorbenen Präsidenten der Republik Faure geführt worden sein sollte und das A.A. Bilderling in einem Brief an die Redaktion dementiert hatte.

Ihr Verhalten in Sachen »Auferstehung« – Notiz im ›Novoe vremja‹ vom 6. 4. 1899 zu einem offenen Brief an den Verleger A.F. Marks über den Roman ›Auferstehung‹ von L.N. Tolstoj; dieser Brief, erschienen in der Zeitung ›Russkoe slovo‹ (4. 4. 1899), enthielt Vorwürfe an die Adresse von Marks, der nicht gestattet hatte, den Roman Tolstojs nachzudrucken. In der Notiz des ›Novoe vremja‹ hieß es, man solle sich der Bitte Tolstojs, sich mit dem Nachdruck des Romans zu gedulden (eine Bitte, die in allen Zeitungen im April zu lesen war), gentleman-like beugen.

bei der Fedotova – G.N. Fedotova.

750) *25. 4. 1899 – Maksim Gorkij.* 2543.

Vorgestern... – am 23. 4., vgl. Nr. 749.

Ihr »Jahrmarkt« – vgl. Nr. 704, 715.

Am Donnerstag... meine »Möwe« – vgl. Nr. 751; die ›Möwe‹-Vorstellung für Čechov fand nicht am 29. 4., sondern erst am 1. 5. statt. Nr. 751.

Aus Petersburg... Briefe – von A.S. Suvorin, vgl. Nr. 749, aber auch Nr. 748.

751) *9. 5. 1899 – Maksim Gorkij.* 2555.

Stück von Strindberg – Gorkij hatte Čechov in seinem Brief vom 5. 5. die Übersetzung eines dramatischen Poems von Tor Hedberg empfohlen, die im Märzheft der Zeitschrift ›Načalo‹ erschienen war. Čechov schickte als Antwort ›Fräulein Julie‹ von August Strindberg in der Übersetzung von E.M. Šavrova-Just.

An E.M. Šavrova schrieb Čechov am selben Tag: ›Verehrte collega,

»Gräfin Julie« habe ich noch in den Achtziger Jahren (oder Anfang der Neunziger) gelesen, sie ist mir bekannt, aber dennoch habe ich sie jetzt mit großem Vergnügen gelesen. Ich danke Ihnen, danke Ihnen außerordentlich. Verzeihen Sie, ich habe, ohne vorher um Erlaubnis zu bitten, das Stück dem Belletristen Gorkij geschickt, er wird es lesen und Ihnen schicken. [...] Wer hat die »Julie« übersetzt? Wenn Sie die Erzählungen von Strindberg übersetzen und einen ganzen Band davon herausgeben würden! Das ist ein bemerkenswerter Schriftsteller. Ganz außergewöhnlich stark.‹

Am 15. 5. 1899 an E.M. Šavrova, noch einmal über ›Fräulein Julie‹: ›Ohne jeden Zweifel, verehrte collega, ist »Julie« unmöglich auf dem Theater aufzuführen, Kürzungen und Striche würden zu nichts führen. Drucken kann und sollte man sie. Der Belletrist Gorkij, an dessen Zuverlässigkeit Sie zweifeln, rät, das Stück in der »Žizn« zu veröffentlichen. Was meinen Sie dazu? Wenn Sie damit einverstanden sind, so schicken Sie das Stück an die Redaktion der »Žizn« an V.A. Posse. Den »Vater« schicken Sie mir zum Lesen. »Julie« kann man natürlich auch an die »Russkaja mysl« schicken, aber jetzt ist Sommer, Ferienzeit, ich fürchte, das Manuskript könnte dort verlorengehen.‹

die »Möwe« gesehen – in einer Vorstellung eigens für Čechov, ohne Kulissen.

Čechov am 15. 5. 1899 an P.F. Iordanov: ›In Moskau hat man im Künstlertheater meine »Möwe« für mich gespielt. Eine wunderbare Inszenierung. Wenn Sie wollen, werde ich darauf bestehen, daß das Theater im Frühling in Taganrog Station macht, wenn es in toto – mit der Truppe, mit Dekorationen usw. usf. nach Süden zieht. Das Kleine Theater ist verblaßt, und was mise en scène und Inszenierung betrifft, so haben es sogar die Meininger weit bis zum neuen Künstlertheater, das vorläufig noch in einem erbärmlichen Raum spielt. Übrigens spielt in der »Möwe« Višnevskij, unser Taganroger Višnevskij, der mir mit seinen ständigen Erinnerungen an Kramsakov, Ovsjannikov u.a. auf die Nerven gefallen ist. Alle an der »Möwe« Beteiligten haben sich mit mir photographieren lassen; es ist ein interessantes Gruppenbild geworden.‹

Am 4. 2. hatte Čechov an seine Schwester geschrieben: ›Ich las im »Kurjer«, Stanislavskij spiele den Trigorin irgendwie schwächlich. Was für eine Idiotie? Trigorin gefällt doch, er ist attraktiv, interessant, mit einem Wort, und ihn schwächlich und schlaff spielen kann nur ein unbegabter Schauspieler, der keine Ahnung hat.‹

Priester Petrov – Grigorij Spiridonovič Petrov, 1867–1925, Priester, ›christlicher Demokrat, ein sehr populärer Demagoge‹ (wie V.I. Lenin ihn charakterisiert).

Alušta – Ort auf der Halbinsel Krim.

752) *9. 5. 1899 – I. M. Kondratjev.* 2558.

daß ich mein Stück »Onkel Vanja« ... – vgl. Čechovs Antwort auf die Anfrage von V. I. Nemirovič-Dančenko und seinen Brief an A. M. Kondratjev, Nr. 732, 734. Nachdem das Kleine Theater Änderungen verlangt hatte und Čechov diese in einem Gespräch mit V. A. Teljakovskij Mitte April abgelehnt hatte, gab Čechov den ›Onkel Vanja‹ ans Künstlertheater.

753) *11. 5. 1899 – E. P. Goslavskij.* 2560.

Ihr Stück – ›Der freie Künstler‹, das später (1903) in der Theaterbibliothek Rassochin erschien.

mise en scène – im Orig. französisch, auch als russisches Lehnwort gebraucht, Fachausdruck aus der Theatersprache: das Regiekonzept für die Aufführung, Regiebuch. Hier im übertragenen Sinn: ›Äußerliches‹.

754) *20. 5. 1899 – O. R. Vasiljeva.* 2576.

Ein Almanach zugunsten der Hungernden – die Adressatin hatte Čechov am 28. 2. mitgeteilt, sie wolle einen Almanach herausgeben, dessen Erlös den Hungernden, von der Mißernte betroffenen Bauern im Gouvernement Samara zugutekommen sollte. Čechov hatte ihr am 5. 3. davon abgeraten, u. a. mit dem Hinweis darauf, daß es zur Edition eines solchen Almanachs Erfahrung bedürfe, und daß eine Reihe ähnlicher Almanache unverkauft in den Lagern der Buchhandlungen herumläge. Der Almanach ›Hilfe für die Leidtragenden der Mißernte im Gouvernement Samara‹ erschien in Moskau 1900, ohne Beiträge von Čechov. Vgl. auch Nr. 756.

755) *20. 5. 1899 – V. K. Charkeevič.* 2578.

bis beinahe Mitte Mai – Čechov hatte sich vom 12. 4. bis 7. 5. in Moskau aufgehalten, war dann nach Melichovo gefahren.

Mal. Dmitrovka – Straße in Moskau, heute ul. Čechova (Čechov-Straße), die vom Strastnoj Boulevard stadtauswärts abgeht. Čechov war am 16. 4. dorthin umgezogen.

nach Petersburg, zu Marks – Čechov fuhr am 10. 6. nach Petersburg, traf sich dort mit A. F. Marks und fuhr noch am selben Tag (dem 11. 6.) nach Moskau zurück. Vgl. Nr. 764.

Puškinfeiern – in Moskau, vom 26.–29. Mai, mit Festakten in der Universität, der Gesellschaft der Liebhaber der russischen Literatur, der Gesellschaft für Naturwissenschaften, im Lazarev-Institut für östliche Sprachen, im Historischen Museum (Eröffnung einer Puškin-Ausstellung) u. a. Vgl. Nr. 757.

»Das Goldene Fischlein« – um welche Aufführung es sich handelt, wird

nicht mitgeteilt; vermutlich Inszenierung des Puškinschen Märchens ›Vom Fischer und dem Fischlein‹, einer russischen Version des Märchens vom Fischer und siner Fru. In der Puškinschen Fassung ist das Fischlein ›Ein gar seltenes Fischlein, ein goldenes‹.

Nikodim Pavlovič – N.P. Kondakov.

Nadežda Andreevna – N.A. Pivovarova, Angestellte im Mädchengymnasium Jalta.

Sergej Antonovič – nicht geklärt.

Natalija Vasiljevna – N.V. Belinskaja, Lehrerin am Mädchengymnasium Jalta.

Manefa – M.N. Charkeevič.

Varvara Michajlovna – V.M. Kartaševa, Jaltaer Bekannte Čechovs.

Nikolaj Michajlovič – N.M. Tupikov.

Vive la Jalta! – franz. ›Es lebe Jalta!‹

Usatov – Dmitrij Andreevič, gest. 1913, Tenor am Bolšoj Theater.

756) *21. 5. 1899 – Ju. O. Grjunberg.* 2579.

1) »Gute Menschen« ... – frühe Erzählungen Čechovs, vgl. detebe Nr. 50/XI und XII. In der Ausgabe bei A.F. Marks erschienen diese genannten Erzählungen in gänzlich anderer Anordnung: Nrr. 4–8, 10, 11 und 16 in Band II; 1 in Band VI, 2 und 3 in Band XI (posthum), 9 in Band III, 13–15 in Band I.

2) »Bräutigame« ... – in Band II wurden von den hier erwähnten Erzählungen nur die letzten 3 aufgenommen, die restlichen gar nicht. Band I der Marks-Ausgabe erschien 1899, Band II erst im Jahr drauf.

Hr. Koreckij – N.V. Koreckij.

Adolf Fëdorovič – A.F. Marks.

»Tragöde wider Willen« – Einakter, vgl. detebe Nr. 50/VIII.

der Herausgeber des »Budilnik« – Vladimir Dmitrievič Levinskij, gab zum 35-jährigen Bestehen der Zeitschrift den Almanach ›Eine Überraschung‹ heraus, in dem Čechovs Erzählung ›Im Sommerhaus‹ enthalten war mit dem Vermerk: ›Veröffentlicht mit dem Einverständnis des Besitzers der Werke An. P. Čechovs A.F. Marks.‹

eine gewisse Frau Vasiljeva – vgl. Nr. 754.

V. G. Valter – Vladimir Grigorjevič, Arzt, Bakteriologe, Bekannter Čechovs aus den Zeiten von Taganrog, lebte in den 90er Jahre in Nizza, schrieb und veröffentlichte Erzählungen in Zeitschriften.

757) *24. 5. 1899 – P. I. Kurkin.* 2582.

meinen »Onkel Vanja« – Čechov am 2. 6. an G.M. Čechov: ›Im Winter wird im Künstl. Theater »Onkel Vanja« gespielt. Ich habe zwei Akte auf der Probe gesehen, es läuft bemerkenswert gut.‹ Auf dem Brief ein handschriftlicher Vermerk: ›Das Kartogramm, von dem Ant. P.

schrieb, wurde auf Vordruckskarten des Kreises Serpuchov (mit dem Dorf Melichovo im Mittelpunkt) angefertigt. Es hat A. P. gefallen und figurierte in den Vorstellungen des »Onkel Vanja«. P. K.‹

758) *4. 6. 1899 – M. O. Menšikov.* 2593.
Palmyra des Nordens – lyrisch für: Petersburg.
Jaša – Ja. M. Menšikov, Sohn des Adressaten.
Empyreum – griech. ›bei den alten Naturphilosophen der Feuerhimmel, d. h. die oberste Weltgegend, wo sich das als feinstes Element nach oben strebende Feuer sammeln und woher die leuchtenden Phänomene am Himmel kommen sollten; bei den christl. Philosophen Ort des Lichts, Himmel‹ (Brockhaus, 1901).
Schwester will Melichovo verkaufen . . . – eine Verkaufsannonce erschien in der Zeitung ›Kurjer‹ vom 6. 6. 1899 sowie in den fünf darauffolgenden Ausgaben: ›Wegen Umzugs in den Süden wird 70 Verst von Moskau an der Strecke Mosk.–Kazan, 12 Verst von St. Lopasnja ein Gut verkauft. 215 Desj. Land, davon 155 D. Wald. Haus mit 8 Zimmern vollkommen eingerichtet, Klavier, Nebenhaus 3 Zimm. Küche, Gesindeküche, Badehaus, Pferdestall, Scheunen und andere Wirtschaftsgebäude – sämtlich neu. Obstgarten, Teich, Pferde, Equipagen, Gerätschaften, Hornvieh. Schulden bei Landwirtschaftsbank 5 Tsd., darüber 25 Tsd. Auskünfte bei V. A. Giljarovskij, Stolešnikov per., Haus Tichonov, oder im Kontor der Zeitung »Kurjer«.‹ Vgl. Nr. 766.
Puškinfeiern – vgl. Anm. Nr. 755.
Lidija Ivanovna – L. I. Menšikova.

759) *16. 6. 1899 – V. I. Nemirovič-Dančenko.* 2601.
meine Stücke . . . – der Vertrag mit A. F. Marks betraf natürlich auch den bei Suvorin erschienenen Band ›Stücke‹: er durfte nicht mehr vertrieben werden. Die Stücke-Ausgabe bei A. F. Marks erschien erst Januar 1901 als Band VII der Gesamtausgabe.
habe mich mit Marks getroffen – am 11. 6. in Petersburg.
zu Alekseev nach Tarasovka – Alekseev: bürgerlicher Name von K. S. Stanislavskij, den Čechov oft ›Alekseev‹ nannte. Tarasovka – Ort in der Umgebung Moskau, wo Stanislavskij den Sommer 1899 verbrachte.

760) *16. 6. 1899 – O. L. Knipper.* 2599.
im Kaukasus geheiratet . . . – O. L. Knipper war für die Sommerferien zu Verwandten in den Kaukasus gefahren.
Erster Brief Čechovs an O. L. Knipper. Am 18. 4. hatte Čechov die Knipper besucht (›Und am ersten Osterfeiertag kam plötzlich Čechov

zu Besuch, er, der nie und nirgends Besuche machen ging...‹, wie O.L. Knipper in ihren Erinnerungen schrieb); am 5. 5. schenkte Čechov der Knipper ein Photo des Seitengebäudes mit der Widmung: ›Mein Haus, in dem die »Möwe« geschrieben wurde. Olga Leonardovna Knipper zur Erinnerung. 5. Mai 99. A. Čechov.‹ Anfang Mai hatte O.L. Knipper Čechov für drei Tage in Melichovo besucht.

761) *17. 6. 1899 – O.L. Knippper.* LN 85.

762) *22. 6. 1899 – Maksim Gorkij.* 2606.
in der Provinz leben – Gorkij lebte damals fest in Nižnij Novgorod.
war in Petersburg – am 11. 6. 1899, vgl. Anm. Nr. 755, 759.
Buch des Priesters Petrov – ›Die Evangelien als Grundlage des Lebens‹ von G.S. Petrov.

763) *24. 6. 1899 – K.S. Stanislavskij.* 2608.
mit Ihrer mise en scène – Vgl. Nr. 759.

764) *26. 6. 1899 – A.S. Suvorin.* 2613.
Konstantin Semënovič – K.S. Tyčinkin.
Melichovo – vgl. Nr. 758 und Anm., 766.
nach den »Bauern« – vgl. detebe Nr. 50/XVI; die ›Bauern‹ waren im Aprilheft 5151897 der ›Russkaja mysl‹ erschienen.
In Petersburg bin ich gewesen – am 11. 6. 1899.
Aleksej Petrovič – A.P. Kolomnin.

765) *1. 7. 1899 – O.L. Knipper.* 2622.

766) *5./6. 7. 1899 – M.P. Čechova.* 2628.
Vinogradov – Aleksej Nikolaevič Vinogradov, Offizier a.D., Haus- und Grundstücksmakler in Moskau.
Ežov – N.M. Ežov.
Roman – Knecht der Familie Čechov in Melichovo.
Maša – M.D. Belenovskaja, ›Marjuška‹, Köchin der Familie Čechov, 1826–1906; Čechov nahm sie später zu sich nach Jalta.

767) *8. 7. 1899 – O.L. Knipper.* 2632.
Taganrog wichtige Angelegenheit – ungeklärt, welche Angelegenheit Čechov meint. Čechov besichtigte in Taganrog Fabrikanlagen, führte Verhandlungen mit Iordanov über das Denkmal Peter I., das der Bildhauer Antokolskij entworfen hatte und das, auf dessen Vorschlag, im Ausland, entweder in Frankreich oder in Italien gegossen werden sollte.

768) *8. 7. 1899 – O. L. Knipper.* 2633.
in Ergänzung meines Telegramms – vgl. Nr. 767.
»Aquarium« – Restaurant in Moskau.
Malkiels – M. S. und S. S. Malkiel, Bekannte der Čechovs in Moskau.

769) *11. 7. 1899 – V. M. Sobolevskij.* 2638.

770) *17. 7. 1899 – M. P. Čechova.* 2639.

771) *22. 7. 1899 – M. P. Čechova.* 2643.
warum wartest du auf mich – vgl. Brief Nr. 766.
Der Bau macht Fortschritte – der Bau des Čechovschen Hauses auf dem Grundstück in Autka oberhalb Jaltas.

772) *8. 8. 1899 – M. P. Čechova.* 2648.
Konšin – M. Konšin, Holzhändler, kaufte Melichovo auf Raten, erste Zahlung 1/4 des Kaufpreises, d. h. 5750 Rubel; mußte 1902 wegen Zahlungsschwierigkeiten weiterverkaufen.
Vinogradov – A. N. Vinogradov.
Gestern kam . . . – Čechov war am 2. 8., gemeinsam mit O. L. Knipper, aus Jalta abgereist und am 4. 8. in Moskau angekommen.
Mejerchold – Vsevolod Ėmiljevič, 1874–1940, Schauspieler, Regisseur; am Künstlertheater 1898–1902.
Der Fürst – S. I. Šachovskoj.
Marija Fëderovna – M. F. Terentjeva.

773) *19. 8. 1899 – A. S. Suvorin.* 2656.
morgen oder übermorgen – Čechov fuhr am 25. 8. nach Jalta.
Doktor Chavkin – Vladimir Markovič, 1860–1930, Arzt, war nach Beendigung seiner Studien und einer 5jährigen Zeit am Zoologischen Museum an der Universität Odessa als Assistent an das Institut Pasteur nach Paris gegangen; von dort hatte man ihn zur Erforschung von Cholera und Pest nach Indien geschickt, wo er Seren zur Immunisierung gegen diese Krankheiten herstellte, mithilfe derer zwischen 1896 und 1909 rund 8 Millionen Menschen gegen Pest und Cholera geimpft wurden.
die Ausstellung – meint die Weltausstellung von Paris 1900.
Neulich bin ich zum Rektor . . . – worum A. I. Sinani ihn gebeten hatte, nämlich sich einzusetzen für einen jüdischen Studenten namens Veber, der einen Studienplatz in Moskau bekommen wollte.
guter Genius von Feodosija – meint I. K. Ajvazovskij, der an der Planung des Ausbaus des Handelshafens und des Bahnhofs von Feodosija beteiligt war.

Mercier – Auguste, 1833–1921, franz. General, Kriegsminister zwischen 1893 und 1895, einer der Initiatoren der Affäre Dreyfus, ›dessen Verurteilung M. durch die Mitteilung geheimer Aktenstücke herbeiführte‹ (Brockhaus). Trat 1898 in Ruhestand, wurde 1900 in den Senat gewählt.

774) *24. 8. 1899 – Maksim Gorkij.* 2664.
den Proben zu meinem Stück – ›Onkel Vanja‹ im Künstlertheater.
»Foma Gordeev« – Roman des Adressaten, der in Fortsetzungen in der Zeitschrift ›Žizn‹ erschien, und zwar in den Heften II–IX, 1899.
bei der Volkova – Julija Vladimirovna, Besitzerin einer Buchhandlung und Bibliothek in Jalta.
Giljarovskij – V.A. Giljarovskij.
Nozdrëv – Gestalt aus dem Roman ›Die toten Seelen‹ von N.V. Gogol.

775) *25. 8. 1899 – A.F. Marks.* 2667.
Ihren Brief – die Antwort Marks' auf Čechovs Brief vom 20. 8., in dem Čechov auf die Neuauflage des Bandes ›Stücke‹ gedrängt hatte. Zu den ›Stücken‹ bei A.F. Marks vgl. weiter Nr. 781.

776) *3. 9. 1899 – O.L. Knipper.* 2678.
bin wohlbehalten angekommen – in Jalta, am 27. 8. 1899.
Sinani – I.A. Sinani.
Sredins – bei denen O.L. Knipper im Juli 1899 gewohnt hatte: Leonid Valentinovič (vgl. w.u. L.V.) und Frau Sofja Petrovna.
an Bachčisaraj vorbei – auf der Rückreise von Jalta nach Moskau waren Čechov und O.L. Knipper am 2. 8. in Bachčisaraj gewesen. Bachčisaraj, in der Literatur bekannt durch Puškins Verserzählung ›Die Fontäne von Bachčisaraj‹, tatarische Stadt und beliebtes Ausflugsziel, an der Strecke Sevastopol-Simferopol gelegen; ›das »Schloß der Gärten«, vom Ende des XV. Jahrh. bis 1783 Residenz der Chane, mit 36 Moscheen, liegt an dem der Katschá zu fließenden Bache Tschurjuk-Ssu, in einem engen 5 km langen Felsental. Die Stadt mit 16 000 Einw. (2/3 Tataren), hat echt orientalisches Gepräge; das Straßenleben läßt sich am besten in späterer Morgenstunde beobachten. – Vom Bahnhof wendet man sich links auf einem Wege, der über unbebaute Fläche in die Hauptstraße der Stadt, die Bazarnaja, führt. Sie ist kaum 6 m breit und nur wenige Seitenstraßen gehen von ihr aus. Die Häuser, von Wein- und Fruchtgärten, Pyramidenpappeln und Gruppen anderer Bäume unterbrochen, werden in der einfachsten Weise in Werkstätten und Läden verwandelt, indem man die hölzernen Vorderwände aufklappt und sie als Verkaufs- und Arbeitstische benutzt, worauf Lederwaren, Früchte, usw. feilgeboten werden (nach Sonnenuntergang

werden die Läden geschlossen). An der Bazarnaja, ungefähr in der Mitte der Stadt, 3/4 St. Gehens vom Bahnhof, liegt, auf drei Seiten von Häusern umgeben und hinter einer hohen Mauer, der Chan-Saraj, der Palast der Chane, 1518 vom Chan Abdul Sahel-Giraj erbaut, 1736 zerstört, seitdem von der russischen Regierung mehrmals erneut‹ usw. (Baedeker, ›Rußland‹, Leipzig 1912).

wenn Nadenka erführe... – Scherz, in der Korrespondenz zwischen Čechov und der Knipper figuriert ›Nadenka‹ als Bild und Inbegriff der eifersüchtigen Braut und Frau.

Das grüne Scheusal – O.L. Knipper hatte Čechov einen Kaktus geschenkt.

777) *3. 9. 1899 – Maksim Gorkij.* 2679.

Widmung des »Foma Gordeev« – Gorkij hatte in einem (undatierten) Brief Ende August um Erlaubnis gebeten, Čechov den Roman ›Foma Gordeev‹ zu widmen; die Buchausgabe, Petersburg 1900, im Verlag Znanie, erschien mit der Widmung: ›Anton Pavlovič Čechov gewidmet. M. Gorkij.‹

Volynskij – Pseudonym des Literaturkritikers und Kunsthistorikers Akim Lvovič Flekser, 1863–1926.

778) *9. 9. 1899 – O.L. Knipper.* 2681.

Briefchen, Parfum... – am 8. 9. waren Čechovs Mutter und Schwester nach Jalta gekommen, vgl. weiter unten.

treue Begleiterin auf den Aj-Petri – Berg in der Nähe von Jalta, den Čechov und O.L. Knipper am 2. 8., auf der Reise nach Bachčisaraj, bestiegen hatten, vgl. auch Nr. 776.

Sie hätten meinen Brief nicht bekommen – gemeint ist Nr. 776 vom 3. 9. Er war, nachdem die Post von Jalta nach Moskau gewöhnlich vier Tage unterwegs war, erst am 7. September angekommen, Čechovs Angehörige hatten Moskau am 6. 9. verlassen.

Wie laufen die Proben – zu Gerhart Hauptmanns Stück ›Einsame Menschen‹ (russ. Titel ›Die Einsamen‹), in dem O.L. Knipper die Rolle der Anna Mahr spielte.

Von den Alexandrinern – meint ein Telegramm des Regisseurs E.P. Karpov vom Alexandratheater Petersburg, das Čechov am 4. 9. bekommen hatte, vgl. Nr. 780.

Die »Schreckschraube« – Wortspiel, scherzhafter Name für ein Boot, das im Hafen von Jalta lag, einen mit Schleppnetz fischenden Trawler. Russ. ›paršak‹: paršivyj: räudig, grindig.

779) *15. 9. 1899 – V.A. Golcev.* 2686.

die Novelle... noch nicht fertig – ›Die Dame mit dem Hündchen‹, vgl.

detebe Nr. 50/XVI; die Novelle erschien im Dezemberheft 1899 der ›Russkaja mysl‹.

Vukol – V.M. Lavrov.

Tichomirov – D.I. Tichomirov, Moskauer Mäzen.

Den kleinen Roman von 4 Bogen... – Vorhaben, das nicht realisiert wurde.

780) *22. 9. 1899 – E.P. Karpov.* 2691.

schicke Ihnen den »Onkel Vanja« – Antwort Čechovs auf einen Brief von Karpov vom 17. 9. Zu Čechovs Besetzungswünschen schrieb Karpov am 28. 9.: ›Ich habe Angst, die Rollen nach Ihrem Vorschlag zu vergeben. Sowohl Gorev als auch Ge sind unzuverlässig. Über diese Rollen muß man sehr, sehr viel nachdenken... Was meinen Sie zu Davydov in der Rolle des Onkel Vanja und Sazonov in der Astrovs? Schreiben Sie es mir ganz offen. Und wer soll Elena Andreevna und Marija Vasiljevna sein?‹

Die Aufführung am Alexandratheater kam nicht zustande.

Samojlov – Pavel Vasiljevič, 1866–1931.

Ge – Grigorij Grigorjevič, geb. 1867, Schauspieler.

Gorev – Fëdor Petrovič, 1850–1910.

Sazonov – Nikolaj Fëdorovič, 1843–1902.

781) *25. 9. 1899 – A.F. Marks.* 2693.

N.A. Rubakin – Nikolaj Aleksandrovič, 1862–1946, Bibliograph, Autor einer Reihe populärwissenschaftlicher Arbeiten und der bibliographischen Anleitung ›Aus der Welt der Bücher‹; hatte Sommer 1899 in Alušta auf der Krim verbracht.

in der beiliegenden Liste – die Liste ist nicht erhalten, war vermutlich aber identisch mit der, die Čechov am 28. 9. an Ju.O. Grjunberg schickte; den 2. Band der Werkausgabe betreffend, nennt diese Liste die Erzählungen:
1) Trunkenbolde, 2) Das Gewinnlos, 3) Die Erzählung der Frau NN, 4) Die Choristin, 5) Angst, 6) Nach dem Theater, 7) Frost, 8) Starke Empfindungen, 9) Bettler, 10) Teure Stunden, 11) Das alte Haus, 12) Im Schuppen, 13) Regenwetter, 14) Vom Regen in die Traufe, 15) Der Flüchtling, 16) Die Schönen, 17) Der Untersuchungsrichter. Vgl. diese Erzählungen in detebe Nr. 50/XII und XIII.

Die Korrektur der »Stücke« – vgl. Nr. 775.

782) *29. 9. 1899 – O.L. Knipper.* 2698.

den Direktoren ein Telegramm – zu Beginn der Spielzeit 1899/1900, die Direktoren: V.I. Nemirovič-Dančenko und K.S. Stanislavskij. Das erwartete Telegramm kam am 30. September. Vgl. Nr. 785.

den Bericht (der... – ›Bericht über die Tätigkeit des Künstlerisch-Allgemein zugänglichen Theaters im Ersten Jahr‹ (14. Juli 1898–28. Februar 1899).
dieselbe Roksanova – M.L. Roksanova, spielte in der ›Möwe‹ die Nina Zarečnaja; vgl. Nr. 751.

783) *30. 9. 1899 – O.L. Knipper.* 2702.
Sie schreiben... – in ihrem Brief hatte O.L. Knipper geschrieben: ›Mich verwirrt die Regieanweisung Alekseevs [d. i. Stanislavskijs], die letzte Szene zwischen Astrov und Elena betreffend: Astrov verhält sich bei ihm Elena gegenüber wie der feurigste Verliebte, er klammert sich an sein Gefühl wie der Ertrinkende an den Strohhalm. Meiner Meinung nach, wenn das so wäre, – so würde Elena ihm folgen, sie hätte nicht den Mut, ihm zu antworten, – »Komisch sind Sie«... Im Gegenteil, er spricht im höchsten Maße zynisch zu ihr und macht sich selbst sogar irgendwo lustig über seinen Zynismus. Stimmt das oder nicht?‹
Aleksandr Leonidovič – A.L. Višnevskij.
schicke sie durch den Fürsten – S.I. Šachovskoj.
»wir machen von uns reden...« – Zitat aus der Komödie ›Verstand schafft Leiden‹ von A.S. Griboedov.

784) *30. 9. 1899 – L.S. Mizinova.* 2701.
Olga Petrovna – O.P. Kundasova.
Levitan – I.I. Levitan.
Mamontov – Sergej Savvič, 1867–1915, Dramatiker, Lyriker, Theaterkritiker, Ehemann von V.A. Ėberle, Freundin von L.S. Mizinova.

785) *1. 10. 1899 – Moskauer Künstlertheater.* 2703.

786) *4. 10. 1899 – O.L. Knipper.* 2705.
Sie haben übertrieben – in ihrem Brief vom 29. 9. 1899 hatte O. L. Knipper in düsteren Worten die Eröffnungsvorstellung des Künstlertheaters, der Tragödie ›Der Tod Ioanns des Schrecklichen‹ von A. K. Tolstoj beschrieben und mitgeteilt, der Erfolg der Vorstellung sei hinter den Erwartungen zurückgeblieben.
Alekseev – K.S. Stanislavskij.
in Petersburg Davydov – V.N. Davydov.

787) *4. 10. 1899 – E.P. Karpov.* 2706.
Lenskij – Pseudonym des Fürsten Pavel Dmitrievič Obolenskij, der 1890 vom Theater F.A. Korš ans Alexandratheater nach Petersburg engagiert worden war.
Potockaja – Marija Aleksandrovna, gest. 1940.

Mičurina – Vera Arkadjevna Mičurina-Samojlova.
Sein Sohn – V.S. Elpatjevskij, Jurastudent, von der Polizei revolutionärer Umtriebe verdächtigt.
Zvoljanskij – ungeklärt, möglicherweise Direktor des Departements f. Staatspolizei.

788) *Anfang Oktober* 1899 – *V.Ė. Mejerchold.* LN 88.
Rolle des Johannes – in einem Brief vom 29. 9. hatte Mejerchold [3]Čechov um Hilfe gebeten bei der Arbeit an der Rolle des Johannes Vockerat in G. Hauptmanns ›Einsamen Menschen‹, die am Künstlertheater vorbereitet wurden.
Konstantin Sergeevič – K.S. Stanislavskij.
Olga Leonardovna – O.L. Knipper.
Aleksandr Leonidovič – A.L. Višnevskij.
Burdžalov – Georgij Sergeevič, 1869–1924, Schauspieler am Moskauer Künstlertheater seit 1898.
Lužskij – Vasilij Vasiljevič, 1869–1931, Schauspieler am Moskauer Künstlertheater seit 1898.

789) *7. 10. 1899* – *O.L. Knipper.* 2709.
Kartogramme, die im »Onkel Vanja« mitspielen... – vgl. Nr. 757. P.I. Kurkin reiste am 8. 10. aus Jalta ab.

790) *8. 10. 1899* – *A.L. Višnevskij.* 2710.
Das Stück, über das wir... sprachen – ungeklärt.
in der Malaja Dmitrovka – in Čechovs neuer Wohnung in Moskau.
Glikerija Nikolaevna – G.N. Fedotova; Višnevskij hatte geschrieben, die Fedotova bitte für ihre Benefizvorstellung im Dezember 1899 um ein neues Stück und sei bereit, die Benefizvorstellung auf den Januar 1900 zu verschieben, wenn Čechov bis dahin mit seinem neuen Stück fertigwerde.
gratuliere zu Ihrem Erfolg – Višnevskij spielte im ›Tod des Ioann‹ den Boris Godunov und hatte Čechov über das positive Presseecho berichtet.
kurz vor der Premiere des »Onkel Vanja« – war für den 14. Oktober vorgesehen, wurde auf den 26. 10. verschoben.
wie Trigorin war – Trigorin in der ›Möwe‹: Stanislavskij.

791) *11. 10. 1899* – *G.I. Rossolimo.* 2714.
Dr. Ralcevič – Apollinarij Antonovič, Arzt, Kassierer einer Unterstützungskasse der Ärzte, die gemeinsam 1884 das Studium an der Universität Moskau abgeschlossen hatten; gegründet wurde diese Hilfsinstitution auf einem Jubiläums-Diner am 8. 5. 1899, auf dem auch die

Edition eines Albums mit Photographien und Lebensläufen beschlossen wurde. G. I. Rossolimo sollte die Redaktion dieses Albums übernehmen.

Archangelskij – Pavel Arsentjevič, 1852–1914, Zemstvoarzt im Kreis Voskresensk.

enteritis – latein. medizin. ›Darmentzündung‹.

medizynische Fakultät – Scherz, Schreib›fehler‹; das russische ›i‹ ukrainisch ausgesprochen, das dem harten ›y‹ entspricht. ›Zynismus‹ russisch: cinizm.

792) *16. 10. 1899 – A. I. Urusov.* 2715.

die Freude, die Sie mir ... – meint zwei begeisterte Briefe Urusovs vom 5. und 27. 1. 1899 anläßlich der ›Möwe‹ des Künstlertheaters.

kann den »Waldschrat« nicht veröffentlichen ... – in einem undatierten Brief (Oktober 1899) hatte Urusov von der Gründung der Theaterzeitschrift ›Panteon‹ geschrieben, die unter Redaktion von S. P. Djagilev erscheinen sollte; ›ich habe ihm den Rat gegeben, Sie um den »Waldschrat« zu bitten und ihn als bemerkenswerte Variante des »Onkel Vanja« zu veröffentlichen‹, schrieb Urusov in diesem Brief.

M-me I. – K. M. Ilovajskaja.

793) *26. 10. 1899 – M. P. Čechova.* 2721.

am Tag nach deiner Abreise – M. P. Čechova war am 25. 10. nach Moskau zurückgefahren; Čechov blieb mit seiner Mutter in Jalta.

794) *26. 10. 1899 – Al. P. Čechov.* 2722.

ein Papier, in dem ... – Aleksandr hatte seinen Bruder am 21. 10. gebeten, ihm 1000 Rubel zu leihen, damit er die Bauarbeiter auf seinem Grundstück in Udelnaja bei Petersburg auszahlen könne.

Suvorin-fils – A. A. Suvorin.

795) *30. 10. 1899 – O. L. Knipper.* 2725.

daß der »Onkel V.« ... – die Premiere des Stücks, ursprünglich für den 14. Oktober 1899 vorgesehen, fand am 26. 10. am Moskauer Künstlertheater in der Regie von V. I. Nemirovič-Dančenko und K. S. Stanislavskij statt in der Besetzung

Serebrjakov – V. V. Lužskij.
Elena Andreevna – O. L. Knipper.
Sofja Aleksandrovna (Sonja) – M. P. Lilina.
Marija Vasiljevna – E. M. Raevskaja.
Vojnickij – A. L. Višnevskij.
Astrov – K. S. Stanislavskij.
Telegin – A. R. Artëm.
Marina – M. A. Samarova.

Zeitungen – Rezensionen der Aufführung erschienen im ›Kurjer‹ (27., 29. 10.), ›Novosti dnja‹ (26., 27. 10.), ›Russkie vedomosti‹ (28. 10., 24. 11.), ›Moskovskie vedomosti‹ (1. 11.) u. a.

Anna Ivanovna – A.I. Knipper, geb. Zalca, 1850–1919, Mutter von O. L. Knipper, Gesangslehrerin in der Philharmonischen Lehranstalt.

Onkel vom Militär – Aleksandr Ivanovič Zalca, Hauptmann, Bruder von A.I. Knipper; beging 1905 Selbstmord.

796) *1. 11.1899 – O. L. Knipper.* 2728.

Rolle der Anna noch das Stück selbst... – Irrtum Čechovs, meint Elena Andreevna, Olga Knippers Rolle im ›Onkel Vanja‹, die ihr, wie die Knipper am 27. 10. an Čechov schrieb, nicht optimal gelungen sei. – O. L. Knipper spielte auch die Anna Mahr in Hauptmanns ›Einsamen Menschen‹.

der Direktor hat mir ein Telegramm geschickt – V.I. Nemirovič-Dančenko telegraphierte am 30. 10. 99 an Čechov: ›Zweite Vorstellung Theater gerammelt voll Stück wird bewundernswert gehört und verstanden Spielen jetzt großartig Bessere Aufnahme gar nicht zu wünschen Heute bin ich vollkommen befriedigt Werde schreiben Kommende Woche setze ich Stück 4 Mal an.‹

Johannes ohne Frau – Anspielung auf Hauptmanns ›Einsame Menschen‹ (Johannes Vockerat).

Nikolaj Nikolaevič – N. N. Sokolovskij, 1864–1920, Freund der Familie Knipper, Professor für Harmonielehre am Konservatorium. O. L. Knipper hatte am 27. 10. geschrieben: ›Eben habe ich mich lange mit Nikolaj Nikol. unterhalten; er faßt die Elena genauso auf wie ich ursprünglich, und ihm vertraue ich.‹

797) *3. 11. 1899 – A. L. Višnevskij.* 2732.

Vladimir Ivanovič – V.I. Nemirovič-Dančenko.

Konstantin Sergeevič – K.S. Stanislavskij.

798) *11. 11. 1899 – M. P. Čechova.* 2736.

Arsenij – A. Ščerbakov, Arbeiter, Knecht der Familie Čechov in Jalta.

Ašešov – Journalist, Mitarbeiter des Moskauer ›Kurjer‹.

Melanija – Dienstmädchen Čechovs in Jalta, ›Maša‹.

den Wechsel einklagen – gegen M. Konšin, den Käufer des Gutes Melichovo, vgl. Nr. 772.

Das Junkersche Papier – Kontoauszug vom Bankkontor I. V. Junker & Co., wo Čechov ein Konto besaß; der Auszug ist nicht überliefert.

Fürst Šachovskoj – I. S. Šachovskoj.

Lepeškina – Lidija Vasiljevna, zweite Frau des Fürsten I. S. Šachovskoj.

Klimentova – Marija Nikolaevna.

Machorina – Marija Ivanovna, Schauspielerin, Opernsängerin.
nur noch Mašečkas – Zärtlichkeitsformen des Vornamens Marija: Maša, Mašečka.

799) *19. 11. 1899 – O. L. Knipper.* 2745.
mich zu sehen, nur 3 Kopeken geben würden – Čechov am 24. 11. an seine Schwester: ›Višnevskij schrieb mir, Olga Leonardovna habe sich über mich mit diesen Worten geäußert: »Sagen Sie mir nichts über diesen Schuft.« Wenn sie sich nicht so geäußert hätte, würde ich ihr jetzt ein Bild von mir schicken, das sie für 3 Kopeken verkaufen könnte.‹

800) *19. 11. 1899 – V. A. Posse.* 2746.
Ihr Telegramm – vom 17. 11. 1899, in dem V. A. Posse in Namen der Redaktion der Zeitschrift ›Žizn‹ um eine Erzählung für das Dezember- oder Januarheft bat.
eine Novelle für »Žizn« – ›In der Schlucht‹, vgl. detebe Nr. 50/XVI. Die Erzählung erschien im Januarheft Nr. 1/1900 der Zeitschrift ›Žizn‹.

801) *24. 11. 1899 – V. I. Nemirovič-Dančenko.* 2748.
schreibe an meiner Belletristik – vgl. Nr. 800.
Goslavskij – E. P. Goslavskij; Čechov antwortete ihm am 1. 12. 1899.
Ekaterina Nikolaevna – E. N. Nemirovič-Dančenko, Ehefrau des Adressaten.

802) *26. 11. 1899 – A. B. Tarachovskij.* 2753.
Statut der Unterstützungskasse – der Gesellschaft für gegenseitige Hilfe der russischen Schriftsteller.
Vasilevskij – I. F. Vasilevskij, 1850–1920, Feuilletonist, Redakteur der Zeitschrift ›Strekoza‹.
das bei »Posrednik« erschienene Buch – nicht geklärt, um welche Publikation es sich handelt.
einen Revolver mit sich herum? – Tarachovskij hatte Čechov geschrieben, er erhalte nach Veröffentlichung eines Feuilletons über das alltägliche Leben in Taganrog Drohbriefe verschiedenster Art.
»Priaz. kraj« – ›Priazovskij kraj‹, Lokalzeitung für Taganrog und Umgebung, an der Tarachovskij Redakteur war.

803) *27. 11. 1899 – E. P. Karpov.* 2754.

804) *3. 12. 1899 – V. I. Nemirovič-Dančenko.* 2757.
die Antwort von Karpov – ist nicht erhalten; vermutlich bereits die Antwort auf Nr. 803. Am 27. 11. hatte Nemirovič-Dančenko an Čechov telegraphiert: ›Halt um Gottes willen die Genehmigung des »Onkel

Vanja« für Petersburg zurück Wir gedenken an Großen Fasten dorthin zu fahren und 20 Mal zu spielen.‹

Angst vor Suvorin – A. S. Suvorin, der in Petersburg das Theater des ›Literarisch-artistischen Zirkels‹ leitete. Das geplante Gastspiel des Künstlertheaters in Petersburg kam erst ein Jahr später, im Frühling 1900 zustande.

Iv. Iv. Ivanov – Literaturhistoriker, Kritiker, Mitarbeiter der Zeitschrift ›Artist‹, der ›Russkie vedomosti‹ u. a.

Rezensionen zum »O. V.« – vgl. Anm. Nr. 795.

über »Oblomov« – gemeint ist der Aufsatz ›Oblomovs Familie‹ des Kritikers I. N. Ignatov aus Anlaß der ›Onkel Vanja‹-Premiere in den ›Russkie vedomosti‹, in dem Čechovs Figuren als Verwandte von Gončarovs Romangestalt Oblomov charakterisiert wurden.

und wenn Sanin und Ignatov... – am 28. 11. hatte Nemirovič-Dančenko geschrieben: ›diese Parallele zu den Oblomovs hatte im Frühjahr schon Šenberg (Sanin) gezogen.‹ – A. A. Sanin (Šenberg), 1869–1956, Schauspieler und Regisseur am Künstlertheater Moskau.

Nozdrëv – Gestalt aus N. V. Gogols Roman ›Die toten Seelen.‹

willst das Stück unbedingt... – ›Drei Schwestern‹, vgl. Nr. 801.

Alekseev-Trigorin – K. S. Stanislavskij, vgl. Nr. 751. Im ›Onkel Vanja‹ spielte Stanislavskij den Doktor Astrov.

Novelle für »Žizn« – ›In der Schlucht‹.

805) *8. 12. 1899 – O. L. Knipper.* 2767.

an die Arbeit gesetzt... – an die Erzählung ›In der Schlucht‹.

Zeitungsausschnitte, ich schicke Ihnen zwei... – sind nicht erhalten.

806) *20. 12. 1899 – V. A. Posse.* 2772.

das Manuskript – ›In der Schlucht‹.

807) *22. 12. 1899 – Ju. O. Grjunberg.* 2773.

als ich in Petersburg war – am 11. 6. 1899.

A. F. – Adolf Fëdorovič Marks.

meine übrigen ungenannten Werke – die hier genannten Titel vgl. z. T. in den Bänden detebe Nr. 50/XII und XIII.

1900

808) *2. 1. 1900 – O. L. Knipper.* 2784.

einer unserer gemeinsamen Bekannten – V. I. Nemirovič-Dančenko.

zum Erfolg der »Einsamen« – Hauptmanns ›Einsame Menschen‹ (russi-

scher Titel: ›Die Einsamen‹) mit O. L. Knipper in der Rolle der Anna Mahr und V.Ė. Mejerchold als Johannes Vockerat hatten am 16. 12. 1899 im Moskauer Künstlertheater Premiere.
habe Mejerchold geschrieben – vgl. Nr. 788.
im »Novoe vremja« – Aufsatz von P. Percov vom 28. 12. 1899 über den ›Onkel Vanja‹: ›Das ist nicht nur talentiert, das ist, um den modischen Ausdruck zu gebrauchen, »übertalentiert«. Das Bemerkenswerteste an dieser Vorstellung ist das unbestreitbare Ensemble und die »Inszenierung« des Regisseurs.‹
auch während der Großen Fasten – meint das für Frühjahr geplante Gastspiel des Künstlertheaters in Petersburg.
Im Februar-Heft der »Žizn« – vgl. Nr. 806; die Korrekturen der Erzählung schickte Čechov am 11. 1. an V. A. Posse zurück, in der Annahme, dieser Zeitpunkt sei für das Januarheft bereits zu spät.
Levitan ist bei uns – I. I. Levitan, reiste am 8. 1. wieder nach Moskau zurück. Das beschriebene Wandbild trug die Widmung: ›Für A. Čechov – I. Levitan.‹

809) *2. 1. 1900 – Maksim Gorkij.* 2783.
Bemühungen... Krankenfürsorge – Čechov hatte Ende 1899 einen Spendenaufruf an Gorkij geschickt, der am 1. 12. 1899 im ›Nižegorodskij listok‹ veröffentlicht worden war und um Spenden für bedürftige Kranke gebeten hatte.
Novelle für »Žizn«... – vgl. Nr. 806, die Erzählung ›In der Schlucht‹.
Ihre Erzählung »Die Waise« – veröffentlicht im ›Nižegorodskij listok‹ vom 4. 10. 1899.
Prof. A. B. Focht – Aleksandr Bogdanovič Focht, 1848–1930, Professor für pathologische Anatomie an der Universität Moskau.
Slepcov – Vasilij Alekseevič, 1836–1878, Schriftsteller.
Sredin – L.V. Sredin.

810) *8. 1. 1900 – A.S. Suvorin.* 2786.
die Gäste verabschiedet – I. I. Levitan und M. P. Čechova.
neulich eine größere Erzählung – ›In der Schlucht‹.
Fürst Barjatinskij – Vladimir Vladimirovič, Redakteur der Zeitung ›Severnyj kurjer‹; verheiratet mit der Schauspielerin L. B. Javorskaja.
Ihre Novelle... – Titel des Suvorinschen Manuskripts und weitere Einzelheiten unbekannt.
schicken Sie mir Ihr Stück – ›Die Frage‹, vgl. Nr. 814.
Kondakov – N. P. Kondakov.
wir sprechen über die Puškin-Sektion – im Zusammenhang mit dem 100. Geburtstag A. S. Puškins, der 1899 am 26. Mai begangen worden war, war durch Zarenerlaß (vom 23. 12. 1899) eine Sektion für Schöne Li-

teratur bei der Abteilung Russische Sprache und Literatur der Akademie der Wissenschaften ins Leben gerufen worden. In diese Sektion konnten, außer Akademiemitgliedern, auch Schriftsteller als Ehrenmitglieder gewählt werden. Vgl. dazu auch Nr. 814.

Barancevič – K.S. Barancevič.

Michajlovskij – N.K. Michajlovskij.

Martyrologium der Städte Rußlands – Obertitel einer Artikelfolge im ›Novoe vremja‹, die Ende 1899/Anfang 1900 erschien.

in seiner Novelle »Mein Leben« – hier aufgeklebt ein Ausschnitt aus dem gedruckten Text; vgl. detebe Nr. 50/XIX.

811) *15. 1. 1900 – M.P. Čechova.* 2793.

Kirov – ungeklärt.

20jähriges Jubiläum von Golcev – V.A. Golcev, Redakteur der Zeitschrift ›Russkaja mysl‹, die 1900 ihr 20jähriges Bestehen feierte.

Staraja Ruza – bei Staraja Ruza nahe Šelkovka befanden sich das Landgut von V.M. Lavrov und V.A. Golcevs Sommerhaus; vgl. Nr. 816.

bei jener sehr hübschen Dame – der Besitzerin des Grundstücks Suuk-Su, Olga Michajlovna Solovjëva.

Bonnier – Sofja Pavlovna, Jaltaer Bekannte Čechovs, sie half Čechov bei der Unterbringung von Tuberkulosekranken, die zur Behandlung nach Jalta kamen; vgl. Nr. 824.

Babakaj – Babakaj Osipovič Kalfa, Unternehmer in Jalta.

Gurgulja – Spitzname von M.T. Drozdova.

812) *19 1. 1900 – I.L. Leontjev-Ščeglov.* 2798.

zum 7. Januar – dem Namenstag des Adressaten.

Doktor Laur – Aleksandr Alekseevič, 1854–1901, Arzt, Homöopath, Journalist und Dramatiker; sein Einakter ›Die Lacherin‹ war 1896 in der Theaterbibliothek Rassochin, Moskau erschienen.

813) *21. 1. 1900 – G.I. Rossolimo.* 2801.

PS zu meiner Autobiographie – vgl. Nr. 791. In seinem Brief vom 16. 1. hatte G.I. Rossolimo gefragt, ob er nicht in einem Nachtrag melden könne, daß Čechov – wie am 17. 1. 1900 geschehen – zum Ehrenmitglied der Sektion für Schöne Literatur bei der Akademie der Wissenschaften gewählt worden war.

zwei Märchen aus dem Leben der Hunde – ›Weißstirnchen‹ und ›Kaštanka‹; G.I. Rossolimo hatte als Vorsitzender der Abteilung Familienerziehung bei der Pädagogischen Gesellschaft einen Plan zum Aufbau einer Musterbibliothek für Kinder zu entwerfen und hatte Čechov gefragt, welche Titel Čechov dazu beisteuern könne.

die Fregatte Pallas – ›Fregatte Pallas‹, Reisebericht von I.A. Gončarov

über seine Ostasienreise 1852 auf der russischen Fregatte Pallada (Pallas), erschienen 1856.
in der »Žizn« eine Novelle – ›In der Schlucht‹.

814) *23. 1. 1900 – A.S. Suvorin.* 2804.
Das neue Stück – ›Die Frage‹, 1902 am Kleinen Theater Moskau uraufgeführt, 1903 im Alexandratheater Petersburg, 1903 auch als Buch veröffentlicht.
Die von Čechov vorgeschlagene Veränderung der Familiennamen der dramatis personae hat Suvorin nicht vorgenommen.
Sumbatovsche »Ketten« – Theaterstück von A.I. Sumbatov-Južin.
etwas Skopzenhaftes – ›Skopzen (›Eunuchen‹) zahlreiche geheime Religionssekten in Groß- und Südrussland, deren Anhänger sich zur Abtödtung des Geschlechtstriebs selbst verstümmeln; stammt aus dem 18. Jahrh., von der Polizei streng verfolgt (1869 großer Prozess gegen sie).‹ (Meyer, 1878).
Was die Akademie betrifft – vgl. Nr. 810.
Jurjev ist gut – Person aus Suvorins Stück.

815) *24. 1. 1900 – F.D. Batjuškov.* 2806.
Roche bittet darum – D. Roche, Übersetzer Čechovs ins Französische, in seinem Brief vom 17./4. 1. 1900.
»Die Bauern« – erschienen in der ›Russkaja mysl‹ 1897, Nr. 4; über die Eingriffe der Zensur vgl. Band III, Nr. 608.
für die Photographie – Photo einer Illustration von I.E. Repin zu Čechovs ›Bauern‹, von der Batjuškov am 12. 1. 1900 geschrieben hatte; Batjuškov teilte mit, Repin beabsichtige, Čechov das Original zu überlassen, und er, Batjuškov, habe bereits arrangiert, daß die franz. Zeitschrift ›Revue Illustrée‹, die die Illustration reproduzieren wolle, das Original dann an Čechov schicken werde. – Čechov schickte das Original am 10. 4. 1901 an P.F. Iordanov nach Taganrog.
Ilja Efimovič – I.E. Repin.

816) *25. 1. 1900 – Al.P. Čechov.* 2807.
Grauer Bruder – Anspielung auf Aleksandrs Pseudonym ›A. Sedoj‹ (Der Graue, Grauhaarige).
Wechsel über eintausend Rubel – vgl. Nr. 794.
keine Gegendarstellungen – um welche – möglicherweise nur beabsichtigte – Gegendarstellung es sich handelt, ist unklar.
Auf das Telegramm geantwortet – ebenfalls nicht geklärt. Möglicherweise das nicht überlieferte Telegramm an Golcev, vgl. Nr. 817; oder Antwort auf ein unbekannt gebliebenes Glückwunschtelegramm zu Čechovs Wahl zum Mitglied der Akademie.

817) *27. 1. 1900 – V.A. Golcev.* 2809.

17. Januar... Unsterblichkeit – meint Čechovs Wahl zum Ehrenmitglied der Akademie der Wissenschaften; am selben Tag hatte Čechov Geburtstag.

Lesesaal in St. Ruza – vgl. Nr. 811.

»Jammerschrei« – Erzählung von V.M. Krestovskaja, veröffentlicht im Januar- und Februarheft der ›Russkaja mysl‹, 1900.

Mamins Novelle – ›In der Umgebung der Herrschaften‹, Roman von D.N. Mamin-Sibirjak, erschienen in den Heften 1, 3 und 4 der ›Russkaja mysl‹, 1900.

Vukol – V.M. Lavrov.

818) *28. 1. 1900 – M.O. Menšikov.* 2811.

welche Krankheit Tolstoj hat – Moskauer Zeitungen hatten Dezember 1899 gemeldet, L.N. Tolstoj sei von den schweren Gallenkoliken, an denen er gelitten hatte, genesen. Menšikov hatte geschrieben, er sei neulich in Moskau bei Tolstoj gewesen, der wirklich fast ganz genesen sei, ›außer zeitweiligen Schmerzen in Darm und Magen... Dr. Usov hat alle inneren Organe untersucht, und keinerlei Anzeichen von Krebs gefunden.‹

Čerinov nicht geantwortet – Professor Michail Petrovič Čerinov, 1838–1905, Mediziner, Therapeut, Professor an der Universität Moskau.

etwas zu »Auferstehung« – Roman von L.N. Tolstoj, der in seiner definitiven Fassung 1900 in der Zeitschrift ›Niva‹ erschien. In seinen Erinnerungen ›L.N. Tolstoj und A.P. Čechov‹ teilt P.A. Sergeenko mit, Čechov habe den Roman erstmals in Jasnaja Poljana kennengelernt, als V.G. Čertkov und I.I. Gorbunov aus dem Manuskript vorlasen; damals habe er im persönlichen Gespräch mit Tolstoj einige Einwände geäußert, die die Beschreibung der Szenen vor Gericht betrafen und die Tolstoj berücksichtigt habe.

Sigma – Pseudonym des Journalisten und Publizisten S.M. Syromjatnikov, geb. 1860. Mitarbeiter des ›Novoe vremja‹ und ab 1907 der offiziösen Zeitschrift ›Rossija‹.

Voskresenskij – S. Voskresenskij, Schriftsteller.

819) *29. 1. 1900 – M.P. Čechov.* 2817.

Michel – französisch zu lesen, russ. transkrib.: ›Mišel‹.

antworte auf deinen Brief – der nicht erhalten ist; nach seiner Ankunft in Petersburg hatte M.P. Čechov Suvorin und Familie aufgesucht und mit ihm über Suvorins Verhältnis zu Čechov gesprochen.

Toržok – Bahnstation auf der Strecke Petersburg-Moskau, zwischen Lichoslav und Vjazma.

am Tage nach der »Möwe«-Premiere – am Alexandratheater in Petersburg, 17. Oktober 1896, vgl. Nr. 551f.
Marks – A.F. Marks.
Suvorin in allen Einzelheiten informiert – vgl. Nr. 713 ff.
Vorschuß von 20 Tausend – den Suvorin bereit gewesen war zu zahlen.
Gespräche in Nizza – im Frühjahr 1898.
Die »Beziehungen« ... – unbekannt, in welchem Brief an M.P. Čechov; unbekannt auch, in welchem Brief A.S. Suvorin an Čechov geschrieben hat, ›daß wir einander nichts mehr zu sagen hätten‹.
in seiner Druckerei begonnen – in der Druckerei A.S. Suvorin, vgl. Nr. 676, 691 f.
Den »Severnyj kraj« – liberale Tageszeitung, erschien seit Dezember 1898 (bis Dezember 1905) in Jaroslavl; an dieser Zeitung hatte M.P. Čechov, solange er in Jaroslavl lebte, mitgearbeitet.
Ženja – Evgenija M. Čechova, Tochter des Adressaten.
Olga Germanovna – Ehefrau des Adressaten.

820) *29. 1. 1900 – L.S. Mizinova.* 2815.
die Schriftstellerin – E.M. Šavrova-Just.
im »Helsingfors« – Hotel in Moskau.
Varja – V.A. Ėberle, in erster Ehe Melnikova; heiratete den Sohn von S.I. Mamontov, Sergej Savvič Mamontov; Regisseurin am privaten Opernhaus Mamontov in Moskau.
Berdičev – vgl. ›Drei Schwestern‹, II. Akt: ›Balzac wurde in Berdičev getraut‹; Berdičev, Landkreis und Stadt im Gouvernement Kiev in der Ukraine. Hier hatte Honoré de Balzac die polnische Gutsbesitzerin Ewelyna Hanska geheiratet (1850), mit der er seit 1833 ein Verhältnis hatte.
Konovicer – Efim Zinovjevič, Redakteur des Moskauer ›Kurier‹.
Olga Petrovna – O.P. Kundasova.

821) *2. 2. 1900 – I.L. Leontjev-Ščeglov.* 2823.
Antwort auf Ihren letzten Brief – vom 26. 1. 1900.
»Gordischer Knoten« – Roman von I.L. Leontjev-Ščeglov, erschienen 1887 in Petersburg, den Ščeglov auch zu einem Theaterstück umgearbeitet hatte.
an Vejnberg – P.I. Vejnberg; zu dem hier erwähnten Protestbrief vgl. Nr. 646, am 10. 12. 1897.
Laur – A.A. Laur, vgl. Nr. 812.

822) *3. 2. 1900 – Maksim Gorkij.* 2824.
Die Zeilen über Tolstoj und den »Onkel Vanja« – Brief Gorkijs undatiert (Mitte Januar), in dem Gorkij Čechov einen Besuch bei L.N. Tolstoj

schilderte sowie einen Besuch im Künstlertheater, wo er den III. Akt des ›Onkel Vanja‹ gesehen habe. Gorkij kritisierte Stanislavskij und vor allem Višnevskij, der ›den Onkel nicht versteht; dafür sind die andern eine einzige Pracht! Übrigens, Stanislavskijs Astrov ist nicht ganz das, was er sein sollte.‹ Und die Knipper sei ›eine wundervolle Schauspielerin, eine herrliche, sehr kluge Frau‹.

»Mein Gefährte« – Erzählung von M. Gorkij.

warte auf den »Foma Gordeev« – ›Foma Gordeev‹, Roman von Maksim Gorkij, der Anfang 1900 als Einzelausgabe erschien; Čechov hatte V.A. Posse, im Zusammenhang mit den Korrekturen seiner eigenen Erzählung (›In der Schlucht‹), mehrmals daran erinnert, ihm den Gorkij-Roman zu schicken.

823) *10. 2. 1900 – O.L. Knipper.* 2832.

ins Ausland, zur Ausstellung – zur Weltausstellung nach Paris.

lachen, wenn Ihnen Ihr Onkel vorliest – O.L. Knipper schrieb am 5. 2.: ›Onkel Saša liest »Sie« dauernd vor; er und Volodja unterhalten sich oft in Čechov-Sprache, so daß alle furchtbar lachen müssen.‹

Neulich ... von Ihrem Chef ... – (undatierter) Brief von V.I. Nemirovič-Dančenko, Februar 1900.

Antonio, academicus – im Orig. latein.

Nadežda Iv. – Nadežda Ivanovna, Mutter von L.V. Sredin.

Wünsche zu meiner Heirat – Scherz. O.L. Knipper hatte in einem Brief im Januar geschrieben: ›Eben komme ich von Marija Pavlovna – sie hat mir mitgeteilt, Sie würden eine Popenfrau heiraten. Ich gratuliere, lieber Schriftsteller, haben Sie es also doch nicht ausgehalten?‹

façon de parler – franz. ›Art zu reden‹, ›Ausdrucksweise‹.

824) *11. 2. 1900 – A.L. Višnevskij.* 2833.

vor allem die Buchhaltung – Adressat war zu dieser Zeit Sekretär der Direktion des Theaters und hatte Čechov in seinem Brief vom 7. 2. über den Finanzhaushalt des Künstlertheaters und über die Bilanz des Jahres 1899 informiert.

Ščukinsches Theater – Privattheater in Moskau.

Morozov – Savva Timofeevič, 1862–1905, Fabrikant, Mäzen des Künstlertheaters und einer seiner Direktoren, der auch Anteil an der künstlerischen Arbeit des Theaters nahm. Vgl. Stanislavskij, ›Mein Leben in der Kunst‹.

Ausschnitt aus dem »Priaz. kraj« – vom 1. 2. 1900, in dem berichtet wurde über den Beschluß der Stadtverwaltung Taganrog vom 26. 1., Čechov zur Wahl zum Ehrenmitglied der Akademie ein Grußtelegramm zu schicken.

Glikerija Nikolaevna – G.N. Fedotova.

825) *12. 2. 1900 – A.S. Suvorin.* 2834.

über den IV. Akt – des Theaterstücks ›Die Frage‹ von A.S. Suvorin, das Suvorin Čechov zum Lesen geschickt hatte, vgl. Nr. 814.

Briefe zu »Rusalka« und Korš – 1897 hatte die Zeitschrift ›Russkij archiv‹ einen sogenannten Schluß der Verserzählung ›Rusalka‹ von A.S. Puškin veröffentlicht, den D.P. Zuev 1836 von Puškin selbst vorgetragen gehört haben wollte; Zweifeln an der Authentizität dieses ›Schlusses‹ war der Philologe F.E. Korš mit einer Analyse entgegengetreten, die die Echtheit des Texts bestätigen sollte (veröffentlicht in den Mitteilungen der Akademie der Wissenschaften 1898/1899). Dennoch wurde die Echtheit des Texts weiterhin bestritten, u. a. durch eine Folge ›Kleiner Briefe‹ von A.S. Suvorin im ›Novoe vremja‹, in denen Suvorin die Analyse Koršs der Kritik unterzog.

über die Konovalova ... – ein Geschworenengericht hatte eine des Mordes angeklagte Frau Tatarinova (von Čechov irrtümlich Konovalova genannt) freigesprochen, woraufhin u.a. Suvorin in einem ›Kleinen Brief‹ (vom 3. 2. 1900) scharfe Angriffe gegen die Institution des Geschworenengerichts richtete.

Soll A-t darüber schreiben – über denselben Fall hatte der Publizist V.K. Petersen (Pseudonym: ›A-t.‹) am 26. 1. 1900 im ›Novoe vremja‹ geschrieben.

letzter Band von L. Tolstoj – meint vermutlich die Ausgabe ›Auferstehung. Roman von Graf L.N. Tolstoj. Band II. Teil 3‹, erschienen bei M.V. Kljukin, Moskau 1900. Der Text dieser Ausgabe ist von der Zensur verstümmelt, die Ausgabe wurde binnen einer Woche wiederholt; die erste enthielt den Vermerk: ›Von der Zensur genehmigt 22. Dezember 1899‹, die zweite: ›Genehmigt von der Zensur 29. Dezember 1899.‹

Ungläubiger Thomas – Pseudonym des Historikers, Lyrikers und Ökonomen Grigorij Aleksandrovič Nemirov, 1847–1905; er hatte in einem Feuilleton im ›Novoe vremja‹ einen Maskenball im Marien-Theater in Petersburg beschrieben.

826) *14. 2. 1900 – M.P. Čechova.* 2835.

meine Reisepläne – Čechov wollte im Frühjahr 1900 nach Frankreich fahren, die Pariser Weltausstellung besuchen, dachte an eine Reise nach Afrika, von Frankreich aus.

Veselitskaja – L.I. Veselitskaja (pseud. V. Mikulič).

Gurgulja – M.T. Drozdova.

827) *14. 2. 1900 – O.L. Knipper.* 2836.

Bräutigam in Mogilëv – Mogilëv, Kleinstadt in der Ukraine, vorwiegend jüdische Bevölkerung.

Manasevič – Albert Fëdorovič, Sekretär der Direktion des Künstlertheaters in der allerersten Zeit.
in der Nähe von Nikitskie vorota – in Moskau; dort, Ecke Bolšaja Nikitskaja und Merzljakovskij pereulok, Haus Meščerinova, wohnte O. L. Knipper.
Černomordik – scherzhafter Name, russ. ›černo-‹: schwarz; ›morda‹: Schnauze, Maul. ›Schwarzschnäuzchen, Schwarzmäulchen.‹
Ivan Cinger – Tolstojaner, Bühnenarbeiter im Künstlertheater Moskau.

828) *15. 2. 1900 – Maksim Gorkij.* 2838.
Feuilleton im »Nižegor. listok« – vom 30. 1. 1900, in dem Gorkij anläßlich des Erscheinens von ›In der Schlucht‹ einen Aufsatz über Čechov veröffentlicht hatte.
Jarcev – Grigorij Fëdorovič, gest. 1918, Arzt, in dessen Jaltaer Haus die Familie Sredin wohnte.
»Auferstehung« – vgl. Nr. 825; Roman von L. N. Tolstoj.
Nechljudov, Katjuša – Gestalten aus Tolstojs ›Auferstehung‹.
»Sechsundzwanzig und eine« – Erzählung von M. Gorkij, erschienen in der Zeitschrift ›Žizn‹, Heft XII, 1899.
provinz. Bildchen – ›Provinzbilder‹ / ›Bilder aus der Provinz‹ von E. I. Čirikov, veröffentlicht im Januarheft 1900. Erste Seite des Januarhefts bildete ein großes Photo von einem Bettler, mit der Unterschrift ›Glückliches Neues Jahr.‹
die Erzählung der Gurevič – L. Ja. Gurevič, ›Der Passagier‹.
Eben hat man mir Ihren Brief ... – Brief von Anfang Februar 1900 aus Nižnij Novgorod.
im Sinne von Weltschmerz – ›Weltschmerz‹ im Orig. deutsch.
das Feuilleton von Žukovskij – D. N. Žukovskij, ›Der Sänger der décadance‹, in den ›Peterburgskie vedomosti‹ vom 4. 12. 1899.

829) *17. 2. 1900 – V. N. Ladyženskij.* 2840.
Vive la Penza ... – französisch, ›Es lebe Penza! Es lebe das Mitglied der Zemstvoverwaltung! Es lebe die Körperstrafe für die Bauern!‹
danke für das Buch – Brief vom 10. 2. 1900; das Buch: ›Über Bücher und Werke. Erster Band. Von ältester Zeit bis zu Peter d. Gr. Lektüre für Schulen und Volk‹, Moskau 1899, im Selbstverlag.
Muscat vomitif – so im Original. ›Muscat‹-Weinmarke; ›vomir‹ franz. – erbrechen; Wein, der einen zum Erbrechen bringt.
cogito ergo sum – latein., berühmter Satz des Descartes, 1596–1650, erste Erkenntnis des Philosophen: ›Ich denke, also bin ich.‹
Mamin – D. N. Mamin-Sibirjak.
bei Filippov – Restaurant und Café in Moskau, Ecke Tverskaja und Gliniščevskij per.

830) *19. 2. 1900 – O. L. Knipper.* 2842.

831) *22. 2. 1900 – M. P. Čechova.* 2844.
Marja Abramovna – M. A. Altšuller.
Theater kommt nicht nach Jalta – so V. I. Nemirovič-Dančenko in zwei Telegrammen (vom 17. und 18. 2.), in denen es u. a. hieß, das Theater müsse über die Osterfeiertage im Theater Korš spielen, und die Čechov nach Moskau einluden.

832) *29. 2. 1900 – V. A. Posse.* 2849.
daß Sie nach Jalta kommen – V. A. Posse kam, in Begleitung von Maksim Gorkij, am 16. 3. 1900 nach Jalta.
»Foma Gordeev« ist... – am 15. 2. hatte Čechov Posse nochmals um die Einzelausgabe des Romans gebeten.

833) *6. 3. 1900 – Maksim Gorkij.* 2856.
»Hedda Gabler« – Theaterstück von Henrik Ibsen, am 31. 1. 1891 im Residenz-Theater München uraufgeführt, hatte am Moskauer Künstlertheater in der Übersetzung von S. L. Stepanova am 19. 2. 1900 Premiere.
bald den »Bauern« – meint: zu Ende: Fragment einer Erzählung von M. Gorkij, ›Der Bauer‹, erschienen in den Heften III und IV der Zeitschrift ›Žizn‹, 1900.

834) *7. 3. 1900 – M. P. Čechova.* 2857.
Novoselki – Dorf im Kreis Serpuchov, nahe Melichovo, in dem Čechov eine Dorfschule gebaut hatte.
Višnevskij war da – Anfang März im Zusammenhang mit den Vorbereitungen des Gastspiels des Künstlertheaters, vgl. Nr. 833.
seine Rolle im »Onkel Vanja« – Vojnickij.

835) *10. 3. 1900 – A. S. Suvorin.* 2859.
alle 4 angekündigten Vorstellungen – vgl. Nr. 833.
Der »Sokrates« von Sergeenko – P. A. Sergeenko, ›Sokrates. Historische Szenen‹, veröffentlicht in den monatlichen ›Literaturbeilagen zur »Niva«‹ 1900, Nr. 2 und 3.
Karpov – E. P. Karpov.
Akademie-Neuigkeiten – vgl. Nr. 825 Anm.
Professor Kondakov – N. P. Kondakov, war am 5. 2. 1900 zum ordentlichen Mitglied der Akademie der Wissenschaften gewählt worden.
Lamanskij – Vladimir Ivanovič, 1833–1914, Professor für slavische Philologie an der Universität Petersburg.
Korš – F. E. Korš, vgl. Nr. 825.

836) *10. 3. 1900 – V. I. Nemirovič-Dančenko.* 2860.
von Gorev einen Brief – F. P. Gorev, der in seinem Brief vom 3. 3. 1900 um die Aufführungsgenehmigung für den ›Onkel Vanja‹ bat, den er als seine Abschieds-Benefizvorstellung spielen wollte; Gorev ging dann in Pension.
Sinani – I. A. Sinani.
an dem neuen Stück? – ›Drei Schwestern‹.
Sumbatov – A. I. Sumbatov-Južin.
Karpov – E. P. Karpov.
Alexandrinka – abgekürzt, umgangssprachlich für Aleksandrinskij teatr, das Alexandratheater in Petersburg.

837) *17. 3. 1900 – A. L. Višnevskij.* 2864.
Novikov – Theaterunternehmer, Direktor des Theaters in Jalta.
Fürstin Barjatinskaja – Marija Vladimirovna, Vorsitzende des Jaltaer Komitees des Russischen Roten Kreuzes.
Sazonov – N. F. Sazonov.

838) *26. 3. 1900 – O. L. Knipper.* 2869.
aus dem »Onkel Vanja« rezitieren – vgl. Nr. 834.
Ein Stück... – O. L. Knipper hatte geschrieben: ›Ringsumher spricht man von Ihrem neuen Stück, ich allein weiß nichts und höre nichts davon.‹
Gorkij ist hier – war, in Begleitung von V. A. Posse, am 16. 3. in Jalta angekommen.

839) *26. 3. 1900 – M. O. Menšikov.* – 2871.
Familie Vengerov – des Professors und Literaturhistorikers S. A. Vengerov, in deren Auftrag Menšikov Čechov um Auskunft gebeten hatte über Unterbringungsmöglichkeiten von Geisteskranken; es ging um einen Bruder von S. A. Vengerov, vgl. weiter unten ›der Student‹.
Manuskript von Voskresenskij – vgl. Nr. 818.
»Sokrates« gelesen – Theaterstück von P. A. Sergeenko, vgl. Nr. 835.

840) *26. 3. 1900 – M. P. Čechova.* 2872.
bretelles – franz. ›Hosenträger‹.

841) *20. 4. 1900 – E. P. Karpov.* 2879.
meine Reise nach Sevastopol – am 7. 4. traf das Moskauer Künstlertheater in Sevastopol ein; Čechov kam am 10. 4. dorthin, sah am 10. 4. die Premiere des ›Onkel Vanja‹, am 11. 4. ›Einsame Menschen‹, am 12. 4. ›Hedda Gabler‹. Čechov verließ Sevastopol am 13. 4., ohne die ›Möwe‹ gesehen zu haben.

Aufenthalt des Künstlertheaters – in Jalta; am 14. 4. trafen die Ensemble-Mitglieder des Künstlertheaters, von Sevastopol kommend, in Jalta ein. Die letzte Vorstellung (zum zweiten Mal in Jalta: ›Die Möwe‹) gab das Theater am 23. 4. 1900.

842) *29. 4. 1900 – V. A. Golcev.* 2882.
komme Anfang Mai nach Moskau – Čechov traf am 8. 5. in Moskau ein und blieb bis zum 17. Mai.

843) *20. 5. 1900 – O. L. Knipper.* 2887.
während der Fahrt nach Jalta – Čechov verließ Moskau am 17. 5. und kam am 19. 5. in Jalta an.
Wie geht es Levitan – I. I. Levitan, der schwer erkrankt war und den Čechov während seines Aufenthalts in Moskau mehrmals besucht hatte; Levitan starb noch im selben Jahr, am 22. Juli, in Moskau.

844) *13. 6. 1900 – M. O. Menšikov.* 2891.
dann war ich zweimal... – einmal die Reise nach Moskau, vgl. Nr. 842, 843; danach, Ende Mai, eine Reise mit M. Gorkij, V. M. Vasnecov und A. N. Aleksin nach Tiflis, über Mcchet, von der Čechov am 13. 6. nach Jalta zurückkehrte.
V. S. Tjufjaeva – Vera Sergeevna, Bekannte von M. O. Menšikov, die März 1900 nach Jalta gekommen war und Čechov das Voskresenskij-Manuskript überbracht hatte, vgl. Nr. 839, 818.
der Stud. Vengerov – vgl. Nr. 839.

845) *7. 7. 1900 – Maksim Gorkij.* 2897.
Kapitolina... K. V. Nazarjeva, 1847–1900, Schriftstellerin, Kritikerin, verfaßte Aufsätze über Gorkij, u. a. in ›Novyj mir‹, Nr. 3 und 5, 1900; schrieb unter dem Pseudonym ›N. Levin‹.
»Sočinenija« – ›Ežemesjačnye sočinenija‹ (Werke des Monats), Literaturzeitschrift, hrsg. in Petersburg von März 1900–1903, Redaktion: I. I. Jasinskij.
Ihre Abreise aus Jalta – Mitte Juni 1900.
das Stück geschrieben – ›Kleinbürger‹, vgl. Brief Nr. 858 und weitere, ausführlich Nr. 957.
Anna Inozemceva – Anna Andreevna, geb. 1864, Schriftstellerin, Dramatikerin, deren Stücke in Nižnij Novgorod zu sehen waren; sie hatte Čechov den ersten Band ihrer Werke (Nižnij Novgorod, 1900) mit Widmung geschickt.
Anatolij – Sohn L. V. Sredins, A. L. Sredin.
Ekaterina Pavlovna – Ehefrau Gorkijs, geb. Volžina.
Maksimka – Maksim Alekseevič Peškov, 1897–1934, Sohn Gorkijs.

846) *12. 7. 1900 – Maksim Gorkij.* 2898.
Einladung nach China – Gorkij hatte Čechov aufgefordert, nach China mitzufahren, wo Anfang 1900 der sog. Boxeraufstand ausgebrochen war, der von den westeuropäischen Kolonialmächten und Japan niedergeworfen wurde; die Besetzung Pekings am 13. 8. 1900 bedeutete das Ende des Aufstands.
und das Stück – die ›Kleinbürger‹, vgl. Nr. 845, 858.
der Nazarjeva geantwortet – vgl. Anm. Nr. 845.

847) *5. 8. 1900 – A. L. Višnevskij.* 2905.
An dem Stück – ›Drei Schwestern‹.
Rolle eines Gymnasialinspektors – Kulygin, vgl. ›Drei Schwestern‹, detebe Nr. 50/IV.
die R. – die Schauspielerin E. M. Raevskaja.

848) *9. 8. 1900 – O. L. Knipper.* 2906.
seit deiner Abreise – am 5. 8. 1900; O. L. Knipper hatte den Juli in Jalta verbracht; Čechov hatte sie am 5. 8. nach Sevastopol an den Zug begleitet.
Hotel Kist – in Sevastopol, an der Grafskaja pristan gelegen, ›mit Aussicht‹, eines der ersten Hotels in Sevastopol.
Balaklava – ›Ein Fahrweg führt von Sevastopol südöstl., vorbei an dem (r.) französischen Friedhof nach (14 W.) Balaklava (Gasth.: Rossija, Grand-Hotel, beide an der Bucht, Z. von 1 R. an), einem unbedeutenden Ort mit 2200 Einw., aber malerisch an einer bis auf die schmale Einfahrt ganz von nackten Felsen umschlossenen Bucht von etwa 1 1/2 km Länge und 1/2 km Breite gelegen, im Krimkriege Hauptstützpunkt der Engländer, deren Stellung am 13./25. Okt. 1854 von den Russen erstürmt, aber von den Franzosen wiedergenommen wurde (russisches und englisches Denkmal). Gute Seebäder. Auf die Bucht von Balaklava bezieht man Homers Schilderung der Lästrygonenbucht Odyssee X, 86–94.‹ (Baedeker, Rußland.)
Alekseev – K. S. Stanislavskij, der Čechov am 8. 8. in Jalta besucht hatte und danach nach Alupka weitergefahren war.
das Stück – ›Drei Schwestern‹; den Termin bis Anfang September bestätigte Čechov in einem Brief vom 17. 8. an O. L. Knipper: ›Wenn keine Gäste mich unterbrechen und ich mich nicht ärgern muß, werde ich das Stück bis zum 1.–5. September fertighaben.‹

849) *13. 8. 1900 – O. L. Knipper.* 2909.

850) *14. 8. 1900 – O. L. Knipper.* 2910.
schreibe an dem Stück – ›Drei Schwestern‹.

Sonja und Volodja – Frau und Sohn seines Bruders Ivan P. Čechov, Sofja V. und Vladimir Ivanovič Čechov.

851) *18. 8. 1900 – O.L. Knipper.* 2912.
Maša fährt morgen – nach Moskau zurück, M.P. Čechova reiste am 19. 8. ab.
Alekseevs – K.S. Stanislavskij und M.P. Lilina kamen am 22. 8. noch einmal nach Jalta, Stanislavskij besuchte Čechov noch am selben Tag.
M-me Nemirovič – E.N. Nemirovič-Dančenko, Ehefrau von V.I. Nemirovič-Dančenko, vgl. Nr. 852.

852) *20. 8. 1900 – O.L. Knipper.* 2913.
Ekaterina Nikolaevna – E.N. Nemirovič-Dančenko, vgl. unten: ›Ek. Nik.‹
Onkel Saša – A.I. Zalca; Antwort auf einen Satz aus dem Brief von O.L. Knipper: ›Mir ist schwer ums Herz, eben habe ich die Beichte von Onkel Saša angehört – Unzufriedenheit, Bewußtsein eines sinnlos verbrachten Lebens.‹
Vl.Iv. – V.I. Nemirovič-Dančenko.

853) *23. 8. 1900 – O.L. Knipper.* 2915.
die Ungarin – Margarita Tojman (Šitochina), Harfinistin, Komponistin.
Alekseev war bei mir – am 22. 8. 1900, vgl. Nr. 851.
Mädchengymnasium, zur Direktorin – V.K. Charkeevič.
Veročka – Vera Sergeevna Passek, verh. Čoglokova.

854) *25. 8. 1900 – V.F. Komissarževskaja.* 2916.
Sie sind mir böse? – Anfang August war V.F. Komissarževskaja für einige Tage in Jalta gewesen, hatte Čechov in Gurzuf besucht und sich in Jalta photographieren lassen; die Aufnahmen wurden aber nicht mehr fertig, so daß die Komissarževskaja Čechov darum gebeten hatte, sie ihr nachzuschicken.
Boborykins Aufsatz – P.D. Boborykin, ›Die ewige Stadt‹, Essay in Fortsetzungen, gemeint ist wahrscheinlich Kapitel V (erschienen im Juniheft 1900), ›Der Vatikan um die Jahrhundertwende‹, in dem eine Audienz beim Papst beschrieben wurde.
Ihnen dann schicken – V.F. Komissarževskaja hatte darum gebeten, ihr das neue Stück sofort zu schicken, sie wolle es als ihre Benefizvorstellung Ende 1900 spielen. Čechov am 9. 9. an M.P. Čechova: ›Eben habe ich von der Komissarževskaja ein Telegramm bekommen; sie bittet um das Stück für ihr Benefiz.‹

855) *30. 8. 1900 – O.L. Knipper.* 2917.

856) *5. 9. 1900 – O. L. Knipper.* 2920.
nach Moskau, ohne es fertigzuhaben – Čechov hatte die Absicht, nach Moskau bereits mit dem fertigen Stück zu kommen.
nur den »Ivanov« bei Korš... – meint die Uraufführung der ersten Version des ›Ivanov‹ im Theater F. A. Korš in Moskau, vgl. dazu die Briefe Ende 1887.
Direktorin des Gymnasiums – V. K. Charkeevič.
in der Ml. Dmitrovka – Malaja Dmitrovka, dort hatte Čechov 1899 eine Wohnung gemietet für den Eventualfall, daß ihm gestattet würde, auch im Winter eine Zeitlang in Moskau zu leben. In der Wohnung wohnten M. P. Čechova und Ivan P. Čechov mit Familie.

857) *6. 9. 1900 – O. L. Knipper.* 2922.

858) *8. 9. 1900 – Maksim Gorkij.* 2923.
schicke Ihnen einen Brief – ungeklärt, um welchen Brief es sich handelt. Gorkijs Antwort gibt ebenfalls keinen näheren Hinweis: ›Den Brief der Dame habe ich gelesen, – eine tapfere Dame und geschickt, wie sie mich entwaffnet hat.‹
in der Zeitung gelesen – vermutlich die ›Novosti dnja‹ vom 5. 9. 1900, wo es hieß, Gorkij sei mit einem Stück ›fast fertig‹ und daß dieses Stück im Kleinbürgermilieu angesiedelt sei.
Das Telegramm – vom 4. 9., das eine Gruppe von Schriftstellern an Čechov geschickt hatte nach einem Besuch im Künstlertheater; Text des Telegramms:
›Wir lieben Sie und senden Ihnen einen Gruß.‹ Unterschriften: Peškov (M. Gorkij), Posse, Bunin, Suleržickij u. a.
dann ins Ausland – genauer beschrieb Čechov seine Reiseroute in einem Brief an seine Schwester vom 9. 9.: ›Von Moskau fahre ich – wohin? Ich weiß nicht. Zuerst nach Paris, und dann, wahrscheinlich, nach Nizza, von Nizza nach Afrika. Irgendwie werde ich die Zeit bis zum Frühling totschlagen, bis April oder Mai, wenn ich wieder nach Moskau komme.‹

859) *8. 9. 1900 – O. L. Knipper.* 2924.
meine Stücke erscheinen in 10 Tagen – die Ausgabe der Theaterstücke bei A. F. Marks, erschien erst Mitte Januar 1901, als Band VII der Gesamtausgabe.
schreibt Gorkij nun ein Stück... – in den ›Novosti dnja‹ vom 5. 9. vgl. Anm. zu Nr. 858; wie es, in der Rubrik ›Theater und Musik‹, auch hieß, Gorkij werde sein Stück der Direktion des Künstlertheaters bis zum 20. 9. übergeben. Ferner wurde mitgeteilt: ›Zum 8. des Monats erwartet man auch ein neues Stück von Čechov, dessen früherer Titel,

»Drei Schwestern«, wie es heißt, verworfen und durch einen neuen ersetzt werden wird, der noch nicht feststeht.‹

860) *13. 9. 1900 – V.F. Komissarževskaja.* 2928.
beim Photographen – vgl. Anm.Nr. 854.
Marija Iljinišna – M.I. Ziloti, Schwester des Petersburger Pianisten und Komponisten A.I. Ziloti.
In Jalta... das Theater abgebrannt – am 10. 9. 1900, vgl. auch Brief Nr. 862.

861) *13. 9. 1900 – Ju.O. Grjunberg.* 2929.
mein Stück »Drei Schwestern«, von dem... – Grjunberg hatte im Auftrag von A.F. Marks angefragt, ob Čechov es nicht für möglich erachte, dieses Stück noch in Band VII seiner Werke, den Stückeband, aufzunehmen.
in einer Zeitschrift – die ›Drei Schwestern‹ erschienen im Februarheft der ›Russkaja mysl‹ 1901; im selben Jahr brachte A.F. Marks die Einakter ›Jubiläum‹ und ›Hochzeit‹ zusammen mit den ›Drei Schwestern‹ als Einzelausgabe heraus.
nicht vor Weihnachten – die Uraufführung der ›Drei Schwestern‹ am Moskauer Künstlertheater fand am 31. 1. 1901 statt.
25 Expl. meines Buches... – Band II der Gesamtausgabe.

862) *15. 9. 1900 – O.L. Knipper.* 2931.
»Schneeflöckchen« – Märchenspiel von A.N. Ostrovskij aus dem Jahr 1873, hatte am Künstlertheater Moskau in der Regie von K.S. Stanislavskij und A.A. Sanin am 24. 9. 1900 Premiere.
vier tragende Frauenrollen – vgl. ›Drei Schwestern‹: Olga, Maša, Irina und Nataša.
Direktorin – des Mädchengymnasiums Jalta, V.K. Charkeevič.
M-me Bonnier – S.P. Bonnier (Bonje).

863) *22. 9. 1900 – O.L. Knipper.* 2936.

864) *27. 9. 1900 – O.L. Knipper.* 2940.

865) *28. 9. 1900 – O.L. Knipper.* 2943.
28. Au. – ›August‹, laut Poststempel und Inhalt aber: 28. September.
ein Telegramm geschickt – am 28.9.: ›Gestern Brief geschickt Alles in bester Ordnung Komme Oktober wahrscheinlich. Antonio.‹
Rolle in den »Drei Schwestern« – die Rolle der Maša.

866) *4. 10. 1900 – O.L. Knipper.* 2947.

867) *7. 10. 1900 – O. L. Knipper.* 2949.

868) *9. 10. 1900 – E. Ja. Čechova.* 2951.
In Jalta keinerlei Neuigkeiten – E. Ja. Čechova war, vermutlich Anfang Oktober, zu ihren Kindern nach Moskau gefahren; erster Brief Čechovs an sie: 4.10.1900.
Babuška und Arsenij – die Köchin Marjuška (M. D. Belenovskaja), auch Babuška genannt, und der Knecht.

869) *14. 10. 1900 – O. L. Knipper.* 2954
die »Einsamen« – ›Einsame Menschen‹ von G. Hauptmann.
Am 23. ins Theater – vgl. oben, Tag, an dem Čechov in Moskau eintreffen wollte.

870) *16. 10. 1900 – Maksim Gorkij.* 2956.
Danilin – meint: I. A. Danilov, ›Stille Herberge‹.
Provinzstadt, ähnlich Perm – Perm ›(92 m), Hauptstadt des gleichn. Gouvernements, hübsch an dem hohen linken Ufer der Kama gelegen, mit 55 000 Einw., hat 19 Kirchen, darunter eine lutherische und eine römisch-katholische. Im Gebäude des Zemstvo eine Sammlung von Erzeugnissen des Hausgewerbes. Gut gehaltener Stadtgarten.‹ (Baedeker, Rußland, Leipzig ^{7}1912).
›Sitz des Civilgouverneurs und des Bischofs, hat (1897) 45 403 E., 19 russ., evang. Kirche, Synagoge, Knaben-, Mädchengymnasium, Realschule, Geistliches Seminar, Eisenbahnschule, Theater, Museum, meteorolog. Station, 5 Banken, 139 Fabriken, Flußhafen mit Dampfschiffahrtsverkehr nach Nižnij Novgorod, bedeutenden Handel mit Sibirien. 4 km nördlich von P. die Permische Geschützgießerei.‹ (Brockhaus, 14. Aufl., Leipzig 1903).
danke Ihnen für die Briefe – zwei undatierte Briefe aus Nižnij Novgorod, Oktober 1900.

871) *1. 11. 1900 – L. V. Sredin.* 2963.
curriculum vitae – latein. ›der Lebenslauf‹.
Heilgehilfin Medvedkina – ungeklärt.
A. N. Aleksin – Aleksander Nikolaevič, 1863–1923, Zemstvoarzt in Jalta, Bekannter Čechovs; mit ihm, Gorkij und V. M. Vasnecov hatte Čechov Ende Mai 1900 eine Reise nach Tiflis unternommen, vgl. Nr. 844.
sind fast jeden Tag im Künstlertheater – Čechov war am 23. 10. 1900 nach Moskau gekommen. Noch am selben Tag las er dem Ensemble des Künstlertheaters das neue Stück, die ›Drei Schwestern‹ vor. M. Gorkij war am 25. 10. nach Moskau gekommen.

26. 10.: Gorkij und Čechov im ›Doktor Stockmann‹ (russischer Titel des ›Volksfeinds‹ von H. Ibsen); 27. 10.: Čechov und Gorkij im ›Onkel Vanja‹; 28. 10.: Čechov und Gorkij in der ›Möwe‹, wo Čechov nach dem III. Akt von ›Direktion und Ensemble des Künstlerisch-Allgemeinzugänglichen Theaters‹ ein Kranz mit Schleife überreicht wurde; 30. 10.: Čechov und Gorkij in Hauptmanns ›Einsamen Menschen‹.

serbische Freiwillige – im Serbisch-Türkischen Krieg 1876, der durch den Bosnischen Aufstand ausgelöst worden war, hatten auf der Seite Serbiens – im Zeichen des Panslavismus – russische Freiwillige an den Kämpfen teilgenommen. Ziel des Krieges war die politische Selbständigkeit Serbiens, die allerdings erst Ergebnis des Russisch-Türkischen Krieges 1877/1878 wurde.

Vanescov – Viktor Michajlovič, 1848–1926, bekannter Maler aus der Gruppe der Peredvižniki, mit dem Čechov Ende Mai 1900 in den Kaukasus gereist war.

Student Sinani – Sohn von I.A. Sinani, A.I. Sinani.

Nadežda Ivanovna – N.I. Sredina.

meine Adresse – Adresse der Familie; Čechov war im Hotel Dresden abgestiegen. Am 13. 11. an N.I. Korobov: ›Im »Dresden« übernachte ich nur, ich wohne in der Malaja Dmitrovka...‹

1. Okt. – Schreibfehler: nach Inhalt und Poststempel sollte stehen: 1. November.

872) *10. 11. 1900 – A.F. Marks.* 2967.

Tod Ihres Mitarbeiters – Ju.O. Grjunberg, war am 5. 11. 1900 gestorben.

873) *10. 11. 1900 – V.A. Golcev.* 2968.

geschäftlich reden – über Čechovs Publikationen in der Zeitschrift ›Russkaja mysl‹, angesichts seiner bevorstehenden Reise ins Ausland; u. a. auch über die Publikation der ›Drei Schwestern‹ (im Februarheft 1901).

874) *13. 11. 1900 – V.F. Komissarževskaja.* 2969.

Marija Iljinišna – M.I. Ziloti.

875) *15. 11. 1900 – V.A. Serov.* 2973.

bis heute nicht besucht – V.A. Serov beabsichtigte, Čechov zu malen.

876) *16. 11. 1900 – A.S. Suvorin.* 2976.

Nastja geheiratet – N.A. Suvorina.

auf ein Telegramm von Ihnen warten – die Begegnung zwischen A.S. Suvorin und Čechov kam zustande, vgl. Tagebuch von Suvorin am

28.November: ›Am Sonnabend, dem 18.November, fuhr ich nach Moskau. Čechov war im Begriff, in den Süden zu fahren, nach Algier, er bat mich, zu ihm zu kommen.‹

Das, was im »Novoe vremja« ... – meint einen Zwischenfall während der Pause bei einer Vorstellung des ›Onkel Vanja‹ im Künstlertheater, der von den Reportern verschiedener Zeitungen hochgespielt worden war; in der Pause hatten Neugierige Gorkij und Čechov umringt, worüber sich Gorkij empört hatte, woraufhin sich die Zeitungen über Gorkij hermachten.

877) *10. 12. 1900 – A.F. Marks.* 2989.

der vereinbarten Zahlung – vgl. den Vertrag zwischen Marks und Čechov, in dem die Zahlungsweise festgelegt worden war: eine Rate von 10.000 Rubel Ende 1900, eine letzte Rate Januar 1901 in Höhe von 15.000 Rubel.

Die Erzählung »Im Frühling« – erstmals veröffentlicht in der ›Peterburgskaja gazeta‹, 24.3.1886.

mein Stück »Die Hochzeit« – geschrieben Oktober 1889 (nach der Erzählung ›Hochzeit mit General‹); das Stück erschien, zusammen mit den ›Drei Schwestern‹ und dem Einakter ›Das Jubiläum‹ in einer Stücke-Einzelausgabe des Verlags A.F.Marks 1901 und im Band VII (Stücke) im selben Jahr. Vgl. auch ›Einakter‹.

878) *11. 12. 1900 – O.L. Knipper.* 2992.

879) *15. 12. 1900 – O.L. Knipper.* 2995.

am andern Tag – Čechov hatte der Knipper am 12.12. aus Wien und am 14.12. aus Nizza geschrieben, ihr in dem Brief vom 14.12. auch seine Adresse mitgeteilt: »Pension Russe«, rue Gounod.

schreibe mein Stück ab – ›Drei Schwestern‹; in Moskau hatte Čechov nur die ersten beiden Akte ins Reine schreiben können, die beiden letzten Akte schickte Čechov aus Nizza. Das Manuskript dieser beiden Akte galt lange Zeit als verloren und wurde erst 1953 entdeckt (auf dem Speicher des Künstlertheaters), Akt IV noch in dem Originalcouvert, von Čechov russisch und französisch adressiert: ›Moskau. An Vladimir Ivanovič Nemirovič-Dančenko. Karetnyj rjad. Künstlertheater. Monsieur W.J. N.-Dantschinko, Moscou. Russie.‹ Poststempel: ›Nice Place Grimaldi. 2. Janv. 01‹ und ›Moskva, Postamt. 24. Dez. 1900‹.

880) *17. 12. 1900 – O.L. Knipper.* 2997.

der Maler Jakobi – V.I. Jakobi, den Čechov während seines Aufenthalts in Nizza 1897 kennengelernt hatte, desgleichen M.M. Kovalevskij.

Ist Maša abgereist? – Plan, gemeinsam mit E.Ja. Čechova die Feiertage über nach Jalta zu fahren, vgl.Nr.882.
Lev Antonovič – L.A. Suleržickij.

881) *18. 12. 1900 – V.I. Nemirovič-Dančenko.* 2999.
Im III.Akt... – der ›Drei Schwestern‹, den Čechov, vgl.Nr.879, am 16. oder 17.12. abgeschickt hatte.

882) *21. 12. 1900 – O.L. Knipper.* 3002.
deinen Brief bekommen – vom 15.12.1900.
hat vergessen, meinen Brief abzuschicken – vgl.Nr.877 und Kommentar dazu; zwei Streifbandsendungen: das Manuskript des Einakters ›Die Hochzeit‹ und die Erzählung ›Im Frühling‹ (?).
Kommt Nemirovič nach Nizza? – O.L. Knipper antwortete darauf am 21.12.: ›Morgen fährt Nemirovič nach Mentone, wo seine Schwester ist.‹
Mordemondien – vgl. Band I, Nr. 53.
Glückliche Feiertage – das russisch-orthodoxe Weihnachtsfest, das, im westlichen Kalender, mit den Heiligen Drei Königen zusammenfällt (6.Januar).

883) *26. 12. 1900 – O.L. Knipper.* 3008.
Sredin schreiben – L.V. Sredin. Čechov schrieb ihm noch am selben Tag.
Gestern war ich in Mentone – vgl. auch Anmerkung zu Nr. 882.
Onkel Saša – A.I. Zalca.
Nik. Nik. – Nikolaj Nikolaevič Sokolovskij.

884) *26. 12. 1900 – O.L. Knipper.* 3014.
dein Telegramm... – vom 26.12.: ›Inquiète envoyé dix lettres repondez Olga.‹ D.h.: ›Bin besorgt habe zehn Briefe geschickt Antworte.‹
die Rolle in der neuen Fassung – vgl. Anm.Nr. 879.
Dein letzter Brief – vom 21.12.1900.
Mechtcherinoff c'est long et incommode – im Orig. französisch: ›Meščerinov, das ist lang und umständlich‹; im ›Haus Meščerinov‹, Merzljakovskij pereulok, wohnte O.L.Knipper.

885) *26. 12. 1900 – O.L. Knipper.* 3013.
Salue... – franz.: ›Sei gegrüßt, meine Schöne.‹

886) *30. 12. 1900 – O.L. Knipper.* 3017.
Višnevskij... in der Generalprobe – A.L. Višnevskij, als Kulygin; am 23.12. hatte im Künstlertheater eine ›Generalprobe‹, Durchlaufprobe der Akte I und II stattgefunden, worüber auch Stanislavskij in einem

undatierten Brief (zwischen 21. und 23.12.) an Čechov schrieb, vgl. Čechovs Antwort Nr.890.
habe an einen Arzt in Jalta geschrieben – L.V. Sredin, am 26.12.
Sanin Solënyj – A.A. Sanin.
Kačalov Veršinin – V.I. Kačalov. Zur Besetzung der ›Drei Schwestern‹ der Moskauer Uraufführung vgl. Nr.909.

1901

887) *1. 1. 1901 – Moskauer Künstlertheater.* 3018.
Votre ami... – Übersetzung: ›Ihr ergebener Freund sendet aufrichtige Wünsche. Viel Glück. Tchechoff.‹

888) *1. 1. 1901 – O.L. Knipper.* 3019.
Félicite... – Übersetzung: ›Beglückwünsche Mama, Onkel, Nikolaša, Schauspielerin. Wünsche Glück Geld Ruhm. Tchechoff.
actrissa – russisch: Schauspielerin.

889) *2. 1. 1901 – O.L. Knipper.* 3022.
»seul« – franz. ›allein‹; ohne seine Frau.
Grund/Grundt – Wortspiel; ›pričina‹: der Grund, die Ursache, ›pritčina‹ in Anlehnung an ›pritča‹: veraltet für ›unvorhergesehenen Fall, Unglücksfall‹.
Brief, den ich von Alekseev bekommen habe – vgl. Anm.Nr. 886; 890. Stanislavskij berichtete in diesem Brief vom Stand der Vorarbeiten, daß am 23. eine Durchlaufprobe der ersten beiden Akte stattfinde und daß das Künstlertheater ›heute den III.Akt bekommen‹ habe, der Brief ist daher um den 21./22.12.1900 geschrieben; St. schreibt, daß sich die ›Savickaja den weinerlichen Ton noch nicht abgewöhnt‹ habe, daß ›Olga Leonardovna einen wundervollen Ton gefunden habe, wenn sie den herausarbeitet, wird sie hervorragend sein, sollte sie jedoch auf Inspiration hoffen –? Mejerchold hat den richtigen Ton noch nicht gefunden und arbeitet angestrengt. Ausgesprochen ungeeignet‹ seien, sogar als zweite Besetzung, Gromov und Gribunin; Šenberg [A.A. Sanin] habe eingesehen, daß die Rolle des Solënyj ›eine wahre Fundgrube für einen Schauspieler‹ sei. ›Als zweite Besetzung erlauben Sie, es doch mit Kačalov zu versuchen, statt mit Sudbinin. Er wird angenehm und vornehm wirken; denn Sudbinin paßt ja nicht einmal als Bursche zu Veršinin.‹ Stanislavskij fährt fort: ›Jetzt sind die Darsteller hingerissen vom Stück; denn erst, seit es auf der Bühne geprobt wird, haben sie es begriffen.‹

Stanislavskij äußert die Hoffnung, zum 15.1.1901 mit der Premiere herauskommen zu können; man warte jetzt ungeduldig auf den IV. Akt. Abschließend: ›Sobald Nataša französisch zu sprechen anfing, wälzte sich Kalužskij [V. V. Lužskij] minutenlang vor Lachen auf dem Fußboden (seien Sie unbesorgt, meine Frau chargiert an dieser Stelle keinesfalls). Bei der Runde um das Haus, des Nachts, löscht Nataša sämtliches Licht und sucht dann unter den Möbeln Banditen, nicht wahr? In Verehrung, in Liebe und Ergebenheit K. Alekseev.‹ (Übersetzung Heinrich Schnakenburg)

von einer hochgestellten Persönlichkeit – ungeklärt.

der Moskauer Maklakov – Vasilij Alekseevič, bekannter Anwalt, Mitglied der Reichs-Duma.

Glückwunschtelegramm von Solovcov – N. N. Solovcov, Schauspieler, Regisseur, Theaterunternehmer in Kiev, der Ende der 80er Jahre am Theater F.A.Korš an mehreren Čechov-Aufführungen mitgewirkt hatte und auch in Kiev die meisten Čechov-Stücke inszenierte.

890) *2. 1. 1901 – K. S. Stanislavskij.* 3020.

Ihren Brief... – vgl. Anm.Nr.886,889.

Glück zu dem neuen Theater – das zu Beginn der Spielzeit 1902/03 fertigwurde.

Abend der Gräfin – in dem bereits zitierten Brief hatte Stanislavskij eingangs geschrieben: ›Die Gräfin Sofja Andreevna Tolstaja will, von ihrem Gatten ermuntert, – ein Wohltätigkeitskonzert veranstalten, zu dem sie mich bittet, die soeben von L.N. Tolstoj geschriebene Novelle ›Wer ist im Recht‹ vorzutragen. Da bei diesem Konzert keine Werke zeitgenössischer Autoren vorgetragen werden sollen, mit Ausnahme der Ihren, träumt die Gräfin natürlich von Szenen aus den 3 Schwestern.‹ Stanislavskij gesteht ein, daß er nicht gewagt habe, der Gräfin Tolstaja diese Bitte abzuschlagen, bittet aber Čechov, die Lesung einzelner Szenen des Stücks vor der Uraufführung nicht zu genehmigen.

Den IV. Akt... abgeschickt – vgl. Anm.Nr. 879.

Sie schreiben, daß Nataša – vgl. Anm.Nr.889.

Marija Petrovna – M. P. Lilina, Frau Stanislavskijs.

891) *6. 1. 1901 – A. L. Višnevskij.* 3025.

Frack tragen Sie... – als Kulygin in den ›Drei Schwestern‹.

892) *6. 1. 1901 – O. L. Knipper.* 3026.

...an Čertkov – V. G. Čertkov, der, als Tolstojaner 1897 des Landes verwiesen (vgl. Nr. 587), in London im Exil lebte; in westeuropäischer Transkription, wie sie damals üblich war, sahen sich beider Namen sehr ähnlich: ›Tchertkoff‹ und ‹Tchekhoff‹, ›Tchekoff‹.

von Maša einen Brief – vgl. Anm.Nr.880f.
meiner Mutter – die nach den Feiertagen allein in Jalta blieb, vg. auch Nr. 898, 902.
gestern Višnevskij geschrieben – vgl.Nr.891.
Aleksandr Leontjevič – vgl. Nr.891; gemeint ist A. L. Ėlsnic.
wie laufen die »Drei Schwestern«? – Čechov wiederholt diese Frage in vielen folgenden Briefen, so auch am 7.1. an A. L. Višnevskij, am 7.1. an O. L. Knipper u.a.

893) *11. 1. 1901 – O. L. Knipper.* 3033.

894) *14. 1. 1901 – O. L. Knipper.* 3035.
Mejerchold, Sanin – zur Besetzung der Moskauer Uraufführung des Stücks vgl. Nr.909.
Marija Fëdorovna – M.F. Andreeva.

895) *14. 1. 1901 – I. A. Tichomirov.* 3036.
Ihren Brief – vom 9.1.1901 mit einem Bericht über die Proben zu den ›Drei Schwestern‹.
Operette – ungeklärt, um welche Operette es sich handelt.
Šechtel – F.O. Šechtel.
Ihre Schwester – Aleksandra Aleksandrovna, Angestellte im Kontor des Künstlertheaters.

896) *15. 1. 1901 – K. S. Stanislavskij.* 3039
danke für Ihren Brief – vom Januar 1901; der Brief (übersetzt von H. Schnakenburg) hat diesen Wortlaut:
›Sehr geehrter Anton Pavlovič! Natürlich habe ich es verwechselt. Nataša sucht die Banditen nicht im dritten, sondern im zweiten Akt. Das Wohltätigkeitskonzert der Frau Tolstaja findet nicht statt. Sie haben sich umsonst erregt; denn ich schrieb ja den Brief zu dem Zweck, um der Gräfin auf möglichst bequeme Art eine Absage zu erteilen. Die Proben zu »Drei Schwestern« würden ganz erfolgreich laufen, wären nicht Grippeerkrankungen und meine starke Ermüdung oder genauer Abspannung. Ich kann mit Bestimmtheit sagen, das Stück gewinnt auf der Bühne erheblich, und wenn wir für das Stück keinen durchschlagenden Erfolg erreichen, dann muß man uns prügeln. Heute haben wir den Regieplan des letzten, des 4.Aktes vorgelegt und verlesen, und ich mache mich an die Rolle des Veršinin. Falls Olga Leonardovna dieser 4.Akt gelingt, Gott gebe es, so wird er sehr eindrucksvoll. Das Bühnenbild dieses Aktes ist fertig und gelungen. Sudbinin ist endgültig der Rolle enthoben, sogar als zweite Besetzung, zumal Kačalov viel mehr Voraussetzungen für die Rolle hat. Solënyj übernimmt Šenberg

[A. A.Sanin]. Bis zum heutigen Tage hat er sich dagegen gestemmt und im Ton irgendeinen Räuber aus Kalabrien anzulegen versucht. Jetzt habe ich ihn überzeugt, und er ist auf dem rechten Wege. Was läßt sich über die Darsteller sagen? Kalužskij (er bewegt sich wie immer langsam, aber richtig; er wird die Rolle rechtzeitig schaffen). Mejerchold arbeitet, ist aber spröde, wie man sagt. Artëm (etwas gehemmt in den Bewegungen, wird den Ton finden, ist ihm nahe), Samarova (desgleichen), Gribunin (ideal), Rodė (heiter, aber spielt sich selber). Tichomirov (desgleichen), Šenberg (Beurteilung wäre verfrüht), Kačalov (sehr nett), Višnevskij (ideal und outriert nicht), Marusja (wird gut spielen), Marija Fëdorovna (sehr gut), Savickaja (gut, spielt sich selber), Olga Leonardovna (war krank, ich habe sie seit der Krankheit nicht gesehen).

Die Generalprobe der ersten 2 Akte hat stattgefunden und war erfreulich. Jedenfalls ist das Stück wundervoll und sehr bühnenwirksam. Die Tempi verteilen sich, oder besser gesagt, stellen sich wie folgt heraus:

1.Akt – lustig, munter,

2.Akt – Čechov-Stimmung,

3.Akt – furchtbar nervös, schnell, geht auf Tempo und Nerven. Gegen Ende werden die Kräfte überspannt, und das Tempo läßt nach. 4.Akt – noch nicht präzise geklärt.

Olga Leonardovna versprach, Ihnen über den Schluß ausführlich zu schreiben. Ich werde es in zwei Worten sagen. Die Schlußmonologe der Schwestern gehen nach allem, was vorhergeht, sehr zu Herzen und versöhnen. Wenn man anschließend die Leiche heraustragen läßt, gibt das einen durchaus nicht versöhnlichen Schluß. Sie schreiben vor: »In der Ferne wird die Leiche vorübergetragen« – nur gibt es bei uns im Theater keine Ferne, und die Schwestern müssen den Toten sehen. Was sollen sie tun? So sehr mir das Vorübertragen der Leiche gefällt, beim Proben kommen mir dennoch Bedenken, ob es für das Stück nicht vorteilhafter wäre, den Akt mit einem Monolog zu schließen. Womöglich fürchten Sie, daß das zu sehr an den Schluß von »Onkel Vanja« erinnern wird? Gestatten Sie die Frage: Was soll man tun? Ihr K.Alekseev.‹

Marija Petrovna – M.P. Lilina.

897) *17. 1. 1901 – A. L. Višnevskij.* 3040

bin zufrieden, bin zufrieden ... – Selbstzitat, vgl. Kulygin in den ›Drei Schwestern‹, den der Adressat spielte.

898) *17. 1. 1901 – O. L. Knipper.* 3041.

Photographie des Lelj? – in der ›Schneeflöckchen‹-Aufführung des

Künstlertheaters spielte O. L. Knipper die Rolle Leljs, des altslavischen Gottes der Liebe.

Wenn Maša kommt – vgl. dazu Nr.877,882,892.

Natürlich muß der dritte Akt... – vgl. dazu Brief Stanislavskijs, Anm. zu Nr. 896; Čechov bekräftigt hier die Interpretation von Nemirovič-Dančenko, über die O.L. Knipper am 11.1. mitteilte: ›Wir sind 2 Mal den dritten Akt durchgegangen. Nemirovič hat ihn sich angesehen und wird anscheinend vieles ändern. Stanisl. hat ein furchtbares Durcheinander auf der Bühne angerichtet, alles läuft durcheinander, ist nervös. Nemirovič dagegen rät, den großen Lärm hinter die Bühne zu verlegen, auf der Bühne dagegen Leere und kein hastiges Spiel, das wäre stärker.‹

899) *20. 1. 1901 – O. L. Knipper.* 3047.

Santé... – Übersetzung: ›Gesundheit wundervoll.‹

900) *20. 1. 1901 – O. L. Knipper.* 3048.

mir ein Telegramm geschickt – das Telegramm von O.L. Knipper ist nicht überliefert; Čechovs mutmaßliche Antwort vgl. Nr.899.

Dich lobt Alekseev – vgl. Stanislavskijs Brief Anm.Nr.896.

habe damals gesagt... – in Moskau bei der Besprechung des Stücks, Oktober 1900, vgl. Nr. 896.

901) *21. 1. 1901 – O. L. Knipper.* 3050.

Mašas Beichte... – am 15.1. hatte O. L. Knipper geschrieben: ›Der strittige Punkt mit Nemirovič ist der 3.Akt, Mašas Beichte. Ich möchte den dritten Akt nervös führen, fahrig, die Beichte aber verläuft stark, dramatisch...‹

Gestern... ein Telegramm – vgl.Nr.899.

schreibe, aber ohne jede Lust... – ungeklärt, woran; nach der Erzählung ›In der Schlucht‹ (Januarheft 1900, ›Žizn‹) erschien als nächste größere Arbeit Čechovs erst 1902 die Erzählung ›Der Bischof‹, im Aprilheft (IV) der Zeitschrift ›Russkaja mysl‹.

902) *24. 1. 1901 – O. L. Knipper.* 3053.

Brief von M.F. Željabužskaja – Marija Fëdorovna Andreeva, in bürgerlicher Ehe mit A.A. Željabužskij verheiratet, vgl. Nr.904: Čechovs Antwort auf ihren Brief.

von dir die Nachricht – in dem Brief vom 18.1.1901.

Der Oberst... – V.A. Petrov; sein Brief ist im Archiv Čechovs nicht gefunden worden.

903) *25. 1. 1901 – A. L. Višnevskij.* 3055.

»Hauptsache im Leben...« – vgl. ›Drei Schwestern‹, Kulygin im 1.Akt:

›Unser Direktor sagt immer: die Hauptsache in jedem Leben – ist seine Form.‹

904) *26. 1. 1901 – M.F. Andreeva.* 3056.
Heute fahre ich nach Algier – vgl. Nr.905.
Andrej Alekseevič – A. A. Željabužskij, Ehemann der Adressatin.

905) *26. 1. 1901 – M.P. Čechova.* 3060.
fahre nicht nach Algier – noch am selben Tag, dem 26.1., hatte Čechov sowohl an O.L. Knipper als auch an seine Schwester geschrieben, er fahre jetzt nach Algier; am 27.1. schickte Čechov seiner Schwester eine Postkarte aus Pisa. Čechov war am 26.1. mit M.M. Kovalevskij und Prof. Korotnev nach Italien abgereist.
Efim Zinovjevič – E.Z. Konovicer und Frau.

906) *28. 1. 1901 – O.L. Knipper.* 3063.
aus Pisa – wo Čechov am 27.1. angekommen war.
Ist mein Stück gelaufen oder nicht? – die Uraufführung der ›Drei Schwestern‹ fand erst am 31.1. statt, vgl.Nr.909.
aus Florenz ... längeren Brief – vgl.Nr.907.

907) *29. 1. 1901 – O.L. Knipper.* 3065.
sind die »Drei Schwestern« gelaufen? – vgl.Anm.Nr.906,909.
Frau Orlova – ungeklärt.
»Doktor Stockmann« – russischer Titel des Stücks ›Ein Volksfeind‹ von H.Ibsen, das im Moskauer Künstlertheater gezeigt wurde.

908) *2. 2. 1901 – A.F. Marks.* 3067.
Die fünfzehntausend – vgl. Nr.877.
zwei Exemplare der »Stücke« – zwei Exemplare des Bands VII der Werkausgabe (›Stücke‹), die Marks nach Nizza geschickt hatte.
Die Erzählung »Diebe« – erstmals erschienen im ›Novoe vremja‹ am 1.4.1890, dort unter dem Titel ›Teufel‹, vgl. detebe Nr.50/XIV; die überarbeitete Fassung (mit neuem Titel) erschien in Band IV der ›Gesammelten Werke‹, 1901.
unicum – latein. ›Unikat‹; einziges Exemplar.
Stück ... in der »Russjaka mysl« – vgl. auch Nr.910. Das Stück erschien im Februarheft ohne Čechovs Korrekturen, vgl. dazu Anhang des Bandes ›Drei Schwestern‹, detebe Nr. 50/VI.

909) *4. 2. 1901 – O.L. Knipper.* 3072.
Telegramm von Nemirovič – Telegramm von V. I. Nemirovič-Dančenko vom 2.2.1901, nach Neapel geschickt; in französisch abgefaßt: Pre-

mier acte énormes rappels entousiasmes dix fois: second acte paru long. Troisième grand succès. Après la fin rappels ont tourné en veritable ovation. Public a démandè te télégraphier. Les artistes ont excessivement bien joué. Surtout les dames. Salut de tout théâtre. Nemirovitch-Dantchenko. (Erster Akt Riesenvorhänge, Enthusiasmus, 10 mal. Zweiter Akt zu lang. Dritter großer Erfolg. Zum Schluß verwandelten sich Vorhänge in wahre Ovation. Publikum verlangte dir Telegramm zu schicken. Schauspieler ausnahmslos gut, besonders die Damen. Gruß vom ganzen Theater. Nemirovič-Dančenko.) Ein erstes Telegramm hatte Nemirovič am Abend zuvor nach Algier adressiert, von wo es Čechov nach Jalta nachgeschickt wurde. Die Uraufführung der ›Drei Schwestern‹ fand, in der Regie von K. S. Stanislavskij und V.V. Lužskij, in der folgenden Besetzung statt:

Prozorov – V.V. Lužskij.
Olga – M.G. Savickaja.
Maša – O.L. Knipper.
Irina – M.F. Andreeva.
Nataša – M.P. Lilina.
Kulygin – A.L. Višnevskij.
Veršinin – K.S. Stanislavskij.
Tuzenbach – V.Ė. Mejerchold.
Solënyj – M. Gromov.
Čebutykin – A.R. Artëm.
Fedotik – I.A. Tichomirov.
Rodė – I.M. Moskvin.
Ferapont – Gribunin.
Anfisa – M.A. Samarova.

Lev Antonovič – L.A. Suleržickij.
Telegramm von Miroljubov – V.S. Miroljubov vom 4.2.1901.
Modestov – Vasilij Ivanovič, 1839–1907, Professor für klassische Philologie und Geschichte; lebte nach 1900 in Rom.

910) *7. 2. 1901 – V.M. Lavrov.* 3074.

911) *7. 2. 1901 – O.L. Knipper.* 3075.
keinen einzigen Brief – vgl.Nr.913; noch am 16.2. schrieb Čechov, bereits wieder in Jalta, an seine Schwester: ›... und weiß nichts über Moskau, über das Stück usw. usf.‹
in dem Telegramm im »Novoe vremja« – vom 2.2.1901, Telegramm aus Moskau mit einem Bericht über die Vorstellung der ›Drei Schwestern‹.

912) *19. 2. 1901 – O.L. Knipper.* 3078.

913) *20. 2. 1901 – O. L. Knipper.* 3080.
Vierzehn Tage unterwegs – Čechov war am 15.2. abends in Jalta angekommen.
Nadežda Ivanovna – N. I. Sredina.

914) *22. 2. 1901 – O. L. Knipper.* 3084.
wie geht es dir in Petersburg – am 19.2. begann das Künstlertheater seine erste Gastspielreise in Petersburg mit der Vorstellung des ›Onkel Vanja‹. O. L. Knipper schickte folgendes Telegramm (am 20.2.): ›Riesenerfolg für Čechov und Theater.‹ Am selben Tag telegraphierte auch Nemirovič-Dančenko, der Schlußapplaus habe Ovationen Moskauer Ausmaßes erreicht, das Publikum habe gefordert, dem ›geliebten Autor‹ in einem Telegramm ›Gruß und von Herzen Dank‹ zu sagen.
Telegramm von Nemirovič – vom 21.2.1901 aus Petersburg.
Die »Russkaja mysl« ... – veröffentlichte ›Drei Schwestern‹ im Februarheft, ohne die Korrekturen von Čechov abgewartet zu haben; vgl. Nr. 910, vgl. auch Anhang zu ›Drei Schwestern‹, detebe Nr. 50/VI. Am 23.2.1901 Čechov an O. L. Knipper: ›Übrigens, manchmal kommt Lavrov, Herausgeber der »Russkaja mysl« vorbei. Er hat dich in den »Drei Schwestern« gesehen und lobt dich sehr.‹

915) *22. 2. 1901 – M. P. Čechov.* 3085.
Michel – französisch zu lesen; M. P. Čechov hatte die Absicht, von Jaroslavl nach Petersburg zu gehen; vgl. zuvor bereits Nr. 819 sowie 919. Čechov am 13. 3. 1902 an O. L. Knipper: ›An Miša werde ich nicht schreiben. Er liebt Suvorin, und wenn Suvorin ihn lobt, so ist das für ihn das Allerwichtigste. Er schätzt auch Burenin sehr und hat, wie es scheint, ein bißchen Angst vor ihm. Soll der über das [Gastspiel des Künstler-] Theater[s] schreiben, was er will.‹.
Suvorins Söhne – A. A. und M. A. Suvorin.
Kolomnin – A. P. Kolomnin, Anwalt, einer der Direktoren des Lit.-Artist. Zirkels Petersburg, war 1900 gestorben.

916) *26. 2. 1901 – O. L. Knipper.* 3088.
in der »Pet. gazeta« schreibt Kugel – Aleksandr Rafailovič, 1863–1928, Theaterkritiker, pseudonym: ›Homo novus‹.
Cholmskaja – Zinaida Vasiljevna, 1866–1936, Schauspielerin.
Telegramm von Posse – V. A. Posse, telegraphierte am 25.2.1901: ›Petersburg hat Bund zwischen Künstlertheater und »Žizn« gefestigt. Čechovstimmung, traurig, aber nicht hoffnungslos. Vergessen Sie uns nicht. Posse.‹ Vgl. Nr. 918.
»Novoe vremja«-Jubiläum – den 25. Jahrestag der Übernahme der Zeitung durch A. S. Suvorin.

917) *1. 3. 1901 – O. L. Knipper.* 3090.
wie Sanin sich jetzt fühlt – A. A. Sanin, der für sein Spiel in den ›Einsamen Menschen‹ von der Petersburger Presse gelobt wurde.
fünf Briefe und drei Telegramme – vgl. Nr. 913, 915, 916; dazwischen liegt ein weiterer Brief vom 23. 2., ein Telegramm vom 25. 2. – die restlichen sind nicht überliefert.
von der Javorskaja – L. B. Javorskaja, vom 22. 2. 1901.

918) *3. 3. 1901 – V. A. Posse.* 3094.
für das Telegramm – vgl. Anm. Nr. 916.

919) *5. 3. 1901 – M. P. Čechov.* 3096.
mein Ivanov zu Doktor Lvov – vgl. ›Ivanov‹, 1. Akt. detebe Nr. 50/V.
in meinem Brief – vgl. Nr. 915.
Stelle bei einem Departement – d.i. beim Staat.
Kropotov – Direktor des Kameralhofs von Jaroslavl (der Steuerbehörde), wo M.P. Čechov angestellt war.
Černigov oder Bobrujsk – Černigov: Hauptstadt des gleichnamigen Gouvernements in der Ukraine, 33.000 Einwohner; Bobrujsk: Kreisstadt im Gouv. Minsk, ca. 60.000 Einw.
Tyčinkin – K. S. Tyčinkin.

920) *7. 3. 1901 – O. L. Knipper.* 3098.
lese Korrektur – des IV. Bandes der Werkausgabe bei A. F. Marks; die Korrektur war Čechov am 22. 2. geschickt worden, einen ersten Teil schickte Čechov am 7. 3. (mit Brief an A. F. Marks) zurück; vgl. weiter Nr. 921.
aus dem Gouv. Ekaterinoslav – zu dem die Stadt Taganrog administrativ gehörte.
Brief ... von Kondakov – N. P. Kondakov, vom 1. 3. 1901.
Heute ... Telegramm von Solovcov – N. N. Solovcov, Telegramm vom 7. 3. 1901, das umständlich-blumig den Erfolg der Kiever Premiere der ›Drei Schwestern‹ umschrieb.
Nun bin ich auch von der Javorskaja ... – vgl. Nr. 917.

921) *11. 3. 1901 – A. F. Marks.* 3107.
»Drei Schwestern« – erschienen bei A. F. Marks in einer Einzelausgabe zusammen mit den Einaktern ›Das Jubiläum‹ und ›Die Hochzeit‹, Petersburg, Mai 1901; die erste Auflage des VII. Bandes der Werkausgabe (›Stücke‹, Januar 1901 erschienen), enthielt ›Drei Schwestern‹ nicht.
Korrekturen ... vor einigen Tagen – am 7. 3. 1901.
»Die Steppe« – erstmals erschienen in Nr. 3/1888 der Zeitschrift ›Severnyj vestnik‹.

»Im Sumpf« – 1886, desgl. die Erzählung ›Der Geheimrat‹, ›Der Reisende erster Klasse‹, vgl. detebe Nr. 50/XII. Die Erzählung ›Diebe‹ (1890) vgl. Nr. 50/XIV.

922) *12. 3. 1901 – A. L. Višnevskij.* 3111.

923) *16. 3. 1901 – O. L. Knipper.* 3114.
die Avilova – L. A. Avilova.
die Čjumina – Olga Nikolaevna, 1862–1909, Lyrikerin.
Pčelnikov – Pavel Michajlovič, 1851–1913, ehemaliger Verwaltungsdirektor der Kaiserlichen Theater Moskau, war zum Inspektor bzw., wie O. L. Knipper am 11.3.1901 berichtete, ›Aufseher‹ für die Privattheater ernannt worden: ›»Aufseher« über die Privattheater, ihr Repertoire, und hat zu verfolgen, welchen Einfluß diese Theater auf das Publikum und die Jugend ausüben. Gefällt dir diese Gemeinheit? Also wird man uns wohl in der kommenden Saison den Stockmann verbieten.‹
»Doktor Stockmann« – russischer Titel des Stücks ›Ein Volksfeind‹ von Henrik Ibsen, das am Künstlertheater gespielt wurde.
»Der Bischof« – erste Erwähnung des Titels, Erzählung, an der Čechov sehr lange arbeitete; sie erschien April 1902 in der Zeitschrift ›Žurnal dlja vsech‹.

924) *18. 3. 1901 – Maksim Gorkij.* 3117.
Ihre »Drei« – ›Die Drei‹, Roman Gorkijs, der in Fortsetzungen der Zeitschrift ›Žizn‹ erschien: Nr. 1 und 2, 1900; 1–4, 1901; erschien 1901 auch als Einzelausgabe des Verlags ›Znanie‹. Vgl. dazu auch Nr. 945.
in Petersburg und danach in Moskau – Gorkij hatte sich den Februar über bis 8.3. in Petersburg aufgehalten, war dann nach Moskau gereist. Aus Petersburg berichtete er seiner Frau von der Niederschlagung von Demonstrationen in Charkov und Odessa durch das Militär, wo es Tote und Verwundete gegeben hatte; von den Petersburger Studentendemonstrationen am 4.3.1901, die ebenfalls blutig niedergeschlagen worden waren.
An Čechov hatte V.A. Posse am 8.3. geschrieben: ›Die Zeit ist ernst, sehr ernst! Eine Menge konzentrierten Leidens. Gorkij ist hier und erregt sich schrecklich.‹
Schreiben Sie mir, worum es geht – Gorkij berichtete Čechov in einem undatierten Brief (Ende März) von den Petersburger Ereignissen des 4. März, über Demonstrationen, die in anderen Städten vorbereitet wurden, über die repressiven Maßnahmen der Regierung im Zusammenhang damit: ›Ungeachtet der Repressionen und dank ihnen wächst die oppositionelle Stimmung sehr.‹

925) *23. 3. 1901 – A. L. Višnevskij.* 3121.

für die Photographien gedankt – der Adressat hatte Čechov am 28.2. etwa 20 Photographien von sich geschickt und in seinem Brief vom 18.3. nachgefragt, ob Čechov die Photos bekommen habe und ›ob sie Ihnen gefallen‹.

nichts, wo gespielt werden könnte – das Künstlertheater spielte in den Wintermonaten in der ›Eremitage‹ in Moskau und besaß in den ersten Jahren seiner Existenz keine eigene Spielstätte; diese stand erst zu Beginn der Spielzeit 1902/03 zur Verfügung.

926) *26. 3. 1901 – O. L. Knipper.* 3123.

927) *27. 3. 1901 – O. L. Knipper.* 3124.

erwarte dich – O. L. Knipper traf am 30.3. in Jalta ein und blieb bis zum 14. April.

928) *17. 4. 1901 – O. L. Knipper.* 3136.

»Onkel Vanja« in Prag – Čechovs čechischer Übersetzer B. Prusík hatte Čechov mitgeteilt, daß das Stück am Nationaltheater in Prag bei Presse und Zuschauern einen Riesenerfolg habe, ›mit einem Wort, ein Triumph im wahrsten Sinne des Wortes!‹

O.R. – O.R. Vasiljeva.

Bild in der »Niva« – Čechov am 15./16.4. an O.L. Knipper: ›In der letzten Nummer der »Niva« ist euer Theater abgebildet, unter anderem du, Marija Fëd. und die Savickaja. Du bist besser getroffen als irgendwo sonst. Diese Nummer ist es wert, gekauft und zur Erinnerung aufgehoben zu werden. Übrigens findest du darin auch Akademiemitglieder: mich mit einer sehr dicken Nase.‹ Es handelt sich um Nr. 14 der Zeitschrift ›Niva‹, 1901 mit einem (anonymen) Aufsatz über das Künstlertheater.

929) *22. 4. 1901 – O. L. Knipper.* 3141.

Revue Blanc. – meint ›Revue blanche‹, in Paris erscheinende Zeitschrift, vierzehntägig.

Tolstojs Antwort an den hl. Synod – geschrieben am 4.4.1901 unter dem Titel: ›Antwort auf den Beschluß des Synod vom 20.–22. Februar 1901 und die aus diesem Anlaß an mich gerichteten Briefe‹, veröffentlicht in der russischen Exilzeitschrift ›Listki svobodnogo slova‹ (›Blätter des freien Worts‹), London, Nr. 22, 1901.

Der Synod, oberstes Gremium der russisch-orthodoxen Staatskirche, hatte Tolstoj im Beschluß vom 20.–22. Februar 1901 exkommuniziert; Anlaß dafür: die Kirchenszenen in Tolstojs Roman ›Auferstehung‹.

»Blumen des Nordens« – oder ›Nördliche Blumen‹ (Severnyja cvety), Almanach, der 1901 erschien und die Erzählung ›Nachts‹ enthielt.
Bruder Ivan – I. P. Čechov.
»Olympia« – das erwähnte Telegramm des Petersburger Theaters ›Olympia‹ ist im Archiv Čechovs nicht gefunden worden.
Ryžij – russ. ›rot‹, ›rothaarig‹.
Fräulein Vasiljeva – O. R. Vasiljeva.
»Michael Kramer« – von Gerhart Hauptmann, wurde am Künstlertheater geplant; Premiere war am 27. Oktober 1901.
die »Wildente« – von Henrik Ibsen; das Stück hatte am 19. September 1901 am Künstlertheater Premiere.
Vaudeville in 4 Akten oder Komödie – ungeklärt, ob sich dieser Hinweis als erste Erwähnung des ›Kirschgarten‹ verstehen läßt; immerhin bezeichnete Čechov den ›Kirschgarten‹ bzw. das ›nächste Stück‹ als Komödie. Mit der Niederschrift des ›Kirschgarten‹ begann Čechov erst im Herbst 1902. – Vgl. Nr. 974.

930) *26. 4. 1901 – O. L. Knipper.* 3145.
sehe oft Nemirovič – V. I. Nemirovič-Dančenko, der sich zu dieser Zeit in Jalta aufhielt, besuchte Čechov z. B. am 23.4.
Gorkij ist nicht verbannt... – Maksim Gorkij war, zusammen mit dem Schriftsteller Skitalec, in der Nacht vom 16. auf den 17.4. in Nižnij Novgorod verhaftet worden. Am 17.5. wurde er entlassen und unter Hausarrest gestellt.
Posse ist ebenfalls verhaftet – V. A. Posse war ebenfalls im April verhaftet und Mitte Mai freigelassen worden, mit der Auflage, sich in den nächsten drei Jahren weder in den Hauptstädten noch in Universitätsstädten oder Arbeitergegenden aufzuhalten.

931) *2. 5. 1901 – O. L. Knipper.* 3148.
nur eine Nacht in Foros – in Foros auf der Krim hatte Čechov den Direktor der Philharmonischen Gesellschaft und Mit-Direktor des Künstlertheaters, Konstantin Kapitonovič Uškov, besucht.

932) *6. 5. 1901 – O. L. Knipper.* 3154.

933) *9. 5. 1901 – O. L. Knipper.* 3157.
Sobakin – fiktiver Name, abgeleitet von russ. ›sobaka‹: Hund, wie Čechov die Knipper oft nannte.

934) *12. 5. 1901 – E. Ja. Čechova.* 3161.
Varvara Konstantinovna – V. K. Chavkeevič.
Marjuška – M. D. Belenovskaja, die Köchin; auch ›Babuška‹.

935) *20. 5. 1901 – M.P. Čechova.* 3167.
N.I. Vinogradov – Nikolaj Ivanovič, Vorsitzender des Pädagogischen Rats des privaten Mädchengymnasiums L.F. Rževskaja, an dem M.P. Čechova angestellt war.
Solovjëva – Evlampija Petrovna, Lehrerin an diesem Gymnasium.
Doktor Ščurovskij – Vladimir Andreevič, geb. 1852, Arzt, Professor an der Universität Moskau. Am 14.5. hatte Čechov, wie er schrieb, auf Anraten seines Studienkollegen V.A. Tichonov, Ščurovskij um einen Termin gebeten.
Gorkij haben sie entlassen – vgl. Anm.Nr.930.
V.I. Čaleeva – Varvara Ivanovna, Schauspielerin am Künstlertheater Moskau, gest. 1900.

936) *24. 5. 1901 – A.F. Marks.* 3171.
Adresse morgen – Čechov schrieb Marks noch am selben Tag die Adresse: Sanatorium Andreev, Station Aksënovo.
mindestens zwei Monate – Čechov blieb in Aksënovo bis zum 1.7.1901.

937) *25. 5. 1901 – E.Ja. Čechova.* 3176.
ich heirate – Čechov ließ sich am 25.5. im kleinsten Kreise trauen und fuhr unmittelbar darauf nach Aksënovo; bei der Hochzeit anwesend waren Bruder und Onkel von O.L. Knipper sowie zwei Studenten.

938) *28. 5. 1901 – Maksim Gorkij.* 3179.
Dolgopolov – Nifont Ivanovič, 1857–1922, Arzt in Nižnij Novgorod; Čechov und Olga Knipper hatten auf der Reise nach Aksenovo Gorkij in Nižnij Novgorod besucht und dort die Fahrkarten für die Weiterreise lösen lassen.

939) *4. 6. 1901 – M.P. Čechova.* LN 107; dieser Brief war von Čechovs Schwester zurückgehalten worden, 1951 erst übergab sie ihn der Handschriftenabteilung der Leninbibliothek mit dem Vermerk: ›Bitte nicht veröffentlichen. M. Čechova.‹
A.I. Čechova – Anna Ivanovna, Frau von M.M. Čechov.
verstorbene Liza – Elizaveta Michajlovna Čechova, gest. 1884.
Varvara Konstantinovna – V.K. Charkeevič.

940) *8. 6. 1901 – Maksim Gorkij.* 3186.
Ivan Ščeglov – I.L. Leontjev-Ščeglov, dem Čechov am 4.6. die Adresse Gorkijs geschickt hatte; Ščeglovs Besuch bei Gorkij kam nicht zustande.
Schicken Sie Ihr Stück – ›Die Kleinbürger‹, an denen Gorkij arbeitete.
»Nižegorodskij listok« – Zeitung, Lokalblatt, in dem Gorkij publizierte.

941) *12. 6. 1901 – A.F. Koni.* 3191.
Baškiren – asiatischer Volksstamm, hier im Sinne von ›Asiaten‹, Nichtrussen.

942) *18. 6. 1901 – Maksim Gorkij.* 3195.
Marks schreibt mir – in einem Brief, den Čechov am 18.6. ebenfalls beantwortete. Gorkij lehnte das Angebot von Marks ab, vgl. Nr.944, 945; er unterbreitete Čechov vielmehr in seinem Brief vom 27.6. das Angebot, ihm, Čechov, zu helfen, die Rechte, die Čechov Januar 1899 an A.F. Marks verkauft hatte, zurückzukaufen, und rechnete Čechov ausführlich vor, welch schlechtes Geschäft er mit dem Verkauf von 1899 eigentlich gemacht habe.
›Zu dem Angebot von Marks: ich lehne es entschieden ab, mit ihm zu tun zu haben, gleichgültig, welche Bedingungen er auch anbietet. Mehr noch! Sredin hat mir ein bißchen erzählt von den Bedingungen, zu denen Sie Ihre Bücher an Marks verkauft haben, ich schlage Ihnen Folgendes vor – schicken Sie diesen Gauner Marks zu allen Teufeln. Pjatnickij, der Direktor von »Znanie«, sagt, Marks hätte, wenn er Ihre Bücher in einer Auflage von 40 000 druckt, längst schon die Summe gedeckt, die er Ihnen ausbezahlt hat. Das ist Raub, Anton Pavlovič!... Und deshalb schlage ich Ihnen im Namen von »Znanie« und in meinem eigenen vor: lösen Sie den Vertrag mit Marks, das Geld, soviel Sie von ihm bekommen haben, zahlen Sie zurück und sogar darüber hinaus, wenn nötig. Wir bekommen für Sie, soviel Sie wollen. Dann lassen Sie uns Ihre Bücher drucken, d.h. werden Mitglied von »Znanie« und verlegen sie selbst. Sie bekommen den *gesamten Gewinn* und haben keinerlei Scherereien mit dem Verlag, bleiben gleichzeitig aber voll und ganz Herr Ihrer Bücher. »Znanie« setzt nur sein Firmensignet darauf und verschickt mit ihnen die Verlagskataloge – das ist der Nutzen – und zwar ein riesiger, – den der Verlag von Ihren Büchern unter seinem Firmensignet hätte. Sie bleiben, sage ich, vollberechtigter Herr, und, ich wiederhole, der gesamte Gewinn gehört Ihnen. Sie könnten die Bücher billigermachen, indem Sie sie in größerer Anzahl drucken als Marks. Man liest Sie inzwischen auf den Dörfern, die Armen in der Stadt lesen Sie, und 1,75 für das Buch ist für diesen Leser zu teuer. Mein Lieber – schicken Sie den Deutschen zum Teufel! Bei Gott, er raubt Sie aus! Plündert Sie schamlos aus! Bedenken Sie, ich habe für eine einzige Ausgabe 17 000 bekommen! ich versichere Sie! »Znanie« kann Ihnen glatt ein bestimmtes, von Ihnen festzusetzendes Jahreseinkommen garantieren, und seien es 25 000. Überlegen Sie es sich, Anton Pavlovič! Und was wäre das prächtig: Sie, ich, Pjatnickij und Posse! Aber – genug davon.‹
Und:

›Mein Teurer und Geliebter, seien Sie so gut, nehmen Sie ernst, was ich Ihnen über Marks und »Znanie« geschrieben habe. Glauben Sie, das alles sind keineswegs Phantastereien von mir, sondern eine solide Sache. Sie ist leicht zu verwirklichen, wenn der Deutsche Sie durch den Vertrag nicht an Händen und Füßen gebunden hat. Geben Sie zu, was haben Sie davon, ihn zu bereichern!... Ich warte auf Antwort. Und was den Vertrag betrifft, so empfehle ich, ihn Pjatnickij zu zeigen, nicht einem Anwalt.‹

943) *21. 6. 1901 – Al.P. Čechov.* 3198.

944) *9. 7. 1901 – A.F. Marks.* 3205.

gegenwärtig in Jalta – Čechov und O.L. Knipper waren am 1.7. nach Jalta gefahren (und am 8. oder 9.7. dort angekommen); Čechov beabsichtigte, im September wieder nach Moskau zu fahren, um dort zumindest eine kurze Zeit zu verbringen, ›Drei Schwestern‹ zu sehen usw.

»Gute Menschen« – 1886 im ›Novoe vremja‹ erschienen, vgl. detebe Nr. 50/XIII.

»Erzählung des Obergärtners« – 1894 erschienen in der Zeitung ›Russkie vedomosti‹, vgl. detebe Nr. 50/XV.

»Auf See« – erschienen 1883 in ›Mirskoj tolk‹, vgl. detebe Nr. 50/XI.

»Bei Bekannten« – 1898 erschienen in ‹Cosmopolis›, detebe Nr. 50/XVI.

»Eine Begegnung« – 1887 im ›Novoe vremja‹, nicht in detebe.

Antwort von A. M. Gorkij-Peškov – auf Brief Nr. 942.

945) *24. 7. 1901 – Maksim Gorkij.* 3208.

auf den Sie Antwort erwartet haben – auf Gorkijs Vorschlag, Čechov behilflich zu sein beim Rückkauf der Rechte von A. F. Marks, z. B. dabei, das nötige Geld dafür aufzutreiben.

den Schluß der »Drei« – nachdem die Zeitschrift ›Žizn‹ ihr Erscheinen eingestellt hatte, konnte der Schluß des Romans dort nicht mehr erscheinen; als Einzelausgabe erschien der Roman 1901 im Verlag ›Znanie‹.

Onkel meiner Olja, ein Deutscher – Karl Ivanovič Zalca.

Skitalec – Stepan Garilovič Skitalec, eigentlich Petrov, 1869–1941, Schriftsteller.

lese Korrektur für Marks – in Aksënovo und Jalta 1901: für Band VI der ›Gesammelten Werke‹. Die letzte Hälfte der Korrekturen für diesen Band schickte Čechov am 1.8.1901 an Marks.

946) *3. 8. 1901 – M.P.* Čechova. 3214.

An Marija Pavlovna Čechova – M. P. Čechova befand sich, während Čechov dieses Testament abfaßte, in Gurzuf auf der Krim; dieses Testament befand sich bis zum Tode Čechovs bei O. L. Knipper in Verwahrung.

Aleksej Dolženko – A. A. Dolženko, Vetter Čechovs ersten Grades.

Elena Čechova – Elena Mitrofanovna Čechova, Cousine väterlicherseits.

947) *23. 8. 1901 – O. L. Knipper.* 3223.

A. A. Dolženko – auch ›Alëša‹, hatte sich am 16.8. mit der Bitte um Geld an Čechov gewandt; er wollte in der Nähe Moskaus ein Grundstück kaufen. Čechov sagte in zwei Briefen (vom 22. und 23.8.) Hilfe zu und wollte Dolženko bei seinem nächsten Moskauaufenthalt auch mit Rat zur Seite stehen.

wann er dich antreffen kann – in Moskau, wohin O. L. Knipper am 20.8. gefahren war; Čechov hatte sie bis Sevastopol begleitet und war am 21. nach Jalta zurückgekehrt.

Maša – Marija T. Šakina, Köchin, auch ›Maša Nr. 2‹ genannt.

Saša Sredin – Aleksandr V. Sredin, Maler; seine Frau: Marija Grigorjevna Sredina.

Madame Bonnier – S. P. Bonnier.

Dieses Porträt... – meint eine Silhouette auf dem Briefbogen, Arbeit von A. A. Chotjaincëva.

die Onkels – Karl und Aleksandr Ivanovič Zalca.

deren Bruder – Vladimir Leonardovič Knipper, 1876–1942, Sänger, Regisseur am Bolšoj Theater; Trauzeuge Čechovs.

948) *24. 8. 1901 – O. L. Knipper.* 3225.

Doroševič – Vlas Michajlovič Doroševič, 1864– 1920, Feuilletonist.

Arzt Reformatskij – Nikolaj Nikolaevič, 1852–1921, Petersburger Psychiater.

Tatarinova – F. K. Tatarinova.

Du schreibst – in dem Brief vom 21.8.1901.

abscheuliches Bild... – im Juniheft 1901 der Petersburger Monatszeitschrift für Kunst und Literatur ›Otdych‹ (Erholung).

949) *1. 9. 1901 – O. L. Knipper.* 3234.

Nemirovič, sein Stück – ›In den Träumen‹, Drama in vier Akten von V.I. Nemirovič-Dančenko, das am 21.12.1901 am Künstlertheater uraufgeführt wurde.

deine Adresse – O. L. Knipper hatte mitgeteilt, sie befinde sich wieder auf Wohnungssuche.

Vortrag von Mečnikov – I. I. Mečnikov, 1845–1916, Biologe. Der erwähnte Vortrag war in Heft 5 (August) der Zeitschrift ›Vestnik vospitanja‹ veröffentlicht.

»Salammbô« – Roman von Gustave Flaubert, erschienen 1863.
Višnevskij – A. L. Višnevskij; Čechov fuhr am 15.9. nach Moskau, wo er am 17. eintraf.
mit Nemirovič versöhnt? – V. I. Nemirovič-Dančenko hatte O. L. Knipper in den vergangenen Jahren sehr hofiert.

950) *3. 9. 1901 – O. L. Knipper.* 3235.

951) *11. 9. 1901 – I. A. Bunin.* 3245.
nicht nach Gurzuf fahren – vermutlich auf Čechovs Grundstück, wozu er sich mit Bunin verabredet hatte. Čechov am 10.9. an O. L. Knipper: ›Bunin kommt mich jeden Tag besuchen.‹
Tolstoj, nach Gaspra – L. N. Tolstoj verbrachte den Winter 1901 mit Familie auf der Krim in Gaspra, nahe Jalta (etwa 10 Verst weit von Jalta entfernt).

952) *18. 9. 1901 – V. A. Ščurovskij.* 3251.
mir mitzuteilen, wann... – Čechov wiederholte, nachdem er keine Antwort bekommen hatte, die Frage am 25.9.

953) *24. 9. 1901 – Maksim Gorkij.* 3257.
war bei Lev Nik. – bei L. N. Tolstoj, vgl. Nr. 951. Čechov hatte Tolstoj am 12.9. besucht.
das Stück – ›Kleinbürger‹.
Schluß der »Drei« – vgl. Anm. Nr. 945.
schicke Ihnen einen... Brief – des in Leipzig lebenden Übersetzers M. Feofanoff.
genauso einen habe ich bekommen – in dem M.Feofanoff um Vermittlung bat, nachdem F. im Börsenblatt des Dt. Buchhandels eine Anzeige gelesen hatte, wonach ein zweiter deutscher Verlag eine Ausgabe des Romans ›Die Drei‹ zum 15. Oktober ankündigte.
Bürger von Arzamas – nach seiner Entlassung aus der Haft war Gorkij unter Hausarrest gestellt worden; im September sollte Gorkij nun in die Kleinstadt Arzamas verbannt werden, vgl.auch Nr.954.

954) *24. 9. 1901 – L. V. Sredin.* 3258.
**Spiridonovka* – Adresse von O. L. Knipper; * *»Bolšaja«:* Große Spiridonovka, Straße im Zentrum Moskaus.
von Arzamas... – Gorkij sollte in die Provinzstadt Arzamas (10.000 Einwohner) verbannt werden; an F. I. Šaljapin schrieb er im September: ›... man schickt mich aus Nižnij nach Arzamas, auf wie lange, weiß ich einstweilen noch nicht. Ich habe aber ein Gesuch eingereicht, damit man mir gestattet, nach Jalta zu fahren.‹ Anfang November fuhr Gorkij auf die Krim.

sein Stück – ›Die Kleinbürger‹. Mitte Oktober schickte Gorkij die drei ersten Akte nach Moskau, Čechov las sie dort um den 17.10. Vgl. Nr.956,957.
»Die Wildente« – von Henrik Ibsen; Premiere am Künstlertheater war am 19.9.1901. Wurde ohne O.L. Knipper gespielt.
Dafür die »Drei Schwestern« – in einem weiteren Brief an Sredin teilt Čechov am 13.10. mit: ›Im Künstlertheater herrscht Unordnung. Die Schauspieler sind krank. Stanislavskij tritt erst am 15. wieder auf. Und meine »Drei Schwestern« werden beinahe täglich, zu meinem großen Ärger, mit einem Veršinin gespielt, der einen Sprachfehler hat.‹ (Für K.S. Stanislavskij spielte S.N. Sudbinin.)
Bau eines Theaters – eines eigenen Gebäudes für das Künstlertheater, das seit 1898 in der Moskauer Eremitage spielte.
»Kramer« – ›Michael Kramer‹ von Gerhart Hauptmann, kam am 27.10.1901 am Künstlertheater heraus. Čechov hatte die letzten Proben gesehen, war am 26.10. aber zurück nach Jalta gefahren.
Sofja Petrovna – S.P. Sredina.
Anatolij, Zina, Aleksandr V. – Anatolij: Bruder des Adressaten; Zina, Aleksandr: dessen Kinder.
Tolstoj Lev – L.N. Tolstoj.

955) *18. 10. 1901 – A.E. Roziner.* 3275.
Roziner – Direktor des Kontors der Zeitschrift ›Niva‹, hatte Čechov am 15.10. mitgeteilt, man bereite jetzt die zweite Auflage des Stückebandes vor und wolle die ›Drei Schwestern‹, 1901 als Einzelausgabe erschienen, jetzt in Band VII der gesammelten Werke aufnehmen.
»Die Gattin« – Erzählung aus dem Jahr 1895, vgl. detebe Nr.50/XV, desgl. ›Ariadna‹.

956) *19. 10. 1901 – V.S. Miroljubov.* 3276.
kommende Woche... nach Jalta – Čechov fuhr am 26.10. zurück.
die Erzählung nicht geschickt – meint die Erzählung ›Der Bischof‹.
Gorkij... ein Stück geschickt – vgl. Anm.Nr.954, 957.

957) *22. 10. 1901 – Maksim Gorkij.* 3278.
Ihr Stück – ›Die Kleinbürger‹. Uraufführung des Stückes: am 26.3. 1902 in der Regie von K.S.Stanislavskij und V.V. Lužskij.
Die Besetzung:
Bessemenov – V.V. Lužskij.
Akulina Ivanovna – E.P. Muratova.
Pëtr – V.Ė. Mejerchold.
Tatjana – M.L. Roksanova.
Nil – S.N. Sudbinin.

Perčichin – A. R. Artëm.
Polja – O. P. Alekseeva.
Elena Nikolaevna – O. L. Knipper.
Teterev – N. A. Baranov.
Šiškin – I. A. Tichomirov.

Verzeichnis der Adressaten

1) chronologisch

661)	1898, 23.2.	Al. P. Čechov
662)	1898, 9.3.	P. F. Iordanov
663)	1898, 22.3.	M. P. Čechova
664)	1898, 2.4.	A. A. Chotjaincëva
665)	1898, 6.4.	A. S. Suvorin
666)	1898, 15.4.	M. P. Čechova
667)	1898, 15.4.	M. P. Čechova
668)	1898, 21.4.	P. F. Iordanov
669)	1898, 28.4.	Al. P. Čechov
670)	1898, 6.5.	A. I. Sumbatov-Južin
671)	1898, 16.5.	V. I. Nemirovič-Dančenko
672)	1898, 16.5.	E. M. Šavrova
673)	1898, 6.6.	V. A. Golcev
674)	1898, 12.6.	A. S. Suvorin
675)	1898, 6.7.	A. I. Sumbatov-Južin
676)	1898, 10.7.	L. A. Avilova
677)	1898, 23./27.7.	L. A. Avilova
678)	1898, 28.7.	V. A. Golcev
679)	1898, 29.7.	Jacques Merpert
680)	1898, 30.7.	Al. P. Čechov
681)	1898, 30.7.	V. I. Nemirovič-Dančenko
682)	1898, 10.8.	R. I. Sementkovskij
683)	1898, 24.8.	P. A. Sergeenko
684)	1898, 24.8.	A. S. Suvorin
685)	1898, 2.9.	V. S. Miroljubov
686)	1898, 8.9.	V. I. Nemirovič-Dančenko
687)	1898, 21.9.	L. S. Mizinova
688)	1898, 27.9.	M. P. Čechova
689)	1898, 8.10.	A. S. Suvorin
690)	1898, 14.10.	M. P. Čechova
691)	1898, 17.10.	A. S. Suvorin
692)	1898, 21.10.	V. I. Nemirovič-Dančenko
693)	1898, 24.10.	L. S. Mizinova
694)	1898, 25.10.	M. P. Čechov
695)	1898, 26.10.	M. P. Čechov
696)	1898, 29.10.	Jacques Merpert
697)	1898, 12.11.	V. I. Nemirovič-Dančenko
698)	1898, 16.11.	Maksim Gorkij
699)	1898, 16.11.	A. S. Suvorin
700)	1898, 26.11.	M. O. Menšikov
701)	1898, 28.11.	Al. P. Čechov
702)	1898, 29.11.	A. S. Suvorin
703)	1898, 29.11.	V. A. Golcev

704)	1898, 3.12.	Maksim Gorkij
705)	1898, 6.12.	M. P. Čechova
706)	1898, 8.12.	M. P. Čechova
707)	1898, 10.12.	V. A. Golcev
708)	1898, 15.12.	M. P. Čechova
709)	1898, 17.12.	M. P. Čechova
710)	1898, 19.12.	A. L. Višnevskij
711)	1898, 26.12.	A. L. Višnevskij
712)	1898, 26.12.	E. M. Šavrova
713)	1899, 1.1.	P. A. Sergeenko
714)	1899, 3.1.	V. I. Nemirovič-Dančenko
715)	1899, 3.1.	Maksim Gorkij
716)	1899, 6.1.	V. I. Nemirovič-Dančenko
717)	1899, 9.1.	M. P. Čechova
718)	1899, 16.1.	P. A. Sergeenko
719)	1899, 16.1.	A. S. Suvorin
720)	1899, 17.1.	A. S. Suvorin
721)	1899, 19.1.	A. S. Suvorin
722)	1899, 19.1.	V. F. Komissarževskaja
723)	1899, 20.1.	M. P. Čechova
724)	1899, 20.1.	P. A. Sergeenko
725)	1899, 23.1.	M. P. Čechova
726)	1899, 27.1.	Al. P. Čechov
727)	1899, 27.1.	A. S. Suvorin
728)	1899, 27.1.	Ju. O. Grjunberg
729)	1899, 29.1.	V. I. Nemirovič-Dančenko
730)	1899, 31.1.	P. A. Sergeenko
731)	1899, 1.2.	P. A. Sergeenko
732)	1899, 5.2.	Al. P. Čechov
733)	1899, 5.2.	L. A. Avilova
734)	1899, 8.2.	V. I. Nemirovič-Dančenko
735)	1899, 16.2.	A. F. Marks
736)	1899, 20.2.	A. M. Kondratjev
737)	1899, 22.2.	I. I. Orlov
738)	1899, 25.2.	A. F. Marks
739)	1899, 26.2.	L. A. Avilova
740)	1899, 4.3.	Al.P. Čechov
741)	1899, 4.3.	A.S. Suvorin
742)	1899, 9.3.	L.A. Avilova
743)	1899, 14.3.	M. P. Čechova
744)	1899, 17.3.	P. A. Sergeenko
745)	1899, 18.3.	I. I. Orlov
746)	1899, 29.3.	A. I. Suvorina

747)	1899, 30.3.	Al. P. Čechov
748)	1899, 16.4.	L. A. Avilova
749)	1899, 24.4.	A. S. Suvorin
750)	1899, 25.4.	Maksim Gorkij
751)	1899, 9.5.	Maksim Gorkij
752)	1899, 9.5.	I. M. Kondratjev
753)	1899, 11.5.	E. P. Goslavskij
754)	1899, 20.5.	O. R. Vasiljeva
755)	1899, 20.5.	V. K. Charkeevič
756)	1899, 21.5.	Ju. O. Grjunberg
757)	1899, 24.5.	P. I. Kurkin
758)	1899, 4.6.	M. O. Menšikov
759)	1899, 16.6.	V. I. Nemirovič-Dančenko
760)	1899, 16.6.	O. L. Knipper
761)	1899, 17.6.	O. L. Knipper
762)	1899, 22.6.	Maksim Gorkij
763)	1899, 24.6.	K. S. Stanislavskij
764)	1899, 26.6.	A. S. Suvorin
765)	1899, 1.7.	O. L. Knipper
766)	1899, 5./6.7.	M. P. Čechova
767)	1899, 8.7.	O. L. Knipper
768)	1899, 8.7.	O. L. Knipper
769)	1899, 11.7.	V. M. Sobolevskij
770)	1899, 17.7.	M. P. Čechova
771)	1899, 22.7.	M. P. Čechova
772)	1899, 8.8.	M. P. Čechova
773)	1899, 19.8.	A. S. Suvorin
774)	1899, 24.8.	Maksim Gorkij
775)	1899, 25.8.	A. F. Marks
776)	1899, 3.9.	O. L. Knipper
777)	1899, 3.9.	Maksim Gorkij
778)	1899, 9.9.	O. L. Knipper
779)	1899, 15.9.	V. A. Golcev
780)	1899, 22.9.	E. P. Karpov
781)	1899, 25.9.	A. F. Marks
782)	1899, 29.9.	O. L. Knipper
783)	1899, 30.9.	O. L. Knipper
784)	1899, 30.9.	L. S. Mizinova
785)	1899, 1.10.	Moskauer Künstlertheater
786)	1899, 4.10.	O. L. Knipper
787)	1899, 4.10.	E. P. Karpov
788)	1899, Anfang Oktober	V. Ė. Mejerchold
789)	1899, 7.10.	O. L. Knipper

790)	1899, 8.10.	A. L. Višnevskij
791)	1899, 11.10.	G. I. Rossolimo
792)	1899, 16.10.	A. I. Urusov
793)	1899, 26.10.	M. P. Čechova
794)	1899, 26.10.	Al. P. Čechov
795)	1899, 30.10.	O. L. Knipper
796)	1899, 1.11.	O. L. Knipper
797)	1899, 3.11.	A. L. Višnevskij
798)	1899, 11.11.	M. P. Čechova
799)	1899, 19.11.	O. L. Knipper
800)	1899, 19.11.	V. A. Posse
801)	1899, 24.11.	V. I. Nemirovič-Dančenko
802)	1899, 26.11.	A. B. Tarachovskij
803)	1899, 27.11.	E. P. Karpov
804)	1899, 3.12.	V. I. Nemirovič-Dančenko
805)	1899, 8.12.	O. L. Knipper
806)	1899, 20.12.	V. A. Posse
807)	1899, 22.12.	Ju. O. Grjunberg
808)	1900, 2.1.	O. L. Knipper
809)	1900, 2.1.	Maksim Gorkij
810)	1900, 8.1.	A. S. Suvorin
811)	1900, 15.1.	M. P. Čechova
812)	1900, 19.1.	I. L. Leontjev-Ščeglov
813)	1900, 21.1.	G. I. Rossolimo
814)	1900, 23.1.	A. S. Suvorin
815)	1900, 24.1.	F. D. Batjuškov
816)	1900, 25.1.	Al. P. Čechov
817)	1900, 27.1.	V. A. Golcev
818)	1900, 28.1.	M. O. Menšikov
819)	1900, 29.1.	M. P. Čechov
820)	1900, 29.1.	L. S. Mizinova
821)	1900, 2.2.	I. L. Leontjev-Ščeglov
822)	1900, 3.2.	Maksim Gorkij
823)	1900, 10.2.	O. L. Knipper
824)	1900, 11.2.	A. L. Višnevskij
825)	1900, 12.2.	A. S. Suvorin
826)	1900, 14.2.	M. P. Čechova
827)	1900, 14.2.	O. L. Knipper
828)	1900, 15.2.	Maksim Gorkij
829)	1900, 17.2.	V. N. Ladyženskij
830)	1900, 19.2.	O. L. Knipper
831)	1900, 22.2.	M. P. Čechova
832)	1900, 29.2.	V. A. Posse

833)	1900, 6.3.	Maksim Gorkij
834)	1900, 7.3.	M. P. Čechova
835)	1900, 10.3.	A. S. Suvorin
836)	1900, 10.3.	V. I. Nemirovič-Dančenko
837)	1900, 17.3.	A. L. Višnevskij
838)	1900, 26.3.	O. L. Knipper
839)	1900, 26.3.	M. O. Menšikov
840)	1900, 26.3.	M. P. Čechova
841)	1900, 26.3.	M. P. Čechova
842)	1900, 29.4.	E. P. Karpov
843)	1900, 20.5.	V. A. Golcev
844)	1900, 13.6.	M. O. Menšikov
845)	1900, 7.7.	Maksim Gorkij
846)	1900, 12.7.	Maksim Gorkij
847)	1900, 5.8.	A. L. Višnevskij
848)	1900, 9.8.	O. L. Knipper
849)	1900, 13.8.	O. L. Knipper
850)	1900, 14.8.	O. L. Knipper
851)	1900, 18.8.	O. L. Knipper
852)	1900, 20.8.	O. L. Knipper
853)	1900, 23.8.	O. L. Knipper
854)	1900, 25.8.	V. F. Komissarževskaja
855)	1900, 30.8.	O. L. Knipper
856)	1900, 5.9.	O. L. Knipper
857)	1900, 6.9.	O. L. Knipper
858)	1900, 8.9.	Maksim Gorkij
859)	1900, 8.9.	O. L. Knipper
860)	1900, 13.9.	V. F. Komissarževskaja
861)	1900, 13.9.	Ju. O. Grjunberg
862)	1900, 15.9.	O. L. Knipper
863)	1900, 22.9.	O. L. Knipper
864)	1900, 27.9.	O. L. Knipper
865)	1900, 28.9.	O. L. Knipper
866)	1900, 4.10.	O. L. Knipper
867)	1900, 7.10.	O. L. Knipper
868)	1900, 9.10.	E. Ja. Čechova
869)	1900, 14.10.	O. L. Knipper
870)	1900, 16.10.	Maksim Gorkij
871)	1900, 1.11.	L. V. Sredin
872)	1900, 10.11.	A. F. Marks
873)	1900, 10.11.	V. A. Golcev
874)	1900, 13.11.	V. F. Komissarževskaja
875)	1900, 15.11.	V. A. Serov

876)	1900, 16.11.	A. S. Suvorin
877)	1900, 10.12.	A. F. Marks
878)	1900, 11.12.	O. L. Knipper
879)	1900, 15.12.	O. L. Knipper
880)	1900, 17.12.	O. L. Knipper
881)	1900, 18.12.	V. I. Nemirovič-Dančenko
882)	1900, 21.12.	O. L. Knipper
883)	1900, 26.12.	O. L. Knipper
884)	1900, 26.12.	O. L. Knipper
885)	1900, 26.12.	O. L. Knipper
886)	1900, 30.12.	O. L. Knipper
887)	1901, 1.1.	Moskauer Künstlertheater
888)	1901, 1.1.	O. L. Knipper
889)	1901, 2.1.	O. L. Knipper
890)	1901, 2.1.	K. S. Stanislavskij
891)	1901, 6.1.	A. L. Višnevskij
892)	1901, 6.1.	O. L. Knipper
893)	1901, 11.1.	O. L. Knipper
894)	1901, 14.1.	O. L. Knipper
895)	1901, 14.1.	I. A. Tichomirov
896)	1901, 15.1.	K. S. Stanislavskij
897)	1901, 17.1.	A. L. Višnevskij
898)	1901, 17.1.	O. L. Knipper
899)	1901, 20.1.	O. L. Knipper
900)	1901, 20.1.	O. L. Knipper
901)	1901, 21.1.	O. L. Knipper
902)	1901, 24.1.	O. L. Knipper
903)	1901, 25.1.	A. L. Višnevskij
904)	1901, 26.1.	M. F. Andreeva
905)	1901, 26.1.	M. P. Čechova
906)	1901, 28.1.	O. L. Knipper
907)	1901, 29.1.	O. L. Knipper
908)	1901, 2.2.	A. F. Marks
909)	1901, 4.2.	O. L. Knipper
910)	1901, 7.2.	V. M. Lavrov
911)	1901, 7.2.	O. L. Knipper
912)	1901, 19.2.	O. L. Knipper
913)	1901, 20.2.	O. L. Knipper
914)	1901, 22.2.	O. L. Knipper
915)	1901, 22.2.	M. P. Čechov
916)	1901, 26.2.	O. L. Knipper
917)	1901, 1.3.	O. L. Knipper
918)	1901, 3.3.	V. A. Posse

919)	1901, 5.3.	M. P. Čechov
920)	1901, 7.3.	O. L. Knipper
921)	1901, 11.3.	A. F. Marks
922)	1901, 12.3.	A. L. Višnevskij
923)	1901, 16.3.	O. L. Knipper
924)	1901, 18.3.	Maksim Gorkij
925)	1901, 23.3.	A. L. Višnevskij
926)	1901, 26.3.	O. L. Knipper
927)	1901, 27.3.	O. L. Knipper
928)	1901, 17.4.	O. L. Knipper
929)	1901, 22.4.	O. L. Knipper
930)	1901, 26.4.	O. L. Knipper
931)	1901, 2.5.	O. L. Knipper
932)	1901, 6.5.	O. L. Knipper
933)	1901, 9.5.	O. L. Knipper
934)	1901, 12.5.	E. Ja. Čechova
935)	1901, 20.5.	M. P. Čechova
936)	1901, 24.5.	A. F. Marks
937)	1901, 25.5.	E. Ja. Čechova
938)	1901, 28.5.	Maksim Gorkij
939)	1901, 4.6.	M. P. Čechova
940)	1901, 8.6.	Maksim Gorkij
941)	1901, 12.6.	A. F. Koni
942)	1901, 18.6.	Maksim Gorkij
943)	1901, 21.6.	Al. P. Čechov
944)	1901, 9.7.	A. F. Marks
945)	1901, 24.7.	Maksim Gorkij
946)	1901, 3.8.	M. P. Čechova
947)	1901, 23.8.	O. L. Knipper
948)	1901, 24.8.	O. L. Knipper
949)	1901, 1.9.	O. L. Knipper
950)	1901, 3.9.	O. L. Knipper
951)	1901, 3.9.	I. A. Bunin
952)	1901, 11.9.	V. A. Ščurovskij
953)	1901, 24.9.	Maksim Gorkij
954)	1901, 24.9.	L. V. Sredin
955)	1901, 18.10.	A. E. Roziner
956)	1901, 19.10.	V. S. Miroljubov
957)	1901, 22.10.	Maksim Gorkij

Verzeichnis der Adressaten
2) alphabetisch

Kurze Chronologie

September 1897 – Oktober 1901

1897 *1. September:* Čechov wird aus Gesundheitsgründen den Winter im Ausland verbringen. Er verläßt Moskau, zunächst mit dem Ziel Biarritz, wo sich V.M. Sobolevskij aufhält.
4. September: Čechov in Paris angekommen.
8. September: Čechov fährt weiter nach Biarritz.
22. September: Čechov fährt zusammen mit V.M. Sobolevskij nach Nizza.
23. September: In Nizza steigt Čechov in der ›Pension Russe‹ in der rue Gounod ab. Lernt M.M. Kovalevskij kennen.
2. November: In den ›Russkie vedomosti‹ erscheint ›Der Pečenege‹.
Anfang November: Denkt an eine Reise nach Algier. Verfolgt aufmerksam den Verlauf der Affäre Dreyfus.
16. November: In den ›Russkie vedomosti‹ erscheint die Erzählung ›In der Heimat‹.
21. Dezember: In den ›Russkie vedomosti‹ erscheint die Erzählung ›Auf dem Wagen‹.
26. Dezember: A.A. Chotjaincëva kommt nach Nizza.

1898 [*1. Januar*]: In der Zeitung ›L'Aurore‹ erscheint Zolas Offener Brief an den Präsidenten Faure, ›J'accuse‹.
Anfang Januar: Schickt französische Literatur an die Städtische Bibliothek Taganrog. Liest im ›Novoe vremja‹ eine kurze Inhaltsangabe von L.Tolstojs Traktat ›Was ist Kunst?‹
9. Januar: Erhält die Nachricht von der Erkrankung M.M. Kovalevskijs. Gibt den Plan einer Reise nach Algier auf.
24. Januar: Willigt ein, sich noch einmal von I.Ė. Braz porträtieren zu lassen, nachdem dieser mit dem ersten Porträt unzufrieden ist.
Anfang Januar: In der Zeitschrift ›Cosmopolis‹ Nr. IX erscheint Čechovs Erzählung ›Bei Bekannten‹. Abkühlung im Verhältnis zu Suvorin wegen dessen Verhalten im Zusammenhang mit der Affäre Dreyfus.
23. Februar: A.I. Sumbatov-Južin in Nizza eingetroffen.
2. März: I.N. Potapenko in Nizza.
14. März: I.Ė. Braz in Nizza, um Čechov zu porträtieren.
14. April: Čechov in Paris. Begegnung mit A. A. Chotjaincëva. Be-

sucht den ›Salon‹, Versailles, trifft mit dem Publizisten B. Lazare zusammen.
2. Mai: Čechov reist nach Petersburg, von dort nach Moskau.
5. Mai: Rückkehr nach Melichovo.
12. Mai: Nemirovič-Dančenko bittet Čechov um Aufführungsgenehmigung der ›Möwe‹ für das neugegründete Moskauer Künstlertheater.
Mitte Juli: Im Juliheft der ›Russkaja mysl‹ erscheint ›Der Mensch im Futteral‹.
23. Juli: Čechov in Serpuchov auf einer Sitzung des Schulrats der Zemstvoverwaltung. Ein weiterer Schulbau wird beschlossen.
Anfang August: Čechov für einige Tage im Gouvernement Tver zu Gast bei V. A. Morozova und I. I. Levitan.
21. August: Nemirovič-Dančenko berichtet Čechov über die ersten Gespräche mit den Schauspielern des Künstlertheaters über die ›Möwe‹.
Sommer: Zu Gast in Melichovo: T. L. Ščepkina-Kupernik, N. M. Lintvarëva, Golcev, P. I. Kurkin, der Verleger Sytin, Ežov, Lazarev-Gruzinskij u. M. O. Menšikov.
August, nach dem 20.: Das Augustheft der ›Russkaja mysl‹ erscheint mit den Erzählungen ›Stachelbeeren‹ und ›Von der Liebe‹.
Ende August: Aus Gesundheitsgründen denkt Čechov, den Winter auf der Krim und im Kaukasus zu verbringen.
9. September: Fährt nach Moskau, wohnt einer Probe der ›Möwe‹ bei (Erster Akt und ein Teil des zweiten), lernt die Schauspieler des Künstlertheaters kennen.
14. September: Čechov besucht eine Probe zum ›Fëdor Ioannovič‹ von A. K. Tolstoj, der Eröffnungsinszenierung des Moskauer Künstlertheaters.
15. September: Abreise Čechovs nach Jalta.
18. September: Ankunft in Jalta. Wohnt in Haus Bušev. Begegnungen mit K. Balmont, F. I. Šaljapin, S. Elpatjevskij, V. S. Miroljubov.
Anfang September: In den ›Literaturbeilagen zur Zeitschrift »Niva«‹ Nr. IX erscheint die Erzählung ›Ionyč‹.
Seit Herbst: Čechov denkt an eine Gesamtausgabe seiner Erzählungen, Novellen und Theaterstücke bei A. S. Suvorin.
12. Oktober: In einer Moskauer Klinik stirbt Čechovs Vater.
vor dem 27. Oktober: Čechov kauft ein Grundstück in Autka.
Ende Oktober: Schickt Suvorin die gesammelten frühen Humoresken für Band I der Werkausgabe. Die Texte gehen in Petersburg in Satz. Čechov lernt den Architekten L. N. Šapovalov kennen, der

das Čechovsche Haus in Autka entwirft. Lernt den Arzt I.N. Altšuller kennen. Besuch von M.P. Čechova in Jalta, sie bleibt bis zum 5. oder 6. November.
Mitte November: Čechov liest Gorkij. Schreibt ihm, nachdem dieser durch V.S. Miroljubov zu Čechov Kontakt aufgenommen hatte.
1. Dezember: Čechov erhält die Baugenehmigung für Autka.
17. Dezember: Premiere der ›Möwe‹ am Moskauer Künstlertheater in der Regie von V.I. Nemirovič-Dančenko und K.S. Stanislavskij. Die Aufführung wird ein überwältigender Erfolg für das Stück, für Čechov wie auch für das Theater.
um den 20.Dezember: In der ›Russkaja mysl‹, Heft XII, erscheint die Erzählung ›Ein Fall aus der Praxis‹.

1899 *1. Januar:* Čechov erklärt sich bereit, mit dem Verleger A.F. Marks in Verhandlungen zu treten, der die Rechte an Čechovs Gesamtwerk erwerben möchte. Erteilt P.A. Sergeenko Verhandlungsvollmacht.
3. Januar: In der Zeitschrift ›Semja‹ erscheint die Erzählung ›Dušečka‹, in den ›Russkie vedomosti‹ die Erzählung ›Das neue Landhaus‹.
Mitte Januar: In den ›Knižki Nedeli‹ erscheint die Erzählung ›Auf der Dienstreise‹.
21. Januar: Der Vorvertrag mit A.F. Marks wird unterzeichnet.
23. Januar: V.M. Lavrov kommt nach Jalta. Häufige Begegnungen mit Čechov bis Mitte März.
26. Januar: P.A. Sergeenko unterzeichnet als Bevollmächtigter Čechovs den Vertrag mit Marks. Für Abtretungen sämtlicher Autorenrechte an bereits publizierten Werken erhält Čechov 75.000 Rubel, zahlbar in mehreren Raten, 20.000 bei Vertragsabschluß. Čechov verpflichtet sich, sein bisheriges Gesamtwerk Marks binnen 6 Monaten vorzulegen. Čechov behält die Rechte an den Theaterstücken sowie das Recht der einmaligen Veröffentlichung neuer Werke, bevor sie ins Eigentum von Marks übergehen.
Anfang Februar: Vorschlag Lavrovs an Čechov, Redakteur für den literarischen Teil der ›Russkaja mysl‹ zu werden.
Februar-Juli: Čechov sammelt und sichtet sein Gesamtwerk. M.P. Čechova, L.A. Avilova u.a. schreiben Erzählungen, Humoresken aus Zeitungen heraus, die Čechov nicht in die Erzählungsbände bei Suvorin aufgenommen hatte. Čechov korrigiert, kürzt viele Erzählungen, schreibt zahlreiche Texte um.
18. März: Gorkij und V.S. Miroljubov in Jalta eingetroffen. Häufige Begegnungen mit beiden.

April: Liest Korrektur des ersten Bandes der Gesamtausgabe. Lernt A. I. Kuprin kennen.
10. April: Čechov fährt nach Moskau.
16. April: Umzug in die neue Wohnung, Haus Šeškov in der Malaja Dmitrovka in Moskau.
1. Mai: Das Moskauer Künstlertheater spielt eigens für Čechov in einer geschlossenen Vorstellung die ›Möwe‹.
Anfang Mai: Das Künstlertheater liest in Gegenwart Čechovs den ›Onkel Vanja‹.
7. Mai: Čechov fährt nach Melichovo. Kümmert sich um den 1898 beschlossenen Schulneubau.
24. Mai–30. Mai: Čechov in Moskau. Proben zum ›Onkel Vanja‹.
10. Juni: Čechov fährt für einen Tag nach Petersburg, trifft sich mit A. F. Marks.
12. Juli: Čechov fährt nach Taganrog, von dort am 17. Juli weiter nach Novorossijsk.
18. Juli: Trifft in Novorossijsk O. L. Knipper. Weiterreise nach Jalta.
2. August: Fährt mit O. L. Knipper zurück nach Moskau. Schickt A. F. Marks die letzten korrigierten Bögen für Band I der Gesamtausgabe, schickt die Stücke für Band VII.
25. August: Čechov fährt zurück nach Jalta.
8. September: E. Ja. und M. P. Čechova treffen in Jalta ein.
25. September: Schickt die Fahnen von Band II der Gesamtausgabe an Marks.
25. Oktober: M. P. Čechova fährt nach Moskau zurück.
26. Oktober: Premiere des ›Onkel Vanja‹ am Künstlertheater Moskau in der Regie von V. I. Nemirovič-Dančenko und K. S. Stanislavskij.
November: Schreibt an der Erzählung ›In der Schlucht‹. Kümmert sich in Jalta um die Unterbringung mittelloser Tuberkulosekranker. Verfaßt einen Aufruf zum Bau eines Sanatoriums.
6. Dezember: Čechov wird für Verdienste auf dem Gebiet der Volksaufklärung der Stanislausorden verliehen.
Mitte Dezember: Band I der Gesamtausgabe bei A. F. Marks erschienen.
20. Dezember: Im Dezemberheft der ›Russkaja mysl‹ erscheint die ›Dame mit dem Hündchen‹.
Ende Dezember: I. I. Levitan in Jalta.

1900 *1. Januar:* In der ›Peterburgskaja gazeta‹ erscheint die Erzählung ›Zur Weihnachtszeit‹, im Januarheft der Zeitschrift ›Žizn‹ die Erzählung ›In der Schlucht‹.

Anfang Januar: Gorkijs Roman ›Foma Gordeev‹ erscheint, er ist Čechov gewidmet.
8. Januar: Čechov wird, zusammen mit Tolstoj, Korolenko, A.F. Koni, V.S. Solovjëv u. a., zum Mitglied der Sektion Schöngeistige Literatur bei der Akademie der Wissenschaften gewählt.
Mitte Januar: Kauft ein Grundstück in Gurzuf, direkt am Meer.
24. Januar: Tolstoj sieht im Künstlertheater den ›Onkel Vanja‹.
Anfang März: A.L. Višnevskij für einige Tage in Jalta.
16. März: Gorkij und V.A. Posse in Jalta eingetroffen. Häufige Begegnungen mit Gorkij. Čechov drängt Gorkij, ein Stück zu schreiben.
7. April: Das Moskauer Künstlertheater in Odessa eingetroffen. Gespielt werden vom 10.-13. April ›Onkel Vanja‹, ›Einsame Menschen‹ von G. Hauptmann, ›Hedda Gabler‹ von H. Ibsen und die ›Möwe‹. Danach gastiert das Künstlertheater bis 23. April in Jalta.
6. Mai: Čechov fährt nach Moskau, besucht mehrmals den erkrankten Maler Levitan.
17. Mai: Fährt nach Jalta zurück.
20. Mai: Stiftet 1000 Rubel für eine neue Schule in Mulachatka.
Ende Mai-13. Juni: Reist mit Gorkij, V. Vasnecov und A. Aleksin nach Tiflis.
Juli: O.L. Knipper zu Gast bei Čechov.
22. Juli: I.I. Levitan in Moskau gestorben.
Anfang August: Begegnung mit V.F. Komissarževskaja in Jalta. Arbeit an den ›Drei Schwestern‹.
8. und 22. August: Stanislavskij bei Čechov.
Mitte Oktober: Čechov hat die erste Fassung der ›Drei Schwestern‹ abgeschlossen.
21. Oktober: Fährt nach Moskau.
23.-24. Oktober: Čechov liest gemeinsam mit dem Ensemble des Künstlertheaters die ›Drei Schwestern‹.
Ende Oktober: Sieht Vorstellungen des Künstlertheaters.
11. Dezember: Čechov fährt ins Ausland, ohne die Korrekturen an den ›Drei Schwestern‹ abgeschlossen zu haben; fertig sind nur die beiden ersten Akte.
14. Dezember: Ankunft in Nizza. Čechov wohnt wieder in der ›Pension Russe‹.
16. Dezember: Schickt den III. Akt der ›Drei Schwestern‹ nach Moskau.
18. Dezember: Die ›Drei Schwestern‹ von der Zensur genehmigt. Čechov arbeitet an Änderungen im IV. Akt.
Ende Dezember: Begegnungen mit M.M. Kovalevskij.
28. Dezember: V.I. Nemirovič-Dančenko bei Čechov in Nizza.

1901 *Mitte Januar:* Band VII (›Stücke‹) bei A.F. Marks erschienen.
26. Januar: Fährt mit M.M. Kovalevskij und Prof.Korotnev nach Italien.
27. Januar: Ankunft in Pisa.
28. Januar: Ankunft in Florenz.
30.-31. Januar: Weiterreise nach Rom.
31. Januar: Uraufführung der ›Drei Schwestern‹ am Künstlertheater in Moskau in der Regie von V.I. Nemirovič-Dančenko, K.S. Stanislavskij und V.V. Lužskij.
1.-7. Februar: Čechov in Rom.
11. oder 12. Februar: Ankunft Čechovs in Odessa.
15. Februar: Rückkehr nach Jalta. In Jalta hält sich I. A. Bunin auf, mit dem Čechov sich häufig trifft.
19. Februar: Das Moskauer Künstlertheater gastiert in Petersburg mit dem ›Onkel Vanja‹. Im Februarheft der ›Russkaja mysl‹ erscheinen die ›Drei Schwestern‹.
30. März: O.L. Knipper trifft in Jalta ein, bleibt bis 14.April.
23. April: V.I. Nemirovič-Dančenko bei Čechov.
9. Mai: Čechov fährt nach Moskau.
Mitte Mai: ›Drei Schwestern‹ im Verlag A.F. Marks erschienen.
17. Mai: Čechov läßt sich von V.A. Ščurovskij untersuchen, der eine Verschlechterung von Čechovs Gesundheitszustand feststellt und eine Kumys-Kur im Gouvernement Ufa empfiehlt.
25. Mai: Čechov heiratet O. L. Knipper und reist gleich danach mit ihr zur Kur ins Gouvernement Ufa. Unterwegs Besuch bei Maksim Gorkij in Nižnij Novogorod.
1. Juni: Ankunft im Dorf Aksënovo.
27. Juni: Gorkij rät Čechov, den Vertrag mit A.F.Marks zu lösen.
1. Juli: Čechov und O. L. Knipper fahren nach Jalta. Ankunft dort am 8. oder 9.Juli.
13. Juli: Band V der Gesamtausgabe erscheint.
1. August: Čechov schickt die letzten Korrekturen für Band VI an A.F. Marks.
3. August: Čechov setzt ein Testament auf.
20. August: O.L. Knipper fährt nach Moskau zurück, Čechov begleitet sie bis Sevastopol. Arbeit an der Erzählung ›Der Bischof‹.
15. September: Čechov fährt nach Moskau.
19. September: Sieht die Premiere der ›Wildente‹ im Künstlertheater. Liest Korrektur des VIII.Bandes der Gesamtausgabe.
Mitte Oktober: Liest die ersten drei Akte von Gorkijs ›Kleinbürgern‹.
23. Oktober: Erneute Untersuchung bei Prof. Ščurovskij.
26. Oktober: Čechov fährt nach Jalta zurück.